다이노원정대 I

서이현 지음

C o n t e n t s

C o n t e n t s

작가의 말

2019년 여름이었습니다. 다이노원정대의 시작점이었죠. 제 나이 9살, 둘째 동생은 4살로 둘 다 어렸어요. 제 동생, 하석이는 한참 공룡을 좋아하던 나이였고요. 저는 하석이에게 공룡이 나오는 짧은 이야기를 해주며 함께 웃었습니다. 막내를 재우느라 바쁘신 부모님을 대신해 하석이와 함께 잠이 들며 심심함과 무료함을 달랜 것이죠. 9살이 이야기를 해봐야 얼마나 길었겠어요. 아주 짧은 이야기임에도 불구하고 하석이는 깔깔대며 웃었고 그에 힘입어 저는 조금씩 이야기의 분량을 늘리기 시작했어요. 그러다가 2년이 지난 2021년 여름, 부모님의 제안에 따라 이 이야기를 글로 옮기기 시작했습니다. 부모님의 응원에 힘입어 저는 마음껏 글쓰기를 할 수 있었어요. 처음에는 테라와 카르노의 학교 생활을 중심으로 이야기가 펼쳐지다, 나중엔 드로메드와 옐로이즈가 등장하며 다이노원정대를 이루었죠. 드로메드와 옐로이즈는 지금 가장 중요한 역할이기도 하지만 처음에는 주인공은커녕 등장 계획도 없던 캐릭터1 이었어요~ 그런데 제가 생각한 드로메드의 캐릭터가 너무나도 다이노원정대의 대장과 잘 들어 맞아 갑자기 비중이 높아지고 이 긴 이야기의 중심이 되었죠. 그러다보니 밤에 잠들기 전, 하석이와 함께 나누던 이야기가 어느샌가 이렇게 지금의 다이노원정대가 되었네요. 저도 이 짧은 이야기들이 장편 소설이 될 줄은 상상도 하지 못했습니다. 어린 시절 동생과의 추억을 담은 이 이야기를 독자 분들께서 어떻게 읽어 주실지 모르겠네요~

다이노원정대는 짜릿한 모험 속 따듯한 우정을 담아 내고 있습니다. 등장인물 간의 끈끈한 유대와 우정은 이 세상 그 무엇보다도 아름답습니다. 전 이 작품 안에 우정의 소중함과 그 이면에 관한 제 마음을 담았습니다. 주인공들의 상처와 많은 모험을 통해 독자 분들께서는 우리가 서로에게 얼마나 큰 의미를 가지는지, 지금 이 순간이 얼마나 소중한지를 느껴 주셨으면 좋겠습니다. 이야기 속 다섯 아이들은 각자 아픈 비밀을 갖고 있죠. 판타지와 마법이라는 소재가 입혀져 있지만 그 아픔은 모두 우리 현대 사회에서 일어나는 일과 비슷하게 시작되었고, 우리 사회가 갖고 있는 아픔들과 유사합니다. 이제 다이노원정대가 이 상처들을 치유하며 성장하는 모습, 아직 다 담아내지 못한 아이들의 이야기를 끝까지 지켜봐 주시길 바래요.

끝으로, 길고 긴 이야기를 모두 읽어 주실 독자 여러분께 미리 감사의 말씀을 전합니다. 이 이야기가 여러분의 고된 일상에 작은 기쁨이 되길 바랍니다. 그리고, 다이노원정대의 탄생을 처음부터 끝까지 함께한 제 동생 하석이에게 너무나도 고맙고 고맙다는 말을 하고 싶습니다. 또한, 가끔씩 이야기가 풀리지 않아 힘들 때 기가 막힌 해결 방안을 제시해 절 도와주었던 숨은 공신 막내 유하에게도 고맙습니다. 저의 책 출판을 아낌없이 지원해 주신 부모님과 표지 디자인, 교정을 맡아 주신 분들께도 모두 감사드립니다. 제가 힘들어 할 때마다 자존감을 높여 주시고 항상 등을 토닥여 주셨던 엄마, 책 출판에 대해 아낌없이 지원해 주신 아빠. 모두 고마워요. 앞으로 더욱 똑똑하고 영리해진 하석이의 번뜩이는 아이디어와 어린 아이다운 유하의 순수함과 재치를 빌려 더 좋은 글로 독자분들께 보답 드리겠습니다. 계속 제 동생들과 이 뒷이야기를 이어 가기를 바라며, 다음을 기약해보겠습니다. 그때까지, 우리 모두 힘내서 살아가 보아요.

12월, 서늘한 추위 속 따듯함을 전하 고픈 작가가.

다이노원정대 1

미로속의 암호

프롤로그

환영한다. 이곳은 천상의 마법과 지옥의 마법이 함께 공존하는 마법의 세상 노르아덴. 하늘에도, 바다에도, 땅에도, 지하에도 이곳엔 각자의 왕국과 국가가 있다. 모든 것이 마법으로 이루어져 있는 마법의 나라들이 몇 백, 몇 천년 동안 싸우며 지금의 노르아덴을 형성했다.

아름답고 신기한 세상 노르아덴. 하지만 그 실상은 겉모습만큼 마냥 아름답지만은 않았다. 빛 좋은 개살구라 하지 않던가? 아름다운 겉모습에 속아 넘어갈 뿐이다. 마을에서 조금이라도 벗어나면 굶주린 괴물이 가득한 숲이나 동굴에서 길을 잃기 십상이다. 이런 노르아덴에서 일반인은 목숨을 부지하기 아주 힘들다. 악랄한 마법사들과 굶주린 괴물들. 어둡고 사악한 마법사와 괴물들이 활동하는 칠흑 같이 어두운 밤. 밤에 특히 조심해야 한다. 사람들을 노리는 용이 있기 때문이다. 모든 용이 위험하지는 않지만 밤에 활동하는 용들은 매우 포악하고 모두 굶주려 있다. 밤에 용을 만났을 때 살아남을 확률 따위는 없었다. 그 사람은 안타깝게도 생을 마감해야 했다.

위험천만한 노르아덴은 크게 네 가지로 나누어져 있다. 바다, 지하, 하늘, 그리고 땅. 바다에는 8개의 왕국이, 지하에는 1개의 왕국이, 하늘에는 2개의 왕국이, 땅에는 9개의 왕국이 있다. 하지만 지하의 유일한 왕국은 400년 전에 사라졌고 아직까지 발견되지 않았기에 온전히 남아 있다고 할 수는 없다. 또 바다 왕국 중 하나는 후계자가 사라져 멸망 직전이고 땅 위의 두 왕국은 사라졌다.

망한 왕국도 있지만 지하, 바다, 하늘에 사람이 살 수 있는 이유는 바로 마법이 노르아덴에 존재하기 때문이다. 바다와 지하에서는 숨을 쉴 수 있고 하늘에선 번개를 타고 다닌다. 마법을 쓰는 사람들을 통틀어 마법사라고 하고 마법을 쓸 수 있는 아이를 벤트 아이라 한다. 마법사들과 아이들은 각국가, 왕국에 많이 분포하여 살고 있다. 마법사와 벤트 아이들은 각자의 등급이 있다. 1단계, 2단계, 3단계, 4단계까지 계급이 있다. 1단계는 초보, 2단계는 중수, 3단계는 고수이다. 노르아덴의 마법사와 벤트 아이를 합친 것 중 30%가 1단계의 마법사, 벤트 아이이고 50%가 2단계, 마지막 3단계가 20%를 차지하고 있다. 왜 4단계는 없느냐고? 4단계의 마법사와 벤트 아이는 이론 상으로만 존재하기 때문이다. 대마법사 베르테와 21명의 제자들, 지하의 왕국에 있었던 몇 백년 전의 벤트 아이가 4단계 마법을 부리는 벤트 아이라는 전설만 남아 있을 뿐이었다.

자, 그럼 이제 벤트 아이와 대마법사 베르테에 대한 얘기를 해보자. 평범한 아이가 벤트 아이가 되는 경우는 두 가지가 있다. 태어날 때부터 마법을 지니고 세상에 나오는 아이들과 태어날 땐 평범했지만 자라며 자신이 벤트 아이라는 걸 아는 경우가 있다. 보통 5살에서 7살의 나이에 벤트 아이라는 것을 알게 된다. 말을 하고 어느 정도 의사소통을 할 수 있는 8살에서 19살까지의 마법을 쓰는 아이들을 벤트 아이라고 한다. 20세가 되는 순간부터 벤트 아이가 아닌 마법사가 되는 것이다. 8세 미만의 아이들은 영유아이므로 마법을 다루는 방법을 배우지 않고 일반 아이들과 같은 유치원에 다닌다. 어릴 때는 1단계이든, 2단계이든, 3단계이든 마법의 강도가 세지 않고 마법을 부리는 방법을 잘 모르기 때문에 일반 아이들과 생활할 수 있었다.
벤트 아이들도 학교를 다닌다. 이젠, 학교에 대해 알려주겠다. 벤트 아이들은 벤트 아이만 갈 수 있는 특별한 마법 학교에 다닌다. 보통의 경우, 아직 모든 게 익숙지 않은 8살부터 15살까지의 아이들이 마법 학교에 다닌다. 발현이 아무리 늦어도 7살에는 되기 때문에 입학을 8살 때 하여 1학년부터 8학년까지의 과정을 거쳐 졸업을 한다. 입학 전에는 시험을 보는데 그 시험에 따라 자신의 단계가 정해진다. 시험까지 다 보고 8살에 입학을 해 1학년이 되면 반을 배정받는다. 배정은 자신의 단계에 따라 달라진다. 1단계는1반, 2반, 3반, 4반에 배정, 2단계는 5반, 6반, 7반, 8반, 9반에, 3단계는 10반이나 11반에 배정된다. 보통은 11반을 유지하지만 반이 더 많아질 수도 있다. 반이 너무 많아 힘들기는 하지만 학생 수가 절대 줄어드는 일은 없었다. 안 그래도 들어오기가 힘들어 경쟁률이 센데 더 늘어나지는 않을 망정 줄어들지는 않는 것이다. 이런 이치에 따라 외진 곳에 있어 오기 힘들다는 은하 초등학교도 11반을 유지하고 있다. 은하 초등학교는 너무도 외진 곳에 있어 1학년 때부터 이 학교를 다니지 않거나 어릴 때부터 살지 않는 이상 적응이 힘들다.
노르아덴의 유명한 마법 학교로는 메디니아의 은하 초등학교, 트라이나의 에소포네 초등학교, 리스트너의 루비 초등학교, 벨제리엘의 우주 초등학교, 프리타니아의 유스테 초등학교, 오레벨티오의 디오네린 초등학교가 있다. 에소포네 초등학교와 유스테 초등학교, 디오네린 초등학교는 대마법사 베르테와 함께 노르아덴을 창조한 21명의 제자 중 프리타니아와 트라이나, 오레벨티오의 초대 왕과 여왕의 이름을 본따 지은 것이다. 학생이 가장많은 학교는 오레벨티오의 디오네린 초등학교이다. 디오네린 초등학교 학생 수는 한 반에 30명씩 16반이 있고 그렇게 8학년이 있으니 3,840명이다. 그에 비해 학생 수가 가장 적은 은하 초등학교는 2640명의 학생이 재학 중이다. 노르아덴의 인구는 약 35억 명이다. 전체를 100%라 쳤을 때 아이의 비율은 35%정도 된다. 거의 3분의 1이 아이인 셈이고 그중에서 3분의 1이 벤트 아이이니 그야말로 수가 엄청나다. 그런데 학교는 6개 밖에 없으니 아무리 학생 수가 많다 해도 매년 경쟁률이 어마 무시하다. 경쟁에서 밀린 아이들은 홈스쿨링을 한다. 노르아덴에서는 학교가 의무교육이 아니기 때문에 집에서 공부해도 된다. 벤트 아이이면 학교에 나오는 게 좋지만 어쩔 수 없다면 가능하다는 얘기다. 15살까지는 초등학교라 불리는 학교를 다니고 시험을 본 뒤, 90점 이상을 넘겨야 졸업할 수 있다. 졸업한 뒤에는 중학교라 불리는 평범한 학교에서 평범한 아이들과 어울려 지낸다. 혹여나 중학교에서 사고가 날까 15살 아이들이 초등학교 마지막 시험을 봐 통과하는 것이다. 이 벤트 아이들은 위대한 대마법사이자 노르아덴을 만든 태초의 신이라 여겨지는 베르테의 후손이라 여겨진다.

베르테는 우주가 혼란으로 가득했던 처음의 노르아덴을 보고 만들어낸 대마법사이다. 초창기 노르아덴은 건조하고 황무지만 존재했다고 한다. 베르테는 노르아덴에 오자 마법을 이용하여 적막했던 노르아덴을 활기차게 만들어줄 사람들을 탄생시키기 시작했다. 그리고 이 일을 도와줄 사람들 또한 탄생시켰다. 그 사람들이 바로 마법사이다.

베르테와 그 제자 마법사 21명, 벤트 아이들은 사람들과 동물들, 식물들이 살 수 있는 하늘, 땅, 바다를 만들었다. 그리고 사람들이 나라를 세우고 농사를 짓고 행복하게 살아가는 것을 보던 어느 날, 대마법사 베르테는 제자들에게 자신은 이제 여한이 없다는 말을 남긴 뒤 자취를 감추었다. 사람들은 대마법사 베르테를 창조신이라고 믿고 숭배하기 때문에 대마법사 베르테를 부를때도 꼭 '대마법사 베르테' 라고 불러야만 한다. 비록 대마법사 베르테는 사라진지 오래 되었고 그가 실제로 존재했는지조차 알 수 없지만 사람들은 대마법사 베르테가 있기에 마법도 있는 것이라고 여겨 매년 대마법사 베르테가 노르아덴에 온 날이라고 전해지는 12월 21일을 대마법사 베르테의 날로 지정한다. 그날만큼은 모두가 쉬는 날이기에 모든 사람들이 축제를 열고 베르테를 기념한다. 페디그라드는 대마법사 베르테가 가장 먼저 만든 곳이자 정착한 곳이기에 12월 페디그라드는 관광객이 미어 터진다.

이러한 재미있는 신화와 환상과 공포가 존재하는 노르아덴 땅 위에 있는 왕국인 메디니아에는 어리고 용감한 전사들이 살고 있다. 이 세상을 바꿀 운명을 타고난 아이들이 말이다.

1. 고민

추운 겨울 아침, 드로메드와 옐로이즈의 집에 다이노원정대가 모였다. 대장 드로메드가 긴급회의 요청을 했기 때문이었다.
아주 중요한 일 아니면 긴급회의는 하지 않았고 평범한 회의도 평소에 별로 하지 않아서 드로메드가 회의 요청을 하자 다들 놀라서 부리나케 전화를 해 왔다. 잠 많은 테라도 바로 일어나 시끄럽게 전화를 걸었다. "드로메드! 갑자기 뭔 긴급 회의? 무슨 일이야?" "아니야. 뭐 별 건 아니고~ 천천히 와~" 테라가 급한 목소리로 전화를 하더니 드로메드의 느긋한 목소리를 듣고서야 안심을 했다. 겨울 방학을 앞둔 주말인 지금, 드로메드의 집은 매우 평화로웠다. 모닥불은 타닥타닥 소리를 내며 타들어 갔고 드로메드는 여유롭게 앉아 명상을 했다. 친구들에게 들려줄 회의 내용을 생각하면서 말이다. 재미있는 하루가 될 것 같았다. '얘네들과 있으면 재밌는 일이 많이 생긴다니까…'
드로메드는 아늑한 전용 의자에 몸을 맡겼다. 의자가 끼릭끼릭 소리를 내며 앞뒤로 흔들렸다. 그때 딸랑, 하는 경쾌한 종소리가 울렸다. 드로메드는 살며시 눈을 떴다. "으아아악! 무슨 일이야?! 갑자기 긴급회의? 진짜 긴급이야?" 카르노가 괴상망측한 소리를 지르며 집안으로 발을 들였다. 드로메드의 부모님께서 집에 계셨다면 놀라셨을 정도로 크게 목소리를 내면서 말이다. 다행스럽게도 드로메드의 부모님께서는 지인을 만나러 일주일간 여행을 가셨다. “어휴, 놀래라. 얼굴을 보니 다치지는 않은 것 같네. 아침부터 왜 부르고 난리야… 난 아침잠이 많다고…” 카르노는 안심하며 긴장을 풀었다. 드로메드가 카르노에게 문자를 보내자마자 제일 먼저 뛰어온 것이다. 카르노의 집은 비교적 드로메드, 옐로이즈의 집과 가까운 편이라 부르기만 하면 언제든 뛰어올 수 있었다. 카르노의 얼굴은 추운 겨울에 뛰어서 그런지 그의 머리색과 눈동자처럼 굉장히 붉어져 있었다. 카르노가 이렇게 겨울에 뛰는 일은 극히 드물다. 하지만 드로메드가 갑자기 긴급회의 요청을 해서 걱정되었는지 전력 질주를 한 모양이었다. “나 멀쩡해. 그냥 회의할 게 좀 있어서. 그리고 내가 다쳤으면 너희에게 말짱하게 문자를 못 보내지.” 드로메드가 웃으며 팩트를 짚어 주었다. 드로메드의 말에 카르노는 괜히 걱정했다며 투덜거렸다. “옐로이즈는 지금 자. 테라도 오는 데 시간이 걸릴테고. 그만 투덜거리고 앉아. 뭐라도 좀 줄까?” “괜찮아.” 그 뒤에, 카르노는 자리에 앉아 드로메드와 이런 저런 이야기를 했다.

방학을 앞둔 지금, 11살 아이들은 할 말이 아주 많았다. 그로부터 30분 정도 지나 옐로이즈가 계단을 타고 타다닥 바쁘게 내려왔다. “오빠! 나 좀 깨우지 그랬어.” 긴급 회의를 하는지 모르고 잘 자던 옐로이즈가 드로메드의 쪽지를 보고는 급하게 내려온 것이다. “자던 애를 어떻게 깨우니. 그래도 일어났으니 다행이네.” 옐로이즈는 오빠 옆에 있는 붉은 머리칼을 보더니 바로 걸음을 멈추고 곧바로 양치랑 세수를 하러 화장실에 들어갔다. 내려오는 속도가 빨라서 멈출 때 넘어질 것 같았는데 아니었다. 바로 방향을 바꾸어 뛰는데, 이런 면에서 옐로이즈는 참 대단하다. "근데, 무슨 얘기를 하려고 부른 거야? 진짜 긴급회의?" 카르노가 물었다. "음… 예전부터 고민하던 문제. 오늘 이 문제로 회의를 좀 해보자. 우리도 언제까지 이렇게 놀 수는 없잖아. 뭐라도 해야지." 드로메드는 심각하게 말하며 다리를 꼰 뒤 입술을 손가락으로 톡톡 건드렸다. 심각해질 때 나오는 일종의 버릇이었다. 보이는 모습이 우습기도 하고 이 버릇이 정말 자기도 모르게 나오는 거라 고치려고 보면 말해 달라 하지만 카르노는 킥킥거리며 웃기만 하고 차마 말할 수 없었다. 그로부터 7분쯤 지났을까 헐레벌떡 테라가 날개를 퍼덕이며 날아왔다. 테라는 드로메드, 옐로이즈의 집과는 먼 곳에 있어 날아서 와도 5분 이상의 시간이 걸렸다. 그리고 문자도 다른 아이에 비해 늦게 본 것 같았다.

테라까지 도착하자 드로메드가 말했다. "좋아. 다 왔으니까 본론부터 말할게. 우리가 예전부터 고민해왔던 문제. 이제 결정을 낼 때야." 다이노원정대가 생긴지 벌써 3개월하고 반이 지났다. 하지만 흥미로운 모험을 할 수 있는 기회가 잘 오지 않았다. 기껏해야 잃어버린 물건을 찾거나 미아를 경찰서에 데려다 주는 일이었다. 처음에 다이노원정대가 생각한 것과는 너무 달랐다. 그래서 새로운 멤버를 구하려고 했다. 인원 수가 늘면 확실히 눈에 잘 띄고 강해지니 더 짜릿한 모험을 할 수 있는 기회가 있을 것 같다는 생각 때문이었다. 그리고 드로메드의 가장 친한 친구들인 알렉스, 타우, 데이비드는 모두 마법을 잘 다루는 3단계 이상 강한 실력자들이고 테라의 친구들인 아르마와 티라는 빠른 달리기와 바람, 모래를 다룰 수 있는 능력들을 가지고 있기 때문에 도움이 될 것 같았다. 물론, 타우는 그 좋은 능력을 안 쓰긴 했다. "하지만 그게 어디 쉽나? 그리고 인원을 늘리는 게 도움이 될까? 우리 반 애들이 실력 좋은 건 맞지. 타우는 조용하지만 마법 엄청 잘 쓰고 강하잖아. 처음엔 놀랐다니까. 모타카도 허당이긴 하지만 물을 잘 다루는 건 맞고. 근데 걔네가 다이노원정대에 들어오리란 보장도 없잖아." 카르노가 현실을 짚어주었다. 그러자 드로메드가 웃으며 말했다. "그건 두고 볼 일이지... 안 그래? 오늘 긴급회의를 연 건 다들 준비를 해놓으라고 한 거였어. 중요한 정보도 알릴 겸. 문자 보다는 직접 만나 전달하는 게 더 나을 것 같아서. 내일 준비 단단히 해둬. 준비물은 건장한 몸과 마음뿐. 바쁜 하루가 될 거야."

2. 운명적인 선택

다음날, 드로메드가 예고한 대로 아침 일찍부터 다이노원정대 2명이 카르노의 집에 가고 있었다. "오빠 근데 진짜 그 사람이 우릴 지켜보고 있었어? 난 왜 몰랐지?" 온 몸을 꽁꽁 싸맨 엘로이즈가 웅얼거리다가 목도리를 풀며 말했다. 그리고 드로메드는 목도리를 다시 올려 주었고 이미 백 번은 더 말했던 얘기를 친절히 설명해주었다. "누군지는 모르겠지만 검은 옷을 입은 사람이 우리를 쫓아다니고 있었어. 우리보다 나이는 조금 더 많아 보이더라. 어차피 우린 할 것도 없으니까 재미 삼아 한 번 쫓아가 보자는 거지. 그리고 우리 엘로엔은 원래 주변 신경 안 쓰니까 당연히 몰랐지 않았을까?" 드로메드의 이야기를 들은 엘로이즈는 뚱한 표정으로 다시 물었다. "난 원래 주변 신경 안 쓴다는 거, 칭찬이야 욕이야?" 드로메드는 당황했다. "음… 칭찬?" 조금만 더 시간이 지났으면 엘로이즈가 드로메드를 정말 무시무시하게 쳐다보고 주먹이 나올 뻔 했지만 카르노의 집에 도착을 해서 더 이상 그럴 수 없었다.

드로메드가 초인종을 누르자 카르노가 빨간 머리를 이마 뒤로 쓸어 넘기면서 나왔다. "흐아암~ 어? 니들이 아침부터 무슨 일…" 카르노는 잠에서 막 깬 것만 같은 꾀죄죄한 모습이었다. 드로메드는 중얼거리는 카르노의 입을 손으로 막았다. 카르노는 질질 끌려 나왔다. "아주머니! 저 드로메드인데요. 잠깐 놀러갔다 오겠습니다.” 그 다음에 이렇게 소리쳤는데 다행히 카르노의 부모님은 잘 갔다 오라며 의심하지 않았다. 겨울에는 절대 집에서 나오지 않는 카르노를 어떻게 운동시킬까 고민이었는데 마침 잘 되었다고 생각하신 것이다. “드로메드! 난 불 속성이라 추운 걸 제일 싫어한다고! 너도 알 아니야! 어? 말좀해봐! 차라리 일꾼이 필요하면 힘센 알렉스 불러내던가! 그리고 난 숙제가 산더미처럼 쌓여 있다고!” 이른 아침부터 밖으로 나오게 된 카르노는 달달 떨며 불평불만을 해댔고 드로메드가 얼른 사과를 했다. “미안... 조금만 기다려줘. 응? 제발~ 내가 안 그래도 알렉스랑 데이비드 불러내려고 했거든? 근데 하필 오늘 알렉스가 데이비드랑 약속을 잡았다는 거야~ 우리 반 숙제가 영화보고 감상 적기 인 거 알지? 그 지루한 영화 오늘 보러 간대. 네 숙제는 내가 도와줄게. 10분이면 난 세상에 있는 어떤 숙제나 문제도 다 해결할 수 있어. 너도 내 능력을 알잖아?” “끙... 알았어. 약속 꼭 지켜라. 안 그러면 확 그냥…” 카르노는 드로메드가 숙제를 도와준다는 말에 이제야 좀 누그러진 것처럼 보였다. “알았어. 알았다고.” “근데 이제 우리 어디로 가 오빠?” 드로메드는 옐로이즈의 목도리를 벗겼고 십만번쯤 했던 이야기를 또 했다. “우린 이제 테라 집으로 가서 테라와 그 사람을 따라갈 거야.” 카르노는 아직도 골을 냈지만 정해진 운명을 바꿀 수 없었고 묵묵히 먼 거리를 이동해야만 했다. “진짜! 테라네 집은 너무 멀어… 걸어가기가 너무 힘들다고! 누가 나 좀 업고 가면 좋겠네!” 아침부터 밖에 나오게 되어 짜증이 난 카르노는 계속 투덜거렸다. “오빠! 얘가 자꾸 불평한대요!” 옐로이즈는 더 이상 참지 못하고 카르노를 일렀다. 말이 끝나기 무섭게 드로메드는 눈에 살기를 잔뜩 담아 카르노에게 웃어 보였다. 협박이 가득한 웃음이었다. 한 번만 더 불평했다간 나도 날 못 말린다 라는 뜻이다. 결국 카르노는 찍소리도 못하며 속으로 울었다.

카르노타우루스이자 불 속성인 카르노는 추위를 정말 많이 탔고 겨울을 싫어했다. 그 좋아하는 체육 시간에도 너무 추운 나머지 제대로 하지도 않는 아이가 바로 카르노였다. 그런 카르노가 아침부터 밖에 나오니 추위에 견딜 수 없었던 것이다. 한참을 걷다 보니 어느새 테라네 집에 도착했다. 역시 익룡의 집 답게 높은 곳에 지어져 있었다. 그래서인지 아무리 애를 써도 세 명 중 아무도 올라갈 수가 없어서 드로메드의 순간이동으로 초인종을 누르게 되었다. "테라야~ 잠깐만 나와봐! 우리 놀러간대." 옐로이즈가 테라를 불렀고 놀러가는 게 아니라고 백만번쯤 설명했던 드로메드도 이제 지쳐 잠자코 있었다. 어릴 때부터 집에만 있어 다양한 경험을 하지 못했던 옐로이즈는 지금 이 모든게 신기하고 새로운 일이었기에 어떻게 보면 논다고 생각할 수도 있었다. 위험한 일도 신나고 재미있는 일로 바꿀 수 있는 힘과 재능을 가지고 있기도 하고. 뭐, 드로메드의 목적과는 전혀 다르지만.

"뭐라고? 알았어. 조금만 기다려!" 일찍 일어난 테라가 곧바로 집 안에서 소리쳤고 조금 시간이 지나자 평소와는 스타일이 좀 달라진 테라가 나왔다. 테라는 검은 슈트를 입고 있었다. 평소에도 올 블랙을 고집하긴 했지만 이렇게까지는 아니었다. "아니… 내가 이렇게 입으라고 말하지도 않았는데 어떻게 옷을 이렇게…" 드로메드는 당황했다. 테라가 드로메드의 목적에 맞는 완벽한 차림을 하고 나왔기 때문이다. "야 내가 옐로이즈랑 지낸

게 하루이틀이냐. 걔가 저렇게 말할 땐 무조건 심각한 일이라고. 어제 준비해 놓으라고 하기도 했잖아? 근데 오늘 우리 어디 가냐?" 테라가 피식 웃으며 설명했다. "역시 내 편은 너 밖에 없다. 그게 말이야. 어떤 사람 때문에. 요즘 우리를 자꾸 훔쳐본단 말이지. 할 것도 없는데 가보자고." 드로메드의 말을 들은 테라가 놀라 말했다. "진짜? 우와 난 지금껏 한 번도 그런 걸 놓치지 않았는데 누구지?" "응. 나도 얼마전에 알았어. 어? 움직인다. 한번 따라가보자."

3. 동굴

다이노원정대가 그 사람을 따라간 곳에는 커다란 동굴이 있었다. 그 사람은 주변을 살피더니 망설임 없이 동굴로 들어갔다. 다이노원정대도 들키지 않게 조심하며 따라 들어갔다. 아침이라 햇살이 비춰지고 있었지만 동굴은 어두컴컴했다. 그 동굴에는 박쥐가 많았고, 길이가 3미터는 되어 보이는 구덩이들이 곳곳에 있었다. 드로메드는 애써 친구들을 진정시키며 동굴을 걸어갔다. 하지만 떨리는 건 마찬가지였다. 그래도 드로메드는 이건 정신력 싸움이라며 스스로를 다독였다.

그렇게 한참을 가던 그때, 난데없이 카로노가 고꾸라졌다. "악!" 드로메드의 옆에는 카르노가 있었는데, 갑자기 넘어진 것이다. 카르노는 비명 소리만 남긴 채 사라져 버렸다. "카르노! 어딨어?" "왜 그래?" "무슨 일이야!" 하지만 카르노는 보이지 않았다. 어딘가로 증발해 버린 것만 같았다. 그리고 카르노에 이어 테라, 옐로이즈까지 알 수 없는 비명소리와 함께 사라졌다. "얘들아!" 드로메드는 사방을 경계하며 귀를 쫑긋 세웠다. 그때였다. 쥐도 새도 모르게 드로메드의 뒤에서 사람들이 왔다. 드로메드는 인기척을 전혀 눈치채지 못했다. 동굴은 매우 어두워 보이지도 않았다. 그 사람들은 드로메드가 방심한 틈을 타 입을 막고 머리를 때려 기절 시켜 어딘가로 끌고 갔다. 드로메드는 저항 한 번 못한 채 끌려갔다. 시간이 30분 정도 흘렀을까. 드로메드가 정신을 차려보니 드로메드가 끌려온 낯선 곳에 카르노, 테라, 옐로이즈도 함께 있었다. 드로메드는 서둘러 친구들을 깨웠다. “얘들아! 정신 차려 봐!” “으윽… 아 머리야!” 다행히 크게 다친 건 아니었는지 친구들은 빨리 일어나 주었다. 드로메드는 테라, 카르노, 옐로이즈가 일어나자 동굴을 빠져나가려고 했다. 하지만 문이 잠겨 있어 나가질 못했다. “드로메드! 어떡하지? 문이 잠겼어!” 테라가 문 손잡이를 당기더니 외쳤다. “잠깐만... 나도 생각중이야.” 드로메드의 말이 끝나기도 전에 어디선가 카랑카랑한 목소리가 들려왔다. “생각할 필요도 없다. 너희들은 빠져나가지 못해!” “누구냐!” 당장이라도 잡아먹을 듯 카르노가 외쳤다. 그 목소리가 말했다. “난 잭이다. 너희를 유인한 것도 바로 나와 내 부하다.” “당장 우릴 여기서 빠져나가게 해줘!” 옐로이즈도 카르노에 합세해 눈에 불을 켜고 잭을 노려봤다. “그건 안 되지. 너흰 너무 위험해. 당장 저것들을 끌고와!” 잭은 부하에게 명령을 내렸다. 그런 뒤 작게 속삭였다. “미안하다 얘들아… 나도 어쩔 수 없다... 내 동생 실크와 만나면 금방 친구가 될 아이들인데...” 다이노원정대는 손이 줄에 묶인 채 잭 옆으로 끌려왔다. 그러자 자기 친구들과 동생을 이렇게 푸대접 한다는 사실에 화가 난 드로메드의 눈동자가 태양처럼 붉은색으로 변했다. 카르노는 그 색이 의미하는 게 무엇인지 몸으로 겪어봐서 너무나 잘 알기 때문에 온 힘을 다해 드로메드를 말렸다. 마음속에서는 잭을 혼내 주고 싶었지만 드로메드가 힘을 주체 못하니 친구들도 위험해질까 봐 걱정이 됐기 때문이다. 카르노가 드로메드를 진정시키는 사이 잭이 소리쳤다. “저들을 미로에 던져!”

4. 미로에 떨어지다

다이노원정대는 무서울 정도로 크고 복잡한 미로에 떨어졌다. 밑에는 푹신한 무언가가 깔려 있었는데 그 물질이 충격을 흡수해 주었다.

다이노원정대가 미로에 떨어지고 얼마 지나지 않아 잭의 목소리가 울렸다. "다이노원정대! 너희들은 절대로 이곳을 빠져나갈 수 없다. 날 원망 마라...!" 다이노원정대는 높이가10미터나 되는 구덩이에 던져져 미로에 빠졌지만 그 물질 덕분에 다치지는 않았다. 아무리 부드러운 물체라고 해도 그 정도 높이에서 던져져 살아남았으니 기적에 가까운 수준이었다.

다이노원정대가 떨어진 뒤 갑자기 짧은 '아' 소리와 함께 '쿵쿵쿵' 하는 소리가 연달아 들려왔다. 그 중 하나는 테라의 태블릿이었다. 연약한 태블릿은 깨지지 않고 잘 버텨주었다. "옐로이즈! 괜찮아?" 테라는 재빨리 태블릿을 줍고 잠자코 누워있는 옐로이즈에게 물었다. "응 괜찮아. 충격 때문에. 테라 넌?" 옐로이즈는 다행히 벌떡 일어났다. "괜찮아. 하지만 여길 어떻게 빠져나가지?" 그러자 카르노가 말했다. "어쩌긴. 여기 평생 갇혀서 죽겠지 뭐." 옐로이즈는 안 그래도 어떡하지 하는 생각이 들어 우울하고 무서운데 그 분위기를 더 안 좋고 심란 하게 하는 카르노가 짜증나서 카르노의 머리를 세게 쥐어박았다. "야! 분위기 이상하게 하지 마! 진짜 나한테 혼날 줄 알아." 옐로이즈는 분노에 가득 차 있었다. 그 분노 중 90%는 자기들을 이 미로에 던진 잭에 대한 것이고 나머지 10%는 분위기를 우울하게 만드는 카르노 때문이었다. "윽. 어떻게 쌍둥인데 오빠랑 이렇게 다르냐? 드로메드는 내가 뭐만 하면 항상 웃어 주던데." 카르노는 드로메드 뒤에 꼭 붙어 옐로이즈에게 입을 쑥 내밀었다.

한편 테라는 주변 난리에도 불구하고 그곳에 나 혼자 있다는 듯 태연하게 미로를 빠져나갈 방법과 미로 주변에 무엇이 있는지, 또 내가 떨어진 이 정체불명의 미로의 생김새까지 찾아보고 있었다. 테라는 어려워 보이는 이 모든 일을 태블릿 하나만 있으면 다 할 수 있었다. 테라의 머리에는 여러 가지 정보를 한 번에 받아드리고 정리할 수 있는 능력이 있었다. 그리고 테라는 한 번 집중하면 절대 다른 것에는 눈길도 주지 않았다. 일을 할 땐 오로지 그 일에만 전념하고 관심을 두는 것이다. 친한 친구들 조차도 가끔은 테라가 너무 매몰차다는 생각이 들 때도 있었지만 테라의 이 행동은 항상 좋은 결과만 가져다주었다. "얘들아! 잠깐만 진정해봐. 내가 방법을 찾았어!" 테라는 좋은 표정인지 안 좋은 표정인지, 상황이 좋다는 표정인지 안 좋다는 표정인지 잘 모르겠다는 얼굴을 하고 말했다. 테라는 최대한 밝고 씩씩하게 말했지만 드로메드는 그 속에는 테라의 두려움과 공포가 도사려 있다는 것을 쉽게 알아차릴 수 있었다. 눈동자가 미세하게 흔들렸고 침을 삼켰었다. 자세히 보면 손도 떨리고 있었다. "진짜?" "응… 근데... 좋은 소식과 나쁜 소식 둘 다 있어." 테라가 고개를 숙이며 말했다. "좋은 소식과 나쁜 소식?" 옐로이즈는 고개를 갸우뚱했다. '이 미로에서 찾을 수 있는 가장 좋은 소식이라는 것은 미로를 빠져나갈 방법을 알았다는 걸 텐데 나쁜 소식은 뭐지? 여기서 어떤 나쁜 일이 일어난다고.' 라는 생각 때문이었다. "응. 맞아." "일단 좋은 소식은 뭐야?" "좋은 소식은 미로를 빠져나갈 방법을 알았다는 거야." "그럼 나쁜 소식은?" "나쁜 소식은 미로 가운데에 있는 화산이 곧 폭발한다는 거야."

5. 화산 폭발의 위험

다이노원정대는 곧 화산이 폭발한다는 말을 듣자 혼란과 공포에 빠졌다. 하지만 테라는 정신력으로 버텼다. 그리고 눈이 좀 풀린 드로메드에게 다가가서 속삭였다. "이러고 있을 시간이 없어! 우리가 이렇게 시간을 끌면 끌수록 화산이 분화했을 때 제때 막을 수 없을 거야. 어떡하지?" 테라가 걱정스런 얼굴로 드로메드와 옆에 주저 앉아 있는 두 친구를 살펴보았다. "그러게 말이야. 우리가 아무리 애를 쓰고 별 짓을 다해도 분화하는 화산을 막을 수 없어. 근데 옐로이즈는 울먹이고 있고 카르노는 벽에 머리 박고 있고…" 드로메드가 한숨을 쉬며 안타깝게 말했다.
테라는 위급 상황인데 화산 폭발한다는 말에 친구 들은 넋이 나가 있고 하나는 머리를 굴리고 있지만 별다른 해결책을 생각해내지 못하고 아까운 시간은 계속 흘러만 가는 상황에 참다 못해 벌떡 일어나 소리를 질렀다. "얘들아, 이러고 있을 시간이 없어! 지금은 1분1초도 아깝단 말이야! 제발 정신 차려. 다 같이 살아야지. 안 그래? 여기서 이렇게 죽을 수는 없잖아. 난 너희랑 같이 죽기보다는 너희와 같이 모험을 떠나며 꿈을 이루고 싶어." 테라의 진심 어린 말이 통한 건지 옐로이즈가 울음을 멈추고 말했다. "어떻게? 나도 여기서 죽기 싫어. 근데 방법은 있어? 있으면 말해줘." "음... 아니. 분화해서 그렌하우델처럼 거대한 화산을 막을 방법 따윈 없어. (*노르아덴의 생물 부문 참고*) 하지만 이렇게 있을 수만은 없어. 테라가 나갈 수 있다고 하니 일단 미로를 빠져나갈 방법부터 찾아보자." 드로메드가 친구들과 동생을 둘러보며 말했다. 그리고 카르노에게 다가가서 속삭였다. "카르노. 내가 여기서 나가면 이번에 새로 나온 '끝없는 코스와 끝없는 장애물이 존재하는 환상의 레이싱 게임!' 을 10번, 100번 아니 1000번 더 같이 해줄게. 그러니 제발 정신차려! 여기서 못 나가면, 게임도 못해. 너도 잘 알다시피." 카르노는 이 말을 듣자 정신이 번쩍 들었다. "오케이." 카르노는 게임이라면 자다가도 벌떡 일어날 정도인 게임 덕후였다. 게다가 이번에 새로 나온 레이싱 게임은 남녀노소를 구별하지 않고 인기가 하늘로 치솟고 있는 유명한 레이싱 게임이었다. 카르노는 외동인데 이 게임은 적어도 2명 이상이 되야만 할 수 있었고 카르노의 부모님은 너무 바쁘셨다. 부모님이 얼마나 고생하는지 잘 아는 카르노는 같이 해달라는 말도 못 꺼낸 채 속으로만 앓고 있었다. 그런데 그걸 같이 해준다고? 묻지도 따지지도 않고 카르노는 활짝 웃어 보였다. 강한 긍정의 의미였다.

카르노의 장꾸 기운이 다시 서서히 회복되는 걸 느낀 테라는 서둘러 옐로이즈에게 갔다. "옐로이즈! 잘 들어, 이곳에서 이렇게 앉아서 죽을 거야? 아직 늦지 않았어. 빨리 나가면 화산이 폭발해도 우린 죽지 않아. 살 수 있어." 옐로이즈는 앞의 내용은 깡그리 무시한 채 화산이 폭발하지 않는다는 말에 곧바로 정신을 차렸다. "오케이, 가능성은 있다." 그렇게 다이노원정대는 화산에게 결투를 신청했다.

6. 험난한 여정

테라는 태블릿으로 길을 보면서 드로메드, 옐로이즈, 카르노와 함께 미로를 빠져나갔다. 테라와 테라의 태블릿은 오늘 정말 열심히 일했다. 지금 배터리가 16%인데 5년 동안 하루도 빠짐없이 썼기에 100% 충전을 해도 금방 닳았다. 오늘 이렇게 태블릿이 요긴할 것이라고 생각하지 못했던 탓에 집에서 나올 때의 배터리는 50%밖에 없었다. 테라의 태블릿은 얼마 남아있지 않은 배터리에도 불구하고 맡은 바를 훌륭히 잘 해주었다. 물론, 거기에는 배터리 절약 모드를 키고 그 길을 머리로 외운 채 최대한 태블릿을 쓰지 않으려 한 테라의 노력도 담겨 있었다.
하지만 이런 노력에도 가는 길은 결코 순탄치 않았다. “으악! 저거 뭐야?!” 앞서 가며 친구들을 출구로 안내하던 테라가 소리쳤다. “왜 그래?” 미로를 얼마 가지도 않았는데도 벌써 다이노원정대는 위기를 맞았다. “크르르르... 너흰 절대로 이곳을 지나가지 못한다...” 앞에는 카르노가 세로로 4명 붙어 있는 듯한 키의 외눈박이 괴물이 떡 버티고 서 있었다. “우릴 그냥 보내줘! 그렇지 않으면 우리에게 따끔한 맛을 보게 될 거야!” 그 무시무시한 모습에도 겁을 먹지 않은 채 옐로이즈가 말했다. 강하고 자신감 있는 밝은 목소리였다. 드로메드는 옐로이즈의 이 당당한 목소리가 참 좋았다. 옐로이즈의 이런 말과 행동은 상대방의 기분을 좋아지게 만들고 절로 웃음이 나오게 만들었다.
하지만 눈앞의 이 괴물은 그렇지 않은 것 같았다. "크르르르르... 감히 인간 주제에… 내가 있는 한 절대로 못 지나간다…" 옐로이즈의 도발에 제대로 열을 받은 것 같았다. 둘다 당장이라도 달려들 것만 같은 분위기에 카르노가 먼저 나섰다. "아~ 이거 말로 해서는 안 되겠군~? 좋아! 이 외눈박이 괴물아! 우리가 얼마나 무서운지 보여주마!" 카르노는 옆의 괴물의 키 만한 미로의 벽을 타고 올라가 괴물에게 다가갔다. 카르노는 루테레이아에서 살았었다. 루테레이아는 열대 지역이고 그래서 자연스럽게 카르노도 자연과 어우러지며 살았다. 루테레이아는 워낙 높은 나무가 많다보니 어릴 적 놀이는 누가 더 빠르게 나무 꼭대기까지 올라가나, 누가 더 높은 나무에 올라가나 라는 것이 대부분이었다. 이렇게 수년간의 나무 타기로 팔 힘이 좋은 카르노는 막힘 없이 벽을 탈 수 있었다. 외눈박이 괴물과 카르노는 고작 10m거리에서 서로를 노려보고 있었다. 괴물이 카르노를 내치려고 손을 올리던 순간 카르노에게 활이 생겼다. 드로메드의 마법이었다. 카르노가 재빨리 활을 당기자 화살이 화르륵 타올라 순식간에 화살촉에 불이 붙었다. 카르노는 외눈박이 괴물이 손을 올림과 동시에 화살을 괴물의 눈 한가운데에 쏘았고 화살은 정확하게 날아가 괴물의 눈에 꽂혔다. 강한 힘에 밀려 괴물은 그 자리에서 뒤로 밀려나면서 쓰러졌다. 그리곤 불이 온 몸에 붙으면서 가루가 되어 소멸했다.
다이노원정대는 다행히 첫번째 괴물을 무사히 무찔렀다. 하지만 문제는 앞으로 다이노원정대가 훨씬 더 위험한 괴물들을 무찌르고 나아가야 한다는 것이다. 과연 다이노원정대는 이 위기를 극복할 수 있을지…

7. 거대 괴물의 등장

"휴~ 됐다." 옐로이즈는 손뼉을 탁탁 두 번을 쳤다. 옐로이즈의 뒤에는 온몸이 피투성이인 머리 넷 달린 괴물이 쓰러져 있었다. 카르노가 외눈박이 괴물을 물리치고 얼마 안가 다이노원정대는 방망이 두개를 휘두르며 서 있는 괴물과 마주쳤다. 그 괴물은 앞이 보이지 않았지만 귀가 무척 밝았고 다이노원정대가 다가올 때마다 방망이를 휘둘렀다. 방망이 괴물은 순간이동을 쓰는 드로메드가 물리쳤고 지금 세번째로 마주친 머리 넷 달린 괴물은 옐로이즈가 깔끔하게 손 봐주었다.

그렇게 무사히 이번 괴물도 무찌른 다이노원정대는 다시 길을 떠났다. 아직 미로는 반도 채 못 갔지만 다이노원정대는 괴물을 세번이나 만나 싸우면서 너무 지쳤다. 그리고 테라의 태블릿도 5%로 꺼지기 직전이었다.

하지만 다이노원정대가 길을 반이 넘어가게 가도 이번엔 왜 그런지 괴물이나 함정이 하나도 나오지 않고 조용했다. 옐로이즈와 카르노는 소풍 온 것처럼, 같이 웃고 이야기 하며 즐겁고 태평하게 별 생각없이 왔지만 드로메드와 테라는 무언가 의심스럽고 찜찜하고… 하여튼 느낌이 안 좋았다. 먼저 테라가 드로메드에게 속삭였다. "드로메드! 웬지 느낌이 싸하지 않아?" 같은 생각을 하던 드로메드가 흠칫 놀라며 말했다. "그러게… 너무 조용해…" 그런데 드로메드의 말이 채 끝나기도 전에 땅이 흔들렸다. "으아! 뭐야? 화산이 분화하기 전에 나타나는 지진인가?!" 카르노가 외쳤다. "아니… 저… 저건 지네야!" 옐로이즈가 말했다. 곤충과 벌레라면 정말 질색하고 팔짝팔짝 뛰는 카르노는 지네라는 말을 듣자마자 손으로 눈을 가렸다. 카르노는 세상에서 제일 싫어하는 존재와 싸우고 싶지 않았다. 카르노는 현실을 부정했다. 아니, 정확하게는 그러고 싶었다. 하지만 안타깝게도 이번엔 옐로이즈의 말이 맞았다. 강한 지진과 함께 땅이 갈라지며 어마 무시한 지네 괴물이 나타났다. 괴물은 다리가 1000개 달린 것 같았고 키는 5미터가 넘는 듯 했다. "으악! 저건 또 뭐야?!" 카르노가 놀라 자빠졌다. 이제는 현실을 받아들이고 괴물을 물리칠 생각을 해야 했다. 기절초풍하는 카르노와 반대로 옐로이즈는 어느 정도 예상했다는 듯 한숨만 쉬었다. "어이구. 왜 이리 조용하나 했네. 이젠 더 이상 괴물 따위 없을 거라고 기대한 내가 바보지. 바보." 드로메드와 테라는 팔짱을 낀 채 아예 반응도 하지 않았다. "죽고 싶지 않으면 돌아가라! 그렇지 않으면 너희는 뜨거운 맛을 보게 될 것이다!" 지네 괴물이 소리쳤다. 마치 성인 남성의 목소리 5개가 하나로 합쳐진 듯한 목소리였다. 분명히 한 입으로 말하는데 여러 사람의 소리가 났다. 그 목소리를 듣고 드로메드는 안심한 듯 씩 미소를 지었다. 그리고 다른 아이들의 반응은 시원찮았다. "하이고~ 이제는 지네가 말도 하네~ 이제 놀랍지도 않아요~ 너야 말로 우리에게 따끔한 맛보고 싶지 않으면 순순히 길 비켜라." 테라는 지네 괴물은 비꼬며 혀를 끌끌 찼다. "나는 잭 님의 말만 따른다! 절대로 순순히 놓아주진 않을 것이다!" 지네 괴물을 허리를 곧게 세웠다. 구부러져 있던 허리가 펴지니 몸집이 더 커 보였다. "네 뜻이 정 그렇다면… 좋아! 덤벼라!"

8. 위험에 처하다

카르노가 제일 먼저 지네 괴물에게 달려들었다. 재빠르게 움직임이 둔한 곳으로 침투해 단단한 껍질이 없는 약하고 말랑한 부분에 엄청난 전기를 가했다. 무려 100만 볼트가 넘는 전기였다. 다른 괴물들 같았으면 벌써 쓰러져 소멸해 버렸을 만한 위력이었다. 카르노도 이번에는 좀 센 상대를 만난 것 같아 자기 나름대로 강한 공격을 해 본 건데도 지네괴물은 꼼짝도 하지 않았다. 오히려 카르노를 비웃고 조롱하는 것 같았다. "겨우 그 정도냐? 가소롭군." 지네 괴물은 몸에 달려 있는 여러 개의 발 중 하나로 카르노를 가볍게 집어 올리더니 그대로 온 힘을 다해 던져 버렸다. "억!" 카르노는 지네 괴물에 의해 던져져 미로의 벽에 부딪쳤다. 카르노는 벽에 등을 세게 부딪친 뒤 바닥으로 떨어졌고 강한 충격에 금이 갔던 벽 또한 무너져 내렸다. 다행히 드로메드가 벽에 금이 가는 걸 보고 급하게 카르노의 팔을 잡아 끌어 참사는 면할 수 있었다.

"카르노! 괜찮아?" 드로메드가 다급하게 카르노를 흔들었다. "아야… 엄청 아프긴 한데 괜찮아. 구해줘서 고마워." 카르노는 머리를 흔들더니 금방 정신을 차렸다. "감히 내 친구를 건드리다니! 재가 아무리 장난꾸러기에다가 징징이어도 용서 못해!" 이번에는 분노한 테라가 뛰쳐나갔다. 카르노는 테라가 자기가 다친 걸 보고 화가 나서 뛰쳐나가는 걸 보고 기분이 좋았으나 나중에 장난꾸러기와 징징이 소리를 듣자 기분이 안 좋아졌다.
테라는 뒤에서 카르노가 그러든 말든 개의치 않고 지네 괴물 주위를 빠른 속도로 돌기 시작했다. 마치 흥분해 달리는 세칸을 보는 듯했다. (*노르아덴의 생물 부분 참고*) 아니, 그것보다 더 잘 뛰는 것 같았다. 옐로이즈는 씩 웃었다. "역시 테라야! 테라는 절대 못 잡아! 음... 물론 티라에겐 비교도 안 되겠지만..."
그때, 테라 같은 친구를 둔 것을 자랑스러워 하던 옐로이즈의 말이 끝나기도 전에 테라가 잡혀 버렸다. "으악! 야! 이거 뭐야?! 놔! 안 놔? 왜 안 놔 이 나쁜 괴물아! 놔! 놓으란 말이야! 내 손에 죽고 싶냐?!" 테라는 평소에 자신의 달리기가 티라 만큼은 아니어도 꽤 빠르다고 생각했고 대회에 나가 상도 받으며 자부심이 있었는데 이렇게 금방 잡히자 너무 분해 화를 냈다. "시끄럽다!" 지네 괴물은 쫑알거리는 테라가 짜증나 방금 전 카르노처럼 냅다 던져 버렸다. "으악!" 오른쪽으로 날아간 카르노와 달리 테라는 앞으로 직진해 앞쪽의 벽을 무너뜨렸고 애꿎은 드로메드만 열심히 뛰어다니게 되었다. 카르노는 몸을 추스르지 못하고 있었고 그건 테라도 마찬가지였기에 드로메드는 두 명의 환자를 잘 돌보며 숨어 있었다.
옐로이즈는 이제 어떡하나 하고 가장 믿을 만한 드로메드를 쳐다봤다. 옐로이즈는 간절하게 드로메드를 쳐다보았지만 드로메드는 손가락을 움직이며 무어라고 중얼거리고만 있었다. 푸른 불빛이 번쩍이는 것을 보아 다친 카르노와 테라를 치료해 주고 있는 것 같았다. 결국 옐로이즈는 에휴~ 이젠 내 차례구나 생각하며 지네 괴물에 뒤에 조심히 다가갔다. 옐로이즈가 숨을 참고 있어 지네 괴물이 옐로이즈가 다가오고 있다는 것을 눈치채지 못하는 것 같았다.

옐로이즈는 기회를 엿보다가 뒤에서 몰래 활시위를 당겨 활을 쏘았다. 옐로이즈의 손에서 벗어난 직후 무엇이든지 뚫어버릴 듯이 맹렬히 날아가던 화살은 지네 괴물의 단단한 등 껍질에 의해 힘을 잃고 팅 하고 튕겨 나갔다. 껍질과 껍질 사이 틈에 화살을 박아 넣으려 했던 옐로이즈의 계획은 물거품이 되고 말았다. 등에서 느껴지는 감촉에 지네 괴물은 뒤를 돌아 옐로이즈에게 달려들었다. 옐로이즈는 화살이 튕겨져 나간 순간부터 이 상황을 예상하고 미리 카르노가 무너뜨린 벽의 파편 뒤로 재빨리 피해 있었다. 옐로이즈가 설마 '여기까진 못 찾겠지' 라는 생각을 하던 바로 그 순간 지네 괴물의 눈에서 빨간 레이저가 나왔다. 그 레이저는 붉은 선이 닿는 곳마다 부수고 파괴하며 옐로이즈를 찾아냈다. "악!" 옐로이즈는 몸을 기대고 있던 파편이 깨지는 충격에 튕겨져 나갔다. "어딜 가느냐!" 지네 괴물은 집요하게 쫓아왔고 옐로이즈는 계속 피해 다니기만 했다. 옐로이즈는 방어 말고 공격을 하고 싶었지만 지네 괴물이 쉴 틈을 주지 않아 할 수가 없었다. 옐로이즈가 소리를 지르며 도망만 다니고 있던 그때 다시 일어나 지네 괴물의 약점을 노리던 카르노와 테라는 엄청나게 기발한 생각이 떠올랐다. '그래! 그 방법이라면...!'

9. 굿 아이디어

카르노와 테라는 엄청난 생각이 떠올랐다. 강력한 인간 무기이자 폭탄이 다이노원정대에게 있었다. 그래, 지금 남은 사람은 단 한 명. 드로메드 밖에 없다. 몇 개월 전 드로메드와 카르노가 처음 만났을 때 드로메드는 사소한 것으로 카르노와 싸웠었고 결국 폭주했었다. 그날 드로메드가 보여준 힘은 어마어마 했다. 옐로이즈가 제때 와서 망정이었지 오지 않았다면 큰일 날 뻔 했었다.

그날은 정말 위험 했었지만 지금은 위험해도 상관없었다. 오히려 지금 상황에서는 그 위험함이 다이노원정대에게 도움과 이득을 줄 수도 있었다. 단점이 하나 있다면 지네 괴물에서 멈추지 않고 친구들과 동생도 공격할 수 있다는 것이다. 그렇지만 지금은 그걸 생각해볼 만한 시간이 없어서 카르노와 테라는 곧바로 행동에 들어갔다. "왜 진작 그 생각을 못했을까!" 테라와 카르노는 서로의 얼굴을 마주보며 손뼉을 짝 쳤다. "좋아! 가자!" 카르노와 테라는 심각해 하는 드로메드에게 달려갔다. "드로메드!" 카르노가 기대에 가득찬 얼굴을 하고 달려와 드로메드를 바라보았다. "왜?" 드로메드는 카르노와 테라가 이 상황에서 왜 들떴는지 알 길이 없어 눈을 동그랗게 떴다. "너 저번에 나 공격했을 때처럼 힘을 폭발시켜봐." "아, 미안… 그게 내 마음대로 되는게 아니라." 카르노의 한마디를 들은 드로메드는 그럴 줄 알았다는 표정과 함께 곧바로 거절했다. 드로메드가 무슨 일이 있어도 절대 하지 않겠다는 강한 어조로 말하자 카르노와 테라는 불안해져 눈빛을 주고받았다. '위험하지만… 그래도 이 방법 밖에는 없어!' 카르노는 테라에게 긍정의 의미로 할 수 없다는 듯 고개를 끄덕였고 그러자 곧바로 테라는 드로메드에게 가까이 다가가 속삭였다. "잘 들어. 너도 알다시피 옐로이즈가 위험해. 그런데도 그냥 가만히 있을 거야?" 그랬다. 옐로이즈는 드로메드가 세상에서 가장 아끼고 사랑하는 유일한 사람이다. 모두가 자기를 외면할 때 곁을 지켜준 유일한 사람. 지금도 어둠의 마법을 잘 조절하지는 못하지만 어렸을 때는 더 심했다. 그 위험한 힘을 숨기기 위해 집에서 제일 안전한 장소였던 지하실에 있었던 적도 많았다. 그때마다 옐로이즈는 부모님과 함께 늘 웃는 얼굴을 하고 심심해 하던 드로메드의 곁에서 쫑알거리며 여러 재미있는 이야기를 해주었다. 드로메드는 옐로이즈의 말과 재미있는 표정, 행동에 깔깔거리며 자지러졌고. 그에게 있어 동생 옐로이즈는 '가족'을 뛰어 넘은 더 소중한 존재였다. 절대 희생 시키면 안 되는 존재. 동생을 위해서라면 그게 무엇이든 못 할 것이 없었다.

하지만 지금 드로메드가 망설이는 이유는 단 하나. 공격해야 된다고 느끼는 대상이 지네 괴물에서 친구들과 옐로이즈로 바뀔 수 있었다. 아무리 옐로이즈가 드로메드를 막을 수 있다고 해도 드로메드가 정말 진심으로 공격을 하면 그를 막는 건 불가능했다. "그… 그건…" 드로메드는 계속 망설였다. "네가 그토록 아끼는 너의 동생이잖아. 안 그래?" 테라는 드로메드를 믿었다. 어릴 때부터 지금까지 마법을 숨기고 감정을 조절하고 살았던 드로메드의 멘탈과 인내심은 누구보다도 강하고 올곧을 것이다. 테라는 드로메드가 자신들을 공격하지 않을 거라고 알고 있었고 믿고 있었다. "하… 하지만 그건 안돼…" 테라의 간곡한 부탁에도 드로메드는 거절했다. "제발 용기 좀 내라. 우리, 지금 다 죽게 생겼어! 지네한테 죽든, 화산 때문에 죽든." 시간은 흘러가는데 두 사람의 말은 끝날 기미가 보이지 않자 카르노가 참다 못해 끼어들었다. "너희들도 알잖아! 특히 카르노 넌. 난 힘을 주체 못한다고! 내가 힘을 썼다가 너희들까지 진짜 죽을 수도 있어. 난… 난 내가 너희를 공격하지 않을 거라 장담할 수 없어." "한번 시도해봐. 넌 할 수 있어." 또다시 이야기는 원점으로 돌아갔다.

드로메드, 테라, 카르노가 한참 하자, 싫다로 실랑이를 벌이고 있을 때 옐로이즈는 정말 죽기 살기로 도망치고 있었다. "으아악! 옐로이즈 죽네, 옐로이즈 죽어! 걸음아 날 살려라! 으아악!" 옐로이즈는 눈을 질끈 감고 다리에 감각이 느껴지지 않을 정도로 세고, 빠르게 뛰었다. 옐로이즈 인생에서 이렇게 오래 뛰어본 건 이번이 처음이었다. 숨은 잘 쉬어지지도 않았고 발은 너무 아팠다. 하지만 멈출 수 없었다. 움직임을 멈추는 순간 인생은 끝나는 것이다. 그런데 옐로이즈가 한참을 뛰어가다 보니 뒤에서 당장이라도 잡아먹을 듯이 쫓아오던 괴물이 보이지 않았다.

옐로이즈는 자신의 달리기로 지네 괴물을 따돌렸다고 생각하고 잠깐 쉬려고 했다. 옐로이즈는 바닥에 주저앉았고 급하게 숨을 몰아 쉬었다. 그때 싸한 바람이 불더니 지네 괴물이 옐로이즈의 뒤에서 나타났다. "흐에엑! 어디 있다 나온 거야?! 나오려면 진작 나오지 왜 사람을 놀래켜!" 옐로이즈는 지네 괴물이 몸의 끝 부분을 쾅 내리치는 바람에 높이 튀어 올랐다가 심하게 엉덩방아를 찧었다. “그건 내 알바가 아니다.” 옐로이즈는 엉덩이 뼈가 모두 부서지는 듯한 고통을 느꼈지만 그 고통 걱정하다 죽게 생길 판이라 아픔을 참고 다시 도망을 쳤다.

한편 드로메드는 테라와 카르노가 너무나 간절히 애원하자 어쩔 수 없이 마법을 써보기로 했다. 단, 통제되는 한에서. 드로메드가 폭주할 때의 어둠의 마법을 쓰면 확실하게 이길 수 있으나 어둠의 마법에 지배되지 않은 채로 마법을 쓰면 이길 가능성이 별로 크지 않을 것 같아 드로메드는 어둠의 마법을 썼다. “휴... 좋아! 얘들아, 물러서!”

10. 드로메드, 해내다

드로메드는 자신이 가진 모든 힘을 끌어올렸다. 그러자 주위에 몽환적인 검은 안개가 끼면서 순식간에 드로메드의 눈이 강렬한 빨간색으로 변했다. "나이스!" "됐다!" 테라와 카르노는 환호성을 질렀다. "아이고, 살았다…" 옐로이즈는 오빠, 카르노, 테라가 걱정되었고 자기 자신도 걱정되었다. '오빠가 잘 해낼 수 있으려나. 혼자 이겨낸다면, 오빠의 저주도 이젠 끝이야.' 옐로이즈는 그 순간만큼 이 세상 누구보다 진지했고 어두웠다. 평소의 모습과는 180도 달랐다. 카르노는 옐로이즈를 유심히 살펴보며 사람이 저렇게까지 다른 사람을 걱정하고 심각해질 수 있구나 하는 생각이 문득 들었다.

드로메드는 폭주했을 때 지팡이를 쓰지 않아도 마법을 쓸 수 있었다. 드로메드는 천천히 손을 들고 외쳤다. "아르겐타우르! (칼을 힘껏 던졌을 때와 비슷한 마법. 순식간에 무형의 칼이 날아간다.)" 섬뜩한 칼이 괴물의 가슴을 꿰뚫었다. 그 자리에는 큰 구멍 하나만 남아 있었다. 큰 공격은 아니었는지 쓰러지지는 않았지만 지네 괴물은 당황했다. 가슴에 난 상처는 금세 새살이 차오르며 회복되었다. "마법을 쓰다니! 저 녀석이 히든카드였군. 네가 아무리 마법을 쓴다 해도 난 R.K.M에서 탄생한 생명체이다. 평범하지 않아!" 괴물은 또 당하지 않기 위해 반격했다.

괴물의 말대로 강한 것은 사실이었다. 드로메드의 몸이 계속 마법에 잠식되고 있었기 때문이다. 하지만 카르노, 테라, 옐로이즈를 차례대로 상대해 이미 체력이 많이 소진되어 있던 괴물은 폭주한 드로메드의 상대가 되지 않았다. "아스라운스마! (포박 마법)" "컥!" 드로메드가 포박 마법의 주문을 외치자 마법의 푸른 줄이 생겨나 괴물의 여러 다리와 몸통을 묶었다. 징그럽게 많은 다리가 전부 포박되었다. "유슨베니아! (포박 마법의 반대인 마법인 해방 마법.)" 괴물은 마법사 혹은 벤트 아이와 싸우는 것이 이번이 처음이 아니었는지 당황하지 않고 바로 해방의 마법을 썼다. 입 사이로 들려오는 여러 합성음이 섬뜩했다.

드로메드는 어딘가 익숙한 그 목소리에 움찔했지만 곧바로 정신을 되찾았다. 드로메드의 앞에는 자기와 자기 친구를 해치려는 나쁜 괴물이 있을 뿐이고 드로메드는 그걸 없애기만 하면 되었다. 맨 처음 폭주했을 때는 누굴 공격해야 할지 몰라 긴가민가하던 드로메드는 몇 번 마법을 쓰고 상대하다 보니 이제 적이 누군지 확실히 알게 되었다. "사시오유나! (전기 마법으로 1000만 볼트가 넘는다.)" "고네타이아! (물 마법이다.)" 드로메드와 지네 괴물이 피 터지게 싸우는 동안 테라, 카르노, 옐로이즈는 둘의 마법이 닿지 않는 구석진 곳으로 피해 쪼그려 앉아 있었다. 세 명 모두 상처투성이에 꼴은 말이 아니었지만 눈동자를 빛내며 마치 영화를 보는 것 같이 싸움을 구경하고 있었다. "와… 진짜 대박..." 드로메드의 폭주한 모습과 지네 괴물이 당하고 반격하는 모습을 지켜보던 카르노가 홀린 듯 말했다. "그러게..." 옐로이즈도 항상 힘을 숨기기만 하던 드로메드가 저렇게 마음껏 힘을 개방하고 싸우는건 처음 봤기 때문에 너무나 신기해 했다. 딱히 두렵다고는 생각하지 않은 듯했지만 마냥 좋아하고 표정이 좋지 만도 않았다. 드로메드를 걱정하는 모양새였다. “구경꾼이 염치없이 하는 말이지만… 나도 그래. 진짜 ‘와’ 소리가 나온다.” 테라는 약간의 죄책감을 느끼며 드로메드의 힘을 인정했다. “완전 용호상박이야.” “그러게 그 말이 딱 맞네!” 테라가 친구들을 보며 말하자 옐로이즈가 테라에게 어깨동무를 하며 깔깔 웃었다. 그렇게 드로메드의 친구들이 떠들고 있던 그때, 갑자기 ‘쿵’ 하는 소리와 함께 괴물이 쓰러졌다. 무슨 일인가 하고 카르노, 옐로이즈, 테라는 벌떡 일어났다. “이… 이긴 건가?” 아까 전 상황은 이랬다. “…이제 죽어라.” 드로메드는 어둠의 마법으로 생겨난 일명 ‘검은 연기’를 괴물의 호흡기에 뿜어 댔다. 맡으면 바로 죽는 무시한 연기. 그 연기가 괴물의 폐로 들어가 온 몸의 움직임을 멈춘 것이다. 괴물은 반항 한 번 하지 못하고 꼼짝없이 당하고 말았다.
드로메드는 이 연기 한 번으로 진작 괴물을 쓰러뜨릴 수 있었다. 괴물을 오래 살려 둔 이유는, 자신의 재미를 위해서였다. 폭주한 드로메드는 본 모습과는 다르게 잔인하고, 살기가 느껴졌다. 괴물은 처절한 비명을 지르며 쓰러진 후 꿈쩍도 하지 않았다. 괴물이 완전히 죽었다고 생각한 카르노는 두려운 눈으로 드로메드를 바라보았다. 하지만 카르노와 테라의 우려와는 다르게 드로메드의 눈은 아무 일도 없었다는 듯 평온했다. 붉은 눈동자가 곧 다이노원정대도 공격할 것만 같았다. 그러자 옐로이즈가 급하게 드로메드를 제지했다. “오빠! 안 돼!” 옐로이즈가 소리치며 드로메드의 폭주를 막아버렸다.

드로메드의 어둠은 금세 걷혀 다시 원래의 맑은 아이로 돌아왔다. 다이노원정대 생활을 하며 힘이 길러진 것인지 이제는 쓰러지지 않고 버텼다. 조금 휘청이고 비틀거리기는 했지만 잠시였다. “헉… 헉…” 다이노원정대는 땅으로 내려온 드로메드에게 달려갔다. “드로메드! 괜찮아?” 제일 먼저 카르노가 물었다. “응...” 그리고 테라가 떨리는 목소리로 말했다. “이긴 거야?” 테라의 말에 모두 조용해졌다. “응... 그런 것 같아.” 드로메드는 잠시 숨을 고르더니 활짝 웃으며 소리쳤다. “우와! 이겼다!” “와아! 우리 안 죽는다!” 카르노와 테라는 하이 파이브를 하며 소리를 질렀다. “오빠! 드디어… 완전히는 아니지만… 된 거야? 가능성이… 가능성이 있어. 희생을 막을 수도 있을 거야 오빠. 수천년의 비밀과 아픔을 우리가 끝낼 수 있을 거야!” “옐로이즈… 어 그런 것 같아. 다 네 덕분이야. 알렉스랑 데이비드, 타우가 들으면 기뻐하겠지?“ 드로메드는 울먹이며 옐로이즈를 끌어안았다. “푸하하하 역시 우린 천하무적이라니까!” 카르노가 호탕하게 웃었고 기쁨에 취해 있던 테라는 옐로이즈의 말에 정신이 번쩍 들었다. ‘수천년 된 비밀과 아픔, 그리고 희생. 그게 뭐지? 너희는 대체 우리에게 뭘 숨기고 있는 거야? 드로메드, 옐로이즈. 너희는... 너희는 정체가 뭐야?’

11. 파르낭 할아버지

다이노원정대가 한참 웃고 떠들고 있을 때였다. 갑자기 붉은 빛이 뿜어져 나오더니 쓰러져 있던 지네 괴물의 몸에서 어떤 노인이 나왔다. 다이노원정대는 갑작스러운 할아버지의 등장에 깜짝 놀랐다.
할아버지는 크게 웃으며 소리쳤다. “어린 군사들이여, 나는 하늘의 영웅 파르낭이다! 이 지네에 잡혀서 147년을 지네 몸속에서 살았지. 날 지네 몸 속에서 나가게 해주었으니 보답을 하겠다. 미로를 빠져나가는 방법을 알려주마. 이 미로를 빠져나가려면 각 사람마다 내가 내는 문제를 풀어야 한다. 문제를 1명이라고 맞추지 못하면 너희는 절대 미로를 빠져나갈 수 없지만 문제를 다 맞힌다면 내가 빠져나가는 길을 알려주마! 어떠냐?”
드로메드는 이 꺼림칙한 할아버지와 내기를 하고 싶지 않았다. 드로메드 경험 상 가까운 지인이 배신을 하는 경우도 있었으나 낯선 사람이 뒤통수를 칠 때가 더 많았기 때문이다. 다이노원정대는 이 제안을 거절하고 싶었지만 때마침 잘 버텨주던 테라의 태블릿 전원이 꺼지는 바람에 길을 알 수 없게 되었다. 화산이 언제 분화할지 모르는 위험한 상황이었기 때문에 다이노원정대는 수상한 제안을 받아들일 수밖에 없었다. “좋아요. 그렇게 하죠.” 엘로이즈가 답했다. “자. 첫번째 문제를 내마. 수학 문제다. 이 문제는… 거기 뿔 달린 너! 네가 풀어라!” 파르낭 할아버지는 누굴 고를까 고민하시다가 수학이라는 이야기가 나오자 눈을 피하는 카르노를 가리켰다. 아무리 눈치 없는 사람이 봐도 알 수 있을 정도로 카르노는 수학을 싫어했다. 할아버지는 그걸 알고 카르노를 고른 것이었다. 그리고 그 예상은 정확히 적중했다. "아아악! 난 세상에서 수학을 제일 싫어하는데!" 4명의 아이 중에 25%의 확률로 선택 받게 된 카르노는 울부짖었다. 하지만 파르낭 할아버지는 카르노의 절규에도 아랑곳하지 않았다. "너 나와. 어른이 나오라면 나오는 게야." 카르노는 할아버지의 마음을 돌릴 수 없다는 것을 깨닫고는 고개를 숙인 채 터덜터덜 걸어 나왔다.

"자. 문제 나갑니다! 12와 48의 최소 공배수는?" 카르노는 너무 긴장했다. 게다가 카르노는 4학년이었지만 최소 공배수는 5학년 때 나오는 내용이었다. 그래서인지 답이 나올 때까지 조금 오래 걸렸다. "4… 48?" 카르노가 떨리는 목소리로 말했다. 다행히도 카르노의 답은 정답이었다. "정답! 흠… 자~ 그러면 두번째는…! 사납게 생긴 너!" 테라는 사납다는 말에 본능적으로 앞으로 나갔다. 카르노는 얼굴만 봐도 장난꾸러기라는 것을 알 수 있었고 드로메드는 세상 다정한 오빠, 옐로이즈는 토끼와 강아지가 합쳐진 토아지 느낌이었다. (실제로 테라는 가끔 옐로이즈와 추격전을 할 각오를 하고 그녀를 토아지라고 부른다. 옐로이즈는 자기는 동물과 닮지 않았다며 난리를 치고.) "너는 넌센스 문제 5개를 연속으로 풀어야 한다! 제한시간 40초만에 풀지 못하면 너흰 미로를 못 나간다!" 테라는 파르낭 할아버지의 말에 잘 걸렸다는 듯 픽 웃었다.

"자 1번째 문제! 깨트리면 깨트릴수록 칭찬을 받는 것은?" 파르낭 할아버지의 말이 끝나자 마자 테라가 답했다. "신기록!" "정답~ 2번째 문제! 얻어맞고, 비틀리고, 하늘에서 춤도 추는 것은?" "음… 빨래!" 테라는 하늘에서 춤을 춘다는 말에 살짝 당황했지만 앞의 두 힌트를 보고는 답을 유추해 맞추었다. 테라의 마법을 잘 알지만 그녀가 센스까지 있다고는 전혀 생각을 못한 드로메드는 입을 벌리고 있었다. 테라는 눈치가 좋았지만 생각보다 넌센스 쪽으로는 둔했다. 드로메드는 지금 테라가 머리로 수억 가지의 넌센스 문제를 분석하고 있을 거라 장담했다. "저~~엉~~~답! 3번째 문제! 이 세상을 모두 덮을 수 있는 것은?" "눈꺼풀!" 테라는 드로메드의 말처럼 여러 문제를 생각하고 바로 답할 수 있도록 준비하고 있었다. 자기 때문에 친구들까지 미로에서 탈출하지 못하면 안 되었기 때문이다.

"정답! 4번째 문제 나갑니다~! 세상에서 가장 쉬운 숫자는~?" "아이고, 십구만! (190,000)" 테라는 4연속 문제를 맞추며 마지막 문제만을 남겨두고 있었고 분위기는 그 어느 때보다 고조되어 있었다. "가장 어려운 문제! 마지막 문제! 세상에서 가장 무서운 비빔밥은?" "어… 어…" 테라는 망설였다. 어렵다고 하니 비교적 쉬운 문제였음에도 불구하고 잘 생각이 나지 않는 듯 했다. "산채… 비빔밥?" 테라는 6초의 시간을 남겨두고 가까스로 문제를 맞추었다. "딩~~동~~댕~~! 참 잘했어요~!" "하… 틀리는 줄 알았네.." 테라는 심장을 부여잡았다. "테라야! 잘했어!" 옐로이즈는 테라를 칭찬해 주었다. "그럴때가 아니다! 세번째는 바로 너란다~" 파르낭 할아버지가 짓궂게 웃으며 옐로이즈를 가리켰다. 옐로이즈는 잔뜩 긴장해서 나왔다. "옐로이즈! 편하게 해!" 친구들과 드로메드는 옐로이즈에게 용기를 줬다.

"문제 나갑니다! 과학 문제다! ATP는 무엇일까요?" 파르낭 할아버지는 옐로이즈가 얼이 빠져 있어서 그런지 난이도를 확 높여 버렸다. "ATP는 세포 속에 존재하는 물질로서 에너지를 저장하고 운반하여 필요한곳에 내놓는다." 옐로이즈는 수학 문제와 넌센스에서 갑자기 과학이 나오자 3초 정도 침묵을 지켰지만 테라의 간절한 눈빛을 받은 것인지 책에서 본 내용을 겨우 끄집어 내 대답했다.
"정답! 다음문제! 뇌종양이 생겼을 때 같이 일어나는 질환 하나를 설명하시오!" 옐로이즈가 치고 나오자 당황한 파르낭 할아버지는 갑작스레 과목을 바꿔 버렸다. "아니 과학문제라며 왜 의술 문제가 나오는 거야?!" "빨랑해!" "유두 부종? (시신경이 부어오르는 질환)?" 과목은 바뀌었지만 옐로이즈의 머리는 말짱했고 드로메드와 공부했던 내용을 막힘없이 답할 수 있었다. "정답. 통과!" "휴!" 옐로이즈는 웃으며 돌아왔다.
"좋아! 다음은! 너!" 드디어 마지막이었다. 대장인 드로메드가 후발 주자로 나갔다. "너의 과제는... 바로... 없다!" "예에?!" 파르낭 할아버지의 말을 들은 드로메드는 머리를 얻어맞은 기분이 들었다. "큭큭 3명 골려줬으면 됐지. 뭐하러 4명 괴롭히누?" 다이노원정대는 동시에 소리쳤다. "할아버지!" 파르낭 할아버지는 껄껄 웃으며 길을 알려줬다. "큭큭 미안. 이제 약속한대로 길을 알려주마. 자, 이 미로를 빠져나가려면 암호를 풀어야 하는데 옛날 암호는 이와 비교되지도 않을 만큼 어려웠으나··· 너희는 요즘 사람이니 내가 양보해 준 거라는 걸 꼭 기억하면서! 암호를 다 풀었으니 미로를 나가는 방법을 알려주겠다. 오른쪽으로 3번, 왼쪽으로 1번, 오른쪽으로 다시 2번,

왼쪽으로 5번, 앞으로 쭉 간 뒤 오른쪽으로 6번 꺾으면 미로를 빠져나갈 수 있게 된다."

"와아~! 고맙습니다!" 다이노원정대는 파르낭 할아버지께 감사 인사를 하고 서둘러 길을 떠났다. "행운을 빈다! 허허허. 하지만 그 길이 그렇게 쉽진 않을 거다~" 다이노원정대가 떠나는 모습을 지켜보던 할아버지는 다이노원정대가 시야에서 벗어나자 마자 순식간에 사라졌다.

12. 화산, 폭발하다

다이노원정대는 서둘러 길을 떠났다. “얼른 나가야만해!” 다이노원정대가 파르낭 할아버지가 알려주신 대로 한참을 뛰어가고 있을 때였다. 앞만 보고 달려가던 테라는 무언가 이상하다는 것을 눈치챘다. “잠깐만! 멈춰봐. 뭔가 계속 흔들려.” 테라의 말에 다른 아이들도 땅이 흔들리는 것을 알아챘다. “어? 그러네.” “이게 뭐지? 아까처럼 괴물인가?” 테라와 드로메드는 생각나는 것이 있었다. 그건 지진도, 괴물도 아니었다. “화산!” 둘은 동시에 소리쳤다. “뭐, 뭐라고?!” 카르노는 다시 되물었다. “화산! 화산이야! 곧 화산이 폭발한다고!” 드로메드가 다급하게 소리쳤다. “그럼 지금 화산이 폭발한다는 거야?!” 옐로이즈는 놀란 토끼 눈이 되었다. 제 귀에 들려온 ‘화산 폭발’ 이 네 단어를 이해하지 못하는 듯 했다. “응… 그런 것 같아. 빨리 도망쳐야 해.” 테라가 소리쳤다. “이러고 있을 시간이 없어! 얼른 가자!” 다이노원정대는 무작정 앞으로 뛰어갔다. 운도 지지리도 없지, 미로는 너무 길었다. 정말 빨리 뛰었지만 아직 출구 근처도 가지 못했다.

다이노원정대가 뛰기 시작한지 5분 정도 지나자 땅은 더 흔들려 서 있지도 못할 정도가 되기 시작했다. 제대로 서 있기조차 힘든 강진이 지나가자 쿠르릉 쾅! 하는 번개가 코 앞에서 내리치는 듯한 큰 소리와 함께 결국 화산이 폭발하고 말았다… 하필이면 4미터 높이의 벽이 가로막고 있는데도 보일 정도로 큰 화산이었다. 엄청난 화산재와 연기가 하늘로 올라가 뒤덮고, 돌들이 분화구에서 마구 튀어나왔으며 뜨거운 용암이 흘러나왔다. "화산이... 폭발했어..." 테라가 절망한 채 말했다. 믿었던 테라마저 희망의 끈을 놓아버리자 드로메드는 정신을 바짝 차렸다. '시간이 없어. 이 아이들은 내가 지켜야만해.' "얘들아! 어서 도망가자! 빨리 도망가면 피할 수 있어! 그리고 저기서 날아오는 저 돌 조심해! 맞으면 끝장이야!"

드로메드의 친구를 지키고자 하는 강한 마음과 정신이 닿았는지 옐로이즈와 테라와 카르노는 절규를 멈춘 채 뛰기 시작했다. 계속 달렸다. 멈추지 않았다. 중간에 지진 때문에 땅이 갈라져 빠지기도 하고 넘어지기도 했지만 '살아야 한다' 오직 이 생각 하나 만으로 달리고, 달리고 또 달렸다. 하지만 다이노원정대가 아무리 빠르게 달려도 용암은 그보다 3배나 빠른 속도로 다이노원정대를 쫓아왔다. 용암에 닿는 것은 모조리 다 녹아 버렸다. 다이노원정대를 둘러쌓던 거대한 미로의 벽이 뜨거운 용암에 닿자마자 가루처럼 사라져 버렸다. 최대한 달린다고 달렸지만 용암이 너무나 빠르게 쫓아오자 다이노원정대는 모든 걸 포기하고 말았다. '이제는 아무것도... 아무것도 할 수 없어... 아아...' 다이노원정대는 눈을 질끈 감았다.

'모든 게 끝날 것이다. 다시는 가족과 친구를 만나지 못할 것이다' 라고 생각한 그때였다. 갑자기 엄청나게 밝고 푸른 하얀 빛이 나더니 숨이 막힐 정도로 후덥지근 하고 어두웠던 주위가 환해지고 시원해졌다. 다이노원정대는 뜨거운 용암 대신 시원한 느낌이 들자 깜짝 놀라 눈을 동그랗게 떴다. "어? 이건 대체..." 용암은 모두 얼음으로 바뀌어 있었다. 뜨거운 용암은 용암보다 더 단단하고 차가운 얼음 속에 갇혀서 나오지 못했다. 다이노원정대가 어리둥절해 있을 때 어떤 목소리가 들려왔다. "어이 드로메드~! 괜찮지? 안 다쳤고?" "다시는 못 보는 줄 알았네… 얘 안 데려왔으면 죽을 뻔 했어." "테라야! 괜찮아?" "하아... 난 정말 죽는 줄 알았어... 어쨌든 모두 무사한 거지?" 다이노원정대는 깜짝 놀랐다. "아니... 너희들은...? 대체... 어떻게 된 일이야?"

13. 새 친구들

다이노원정대를 구해준 사람들은 다이노원정대의 같은 반 친구들이자 오랜 찐친들이었다. 차가운 얼음을 자유자재로 다루는 알렉스, 최고 전략가이자 유능한 과학자인 타우, 활기찬 명궁 데이비드, 달리기의 대가인 티라와 땅 속 세계에 관해서는 모르는 게 없는 아르마, 마지막으로 카르노와 찰떡 콤비인 물을 다루는 모타카까지. 모두가 은하 초등학교의 자랑스러운 3단계 벤트 아이들이자 같은 반 친구들이었다.

친구들과 다이노원정대는 미로에서 나오고 또다시 나타난 동굴을 빠져나오며 소소한 대화들을 나누었다. "드로메드. 아직 완전히 통제되지도 않고 약하지만… 너 지금 굉장히 안정적이다. 막을 수 있을 지도 모른다. 가능성이 있어. 고맙다." 알렉스가 동굴을 빠져나오면서 빙그레 웃으며 드로메드에게 속삭였다.

알렉스는 드로메드와 같은 반 친구이자 오랜 절친이기도 하다. 전교에서 가장 유명한 냉미남이자 정말 차갑고 무섭고 말이 없으며 당연히 웃는 일도 거의 없다. 하지만 그런 알렉스도 자신의 친구들과 사랑하는 사람들 앞에 서면 무장해제가 된다. 특히 오늘은 너무 행복한 날이라 더 그랬다. 희망이 생긴 것 같았다.

알렉스는 드로메드를 바라보며 후후 웃었다. 데이비드는 사람들을 불러 놓고 파티를 벌여야 한다며 신이 나서 카르노, 모타카와 함께 파티 계획을 세우고 있었다. "뭐래… 고마운 사람은 나지. 근데 넌 왜 이렇게 얼어 있어? 웃음이 자연스럽지가 않아. 귀신이라도 봤어? 너 지금 머리 금색이거든." 드로메드는 숙이고 있던 고개를 올리며 알렉스의 어깨를 툭 쳤다. 알렉스는 정곡을 찔리자 당황했다. "아니 뭐… 내가 귀신보고 놀랄 사람인가. 그냥… 그런 게 좀 있다. 나중에 말해주마." 그러고는 대충 얼버무렸다. 드로메드는 조금 의아해했지만 피식 웃고 말았다. 알렉스는 이렇게 이상행동을 한지 꽤 오래 되었고 드로메드 역시 그것에 익숙해져 있기 때문이다. 이럴 때는 자기가 알아서 말할 때까지 내버려두는 것 밖에는 방법이 없다. "그나저나, 너 데이비드랑 숙제 하러 영화 보러 간다고 했잖아. 어떻게 왔어? 우린 절대 길이 겹칠 리가 없었을 텐데." 드로메드의 물음에 알렉스는 데이비드에게는 들리지 않도록 드로메드 쪽으로 가까이 다가가 몸을 숙였다. 데이비드는 귀가 밝아서 들을 위험성이 있었다. "데이비드 녀석이랑 영화를 보면 재밌는 영화도 지루해진다. 리액션이 장난 아닐뿐더러, 내가 좋아하는 장르의 영화는 잰 싫어하잖냐. 숙제 하기도 너무 싫고. 우리 쌤은 너무 재밌는데 숙제가 재미가 없다. 나중에 너나 타우랑 하려고. 너희들 위험할까 봐 따라간 것도 있고."

알렉스의 말에 드로메드는 과거의 어떤 장면이 생각났다. 알렉스는 데이비드를 보며 인상을 쓰고 있고 데이비드는 무서워 소리를 지르고 있는 그 장면이. 알렉스는 무서운 공포 영화와 추리, 범죄 영화를 좋아하는 반면 데이비드는 판타지와 평화, 코미디, 일상생활 영화를 좋아했다. 예전에 드로메드, 알렉스, 데이비드, 타우가 다 같이 집에서 공포 영화를 본 적이 있었는데 그때 데이비드는 자기보다 더 작은 드로메드에게 매달려 고개를 파묻고 절대 얼굴을 들지 않았었다. 그 영화는 공포 영화 치고는 딱히 무서운 영화도 아니었는데 말이다. 그때 이후로 알렉스는 다시는 데이비드와 공포 영화를 보지 않았다. 드로메드는 그때를 생각하며 빵 터졌다. 알렉스의 마음이 100% 이해되었기 때문이다. 드로메드는 한참 킥킥거리다가 또 물었다. "아 맞다. 너희가 우리를 따라왔었으면 말을 하지 그랬어. 그럼 같이 다닐 수 있었을 텐데. 근데 어떻게 이렇게 많이 온 거야? 우연히 다 만난 건가? 타우는 또 어떻게 데려왔어? 숙제는 안 하기로 한거야? 기간도 정해져 있는데 어떻게 하게? 자세히 말해봐." "그만 조잘대라. 하나씩 답해주마. 일단 난 데이비드랑 영화관 가다 놀이터에서 놀고 있는 모나카… 아니, 모타카를 보았고, 걔도 숙제 안 했다길래 같이 갔다. 그렇게 가다가 영화관으로 가는 길목에 티라랑 아르마가 급하게 산으로 가는 걸 보고 붙잡아서 얘기해봤더니 니들이 수상한 남자를 따라갔다는 거야. 위험할까 봐 말려야겠다 싶어서 산을 오르는데 그 산에서 쓰지도 못하는 마법 연습 중인 타우를 봤고, 데리고 가서 니들을 만난 거다." 알렉스는 퉁명스럽게 설명해주었다.

드로메드는 친구들의 (특히 티라의) 힘에 의해 끌려가는 타우와 놀이터에서 해맑게 놀던 모나카의 (모타카 별명이 모나카다. 이름이 닮았고 모타카가 단 걸 좋아해서.) 모습을 안 보았지만 본 듯이 생생하게 떠올랐다. 다이노원정대가 동굴 밖으로 나오자 기다렸다는 듯 테라가 물었다. "너희들 대체 어떻게 여기까지 온 거야?" 아르마가 말을 꺼냈다.

"좋아. 내가 설명하지. 아까부터 너무 얘기하고 싶었어. 이게 어떻게 된 거냐면... 요즘 테라 네가 하도 쟤네들이랑만 같이 당기길래 나도 궁금해서 티라하고 같이 따라왔걸랑. 알렉스랑 데이비드는 드로메드와 옐로이즈는 내 친구들이니까 따라간다고 했고. 모나카도 알렉스랑 데이비드랑 같이 있어서 얼떨결에 따라왔지. 이 둘이 여기까지 따라온 이유는 데이비드랑 영화 보기 짜증나서 그런 걸 수도 있고, 아님 그냥 숙제가 싫었던 걸 수도 있지. 겁쟁이 타우는 우리가 반강제로 끌고 오긴 했지만 그래도 친구라고 부들부들 떨면서 왔어. 뭐, 쓸데없는 지식은 별 도움도 안 되긴 했지만. 그래서 다 같이 가는데 너희들이 쓰러지길래 뭔가 이상하다 싶어서 거기까지 조심조심 따라갔어. 아니나 다를까, 너희들이 짜증내다가 미로에 떨어지니까 우리도 또 같이 떨어져서 다시 따라갔지. 그리고..."

아르마가 얘기를 하고 있는데 갑자기 모타카가 끼어들었다. "으... 그때 진짜 무서웠어."

"끼어들지 마!" 아르마는 다시 이야기를 이어갔다. "그리고 너희들이 괴물하고 싸우는 거 보니까 엄청 재밌더라. 특히 드로메드가 지네 괴물 쓰러트릴 때는 진짜 영화 보는 것 같았어! 하지만 뒤에 카르노가 수학문제 푸는 게 더 재밌었어. 아니 그렇게 쉬운 문제를 어떻게 그렇게 오래 푸니?"

"야! 네가 그 상황에 있어봐. 답이 쉽게 나오나!" "난 쉽게 나올 것 같은뒈~?" 아르마는 카르노를 놀렸고 "끄으응..." 카르노는 분해했다.

아르마가 웃느냐고 더 이야기를 못하자 타우가 나서서 다음의 일을 간단명료하게 설명했다. "후... 내가 다시는 여기 안 온다. 어쨌든 너희를 쫓아가는데 갑자기 화산이 폭발하길래 알렉스가 용암을 다 얼음으로 만들어서 도와준 거야. 알렉스는 얼음에 관해서는 정말 타고났잖아."

"그렇구나! 정말 고마워. 너희 아니었으면 큰일 날 뻔했어!" 옐로이즈가 말했다.

"맞아. 정말 고마워. 소원을 말해봐. 가능한 들어줄게." 드로메드가 말했다.

드로메드가 말한 소원은 물질적인 소원과 너무 큰 것이 아니라 일종의 작은 보답 같은 의미를 담고 있었다. 드로메드의 친구들이라면 이 작다면 작고 크다면 클 수 있는 소원 제도에 대해 잘 알고 있었다. 드로메드의 마음과도 같은 선물이었다.

그러자 아르마가 말했다. "소원? 있지! 우리의 소원은 다이노원정대가 되는 거야. 아까 겪었던 모험처럼 우리도 같이 멋진 모험을 하고 싶어!"

"맞아 진짜 그래." "아 저기, 나도 좋긴 한데. 위험하지만 않으면." 타우가 고개를 끄덕였고, 모타카도 맞장구 쳤다.

다이노원정대는 눈빛을 주고받았다. '합류해?' '당연하지.' '모두 동의해?' '응!' 카르노, 테라, 옐로이즈는 다른 아이들이 다이노원정대에 오는 것을 다 찬성했다.

"너희는 우리를 살려주었어. 그러니 당연히 다이노원정대에 들어올 자격이 있지! 그게 너희의 소원이라면 말이야." 드로메드가 말했다.

"정말? 와아! 고마워!" "축하해!" "야호!" 그렇게 다이노원정대는 새로운 멤버도 합류하게 되고 첫번째 모험도 잘 끝냈다.

앞으로도 다이노원정대는 악에 맞서 싸울 것이다! 많이 힘들겠지만 다이노원정대는 어떤 어려움이라도 이겨낼 수 있다. 새 멤버도 합류했으니 이제는 천하무적이다. (아마도?)

다이노원정대 2

하늘의 비밀

프롤로그

오늘은 공포의 월요일. 한 주가 시작되는 날이므로 월요일은 다이노원정대가 가장 바쁜 날이다. 다이노원정대는 아침 9시부터 저녁 6시까지 쭉 열심히 일해야 해서 늘 많이 힘들었다. 특히 지금은 폭염이라 날씨가 너무 더워 체력이 쉽게 고갈되었다. 그래서 타우와 데이비드, 알렉스, 드로메드는 바쁜 일정에 지친 나머지 특별히 오늘만 일을 쉬었다.

오랜만에 느껴보는 휴식이었다. 다행히 조금 더운 것을 빼면 날씨도 너무나 좋았다. 하늘은 맑고 깨끗했다.

"난 말이야. 우리의 휴일이 이렇게 단비 같은 느낌이였던 건지 오늘 처음 알았다?" 타우는 콧노래를 흥얼거리며 배시시 미소를 지었다. 일명 '죽음의 미소'라 불리는 이것을 보게 된다면 잠시 정신이 멍할 수 있다. 과장도 어느 정도 섞여 있기는 하지만 타우는 실제로 최면 마법을 쓸 수 있기 때문에 아예 틀린 말은 아니다. 타우의 기분이 좋아지면 소량의 최면 마법이 저도 모르게 나오기 때문에 잠시 동안은 멍할 수 있는 것이다.

"또또 죽음의 미소 쓴다. 우리는 안 넘어가. 어쨌든, 휴가가 좋긴 하네. 안 그러냐?"

데이비드는 타우 어깨를 가볍게 친 뒤 장난스럽게 알렉스에게 물었다. "응. 마음이 편하다."

알렉스도 티는 안 냈지만 간만에 휴식을 취하자 좋아했다. (4인조 중에 티는 안 나지만 은근 노는 거 제일 좋아하는 사람.) 하지만! 모두가 즐거워 하는 휴일에 기분이 나쁜 사람이 딱 한 명 있었으니… "그래서, 우리 친구들께서는 앞으로의 계획이 무엇일까? 아무런 계획이 없이 나온 거라면 난 좀 인상을 써야만 할 것 같은데." 아니나 다를까, 불만의 주인공은 대장 드로메드였다. 휴일을 정한 장본인이었다.

"에이, 쉬는 날엔 놀아야지~ 그리고 옐로이즈도 너 없이 노는 날도 있어야 한다! 이 말씀이야~" 데이비드가 드로메드에게 어깨동무를 하며 발걸음을 재촉했다. 드로메드의 표정은 조금 부루퉁했다.

사건의 전말은 이랬다. 오늘은 다이노원정대가 쉬는 날이었다. 드로메드가 일주일 전부터 차근차근 계획을 세우고 고심하여 고른 날이었다. 모두가 들떠 며칠 전부터 놀 계획을 세웠다. 영화 보기, 늦잠 자기, 게임하기 등등 여러 재미있는 계획들이 나왔다.

드로메드도 옐로이즈와 간만에 같이 놀며 추억을 쌓으려고 했다. 아주 완벽한 휴일이 될 것만 같았다. 그런데 그때, 이 모습을 지켜보던 데이비드, 타우, 알렉스가 드로메드를 억지로 데려와 자기들 이랑 덜컥 약속을 잡아버렸다. 아무런 예고도 없이 그냥 휙 끌고 온 것이다. 당일 날까지 드로메드는 전혀 이 사실을 인지하지 못했다. 옐로이즈는 오빠가 상처 받을까 말하지는 않았지만 속으로 너무 좋아 소리를 질렀다. 늘 드로메드랑만 붙어있다가 테라, 티라, 아르마와 놀이공원에 간다고 하니 신났기 때문이다. 놀이공원에 갔다 와서는 카드 게임을 하기로 했다. 카르노와 모타카도 겁을 줄

일 것이라며 공포 영화를 보러 간다. (울면서 돌아올 거라고 모두가 예상했다.) 드로메드도 테라, 티라, 옐로이즈가 같이 잘 놀 거라는 건 잘 알았지만 테라에게 짐을 맡긴 것 같아 미안하기도 했고 옆에 동생이 없으니 허전하기도 했다. 드로메드는 매사에 조심하고 가능성이 있는 모든 경우의 수를 생각하며 행동하지만 옐로이즈는 드로메드의 정반대였다. 아직 사회 생활 1년차 정도 밖에 되지 않았을뿐더러 원래 성격이 칠칠 맞고 덤벙거리는 스타일이었다. 접시나 컵을 깨트린다거나 한 눈을 판다거나 하는 행동이 가끔, 아니 자주 나왔다. 그래서 걱정되는 부분도 있었다.

"난 옐로엔이랑 퍼즐 5000피를 하루 안에 맞추겠다는 위대한 계획을 세우고 있었어. 상황이 이렇게 될지는 꿈에도 몰랐어 진짜! 그것도 당일 날…"

"어차피 불가능한 일이면 즐기라고!"

드로메드의 한숨에 데이비드는 오히려 쾌활하게 말했고 타우도 거들었다.

"그래 드로메드, 맛난 거 먹고, 실컷 놀고 오자고~"

알렉스는 아무 말도 하지 않았지만 긍정의 의미로 고개를 강하게 끄덕였다.

친구들의 말에 드로메드는 두손 두발을 다 들고 말았다.

"어휴… 내가 포기하고 말지. 이왕 이렇게 된 거, 빨리 가자! 나 배고파. 아침 안 먹었거든."

드로메드는 포기했다는 듯 웃었다. 드로메드의 말에 문제아 4인조는 환호성을 지르며 맛있기로 소문난 음식점을 향해 달려갔다.

이 네 명은 각자 뜯어보면 완벽 그 자체지만 4명이 모여 있으면 문제 그 자체이다. 오랫동안 알고 지내며 서로의 장점과 단점이 고루 섞여 들어가 더 더욱 사고뭉치들이 되었다. 이 네 명이 모여 딱히 하는 일은 없다. 하지만 일이 생겼을 때는 누가 뭐라 말도 하지 않았는데도 저절로 역할이 분담된다.

일단, 알렉스는 눈빛 살인마이다. 동물이건 사람이건 알렉스의 화날 때 눈빛은 한 번 보면 다음부터 아무 소리도 못한다. 차갑고 매정한 눈빛. '난 모든 걸 다 알고 있다. 네 잘못과 가장 깊은 곳까지도.' 라는 눈빛은 같은 편이 봐도 무서웠다. 알렉스의 눈 결정 같은 눈동자를 들여다보고 있으면 흉악범도 술술 자백을 할 정도였다. 그리고 알렉스는 힘 담당이기도 했다. 힘 쓰는 일은 늘 알렉스가 하고는 했다. 한 번은 문을 닫은 놀이공원에 가서 논 적이 있었는데 그때 알렉스가 팔 힘으로만 바이킹을 밀었다. 덕분에 작동하지 않는 놀이기구를 탈 수 있었고 그 일이 생긴 다음부터 힘 담당이 알렉스가 되었다.

데이비드는 모든 일의 주동자였다. 어떠한 일의 원인에는 항상 데이비드가 끼어 있었다. 이것은 굉장히 피곤한 일이지만 데이비드는 그럴 때마다 그 상황을 즐긴다. 어차피 엎질러진 물을 다시 주워 담을 수도 없는 일인데 그냥 빨리 해결을 보자는 거다. 문제는 놀 때가 아닌 그 외의 상황들은 항상 미룬다는 것이다. 숙제 같은 것 말이다. 이런 데이비드를 두고 그의 친구들은 4차원에 관종에 외계인이라고 말한다. 드로메드는 어떤 역할이라는 개념은 없다. 늘 얼떨결에 끌려 다니기 때문이다.

주동자인 알렉스와 데이비드의 그때 그때 컨디션에 따라 이리 치이고 저리

치인다. 그럴 때는 빠져 있는 것이 상책이다. 끼어 들었다 가는 매우 피곤해진다. 그 일의 대표적인 예시로는 드로메드 감금사건이 있다. 알렉스는 집이 없어 데이비드의 집에서 아직까지도 같이 산다. 데이비드의 가족들은 알렉스를 따뜻하게 맞아 주었고 덕분에 몇 년 째 같이 살고 있다. 처음에는 어색해서 싸우지도 않고 말을 하지 않았지만 지금은 서로를 너무 속속들이 너무 잘 안다. 그래서 그런지 둘은 더 많이, 자주 싸운다. 어릴 때보다 더 말이다. 1시간에도 몇 번은 투닥거리고 말다툼을 한다. 가벼운 마법을 이용해 서로에게 데미지를 입힐 때도 있었다. 그럴 때 끼어 봤자 좋은 거 하나 없다는 걸 체감한 드로메드는 이제 다시는 그런 상황에 끼지 않는다. 예전에 이렇게 참견했다가 둘의 어마 무시한 눈빛과 힘을 느끼며 끌려갔던 적이 있었기 때문이다. 그 당시 둘은 정말 아무것도 아닌 것으로 싸우고 있었다. 활이 더 센가, 얼음이 더 센가 라는 이유 말이다. 각자의 주 무기이자 특기였기에 둘은 열을 올리며 토론을 했다. 드로메드는 괜히 끼었다가 알렉스와 데이비드에게 팔 한쪽 씩을 잡혀 방으로 끌려간 뒤 문이 잠겨 3시간 동안 혼자 심심하게 있었다. 어리석게도 드로메드는 그때 '내가 너희보다 더 세! 활은 화살이 떨어지면 그만이고 얼음은 녹으면 그만이잖아?' 라고 말했었다.

하지만 드로메드도 아무 일을 안 하는 것은 아니다. 대부분의 경우 머리를 쓰고 계획을 세운다. 행동파인 세 친구들과는 다르게 말이다. (한 친구는 4명이 모여 있을 때만 행동파가 된다.) 뭐, 그렇게 애써 세운 계획은 오로지 본능이 앞서는 다른 친구들에 의해 항상 물거품이 되지만.

마지막으로 타우는 소심한 4차원이다. 타우는 머리도 뛰어나고 다정한 성격을 갖고 있다. 지나치다 싶을 정도로 조용할 때도 있지만 친한 네 명 친구들하고만 있으면 180도 변했다. 엉뚱한 생각으로 사람들을 웃겼고 자꾸 경로를 이탈했다. 뭐만 보면 가설을 세우고 연구하려는 유전적인 특징에서 비롯된 버릇 때문에 어릴 적에는 길을 그렇게 잃어버리고 다녔었다. 또한 타우는 신이 나면 바로 행동파가 되었다. 별다른 생각을 하지 않고 발 가는 데로 가는 것이다. 이러한 특징들 때문에 이 아이들이 문제아 4인조라 불리는 것이다. 정말 최강 조합이었다.

"애들아 빨리 와! 여기 줄 엄청 긴데라 빨리 안 가면 놓친다~?"

체력이 좋은 행동파 대장 데이비드가 가장 앞섰고 행동파 부대장 알렉스는 필요없는 승부욕을 불태우며 데이비드를 바짝 쫓았다. 상황을 모르는 사람이 봤다면 경찰과 도둑의 추격전이라고 생각할 만큼 둘은 매우 빠른 속도로 우다다다 달렸다. 지금이 더운 여름이라 그렇지 만약 겨울이었다면 알렉스가 무조건 데이비드를 앞질렀을 것이다. 추운 겨울에 알렉스를 이길 수 있는 사람은 이 세상에 아무도 없었다. 길에 사람이 없었으니 망정이지 한 명이라도 지나가고 있었다면 부딪쳐 사고가 날 뻔 했다.

한편, 체력이 약해도 너무 약한 드로메드와 귀차니즘 끝판왕인 타우는 뒤에서 헥헥거리며 간신히 쫓아오고 있었다.

"아 좀…! 바지에 불붙었냐? 같이 좀 가자 왜 이래 진짜…" 드로메드는 뛴지 얼마나 됐다고 땀이 줄줄 났고, "난 뛰는 게 싫어… 정말 싫어! 근데 너희는 왜 그러는 거야…" 타우는 부들거리면서 앞서가는 친구들에게 혼자 소리를 질렀다. 현재 밖은 30도가 넘어갔고 태양은 붉게 타오르고 있었다. 그럼에도 불구하고 데이비드와 알렉스는 열심히 뛰었다. 드로메드와 타우는 몇 분만에 환자가 되어 골골 거렸지만 데이비드와 알렉스의 분노의 달리기 덕분에 줄을 오래 서지 않고도 식당에 들어갈 수 있었다. 시원한 식당 안으로 들어오자 드로메드와 타우는 금세 생기를 되찾고 앞다투어 데이비드와 알렉스를 칭찬했다.

"거봐. 달리기는 이렇게 편리한 수단이야. 티라가 여기에 있었으면 대박이었겠다."

알렉스가 참으로 오래간만에 호탕하게 웃으며 드로메드와 타우를 놀렸고 데이비드는 배고픈 나머지 서둘러 음식을 주문했다.

문제아 4인조가 자리에 모두 앉자 다들 약속이라도 한 듯 동시에 한숨을 쉬었다. 그 한숨에는 많은 의미가 담겨 있었다. 날씨가 너무 덥다는 생각, 달리기가 너무 힘들다는 생각 등등… 그때였다. 4인조가 모두 눈을 감고 이런 저런 생각을 하고 있을 때 갑자기 드로메드, 데이비드, 타우, 알렉스가 깜짝 놀라 동시에 벌떡 일어섰다. "너도?" "응! 가만히 있는데 갑자기 뭔가가…"

제일 먼저 타우가 말을 꺼냈고 알렉스가 떨리는 목소리로 대답을 했다. 그와 동시에 데이비드도 말을 꺼냈다.

"갑자기 깜짝 놀랐네. 뭐였지?"

데이비드도 갑작스러운 충격에 숨을 헐떡였다. 드로메드, 데이비드, 타우, 알렉스는 동시에 어떠한 충격을 받은 듯 했다. 알렉스의 말에 따르면 전기 충격 같이 빠르게 지나간 무언가였다. 한 명도 아닌 네 명의 아이가 동시에

이 충격을 느꼈다면 자연스러운 현상이라고는 말할 수 없었다. 게다가 이 4명의 아이들 말고는 아무도 충격을 받지 않은 것 같았다. 식당 안에 있는 다른 사람들은 전부 웃으며 음식을 먹고 있었기 때문이다. 드로메드는 아무런 말이 없었다. 대신 식은땀을 흘렸고 다리에 힘이 풀려 털썩 주저앉았다. 세 친구들은 어리둥절해 했지만 드로메드는 알고 있었다. 왜 그런지 알고 있었다. 모든 걸 알고 있었다. '단순한 충격이 아니였어. 때가 다가오고 있어. 아무리 정해진 운명이라고 해도 이렇게 빨리 올 줄이야… 뭐 때문에 시기가 당겨진 거지? 분명히 최소 몇 년 뒤나 되어야 징조가 나타나야 해… 뭐가 잘못된 거지? 그래도, 시기가 당겨지든 마법이 강해지든! 난 절대 내 가족과 친구들을 희생시키지 않을 거야. 그 분께도 절대 실망을 안겨 드리지 않을 거고. 정해진 운명만 따르다 보면 난 철저히 망가지겠지. 회복이 어려울 만큼. 행복은 내 주변에 있는 보물과도 같아. 그걸 찾을 줄 알면 행복해지지만 그걸 찾을 수 없다면 영원히 행복해질 수 없어. 난… 난 그 행복을 찾을 수 없는 사람인가…?'

드로메드는 조용히 친구들의 당황스러운 얼굴과 푸르른 하늘을 쳐다보았다.

"괜찮아. 연습을 해야 할 때가 다가오고 있나 봐. 그리 크게 걱정할 건 아니야. 늘 하던 대로만 하자. 가능성은 적지만."

드로메드가 웃어 보였다. 드로메드의 미소에 긴장이 풀린 세 사람은 몸을 편하게 기댔다.

"난 또. 엄청난 건 줄 알았네. 벌써 그렇게 됐던가?"

"그러게. 좀 된 것 같기도 하고."

"작년 4월 18일이다. 1년 3개월이 조금 지났어."

세 아이가 차례대로 돌아가며 말했다. 얼굴에는 미소가 띄어져 있었다. 오직 드로메드의 얼굴만 약간 어두워져 있었다.

"왜 그래? 그렇게 걱정돼? 하기야 넌 걱정되긴 하겠다. 며칠 씩 앓아 누우니."

데이비드가 물었다.

"어… 좀 걱정되네. 그 시간 동안은 다이노원정대 일을 못 할 거 아니야. 너희가 내 몫도 나눠서 해~"

드로메드가 장난스럽게 얼굴을 찌푸렸다. 장난끼 가득한 12살 아이의 모습이었다.

"그럼요 대장! 맡겨만 주시옵소서~"

데이비드도 유쾌하게 받아 쳤다.

다시 모든 게 평화로워 진 것만 같았다. 아이들의 웃음소리는 듣기 좋았고 활짝 웃는 모습은 보는 사람도 저절로 미소가 지어 지게끔 만들었다.

하지만 아니었다. 겉만 그렇게 보일 뿐, 속은 썩어 문드러져 있었다. 드로메드는 오늘도 속으로 눈물을 흘렸다. 정해진 운명에 따라 한 사람이 희생해야 다른 희생을 막을 수 있다는 세상의 이치를 원망하며…

1. 끝나지 않는 일

때는 8월 20일, 다이노원정대가 생긴지 거의 1년이 조금 넘어가고 있었다. 이상기후로 굉장히 더워 모두가 허덕였다.
작년 여름, 테라와 카르노, 드로메드, 옐로이즈는 다이노원정대라는 새로운 팀을 만들었다. 넷 다 훌륭한 3단계 벤트 아이들이었고 멋진 모험을 할 수 있으리란 생각에 들떠 있었다. 하는 일이 거의 없어 심심할 법도 했지만 네 아이는 그것조차 기쁘게 생각하며 꾸준히 강해지기 위해 노력했다. 그로부터 3개월 뒤 다이노원정대는 호기심에 따라간 동굴에서 놀라운 경험을 할 수 있었다. 그 누구도 쉽게 경험하지 못할 특별하고 재미있는 기억이었다. 다소 아찔하기는 했지만 모두가 다치지 않고 안전하게 동굴에서 빠져나오며 재미있는 모험을 마무리했다. 또한, 새로운 친구들과 그 능력이 더해지며 더 강해지게 되었다. 살짝 어리숙하고 부족했던 새내기 다이노원정대가 새로운 친구들과 협동하고 도우며 어려운 일은 해내가는 다이노원정대가 되었다.
그렇게 바쁘게 지내다 보니 어느새 4학년에서 5학년이 되었다. 다이노원정대의 4학년 담임 선생님이신 다니엘 선생님께서는 다이노원정대라는 팀과 그 팀의 멤버들을 눈치채시고는 몽땅 다 한 반으로 붙여 주셨다. 은하 초등학교와 같은 마법 학교는 몇 명이 붙어서 같이 다음 학년으로 올라가든 상관이 없었다. 그런 이유 때문에 선생님이 정말 중요했다. 서로 사이가 안 좋은 아이들은 떼어놓고 사이가 좋은 아이들은 붙여 놔야 했기 때문이다. 마법 학교에 다니는 학생들은 모두 다 벤트 아이인데 단계가 아무리 차이나도 사이가 안 좋은 아이들끼리 올라가면 작은 불씨 하나로도 큰 사건이 일어날 수 있기 때문이었다. 마법 학교에서는 정말 작은 마법 하나로도 주변에 있는 마법이 반응해 큰 사건으로 번질 수 있는 우려가 있어 이런 법이 만들어지게 된 것이다.

반면, 사이가 좋은 아이들끼리 붙여 놓으면 서로 경쟁하며 발전을 할 수 있다. 특히 테라나 데이비드, 알렉스와 같은 경쟁심이 강한 아이들은 서로 부딪히며 어려움을 극복하는 방법을 배울 수 있을 것이다.

다니엘 선생님과 헤어지는 것은 아쉬웠지만 새로운 5학년 담임선생님을 매우 즐거우신 분이었다. 우연스럽게도, 새로운 5학년 선생님이신 보나 선생님은 다니엘 선생님의 친척이셨다. 보나 선생님은 젊고 파이팅이 넘치셨다. 드로메드와 옐로이즈는 긴 공백에도 불구하고 새로운 선생님과 친구들에 금세 적응해 같이 어울렸다. (참! 그 모습을 보고 타우가 몰래 운 것은 비밀이다.)

시간은 그렇게 흘러 어느새 8월말이 되었다. 새로운 친구들과 어울리고 즐겁게 수업에 참여하던 다이노원정대는 하교를 했다. 모두가 가는 곳은 딱 한 곳이었다. 바로 드로메드와 옐로이즈의 집이었다. 따로 만들어진 본부가 없는지라 대장과 부대장의 집을 임시 거처로 삼았다. 드로메드의 부모님께서도 흔쾌히 허락하셨고 저녁 7시까지만 잠깐 쓰는 거라 큰 문제가 될 것이 없었다.

본부로 삼고 있는 대장과 부대장의 집에 도착한 다이노원정대는 열심히 일을 하였다. 여러 사건 사고들이 끊이지 않았다. 다이노원정대는 2시간을 열심히 뛰어다닌 뒤에 지친 나머지 잠시 쉬고 있었다. 경쾌한 종소리와 함께 들어온 모타카가 알렉스가 만든 얼음 위에 벌러덩 누우며 말했다.

"으아 정말 장난 아니게 힘드네... 이렇게 힘들 줄 알았으면 모험이고 뭐고 그냥 다른 소원 빌 걸."

"내 말이..."

모타카 뿐만이 아니라 다른 아이들도 완전히 뻗어 정신을 못 차리고 있었다.

다이노원정대가 이토록 지지고 볶고 팔짝 뛰며 힘들어하는 이유는 아주 단순했다. 다이노원정대가 미로속에서 엄청난 모험을 한 사실이 뜻하지 않게 알려지자, 많은 사람들이 다이노원정대에게 사건을 해결해 달라고 요청했기 때문이다. (다이노원정대 누군가가 자랑을 어마무시하게 늘어놔서 알려졌다.) 때문에 지금 이 땡볕에서 다이노원정대 모두 다 쉬지도 못하고 한참을 돌아다니고 있었다. 지금은 여름인 8월이지만 아무리 여름이라도 해도 날씨가 너무 덥고 습해서 밖은 35도가 넘어가고 있었다. 하지만 사건이라고 할 만한 일도 지금까지 3건 정도 밖에 없었다. 잠깐 유명해진 뒤로는 심심찮은 일만 계속 하고 있었다. 뭐, 드로메드가 훌륭한 팀이 되려면 이런 기초부터 쌓아야 한다고 말했지만 요즘은 드로메드도 지쳐서 그 얘기를 안 한다.

드로메드는 너무 힘든 나머지, 하루가 다르게 말라가고 있었다.

"헥헥… 어이구, 더워. 카르노타우루스 통구이가 되겠어… 아무래도 새로운 멤버를 더 구하던가 해야지. 원."

카르노가 모타카 옆에 벌러덩 드러누우며 말했다.

"야 비켜. 아, 비키라고. 진짜… 비키라고 했다."

알렉스가 짜증나서 어마무시하게 센 주먹을 날렸지만 모타카와 카르노는 그 주먹이 시원하다는 듯이 웃으며 버텼다. 등에는 커다란 멍이 생겨 욱신거렸지만 더운 것보다는 나았다.

"아이고~ 니들은 뭘 했는데 그렇게 헥헥거려? 지금 헥헥거려야 할 사람은 우리 오빠라고! 체력 약한 우리 오빠가 지금 이 땡볕에서 제일 많이 일하고 있잖아! 진짜 왜 이렇게 일이 많은 거야! 맞다, 사실은 일이라고 할 것도 없지! 딱히 하는 것도 없잖아! 그리고 새 멤버가 들어온지 얼마나 됐다고 또 구해? 이렇게 힘들어진게 누구 때문인데!"

지금 막 테라의 사촌 동생 테고의 인형을 찾아 주고 온 옐로이즈가 카르노를 흘겨보며 따졌다.

알렉스는 한숨을 쉬며 순식간에 새로운 얼음을 만들어냈고 그곳에 누웠다. 하지만 이번에도 알렉스는 더운 열기에 의해 평소보다 몇 배는 더 무서워진 무. 깡. 테라에 의해 쫓겨났고 갈 곳 잃은 거지 신세가 되었다. 알렉스는 유명한 무뚝뚝 인사였으나, 이렇게 테라가 무서워질 때에는 군말 하지 않고 비키고는 했다.

"으~ 옐로이즈 넌 진짜 '오빠 신봉자' 야. 무조건 드로메드만 맞다고, 좋다고 하잖아."

"그야 우리 오빠가 하는 행동이 다~~ 맞으니까 그렇지."

옐로이즈는 놀리는 투로 말했다. "드로메드가 틀릴때도 있어." "언제! 어디서! 어떻게! 몇 시 몇 분 몇 초에!" "윽, 그냥 조용히 할게!"

그 사이 드로메드가 도착했다. 다크써클이 무릎까지 내려올 것 같았다. 옐로이즈와 카르노가 장난을 치는 사이 알렉스는 드로메드에게 다가갔다.

"드로메드! 저기 말할게 하나 있는데 말이다…"

"뭔데? 내 방을 얼음 천국으로 만든 거? 그건 안 말해도 돼. 이미 눈으로 다 확인했으니까."

"미안하다. 본론으로 들어가서, 우리 본부를 만들면 어떠냐?"

"갑자기 웬 본부?"

드로메드는 놀라 물었다.

"너희 집에서 활동을 하니 민폐인 것 같아. 그리고 너네 집엔 에어컨이 없어서 너무, 너무, 너무 더워! 그러니까 내가 얼음으로 본부를…"

다이노원정대는 아직 본부나 기지가 없어 드로메드와 옐로이즈의 저택을 본부로 활용하고 있었다. 드로메드는 서둘러 알렉스의 입을 막았다.

"우리 진짜 괜찮아! 그리고 넌 모르겠지만 얼음은 진짜 너무 차가워! 에어컨은 조만간 설치할 예정이고!"

"그래? 근데 재네들은 어떻게 버티고 있는 거냐?"

드로메드가 진지하게 말했다.

"그건 재네가 정말 상상을 초월할 정도로 더워서 그래. 지금 30도 넘었잖

아. 조금 있으면 소리지르면서 일어날걸? 그리고 본부 문제는 나 혼자 생각해볼 문제가 아닌 것 같아. 다른 아이들과도 상의를 해봐야겠어."

"알았어. 그럼 수고해라. 몸 조심해. 조금 있으면 '그날'이니까. 의식을 치뤄야지. 너무 오래 서있지도 말고."

알렉스는 드로메드와의 대화가 끝나자 쉬지 않고 서둘러 자신이 맡은 일을 처리하러 갔다. 드로메드도 자료를 찾으려고 서재에 갔다. 바로 그때였다. 밖에서 눈이 멀 정도로 강한 빛과 함께 고막을 뚫을 듯한 소리가 저택을 흔들었다…

2. 편지요~

큰 소리와 빛에 놀란 다이노원정대는 조심스럽게 밖으로 나왔다. 그리고는 일제히 하늘을 쳐다봤다.

다이노원정대는 당연히 날씨가 안 좋은 줄 알았다. 큰 소리와 빛이라면 당연히 천둥번개가 치거나 소나기라도 내리는 줄 알았다. 조금 갑작스럽기는 했지만 지금은 여름이고 장마철이라 비가 오고 천둥번개가 치는 게 이상하고 놀라운 일도 아니었다. 하지만 급하게 달려 나온 다이노원정대가 머쓱해 할 정도로 하늘은 너무나도 평화로웠다. 해는 쨍쨍했고 하늘은 늘 그렇듯 파랬다.

"에이~ 뭐야. 잘 못 봤나 봐. 들어가자." 모타카의 말에 다이노원정대는 다시 드로메드와 옐로이즈의 집… 이었지만 지금은 임시 본부로 쓰이고 있는 저택에 들어가려고 했다. 드로메드가 비밀번호를 누르고 있던 그때 다시 한번 하늘을 보던 테라는 무심코 고개를 내려 앞을 보다 무언가를 발견했다. 테라는 눈을 가늘게 뜨고 그 무언가를 자세히 살펴보았다. 눈썰미가 좋은 테라는 그 무언가가 무엇인지 금방 알아차릴 수 있었다. 테라는 친구들을 향해 다급하게 소리쳤다.

"잠깐, 잠깐만! 다들 나와봐."

"왜 그래?"

"무슨 일이야?" 티라와 아르마가 동시에 물었다.

"저기, 누가 우리에게 다가오고 있어…"

정말이었다. 테라가 손으로 가리킨 곳에는 정말로 어떤 여자아이가 오고 있었다. 아까 테라가 보았던 그 무언가는 바로 이 여자아이였다. 다이노원정대보다 키가 많이 작아 보이는 여자아이는 엄청난 속도로 뛰어왔다. 믿기지 않는 속도였다. 가장 빠른 티라에게 약간 못 미치는 정도였다.

여자아이는 순식간에 다이노원정대에게 도착했다. 귀엽게 생긴 아이였다. 어깨까지 내려오는 갈색 단발 머리가 찰랑거렸다. 아이는 초록색의 뱀이 그려진 원피스를 입고 있었다. 다이노원정대는 너무 놀란 나머지 모두 굳어 있었다. 여자아이는 잠시 눈을 찌푸리며 어떤 사진을 보더니 아! 하는 탄성을 내질렀다. 그리고는 경쾌한 발걸음을 하며 드로메드에게 천천히 걸어갔다.

"안녕하세요? 다이노원정대 대장님이신 드로메드님 맞으신가요?"

활기차고 아이답게 매우 높은 톤의 목소리가 울려 퍼졌다. 낭랑하고 듣기 좋았다.

"맞… 맞는데 누구신지…"

드로메드는 갑자기 일어난 일에 당황해서 말을 더듬었다.

"아! 전 편지 배달하러온 다이아예요! 8살이니 말 놓으셔도 돼요. 사진하고 진짜 똑같이 생겼네? 진짜 잘생겼다! 그리고 여기 편지요!"

다이아는 쿡쿡 웃더니 팔을 쭉 뻗어 편지를 다이노원정대에게 내밀었다. 다이노원정대는 본인들 앞으로 왔다는 이 편지를 뜯어보았다. 편지를 읽어 내려가던 다이노원정대의 눈이 커졌다.

"대... 대박! 어떻게 이런 일이…?"

제일 먼저 리액션을 한 건 타우였다. 타우는 눈을 동그랗게 떴다. 다른 친구들의 반응도 이와 비슷했다. "세상에나!" "오래 살고 볼일이네." "네가 얼마나 살았다고 그래?" "말이 그렇다는 거지!" "좀 조용히 좀 해봐."

다이노원정대는 제각각 다른 반응을 보였다. 어떤 아이는 놀라워하고 어떤 아이는 무서워하고… 하지만 한가지는 분명했다. 다이노원정대 모두가 놀라워하고 신기해하고 있다는 것. '아, 이제 꿀 같은 휴식은 끝났구나.' 라는 생각도 마찬가지였다.

3. 신기한 편지

다이노원정대 일동을 경악하게한 그 편지는 바로 하늘을 다스리는 왕이 보낸 것이었다. 편지엔 이렇게 써있었다.

'-친애하는 다이노원정대에게-

안녕하시오. 난 트라이나 왕국을 다스리는 하늘의 왕 아틀라스 20세요. 다이노원정대가 미로속에서 한 활약은 이곳에도 연락이 와서 잘 알고 있소. 지금 트라이나 왕국이 위험해 처해있으니 다이노원정대가 와서 도와주길 바라오. 이런 위급한 일에는 직접 사람을 시키는 것이 나을 것 같아 전령을 보냈다오. 짐이 직접 내려가서 그대들을 맞이하고 싶었으나, 자리를 비울 수 없는 관계로 전령을 보냈으니 원망 않길 바라오. -하늘의 왕 아틀라스 20세-'

다이노원정대 모두가 침묵을 지키고 있는 사이 어려운 분위기를 뚫고 모타카가 쾌활하게 말했다.

"뭐야~ 하늘나라 왕이 우리에게 편지는 왜 보내셨지? 우리는 아틀라스 20세 폐하를 모르는데"

그러자 눈치 없는 다이아가 모타카가 고마운 줄도 모르고 어이없다는 듯 말했다.

"헐~ 오빠 바보예요? 편지 보내는 데에는 다 이유가 있잖아요. 가보면 알겠죠. 오빠보다 4살 어린 저도 아는데 저보다 나이 많은 오빠가 그것도 몰라요?” 모타카는 자기보다 한참 어린 아이한테 훈계 아닌 훈계를 당하자 멘탈이 바사삭 부서졌고 다이노원정대는 재빠르게 눈빛대화를 시작했다. 다이노원정대는 눈빛 만으로도 긴 대화를 주고받을 줄 알았기 때문이다. 물론 서로의 눈빛을 보는 것으로만 알 수 있는 건 아니고 어떠한 생각을 하고 상대방을 보면 상대방이 하는 생각이 다 들리게 되는 마법을 쓰기 때문이었다. 이 마법이 아니었으면 눈빛 대화는 불가능했을 것이다.

먼저 원상복구된 모타카가 말했다.

‘잠깐. 잠깐만. 이게 무슨 상황이야? 난 아직도 이해가 안 돼.’

카르노가 말을 받았다.

‘난들 어떻게 아냐~’

‘하늘의 왕이 우리에게 도와달라는데 어쩔 거야. 갈 거야?’

테라도 한마디 던졌다.

‘난 반대야. 혹시 그곳에 함정이 있으면 어떡해? 그리고 우린 아직 실력적인 면에서 부족한 점이 있어. 남을 도와줄 처지가 안된다고. 도와주더라도 실력을 더 키우고 뭘 하는 게 낫지 않을까?’

타우가 걱정스레 말했다.

‘물론 네 말도 일리가 있지만 그렇다고 맨날 쉬운 일만 하다가는 실력이 늘지 않을 거다. 우린 항상 어렵고 힘든 일에 부딪칠 수밖에 없어. 용기를 내라.’

‘하지만...’

알렉스는 타우에게 핀잔을 주었고 타우는 그럼에도 불구하고 계속 망설였다. '너는?'
알렉스는 이번에는 옐로이즈의 생각을 물었고, '난 도와주는 게 좋다고 생각해. 저 아이 말대로 부탁하는 데에는 이유가 있을 것 아니야. 가서 들어보고 결정하자. 만약 함정이 있다고 해도 우리는 천하무적이니까 무너지지도 않을 거고. 맨날 시시한 일만 하는 거 완전 질렸어. 나 반복되는 일상 싫어하는 거 알지? 반복되는 일상 속에서 무료함을 느끼느니 차라리 위험하더라도 해보는 게 나아.'
옐로이즈가 언제나 그렇듯이 활기차게 말했다. '음... 일리 있어. 하지만 합리적으로 생각하고 신중히 조사한 바에 의하면 이건 분명 함정일 것 같아. 왜냐? 첫째, 우린 이름만 들어봤지 얼굴은 본 적도 없는 사람이, 그것도 왕이라는 사람이 갑자기 도움을 요청? 우리 같은 새내기한테? 아 물론 드로메드가 강하긴 하지. 그렇지만 아직 부족하고 약해. 우리보다 더 실력이 좋은 팀들도 분명히 많아. 그리고 둘째, 트라이나 왕국은 강국이야. 정말 강하고 센 상대가 아닌 이상 절대 쉽게 무너지진 않아. 이웃 나라 리스트너 왕국은 당연히 트라이나 왕국을 넘볼 생각도 못 하고. 거긴 거기대로 바쁘니까. 근데 만약 정말 위험에 빠진 거라면 우린 가야 할 것 같기도 해. 뭐, 그게 우리 일이니까. 음... 다들 왜 그렇게 봐? 내 의견이야.' '네 말버릇 때문에.' '음... 듣고 보니 네 말도 맞는 것 같기도?"
회의의 결과는 다수결로 정하기로 했고 여러 아이들이 의견을 주고받은 끝에 결국 하늘로 가보기로 했다.

"그런데 저 위에 있는 하늘로는 어떻게 가?"

카르노가 물었다.

"그게… 좀 험난한 방법이긴 한데…"

다이아가 머리를 긁적였다.

"괜찮아! 우린 뭐든지 견딜 수 있어! 왜냐? 우린 천하 무적이거든~"

모타카가 큰소리를 땅땅 쳤다. 그 목소리에 다이아는 뭔 큰 일을 꾸미는 꼬마 악동처럼 크큭큭 웃으며 말했다.

"좋아요 가보자고요! 기대하셔도 좋을 겁니다~"

4. 이걸 탄다고?

다이노원정대는 다이아가 가는 곳으로 열심히 따라갔다. 이제 도착했나 싶으면 또 걸어야 했고 이제 끝났나 싶으면 또 올라가야 했다. 다이아는 단 한 번의 쉼도 없이 계속해서 산으로 올라갔고 다이노원정대는 이미 전에 열심히 뛰어다녔었기 때문에 산을 타는 걸 굉장히 힘들어했다. 특히 이 팀에는 체력이 약한 사람들이 수두룩 했다. 다이노원정대의 대장이라는 사람이 그랬으며, 다이노원정대의 천재 과학자가 그랬다. 그 둘은 맨 뒤에서 거의 기다시피 오고 있었다.

"헉… 헉... 어디까지 가?"

달리기와 등산이라면 누구보다도 자신 있는 티라가 물었다. 티라도 체력이라면 둘째 가라면 서러워할 사람이었지만 지금은 그런 티라도 헉헉거리고 있었다.

"아! 조금만 더요~!"

다이아가 지친 기색 하나 없이 생긋 웃으며 말했다.

"아니 넌 애가 지치지도 않냐?"

카르노가 신기하다는 듯 말했다.

"헤헤 하늘에서 살다 보면 이런 산 하나 오르는 것쯤은 누워서 떡 먹기라고요. 하늘로 가시면 왜 제가 이런 말을 하는지 알 수 있으실 거예요~"

그러자 모타카가 영혼이 나간 목소리로 말했다.

"끼약! 그럼 하늘은 대체 얼마나 힘든 거야?! 난 지쳤어... 더는 못가…"

모타카의 말이 끝나고 다리에 힘이 풀릴 즈음에 다이아가 소리쳤다.

"다 왔어요!"

다이노원정대는 마른 땅에 비가 오듯이 기대하며 다이아가 가리킨 곳을 쳐다보았다. 다이아는 다이노원정대가 놀라 자빠지기를 기대했지만 정작 다이노원정대는 너무 충격을 받아 한마디도 안하고 있었다.

하늘과 땅, 바다는 모두 지형과 환경이 달랐기 때문에 왕국마다 사는 생물도, 교통수단도 모두 달랐다. 땅에서는 주로 '자전거'라는 교통수단을 타고 다니거나, 날개를 펼치거나, 마법사와 벤트 아이 같은 경우는 마법을 이용해 이동했다. 바다에서는 주로 '세칸'이라는 생물을 타고 다녔다. (*노르아덴의 특별한 생물 부문 참고*) 땅에서, 바다에서의 교통수단의 모습이 다른 것처럼 하늘에서의 교통수단도 다를 뿐이었다.

다이아는 다이노원정대가 이것에 적응할 시간을 주고 기다리려고 했지만 워낙 성격이 급한 탓인지 기다리지 못하고 다이노원정대가 충격에서 빠져나오는 것을 도와주었다.

"아이 정신 좀 차려요. 빨리 가야해요. 가야 한다고. 그냥 사는 곳이 다르니 교통수단의 모습도 다를 뿐이에요."

다이아의 말에 드로메드를 비롯한 몇몇은 정신을 차렸지만 절반은 아직도 멍을 때리고 있었다. 결국 드로메드, 테라, 알렉스, 타우, 데이비드는 다른 아이들을 흔들어 깨웠다.

"정신차려! 저건 그냥 교통수단이야. 하늘에서 쓰니까 저런 모습일 뿐이라고!" 알렉스가 태연하게 말했다. 하지만 자신도 얼떨떨한건 마찬가지였다. 그러자 테라가 다이아에게 물었다.

"근데 저거... 진짜 번개야?"

다이아가 눈을 찡긋 하는 것으로 대신 답했다. 그리고는 아주 우렁차고 큰 소리로 다이노원정대 전대원이 다 들리게 말했다.

"아아, 다이노원정대 전 대원은 들으시길 바랍니다. 여러분들이 놀라 이 '번개'는 하늘에서 사용하는 간편한 교통수단입니다. 그러니 놀라시질 않기 바랍니다."

이쯤 되면 이 교통수단의 정체가 무엇인지 바로 알아챌 수 있었을 것이다. 그렇다. 그 교통수단은 바로 세로 8m,가로 6m에 달하는 엄청난 크기의 번개였다.

5. 하늘로 가자!

다이노원정대가 특이한 교통수단을 보고 놀라 자빠진건 지극히 정상적인 일이었다. 번개는 그림, 사진에서만 봤지, 실제로 본건 처음이기 때문이다. 아니, 애초에 번개가 하늘의 교통수단이고 하늘의 사람들이 번개를 타고 다니는지조차 몰랐다.

먼저 충격에서 헤어나온 아이들은 다른 아이들을 깨우느냐고 애를 먹었다.

“티라! 정신차려!” 테라는 티라를 흔들고, “당장 정신 안 차리면 더 꽝꽝 얼려 버릴 거다. 좋게 말할 때 일어나는 게 좋을 거야.”

알렉스는 자신의 주특기인 일명 ‘얼음 레이저’로 카르노를 얼리고 있었다. 타우는 모타카를 간지럽히고 있었다. 하지만 모타카는 꼼짝도 하지 않았다. 결국 모두를 다시 멀쩡하게 할 방법이 뭐가 있을까 생각하던 드로메드가 소리쳤다.

“지금 정신을 안 차리면 다이노원정대에서 쫓겨나. 그러니 얼른 일어나는 게 좋을 거야. 난 너희 같은 실력자들과 같이 일하고 싶거든.”

그 말 한마디는 대단했다. 방금 전까지 멍 때리고 있었던 아이들이 쫓겨난다는 말 하나에 금방 고개를 흔들고 정신을 차렸기 때문이다. 그러자 이제야 표정이 풀린 테라가 다이아에게 물었다.

“하아… 가기 전부터 진을 빼다니… 더 이상 낭비할 시간이 없어! 다이아 이제 어떻게 해?”

“일단 저 번개 위에 타세요.”

정신은 차렸지만 아직도 얼떨떨한 모타카가 말했다.

“저 위에 타라고? 가다가 떨어지면? 전기가 오르진 않아?”

다이아는 곰곰이 생각은 했다.

“제가 조종하기 때문에 전기가 오르진 않지만 큰 충격을 받으면 엉덩이가 찌릿찌릿하죠. 그리고 떨어지는 건 알아서 하셔야 해요! 여긴 안전벨트 따윈 없거든요.”

역시 어린아이 답게 오래 고민하지 않고 유쾌한 대답이 날아왔다.

“내가 저럴 줄 알았다.”

알렉스는 모타카를 얼리고 있던 얼음을 녹이면서 한숨을 쉬었다. 하지만 아무리 싫어도 다이노원정대는 자신들의 운명을 바꿀 수 없었고, 결국은 번개에 올라탔다.

“으으... 이거 정말 괜찮은 거지...?”

아르마가 옆에 있는 옐로이즈를 꽉 붙잡고 떨리는 목소리로 말했다.

“잘 붙잡고만 있으면 괜찮을 거예요~ 자, 이제 출발할까요?”

다이아가 물었다. 다이노원정대는 번개 위에 아슬아슬하게 걸터앉아 꽉 잡고 있었다. “응! 출발해!” 다이노원정대가 말했다. 다이아는 그 말을 듣고 능숙한 솜씨로 노를 잡았다.

“좋아요! 출발!” 그러고는 노로 땅을 내리쳤다. “이야압!” 그러자 번개가 180도 뒤집어졌다. “으아악! 뭐야!” 다이노원정대가 소리쳤다. “꽉 잡아요!" 다이아가 소리쳤다. 노가 땅을 내리치고 뒤집어졌다. 번개는 그 반동을 이용해 하늘로 솟아올랐다.

"하아, 하아.. 정말 죽는 줄 알았네…" 카르노가 말했다. 다이아가 웃었다.

"에이~ 그것 가지고 힘들어하시면 안 돼요~! 이제 시작이라고요!" 다이아의 말이 끝나자마자 다이노원정대가 탄 번개가 덜컹거렸다. "으아악 이번엔 또 뭐야!" 다이아는 능숙하게 노를 저었다. "계속 흔들릴 테니 꽉 잡으세요!" 번개는 한참을 디스코 팡팡처럼 흔들리더니 이내 조용해졌다. "계속 흔들릴 거예요!" 다이아의 말이 끝나기도 전에 번개가 또 흔들렸다. "윽, 울렁거려..." 아르마가 신음을 하며 말했다. 아르마의 얼굴은 갈수록 창백해졌다. "왜 그래 아르마? 어디 아파?" 테라가 물었다. 테라는 익룡이기 때문에 하늘을 날아다니는 것은 테라가 가장 자신 있어 하는 것 중에 하나였다. 하지만 아르마는 정반대였다.

"으으~ 나... 난 땅에서 새… 생활하는 아… 아르마딜로쿠스잖아.. 그래서 난 고... 고…" 아르마는 말을 잊지 못했다. 정신이 혼미 해졌기 때문이다. 티라가 말을 받아 쳤다. "고소공포증이 있다고? 나도 땅에서 생활하는데 고소공포증은 없어!" 그러자 옐로이즈가 아르마를 안심시키기 위해 말했다.

"괜찮아! 어차피 조금만 더 가면 돼!" 옐로이즈가 해준 말을 듣고 아르마는 조금 진정을 했다. 멀미든 고소공포증이든 조금만 더 버틴다고 말해주면 전보다는 상황이 훨씬 나아진다. 아르마가 진정하는 사이, 눈치 없는 다이아가 끼어들어서 일을 벌렸다.

"조금만 더 가기는요. 앞으로 1시간 반은 더 가야해요!" 아르마는 다시 얼굴이 사색이 되고 창백해졌다. 결국 보다 못한 옐로이즈는 오빠를 졸랐다. "오빠! 우리 대장님의 주특기로 나의 친구 아르마를 좀 도와주면 안 될까?" "뭐?" 드로메드는 당황했다. 얘가 왜 이러지? 분명히 내가 순간이동 마법을 쓰면 더한 고통이 뒤따를 것이라는 걸 알텐데? 드로메드는 당황스러운 마음에 다시 되물었다. "마법을 쓰라고! 환상적인 마법을!" 옐로이즈는 기대에 가득찬 얼굴로 드로메드를 쳐다보았다. "하지만..." "아 오빠~! 제발 제바알!" 사랑스러운 동생이 애교까지 부리며 부탁했기에 드로메드는 청을 안들어줄수가 없었다.

"어! 당연하지! 근데 100% 장담은 못해. 혹시나 내가 실수를 하면… 너흰 정말 힘들 거야." 드로메드는 주문을 걸었다. "순간이동의 마법 레아나 단타! 흠... 걱정이 되는데. 혹시… 음... 에이, 설마." 역시. 안타깝게도 혹시나는 항상 역시나가 된다. "아아아악!" "야! 너무 어지러워!" "아! 멀미가 더 심해졌어!" "살려줘!" 다이노원정대와 다이아는 순간이동의 통로를 지나 빙글빙글 돌다가 떨어졌다. 번개는 중간에 어디론 가로 잘못 떨어졌는지 보이지 않았다.

"하아아... 야! 드로메드! 그렇게 돌다가 떨어지면 어떻게해! 내가 얼마나 힘들었는지 알아?! 아니면 힘들다고 말을 해주던가! 그렇게 급하게 가면 어떻게해! 왜 사람을 놀래키고 그래! 흥!"

아르마는 밑으로 떨어져 목적지에 도착하자 마자 말을 우다다다 쏟아냈다. 드로메드는 어이가 없었다. "아니 내가 출발하기 전에 분명히 100% 장담은 못한댔잖아! 그걸 알면서도 조른 건 너희야. 좀 많이 어지럽기는 했지만 그래도 빨리 오긴 했잖아.” 둘이 열띤 말싸움을 하는 사이 옐로이즈는 주위를 둘러보았다. “응? 여기가 어디야. 일반 집 치고는 좀 많이 화려한데?” 그리고는 어찌된 영문인지 몰라 다이아를 쳐다보았다. 다이아는 얼굴이 새하얗게 질려서 벌벌 떨고 있었다. 옐로이즈는 다이아에게 다가갔다. “왜 그래?” 다이아는 여전히 떨며 말했다. “구... 국왕 폐하. 죄송합니다... 이게 어떻게 된거냐면…” 다이노원정대는 경악을 금치 못했다. “뭐... 뭐라고?! 폐하?!”

6. 왕과의 만남

이 화려한 곳이 한 왕국의 왕이 사는 성이라고? 애써 현실을 부정하고 싶었지만 다이노원정대는 부정할 수가 없었다. 눈앞에는 당황한 트라이나 왕국의 왕이 있었고 5살 짜리 아이가 봐도 이곳이 성이라는 걸 알 수 있을 정도로 화려하고 아름다웠다. 부유하고 막강한 트라이나 왕국답게 성 내부는 정말이지 휘황찬란 했다. 귀해 보이는 미술품이 곳곳에 존재했고 천장에는 큰 그림이 그려져 있었다. 창문, 옷, 침대, 벽 등은 갖가지 아름답고 빛나는 보석으로 꾸며져 있었다.

성을 빠르게 둘러본 다이노원정대는 자기들이 정말 왕이 사는 성의 한복판에 떨어진 것이라는 걸 인정할 수 있었다. 다이노원정대는 정말로 혼란스러웠다. 드로메드도 마찬가지였다. 기껏해야 성의 입구나 왕국의 성과 가까운 어딘가에 불시착 할 것이라고 생각했지 이렇게 지붕을 뚫고 성 한복판에 들어올 것이라고는 전혀 생각하지 못했다. 드로메드의 순간이동 마법이 워낙 어렵고 세심한 마법이라 아직 조금 서툴기는 해도 이 정도까지는 아니었다.

그리고 드로메드는 성 한가운데에 도착한 이유를 나중에야 알 수 있었다. 지금은 그걸 깊이 생각하고 연구할 때가 아니었다. 왕국의 왕이 앞에 있었기에 아무도 말을 하지 않았다. 자기 나라의 왕도 만나지 못했는데 다른 왕국 왕이라니! 오직 트라이나 왕국의 왕과 구면인 다이아만 떠벌떠벌 설명을 하고 있었다.

"음... 일단 이곳에 빨리 오려고 마법을 썼고 음... 뱅글뱅글 돌다가 음... 이곳으로 떨어져서..."

다이아의 설명을 듣던 하늘의 왕이 말했다. "그러니까 다이아 네 말은, 순간이동 마법을 써서 왔구나?"

왕이 말을 듣는 순간 마구 흩어져 있던 다이노원정대는 정신을 차리고 일자로 왕 앞에 얌전히 앉았다. 카르노는 속으로 생각했다. '으~! 오늘은 왜 이렇게 정신 나가는 일이 많은 거야! 아주 정신을 못차리겠네.'

다이노원정대는 딱 봐도 엄청난 값어치가 나갈 것만 같은 그림이 그려져 있던 천장에 구멍을 뚫었으니 당연히 벌을 받을 거라 생각했지만 그렇지 않았다. 생각과는 다르게 왕이 웃으며 너그럽게 용서해주었기 때문이다.

"허허, 괜찮소. 어쨌든 다이노원정대가 와주니 짐은 안심이 되는군요. 자리에 편하게 앉으세요. 다이아 너는 이제 가도 괜찮단다. 바쁘잖니."

다이아는 해맑은 얼굴로 인사를 하고는 잃어버린 번개를 찾으러 밖으로 뛰쳐나갔다. 그러자 조금은 긴장이 풀린 모타카가 질문했다.

"저... 저기 근데 우리가 여기엔 왜 온거죠?"

그 말을 듣자마자 지금까지 웃고 있던 왕의 얼굴이 급격히 굳어졌다. 모타카는 자기가 말을 잘못했나 싶어 얼굴이 하얗게 질렸다. 아무리 넉살 좋고 여유 있는 모타카도 한 나라의 국왕 앞에 있으니 떨리는건 마찬가지였다.

"흠... 사실 저희가 다이노원정대를 부른건..."

다이노원정대는 침을 꿀꺽 삼켰다.

"전설의 검을 찾아 달라고 부탁하려 했기 때문입니다."

다른 아이들은 이게 뭔 소리야 하며 어리둥절 했지만 오직 옐로이즈와 드로메드만 알고 있다는 듯 고개를 끄덕였다. 그러더니 옐로이즈는 갑자기 자리를 박차고 일어섰다. 그리고는 큰 목소리로 소리쳤다.

"폐하! 저희가 어떻게 그 검을 찾는단 말입니까? 그리고 그 검은 굉장히 위험합니다. 대체 무슨 일인데 검을 사용하시려는 거죠?"

다이노원정대는 갑자기 옐로이즈가 큰 목소리로 말하자 깜짝 놀랐다. 다들 '재가 당당하고 겁 없는 건 알고 있었지만 저 정도일 줄이야.' 하는 생각을 하고 있었다. 옐로이즈는 오빠와 자신이 다 벤트 아이이기 때문에 집에 마법 관련된 책이 많았다. 덕분에 전설의 검 이야기는 어릴 때부터 책이 닳도록 보고 귀가 닳도록 들어서 잘 알았다. 옐로이즈의 말에 왕은 언짢은 표정으로 이 왕조의 어두운 비밀을 알려주었다. 검이 필요한 이유, 다이노원정대가 온 이유, 그리고 검을 사용할 계획까지.

7. 드러나는 역사

그러니까 시작은 이랬다. 정확히 453년 전. 하늘나라는 2개의 나라로 이루어져 있었다. 하나는 현명하고 너그러운 케찰코아틀루스 왕이 다스리는 트라이나 왕국, 하나는 잔인하고 냉철한 람포린쿠스 왕이 다스리는 리스트너 왕국. 두 왕국은 이유는 모르지만 오랜 시간 동안 싸웠다고 한다.
두 나라의 사이가 안 좋았던 건 더 오래전부터 지속되고 있었고 워낙 오래된 지라 그 이유는 아무도 모른다고 한다. 단지 역사학자들이 하늘에는 2개의 나라밖에 없고 국경을 마주하다 보니 그런 게 아닐까 생각하고 있을 뿐이었다. 강한 나라가 있고 다양하고 많은 나라가 있었으면 견제 때문이라도 많이 싸울 수 없었을 것이라는 생각 때문이었다.
그때도 그랬다. 453년 전 두 왕국은 영토 문제로 심각하게 전쟁을 벌였다. 시간이 지나자 리스트너 왕국보다 군인들과 무기, 식량 등이 부족했던 트라이나 왕국은 점차 패가 많아지며 사기가 꺾이기 시작했고, 결국 리스트너 왕국에 밀려 나라가 없어질 지경까지 다다랐다. 그러자 백성들을 위해 아틀라스 (케찰코아틀루스 왕의 이름) 왕과 왕비는 그로부터 200년 전 일어났던 두 나라 사이의 백년 전쟁을 트라이나 왕국의 승리로 이끌었던, 아직도 살아 있는 전설의 장군 파르낭의 '전설의 검'을 찾아 멀리 떠났고 검을 찾으려 갖은 노력을 하게 된다. (그러니까 현재 시점으로 보았을 때 처음으로 백년전쟁이 일어났을 땐 653년 전이다.) 하지만, 아틀라스 왕과 왕비가 검을 찾는다는 소식을 들은 스케네 (람포린쿠스 왕의 이름) 왕에게 막혀 검이 있는 곳으로 가던 곳에서 실종되고 말았다. 파르낭 장군은 이번에도 전쟁에 참가하려 했지만 당시 남아 있었던 아레폴리스에 발이 묶여 갈 수 없는 상태였다. 그 기세를 몰아 리스트너 왕국은 트라이나 왕국을 공격하려 했지만 잔인한 왕 때문에 화가 난 백성들이 반란을 일으키고 조국의 왕과 왕비가 사라졌다는 말을 듣고 분노한 트라이나 왕국 백성들의 반항 때문에 어쩔 수 없이 후퇴했다고 한다.

리스트너 왕국이 물러난 뒤 아틀라스 왕의 자녀는 전쟁의 아픔을 딛고 왕국을 세워 힘을 키웠고 지금은 휴전 중이라 한다. 하지만 요즘 리스트너 왕국이 비밀스럽게 공격할 준비를 하는 것 같다며 아틀라스 왕은 검을 찾아 리스트너 왕국을 몰아낼 예정인데 우리의 힘 만으로는 찾지 못한다면서 도와 달라고 했다.

여기까지 이야기를 듣자 드로메드는 의문이 생겼다. '잠깐. 그래. 이곳은 트라이나 왕국이지. 이상하다. 이건 말이 안 되는데. 자신의 선조도 못 찾은 검을 찾아서 리스트너 왕국을 몰아낸다고? 지금 트라이나 왕국은 강국이라 검 없이도 할 수 있는 일이고, 작은 낌새 하나 때문에 왕국을 몰아내다니... 뭔가 수상해… 그리고 그런 낌새가 보였으면 땅과 바다에도 소식이 들려왔을 거야. 근데 우리는 아무런 소식도 듣지 못했고. 잠깐! 혹시...?!' 드로메드는 뭔가를 깨달은 듯 깜짝 놀랐다. 놀란 것도 잠시, 드로메드는 1초만에 표정을 지우고 웃으며 날카로운 말을 던졌다.

"폐하. 긴히 올릴 말씀이 있사옵니다. 무례한 말을 하게 되어 미리 사과부터 올리겠습니다. 폐하, 작은 낌새 하나로 오랜 역사를 지닌 왕국을 몰아내는건 그렇지 않습니까? 또 정보도 부족하고요. 부디 통촉하여주시길 바랍니다. 그리고 하나 궁금한게 있습니다만. 제가 역사를 잘 몰라서요. 트라이나 왕국은 계속 결혼을 하고 아이를 낳는 식으로 왕실을 유지한 것인가요? 폐하도 아이가 있으시고요?"

아틀라스 왕은 당황한 기색을 숨기지 못했고, 드로메드는 그 표정을 놓치지 않았다. '역시 내 생각이 맞았군.'

왕은 당황하며 말을 얼버무렸다.

"그... 그게... 허허··· 우리 왕국이 위험할 수도 있는 일입니다. 리스트너 왕국은 몰아내야 해요. 네, 그리고 저희는 그런 방식으로 왕실을 유지했고 저도 아이가 있답니다."

"그래요? 아이는 몇 살이죠?"

"물론이죠. 우리 아이들은 2명으로 12살, 11살입니다."

그러자 알쏭달쏭한 표정을 지은 채 드로메드가 말했다.

"음··· 우리 친구랑 동생이구나. 좋습니다. 저희가 검을 폐하께 가져다 드리겠습니다." 그제야 왕은 표정을 풀고 활짝 웃었다. "정말요? 고맙습니다!"

"뭐라고?! 정··· 정말 그 위험한 곳에 갈 거란 말이야?!" 그 말을 들은 타우는 경악했다. '아직 실력도 부족한데 가고 싶지 않아. 무슨 봉변을 당할 지 몰라. 그때처럼...'

"타우야 괜찮을 거야. 우리 실력은 충분히 좋아. 과거는 과거일 뿐이야. 네가 무슨 일을 겪었는지는 모르겠지만... 우리 오빠처럼 어려움은 이겨내라고 있는 거야. 쉽게 사는 사람은 없다고. 힘내!" 옐로이즈가 웃으며 타우를 위로해 주었고 타우는 옐로이즈의 말에 조금 안정이 되었다.

다이노원정대는 떠날 채비를 했다. 그때 드로메드가 또 질문했다.

"폐하! 마지막으로 하나만 질문하겠습니다. 그런데 리스트너 왕국의 왕은 어떤 특기를 가지고 있습니까? 리스트너 왕국의 스케네 폐하께서는 어떠한 힘을 가지고 계실지 참으로 궁금하군요."

아틀라스 왕은 거리낌 없이 말했다.

"그야 변신술에 능하고 잔머리 하나는 최고이지요."

"그러면 최근에 스케네 폐하와 만난 적이 있으십니까?"

"허허, 다이노원정대는 궁금한게 많군요. 아니요. 태어났을 때부터 지금까지 우리는 한 번도 만난 적이 없습니다. 편지를 주고받거나 사신을 보낸 적도 물론 없지요."

아틀라스 왕의 말에 알렉스와 그 옆에 있던 데이비드는 무언가를 눈치챈 것 같았다. 그때 이후로 알렉스는 혼란스러워 했고 데이비드도 당황했다.

드로메드는 속으로 생각했다. '역시 그렇군… 하지만 폐하의 뜻대로만 되진 않을 겁니다. 난 무슨 일이 있어도 위험에 빠진 사람들을 버리지 않거든요.'

결국 다이노원정대는 길을 떠났다. 그리고 다이노원정대를 배웅해주던 왕은 미소를 지었다. 왠지 모를, 차가운 미소였다…

8. 1번째 관문

다이노원정대는 지도를 따라 검을 찾으러 갔다. 타우는 아직도 떨고 있었고 다른 아이들은 신나서 날뛰었지만 알렉스는 불안해 했고 드로메드는 골똘히 생각에 잠겨 있었다. 그러자 데이비드가 드로메드를 간지럽히며 쾌활하게 웃었다.

"어이! 무슨 일이야? 아까 그것 때문에 그래? 나처럼 별 신경 쓰지 마. 나도 무슨 일인지는 다 안다고~ 너랑 알렉스 저 녀석은 어차피 벌어질 일에 지나치게 걱정하는 경향이 있어. 너도 잴 닮아가는 것 같아 눈물이 마르질 않는다. 난 멀쩡한데~ 잰 다 좋은데 저 심각하고 차가운 성격이랑 이상한 말투가 문제야 문제. 레비는... 늘 그렇듯 신났네. 뭐, 좋은 거지." "흐하하가... 간지러워… 알았어 알았다고~ 걱정 그만할게." 워낙 간지럼을 잘 타는 드로메드는 자지러졌다.

"그래? 알았어. 드로메드 너! 날 본받도록 해. 내 평생 신조가 어차피 닥칠 일은 그때 가서 생각하고 지금 걱정하지 말자는 거라고!"

데이비드는 드로메드의 어깨에 팔을 걸쳤다.

"근데 너 12년 밖에 안 살았잖아. 평생이라기엔 좀... 알렉스의 성격과 말투는 왕국 특징 상 어쩔 수 없기도 하고. 근데 나도 저 말투는 적응이 안 되긴 해. 그리고 너 그 신조 때문에 애 엄청 많이 먹었었고, 넌 그냥 모든 일에 걱정을 안 하고 마지막에 하는 스타일이고, 우리 옐로이즈는 그냥 많이 밝은 거고. 그 둘은 확실히 다르…" "아 시끄러! 내가 그렇다면 그런 거야!" 데이비드는 손가락으로 쉿 모양을 만들며 드로메드의 입을 막아 버렸다. 그렇게 부담감을 덜면서 드로메드와 데이비드가 놀고 있을 때 타우가 소리쳤다. "다 왔다."
타우가 가리킨 곳에는 거대하고 환상적인 열대우림이 펼쳐져 있었다. 그리고 작은 혼잣말을 했다. "하… 돌아왔네. 다시는 보고 싶지 않은 이 아름답고 잔인한 악몽 속으로…" 혼잣말을 하며 분노에 가득찬 얼굴로 이를 빠드득 간 타우를 지켜보는 이는 아무도 없었고 아이들은 저마다 들떠서 재잘댔다. "우와 진짜? 진짜 도착한 거야?" "오! 자연의 신비다!" "멋지다!" "신기해! 벌레가 없어!" 타우가 이어서 말했다. "이곳은 스타베이비즈라는 곳인데 노르아덴에서 가장 큰 열대우림이야. 아마도 이곳이 첫번째 관문일 거야…" "첫번째 관문?" "응. 이 지도에 그렇게 적혀 있어. 전설의 검 주변에 가려면 4개의 관문을 통과해야 한데… 이 구절을 읽어 줄게. '그 이름도 유명한 파르낭. 백년전쟁의 승자. 그는 사라졌지만 이름은 영원하네. 그가 사용한 검. 전설의 검. 전설의 검과 그 주인이 힘을 합치면 강한 힘을 얻는다네. 하지만 그 대가는 참혹하지. 전설의 검은 4개의 겹으로 조심 또 조심 아무도 살아나오지 못했네! 첫번째 관문 열대우림. 장애물들이 득실거리지. 두번째 관문 호수. 닿는 순간 사라지지. 3번째 관문, 향. 극강의 정신력이 필요… 그 다음엔 내용이 없어."
"잠깐! 백년전쟁의 승자? 우리가 만났던…!" 테라가 소리쳤다. "그래! 우리한테 문제를 내던 그 할아버지!" 카르노도 들떴다.

드로메드가 차분히 말했다. "전쟁의 승자니까 '영웅 파르낭이다.' 라고 했을 거고 '사라졌다.' 라고 한 건 미로에 갇혀 살았던 걸 말하는 걸거야. 할아버진 우리가 가고 사라졌어. 아마도 검 주변에 있을 거야. 어떤 위험을 감지했겠지. 그리고 지도엔 3차 관문까지만 나와 있어. 아마도 4차까지는 아무도 간 적이 없기 때문에 안 나와있을 거야. 4차 관문이니까 위험하겠지. 쉽지 않을 것 같아." "아~ 그 이상한 할아버지 말하는 거지?" "우와! 일리 있네!" "그렇구나. 그런데 관문 치고는 별로 안 무서운데?" "그러게." "일단 가보자!" 땅이 나오자 행복해진 아르마부터 앞장섰다.

다이노원정대는 천천히 스타베이비즈를 지나갔다. "와 너무 편하네~ 관문? 그런 소리는 하지도마! 개미 한 마리도 안 나온다." 카르노가 하품을 하며 말했다. 모타카도 기지개를 키며 말했다. "그러게. 아~! 심심한데 괴물 같은 거라도 나오면 좋겠다." "야! 합리적으로 생각하고 신중히 조사한 바에 의하면 항상 이럴 땐 말이 씨가 되는 거...?!" 그때였다. 데이비드의 말이 채 끝나기도 전에 땅이 쿠르릉 울리더니 무언가가 쑥 솟아올랐다. 뭔지는 몰라도 어마어마하게 크다는 건 인정해 주어야 했다. 다이노원정대는 모두 당황했다. 딱 한 사람만 빼고. "너... 너는…?! 설마...!"

9. 친구와의 재회

그 생명체(?)를 보자 가장 놀란건 타우였다.

"어? 네가 왜 거기에..."

그 생명체도 타우를 봤는지 고개를 흠칫 숙였다.

"어라? 야 너... 타우? 타우 맞냐?" 그 생명체가 말을 했다. 걸걸하지만 아직 어린아이 같은 목소리였다.

데이비드가 타우에게 물었다. "아는 사이야?"

타우는 기쁘게 말했다. "응! 물론이지. 쟤는 괴물이 아니라 벤이라는 내 어릴 적 절친이야. 소꿉친구라 할까? 그리고 벤이 여기 있는 걸 보니까 여기로 이사를 왔나 보네. 옛날에 헤어졌었는데... 이곳에서 다시 만날 줄은 몰랐어!"

모타카가 아직도 겁먹은 목소리로 말했다. "으~ 그럼 저 거대하고 무서운 건 뭐야?"

그러자 벤이 위에서 말했다. "아르~ 만나서 반가워! (트라이나 왕국의 인사. 안녕과 같은 말이다.) 아~ 하하 이건 내 애완 뱀, 디아코아라야. 놀랄 것 없어. 내 명령에만 따르니까." "뱀? 애완?" 파충류라면 딱 질색인 모타카는 인상을 쓰고 뒤로 한걸음 물러났다. "놀라지마! 이래봬도 말은 잘들어." 벤은 모타카가 우스웠는지 무안할 정도로 크게 웃었다. "아르, 디아코아라.

와 그렇게 조그맣던 애가 이렇게 클 줄이야…!"
타우는 뱀에게 다가가 몸을 쓰다듬어 줬다. 뱀은 타우의 손길을 기억하는지 스르릉 소리를 냈다. 조금 뒤 벤이 뱀의 목을 타고 미끄러져 내려왔다.
"타우 널 다시 보니까 너무 좋다. 근데 네가 여긴 어떻게 왔어? 네 성격 상 다시는 여기 못 올 거 같았는데…" "아르 벤! 뭐, 강제로 끌려나온 거지만.. 나도 그래. 진짜 반갑다."
벤은 옷이 정말 특이했다. 벤의 옷은 머리부터 발끝까지 초록색이었다. 그리고 셔츠 중앙에는 큰 뱀이 새겨져 있었다. 에메랄드 빛 초록색이라 촌스럽지는 않았지만 얼굴 하고는 별로 안 어울리는 색이었다. "와 진짜 사람이 이렇게 안 변할 줄이야… 진짜 어쩜 그렇게 그때랑 똑같냐." 타우는 헛웃음이 나왔다. 벤이 킥킥 웃었다. "흐흐 우리 엄마가 똑같은 옷만 사이즈 별로 다 사놔서 몇 년째 똑같은 옷만 입고 있걸랑. 뭐 질리진 않아."
타우와 벤이 오랜만에 만난 기쁨에 수다를 떠는 동안 다이노원정대는 다시 길을 떠날 준비를 했다. "타우! 이제 그만하고 가자. 갈 길이 멀어! 벤! 너도 만나서 반가웠어."
하지만 타우는 오랜만에 만난 친구와 떨어지기 싫어했다. "아이참··· 벌써 가야해?" 벤도 물었다. "그러게··· 아쉽다. 그런데 너희들! 이렇게 위험한 곳에는 왜 온 거야? 딱히 볼만한 것도 없는데." "위험하다니? 뭐가?" 아르마의 짧을 두마디를 듣는 순간 벤의 얼굴이 창백해졌다. "너희··· 이곳이 얼마나 위험한지 모르고 왔구나…!" "왜? 이곳이 위험해? 평화롭기만 한데···"
티라는 씩 웃으며 제자리에서 빙그르르 돌았다. "뭣도 모르는 소리! 스타베이비즈는 땅, 하늘, 바다 포함해 가장 위험하기로 악명 높은 곳이야. 사방이 빠져나올 수 없는 늪에 무시무시한 식인 식물들, 너희를 통째로 꿀꺽 할 수도 있는 자이언트 아나콘다도 있다고! 물론 우리 디아코아라는 착하지만 그렇지?"

다이노원정대는 깜짝 놀랐다. 벤이 잠시 여행 온지만 알았지 여기 눌러 앉아 있다는 건 몰랐다. "그러면 이렇게 위험한데 넌 어떻게 혼자 살아?" 카르노는 놀라서 뿔을 드러내며 불똥을 사방으로 쏘아 댔다.

"난 태어날 때부터 여기 스타베이비즈에서 살았는데 내가 위험한 일을 퍽도 당하겠다." 벤이 날아오는 불을 피하며 호탕하게 말했다.

그런데 그 다음순간 분위기가 얼어붙었다. 다이노원정대도 알아챘다. 확신할 수는 없지만 모두가 직감했다. 이건 단순하게 검만 되찾아 오는 게 아니다. 이건 사건이다. 이 사건은 베일에 꽁꽁 싸여 있다. 우리가 베일을 풀어야 한다…!

10. 스타베이비즈의 위험함

벤은 스타베이비즈 뿐만이 아니라 하늘의 지리를 모두 꿰뚫고 있었다. 그래서 드로메드가 조심스레 스카우트 했는데 너무 좋다며 다이노원정대가 되어 스타베이비즈를 빠져나가는 걸 도와주기로했다. 타우는 걱정하고 있다가 든든한 조력자를 만나 굉장히 안도하고 기뻐했다.

“여긴 일명 죽음의 늪이야. 여기 빠지면 드라칸도 못 빠져나와.” (*노르아덴의 특별한 생물 참고*) 벤은 질퍽질퍽하고 끈적해 보이는, 아주 짙은 초록색의 큰 웅덩이를 가리켰다. 그 힘센 용인 드라칸조차 나오지 못하는 늪이라면 스타베이비즈는 벤의 말처럼 아름다운 겉에 반해 속은 썩은 열매일 수도 있었다. 다이노원정대는 늪이 신기해 가까이 다가가 구경하면서도 빠지지 않게 조심했다. 위험한 늪이 다수 포진되어 있는 곳에서 벗어나자 마자 다이노원정대는 안도 대신 불쾌한 감정을 느꼈다. 축축하고 억센 넝쿨이 다이노원정대의 팔과 몸을 감쌌기 때문이다. 큰 넝쿨은 알렉스의 팔뚝만 했다. 뿌리치면 풀려나기는 했으나 또 붙잡고 놔주지 않았다. “여긴 넝쿨지대야. 보시다시피, 한눈 파는 순간 여러 개의 넝쿨이 너희를 감쌀 테니까 조심해.”

다이노원정대는 머리로는 저 앞에까지 가고 있는데 몸은 넝쿨이 붙잡는 바람에 앞으로 나아가질 못했다. 그래서 넝쿨지대를 지날 때 다이노원정대는 거북이처럼 느리게 지나갈 수밖에 없었다. 느린 다이노원정대와는 다르게 벤은 민첩하게 넝쿨지대를 지나갔다. 아래쪽 다리를 향해 넝쿨이 몰려오면 위로 높게 점프를 해 지나갔고 위에서 몰려오면 아래로 슬라이딩을 해 지나갔다. 위로 점프를 할 때 2m정도 높이로 뛰었는데 그 모습을 보며 테라는 감탄했다. 사람이 어떻게 저렇게 날개도 없는데 도약을 잘 할 수 있을까 하고. 벤이 너무 높게 뛰니 덩굴들도 쫓아와 잡을 수가 없었다. 또한 벤이 슬라이딩을 할 때는 바닥에 거의 찰싹 붙어가 듯이 슬라이딩을 했는데 그렇게 바닥에 붙어 가도 몸에 생채기 하나 나지 않는 벤에 테라는 두번째로 감동을 먹었다. 옆에 있는 테라의 눈이 반짝거리고 입이 행복으로 벌어지는 걸 본 드로메드는 벤이 정식으로 다이노원정대가 되었을 때 생길 난리를 금세 유추해 볼 수 있었다. 보나마나 테라 성격에 가만 있지는 않을 거고, 벤처럼 될 거라고 미친 듯 훈련을 하거나 직접 배움을 요청할 것이다.
만난지는 얼마 안 되었지만 벤은 굉장히 능글 맞고 장난을 잘 치며 설명을 잘 못하는 성격이었다. 아까 지나왔던 늪 포진지대에서 벤은 그곳에 마법이 걸려 있다고 말해주지 않았다. 그냥 평범하고 질퍽거리기만 할 거라고 생각한 옐로이즈는 신이 나 늪에서 가까이 구경하다 빠질 뻔했다. 다행히 그때 드로메드가 옆에 있어 잡았지만 안 그랬으면 큰일이 날 뻔했다. 스타베이비즈의 늪에 한 번 빠지면 빠져나오기가 정말 힘들기 때문이다. 그런 벤이 테라의 부탁을 들어줄 리가 없었다. 분명히 거절할 게 뻔했고 설사 받아주더라도 얼마 지나지 않아 서로 생각이 맞지 않아 다툼이 일어날 것 같았다. 테라는 하루에 몇시간 씩 훈련에 매진하는 스타일이고 벤은 천천히 하는 스타일이었다. 둘은 전혀 맞지 않았다. 누구 하나가 다른 하나에 맞추느냐 죽어 나갈 것이다. (드로메드는 벤이 죽어 나갈 거라 예상했다.)
드로메드는 흐뭇한 미소를 지으며 앞으로 직진했다. 드로메드는 지금 생활이 너무 행복했다. 벤과 다이아까지 들어오면 더 복작복작 해지고 시끄러워 질 것 같았다.
그렇게 드로메드가 김칫국을 들이마실 때 다이노원정대는 모두 멈춰섰다. 드로메드도 얼마 안가 벤의 단단한 팔에 가로 막혀 더 이상 앞으로 나아가지 못했다. "이봐, 대장님. 여기 위험해. 조심하셔. 가시밭길이야. 찔리면 진짜 아파. 피도 엄청 난다. 조그만 가시인데 왜 그러냐고? 자세히 봐. 저게 작은 가신가. 최소한 10cm는 넘는다. 과다출혈로 죽은 사람도 있어. 넌 안경 좀 껴야겠다." 벤은 피식 웃으며 드로메드의 눈 주변을 톡톡 쳤다. 드로메드는 가시가 작아 보인다고 작게 중얼거렸었다. 열심히 하던 생각이 끊겨 자기 나름대로 작게 투덜거린 건데 어찌 된 건지 벤은 드로메드의 말을 알아듣고 안경을 쓰라며 충고까지 해주었다. 이미 돋보기 안경이 있는 드로메드 입장에서는 억울한 말이었다. '벤은 스타베이비즈 같은 위험한 열대우림에서 살았으니 당연히 온갖 감각들이 예민하겠지.' 하지만 곧 테라처럼 벤의 능력에 감탄하고 말았다. 열대우림에 살았다는 것 하나만으로도 이렇게 강한 힘이 생긴다는 것에 감탄했고 무한한 힘을 가진 벤에게 감탄했다. 드로메드가 벤의 뒤를 졸졸 따라다니며 벤의 특화된 감각들에 대한 여러 가설을 세우는 사이, 다이노원정대는 벤과 디아코아라를 따라 위험한 스타베이비즈를 천천히 지나갔다.

그때였다. "으아악! 살려줘!" 철퍽 소리와 함께 누군가의 비명 소리가 들렸다. 다이노원정대는 일제히 소리가 나는 쪽을 돌아보았다. 타우였다. 타우가 늪에 빠져 허우적거리고 있었다. 오랜만에 오는 스타베이비즈를 둘러보고 그 광경과 이곳에서 일어났던 악몽을 생각하다가 발을 헛디뎌 옆에 있던 늪에 빠진 것이다. 타우가 움직이면 움직일수록 몸은 점점 더 가라앉았고 몸이 가라앉으면 가라앉을수록 무서워진 타우는 더 허우적거리고 몸부림쳤다. 타우의 얼굴이 하얗게 질렸고 동공이 흔들렸다. 그리고 실신 직전인 타우의 눈 앞에 희미하게 환상이 보이기 시작했다.

11. 타우의 환상

난 늪에 빠져 버렸다. 스타베이비즈를 오랜만에 오자 그때의 악몽이 되살아 났고 아름다워 보이기만 하는 스타베이비즈의 어두운 내면이 보이기 시작했다. 이곳 생물들의 소리가 날 옭아 매는 줄처럼 느껴졌고 화창한 날씨와 큰 나무들이 날 아프게 하는 고문 도구처럼 느껴졌다. 벤을 만나 조금 괜찮아 지기는 했지만 그건 잠깐이었다. 스타베이비즈에 오자 또다시 아픈 그 기억이 되살아났다. 너무 괴롭고 힘들었다. 이곳에 내가 있다는 것 자체로 내 몸과 마음은 견딜 수 없었다.

발을 헛디뎌 늪에 몸이 닿는 순간 시간이 멈춰 버린 것만 같았으며 머리가 하얘진 난 몸부림 치는 것 밖에는 아무것도 할 수 없었다. “타우야! 타우야 정신 차려!” 늪에 빠진 내 소리를 들은 친구들이 날 불렀다. 하지만 하나도 귀에 들어오지 않았다. 벗어나려 몸부림치면 몸부림 칠수록 가라앉았다. 그때가 생각났다. 과거가 생각났다. 환청이 들렸고 환상이 보였다. 모두 내 어릴 적 기억과 공포심에서 나온 헛것이었지만 너무 무서웠다. 헛것인 걸 알아서 더 무서웠다. 환청과 환상은 벗어 날 수 없으니까. 내가 극복해야지만 벗어날 수 있으니까. 가짜인 걸 알았음에도 난 또다시 그때처럼 당할까 봐, 또다시 고통받을까 봐 늪에 빠져 있던 시간 동안 너무 힘들었다. 다시는 겪고 싶지 않은 이 일을 아는 사람은 별로 없다. 울면서 하소연하고 싶어도 그 사람들에게는 할 수 없었다. 나보다 몇 배는 더 큰 서러움과 아픔을 가진 이도 있었으니까. 그들 중 하나는 모든 걸 잃었고 누구든 희생을 해야 불행이 끝나는 사람도 있었다. 아무에게도 속 편히 말하지 못하고 나 혼자만 갖고 있던 그때 그 일이 늪에 빠지며 되살아났다. 슬로우 모션처럼 화면이 눈앞에서 천천히 지나갔고 겁에 질려 있었던 내 어릴 적 모습이 떠올랐다. 바들바들 떨며 살려달라 외쳤던 그 작았던 아이가, 아무것도 할 수 없지만 어떻게든 뭐라도 해보려 애썼던 아이가 말이다. 깊은 산 속, 얼음 궁전의 지하 감옥, 불에 휩싸인 친구의 별장… 장소가 계속 바뀌었고 어느 장소에나 어린 내가 있었다. 서로 알기 전이었는데도 불구하고 어린 드로메드가 있었다. 그분이 있었다. 얼굴을 가린 그 사람이 있었다. 그 사람은 집요하게 우릴 쫓아다녔고 괴롭혔다. 그 분은 노력했지만 실패하고 말았다. 이미 막을 수 없을 정도로 어둠의 힘이 너무 커져 있었다.
그날, 내 인생 최악의 날이었던 그날, 누군가는 엄청난 힘과 함께 희망의 힘을 손에 넣었고 다른 누군가는 세상을 위협할 어둠의 힘을 손에 넣었다. 차라리 빛의 힘을 얻은 그가 나보다 더 맡은 바를 잘 해낼 수도 있었다. 그러길 바랬다. 반드시 성공 해야 지만 이 죄책감을 조금이라도 덜 수 있었다. 내가 할 일은 끝났다. 그때 그 일 이후로 내 모든 게 바뀌었다. 내 인생이 한순간에 송두리째 뽑혔다. 아니, 애당초 난 태어날 때부터 비극적이었다.
운명은 바꾸라고 있는 거야. 내 친구 옐로이즈가 해준 말이 생각났지만 이를 되돌리기란 절대 쉽지 않을 것이다. 운명을 쉽게 바꿀 수 없다. 정해진 운명을 따르는 게 사람의 숙명이다. 난 노르아덴의 비극을 안다. 모든 걸 안

단 말이다. 이런 건 몰라도 되는데… 난 왜 이렇게 태어난 걸까? 왜 평범한 사람이 아닌 노르아덴의 평화를 지켜야 하는 사람으로 태어날 걸까? 마지막 불에 휩싸인 별장을 보는 장면을 끝으로 난 잠에 빠져들었다.

12. 구출

다이노원정대는 혼란에 빠졌다. 타우가 늪에 빠진 데다 정신까지 잃었기 때문이다. “타우야 정신차려!” “아 어떡해, 어떡해…” 제일 친한 친구가 늪에 빠져 허우적 거리자 드로메드마저 판단력을 잃었고 손을 달달 떨었다. 드로메드는 이성을 잃고 늪에 들어가려 했고 그걸 제때 본 알렉스가 저지했다. 드로메드 혼자 할 수 있는 일이 아니었다. 드로메드가 할 수 있는 마법이란 마법은 다 써보았지만 타우는 나오지 못했다. 그렇단 말은 드로메드가 쓰는 마법보다 더 강한 힘을 내야 한다는 말이었다.

유일하게 이런 상황에 익숙한 벤만 서둘러 주변의 풀을 뜯어 줄을 만들고 있었다. “얘들아 침착해! 줄을 만든 다음, 던지면… 안돼!” 벤은 소리를 지르다가 동작을 멈췄다. 데이비드가 준비 동작을 끝낸 후 늪으로 뛰어들었기 때문이다. 데이비드는 늪에서는 움직이지 못한다는 걸 알고 최대한 타우 가까이로 점프했고 그 방법은 효과가 있는 듯 했다. 데이비드는 몸의 3분의 2 이상이 늪에 빠진 타우를 끝까지 끌어낸 뒤 들어 올렸다. 늪이 굉장히 질퍽했기에 데이비드도 애를 먹었다. 타우는 숨은 쉬고 있었지만 기절을 한 건지 미동이 없었다. 다행히 어디 다치거나 한 곳은 없는 것으로 보였다. “알렉스! 너 저기 서 있어! 내 바로 앞에 말이야! 내가, 던지면, 받아! 알지?” 데이비드는 가쁜 숨을 몰아쉬며 알렉스에게 소리쳤다. 알렉스는 뛰어내리려는 드로메드를 제지하고는 씩 웃으며 고개를 끄덕였다. “Are you ready? I'm ready.” 알렉스가 신호를 보내자 데이비드도 소리쳤다. “1, 2, 3! 지금이야!” 데이비드는 팔에 있는 힘껏 힘을 주고 타우를 알렉스에게 던졌고 알렉스는 엇박이었음에도 그에 맞춰 뛰면서 타우를 받아냈다. 정말 환상적인 플레이였다. 타이밍이 0.1초라도 맞지 않았으면 타우는 늪에 다시 빠지거나 훨씬 멀리 날아가 다칠 수도 있었을 것이다. 둘다 친구를 구하기 위해 목숨이 위험할 수도 있었지만 감수했고 단 한 박자도 늦지 않게 움직였다. 알렉스와 데이비드 두 사람은 오래 합을 맞춘 것처럼 보였고 제대로 훈련받은 전문가 같았다. 합이 딱딱 맞아 떨어졌다.
데이비드가 타우를 알렉스에게 보낼 때 손을 조금 삐끗해 타우는 조금 더 느린 속도에 느리게 보내졌다. 하지만 알렉스는 당황하지 않고 바로 뛰었다. 이런 일이 한 두 번이 아닌 듯 둘다 너무나 익숙해 보였다.
알렉스와 데이비드의 헌신과 도움 덕분에 타우는 무사히 구출 될 수 있었다. 정신을 잃은 것과 온 몸이 진흙으로 뒤덮여 있다는 것을 빼면 타우는 크게 다친 곳도 없었다. “타우야! 타우야 너 괜찮아? 휴 다행이다…” 드로메드는 타우에게 다가가 친구를 거칠게 흔들어 깨웠다. 타우가 무사하다는 것을 알게 된 드로메드는 안도의 한숨을 깊게 내쉬었다.
이제 문제는 데이비드였다. 타우처럼 움직이지 않아 더디긴 했지만 데이비드는 늪에 점점 빨려 들어가고 있었다. 그러자 알렉스는 기가 막힌 생각이라기에는 조금 위험한 방법을 떠올렸다. 이미 어기긴 했지만 알렉스는 규칙에 따라 드로메드에게 이 방법을 물었다. “드로메드, 늦긴 했다만 나 그

거 써도 되냐? 넌 들어갈 생각 같은 거 하지 말고." "알다시피 위험해!" 저 멀리서 데이비드도 소리쳤다. "안 그래도 나도 그 생각을 하고 있었어. 저 늪은 전설의 마법을 쓰지 않고는 빠져나오기 힘들 것 같아. 센 마법이 옮아매니까. 위험하긴 하다만 데이비드는 전문가니까… 허락할게. 대신 조심해."
아이스 헌팅은 말 그대로 얼음 사냥이라는 뜻이고 알렉스의 가문 대대로 전해져 내려오는 기술이었다. 얼음과 눈을 이용해 주의를 급속도로 얼려 영하의 온도로 만들고 얼음 비수를 팔찌에서 꺼내 목포물에게 던진다. 알렉스가 늘 차고 다니던 은팔찌가 바로 이 용도 때문에 차고 다니는 것이었다. 그 힘과 속도가 어마무시해서 아무리 실력자라도 늘 당하는 초고난도 기술이다. 대마법사 베르테님도 이 기술에는 당한다고 알렉스가 농담처럼 말한 적이 있었다. 그러나 이 말은 절대 과언이 아니다. 실험을 해 본 결과 대마법사 베르테도 당할 정도로 위력이 셌다. 완벽해 보이는 아이스 헌팅의 단점을 하나 뽑으라면 이 기술을 쓰는 알렉스도 몸에 무리가 온다는 것이다. 알렉스가 얼음을 얼마나 잘 다루느냐에 따라 능력의 정도가 약하면 일주일 동안 기절할 것이고 어느정도 강하다면 한동안 고열에 시달릴 것이다.
드로메드의 허락을 받고 알렉스는 주변 친구들을 멀리 보냈다. 주위가 영하가 되어 매우 춥기 때문이다.
"데이비드! 아이스 헌팅을 할 거야. 준비해라." 데이비드는 온 몸, 특히 팔에 방패 마법을 걸어 아주 단단하게 만들었다. 얼음 비수를 맞고 늪 밖으로 튕겨 나가게 하려는 목적이었다. 알렉스는 주문을 외우기 시작했다. "위대하신 우리의 조상 알렉시아를 기리며 부족한 후손인 나 알렉스가 헌팅을 하려 하느니 부디 살펴주십시오… 가라 나의 비수야! 어서 가서 내 친구의 목숨을 구해주도록 하여라! 아이스 헌팅!" 알렉스는 손으로 동그란 얼음 결정을 그렸다. 그러자 알렉스가 차던 동그란 팔찌가 나왔다. 그냥 장신구인 줄만 알았는데 알고 보니 얼음 결정으로 이루어진 링이었다. 그리고 알렉스는 그 속에서 검을 꺼냈다. 아이스 데거. 전설 속의 검이었다. 아이스 데거는 5개의 전설의 검 중 하나였다. 아이스 데거는 상대방에게 조금이라도 닿는 순간 꽝꽝 얼어버리게 만드는 무시무시한 검이다. 그래서 이 검을 다룰 수 있는 사람은 알렉스 가문의 사람들 말고는 없다.

다이노원정대는 멀리서 이 광경을 지켜보았다. "아이스 데거다! 전설적인 저 검을 실제로 보게 되다니… 진짜 멋있다!" "저걸 데이비드가 막을 수 있을까?" 각자 반응은 제각각이었다. 테라는 뛰어나가고 싶은 걸 꾹 참고 일단은 아이스 헌팅이 성공할지 실패할지 지켜보기로 했다. 주문을 외우고 알렉스는 있는 힘껏 검을 데이비드의 방패 한가운데에 던졌다. 아이스 데거가 너무 온도가 낮고 차가운 기운을 휘감고 있어서 전설의 검이 지나갈 때 공기 중 수증기가 얼음으로 변해 우수수 떨어졌다. 떨어진 얼음 조각은 작은 소리들을 내며 늪 속으로 빨려 들어갔다. 아이스 데거는 곧장 날아가 데이비드 팔의 방패 가운데에 명중했다. 데이비드는 온몸으로 그 힘을 흡수했고 아이스 데거가 방패에 닿자마자 곧장 밖으로 튕겨지고 말았다.

아이스 데거가 다행히 마법이 제일 강하게 모여 있었던 가운데에 맞았고 데이비드의 마법도 강력했기에 큰 피해가 있지는 않았다. 데이비드가 바깥으로 튕겨져 나가자 아이스 데거는 다시 알렉스의 팔찌 안으로 돌아왔다. 다이노원정대는 조금 시간이 지난 뒤 날씨가 원래대로 돌아오자 우르르 알렉스와 데이비드에게 몰려왔다. "아오 머리야! 너무 아파…!" 데이비드는 튕겨 나갔을 때 큰 나무에 머리를 정통으로 박아 많이 아파 보였다. 데이비드의 머리에는 혹이 났다. 그렇지만 쾌활한 성격과 강력한 마법 덕에 금방 훌훌 털고 일어났다. 데이비드와 달리 마법을 무리하게 쓴 알렉스는 속이 안 좋았다. 마법을 최대로 쓰지는 않아 기절까지 가진 않았지만 열이 좀 나는 것 같았고 속이 울렁거렸으며 비틀거렸다. 이쯤 되면 인정할 만도 하지만 자신이 아프다는 걸 인정하고 보살핌 받는 게 죽기보다 싫은 알렉스는 아픈 걸 전혀 내색하지 않았다. 평소와 똑같은 모습으로 서있었고 괜찮냐 물어보는 친구들의 말에 괜찮다고 한두마디 정도 하고는 말았다. '왜 이렇게까지 하냐' 라는 생각이 들 수도 있다. 하지만 이렇게 하지 않고서는 절대 이 열대우림에서 빠져나갈 수 없다. 스타베이비즈는 마법의 열대우림이기 때문에 이 늪에 빠지면 절대 나올 수가 없어서 그대로 천천히 빨려 들어갈 수 밖에는 없다. 그 말인 즉슨, 한번 빠지면 늪에 걸려 있는 마법보다 더 강력한 마법을 써야만 빠져나올 수 있다는 말이다. 대마법사 베르테가 가장 먼저 만든 것이 바로 이 하늘의 트라이나 왕국이기 때문에 스타베이비즈에는 상당히 난이도가 높은 마법이 걸려 있었다. 드로메드의 마법이 늪에 걸려 있는 마법을 넘지 못했으니 그보다 더 강한 힘을 낸 것이다.
옐로이즈가 다가와 말했다. "알렉스? 난 널 알아. 오래 봤으니까. 너 지금 진짜 아프지? 머리 색 빨간색이었어. 지금은 은색으로 바뀌었지만. 네가 힘들고 아플 때 빨간색이 나오지. 내 말이 틀렸냐? 힘들면 힘들다고 말해. 괜한 고집 부리지 말고." 옐로이즈가 장난이 조금 섞인 진심어린 말을 알렉스에게 해주었다. "…괜찮아. 내 일은 내가 알아서 한다. 지금은 나보다 타우가 더 문제다." 알렉스는 고개를 돌리며 옐로이즈를 피했고 옐로이즈는 진짜 못 말리는 똥고집이라며 한숨을 쉬었다.

드로메드는 알렉스가 걱정 되었지만 알렉스는 귀에 피가 나도록 말해도 듣지 않을 사람이라는 걸 알기에 잠자코 먼저 다가오기까지 기다릴 수 밖에는 없었다. 아무리 고집이 세고 자존심이 강한 알렉스라도 정말이지 너무 힘들 땐 가끔 데이비드와 타우, 드로메드에게 도움을 요청하기는 한다. 그 요청은 2년에 한 번 꼴로만 들을 수 있었다. 마지막으로 도움을 요청하는 소리를 들어본지가 정확히 2년 전인 10살 때였으니까. 그때 알렉스는 쓰러져 있었고 마법을 이용해 친구들에게 메시지를 전했던 것이었다. 데이비드와 드로메드가 제때 연락을 받아서 망정이지 안 그러면 큰일날 뻔 했다. 그 당시 실외 온도는 30도가 넘어 갔었는데 알렉스는 더운 곳에 10시간 이상 오래 있으면 목숨이 위험하기 때문이다.

타우는 늪에서 나오고 친구들이 도와준 덕에 다친 곳도 없었고 드로메드가 열심히 흔든 끝에 정신을 차렸지만 다리에 힘이 풀려 살짝 멍해 있었다. 더 이상 시간을 지체할 수는 없었던 다이노원정대는 타우를 억지로 일으켜 세워 걷게 하며, 더욱 각별히 조심하며 스타베이비즈를 지나갔다.

알렉스를 제외하고는 큰 사상자 없이 스타베이비즈를 무사히 탈출하자 다이노원정대는 안도의 한숨을 쉬었다. "아 드디어 나왔다." "숨막혔어." "이제 검을 찾으러 가자!" 그 마지막 말을 듣는 순간 벤이 우뚝 멈춰섰다. "검? 무슨 검? 설마 그…" 벤이 말을 채 끝내기 전에 모타카가 끼어들었다. "너도 아는구나! 폐하께서 우리한테 검을 찾아 달라고 부탁하셨거든." "폐하? 무슨 폐하?" 벤의 질문에 아르마가 답했다. "트라이나 왕국의 아틀라스 폐하께서 우리한테 검을 찾아 달라고 하셨어!" 나중에 그 말은 다이노원정대가 뽑는 최고의 레전드 발언이 되었다. 그만큼 정말 중요했기 때문이다.

벤은 아르마가 한 말을 듣고 얼굴이 파랗게 질렸다. "우리 트라이나 왕국은 절대로, 무슨 일이 있어도 아이들에게 그런 일을 시키지 않아! 그리고 너희가 저 밑에서 와서 잘 모르겠지만, 트라이나 왕국의 경비병과 군대는 세계 최고 수준인데 구지 경험 부족한 너희를 시킨다고? 말도 안 돼!" 드로메드, 알렉스, 데이비드를 제외한 다이노원정대는 깜짝 놀랐다. 숨도 쉬지 못할 만큼. "그게 무슨 말이야! 그럼 우리한테 이 일을 시킨 사람은 대체 누군데? 네가 잘못 알고 있는 거 아니야?" "그 왕은 대체 정체가 뭐야?" "가짜야? 아니면 진짜 제왕?" "어쩐지 뭔가 이상하더라! "그럼 우리는 다시 돌아가야 하는 거야?" "또 스타베이비즈를 지나라고?" "우리 다 바보같이 속은 거야? 아니라고 말해주라!"

다이노원정대는 아수라장 상태가 되었다. 그러자 보다 못한 드로메드는 손을 들어 다이노원정대를 진정시켰다.

"얘들아! 좀 진정 좀 해! 이렇게 난리 쳐봤자 해결이 되는 것도 아니잖아! 난 처음부터 모든 걸 알고 있었어. 그에 따른 해결책도 있고. 다들 내 얘기 좀 들어봐!" 다이노원정대는 순식간에 조용해졌다.

드로메드의 목소리는 크지 않고 오히려 작은 편에 속하지만 울림이 있고 상대를 제압하는 힘을 가졌다. "좋아. 다들 고마워. 벤 너도 잘 들어. 질문할 거야. 난 질문하는 것을 아주 좋아하니까. 자, 이게 어떻게 된거냐면…."

13. 왕의 정체

드로메드는 왕을 처음 만났을 때 수상하다고 느꼈었다. 말과 행동이 맞지 않았기 때문이다. 그래서 드로메드는 질문 3개를 던졌었다. 그 질문에서 드로메드는 두가지 원하던 답을 얻었다.

첫째, 이 왕은 검을 이용해 다른 왕국을 몰아내는 나쁜 짓을 저지를 거다. 둘째, 이 왕은 트라이나 왕국의 왕이 아니다! 드로메드는 아틀라스 왕의 실체를 아는 순간 자기 친구들이 너무 걱정되었다. 드로메드의 힌트를 듣자 다이노원정대 모든 대원들이 소리를 쳤다. 그들이 말하는 건 단 한가지. "그 가짜왕은 누구야?" "드로메드! 너 다 알면서 나 여기 데리고 온 거지! 내가… 내가 늪에 빠지면서까지… 너 정말 너무해!" 타우는 화가 머리 끝까지 나서 눈을 부라렸고 드로메드는 눈을 반짝이며 말했다. "미안 타우. 나도 정말 그때는 확신할 수가 없었어. 내 선택으로 인해 무고한 사람이 희생될 수 있었으니까. 하지만 그 덕에 이제는 사람을 구할 기회가 생겼다고. 꽤 여럿이야. 자, 그럼 너희가 추리해봐. 내가 던진 질문 중 하나가 '스케네 폐하와 만난 적 있습니까.' 야. 그 왕은 아니오 라고 대답했고. 수상한 점은 이거야. 만난 적도 없고, 사신도 편지도 안했는데 어떻게 리스트너 왕국 왕의 성격을 알까? 그리고 난 왕에게 아이가 있냐고 물었어. 왕은 아이는 우리와 같은 12살과 1살 동생인 11살이라 답했지. 그런데 왕비는 없었어. 보통의 경우 이렇게 중요한 일에는 왕비도 나와. 왕비가 죽었다고 생각할 수 있어. 하지만…" 드로메드가 말을 하기 전에 화가 풀린 타우가 놀란 얼굴을 하고 끼어들었다. "맞아! 그거다… 난 정말 바보였어! 〈하늘의 위대한 왕국인 트라이나 왕국〉을 보면 그 책에는 왕비가 죽으면 바로 재혼을 하고 만약 아이가 있을 경우 아이가 10살이 되지 않았다면 아이가 10살이 될 때까지 기다렸다가 재혼해야 한다고 써져 있어. 아틀라스 4세가 그 방법으로 자신의 남편을 다시 맞아들였는데 그때부터 전해져 내려왔다고해. 왜 이런 풍습이 있는 건지는 모르겠지만. 하지만 아이가 12살, 11살이라고 했는데 왕비가 없다는 말은… 드로메드 혹시…" 타우의 말이 끝나자 드로메드는 고개를 끄덕였다. "하나 더 있어. 트라이나 왕국은 아이를 낳아 그 아이가 왕, 여왕이 되는 식으로 왕실을 유지하지 못했어. 중간에 2번인가 3번 정도 끊겼지. 그러다가 조카나 동생이 왕위에 오르기도 했고. 물론, 왕위계승 전쟁 전까지를 말하는 거야. 왕위계승 전쟁 후로는 계속 유지할 수 있었지. 그런 식으로 왕실을 지금까지 계속 유지한 건…" 드로메드는 한가지 사실을 더 짚어주었다. "아! 그렇게 유지한 건 리스트너 왕국이지." 이미 사실을 알고 있는 데이비드와 알렉스만 이제 어떻게 할 거냐고 투덜거렸고 다이노원정대는 조용해졌다.

드로메드의 예상처럼 친구들은 빨리 답을 알아채 얼굴이 흙빛으로 변해갔다. "설마, 아닐 거야. 그분이 얼마나 친절하셨는데!" 카르노가 울상이 됐다. "연기한 걸거야. 원하는 목적을 이루기 위해." 드로메드는 냉철했다. "그러니까 왕이, 우리와 만났던 왕이 트라이나 왕국의 아틀라스 20세가 아니라 리스트너 왕국의 스케네 20세란 말이야…?" "맞아. 그건 벤이 설명해 줄 것 같은데." 벤은 드로메드의 이야기를 듣는 내내 얼굴이 사색이 되어 있었다.

드로메드가 벤에게 물었다. "벤! 너는 트라이나 왕국 사람이니까 트라이나 왕국 폐하에 대하여 잘 알거야. 그렇지?" "으응... 폐하께서는 익룡 중에 가장 큰 익룡 답게 덩치도 크시고 키도 크셔. 언제나 미소를 잃으시지 않지." 좋은 효과를 가져올 거라 예상했던 벤의 말은 역효과만 내고 말았다. "우리가 봤던 그 왕도 똑같은 모습이었는데…?" 드로메드가 씩 웃으며 말했다. "내가 스케네 폐하께서는 변장술에 능하다는 말을 안했던가?" "아… 잠깐! 그러면 아틀라스 20세 왕께서는 어떻게 된 거야?" 그러자 벤의 얼굴이 급격히 어두워졌다. "폐… 폐하께서는 며칠 전 실종되셨다고 들었어. 내 말은 정확해. 우리 아버지, 어머니는 폐하가 가장 믿는 호위무사시거든. 아버지, 어머니가 집에 오시면서 그렇게 말씀하셨었어. 그래서 아까 놀랐던 거야. 폐하께서는 절대로 아이들에게 그런 명령을 내리지 않을뿐더러 지금은 그런 명령을 내릴 수 있는 상태도 아니거든. 지금 군대 전부가 동원되어 폐하를 찾고 있어." 그 말을 듣자 드로메드가 갑자기 정색을 했다. "뭐라고?" 벤은 떨리는 목소리로 한 번 더 설명을 해주었다. "며칠 전 실종되셨다고. 루비 왕비님과 아틀라스 왕자님께서도 실종되셨어." 드로메드는 한숨을 쉬며 중얼거렸다. "하... 결국 한발 늦은 건가…" 하지만 곧 정신을 차리고 머리를 쓸어 넘긴 뒤 대장 답게 명령을 내렸다. "후, 우린 지금 상당히 위험에 빠졌어. 폐하께서도 스케네 폐하의 음모에 빠져 위험하시고. 예측컨대 아마도 전설의 검 주변에 계실 거야. 스케네 폐하께서는 최면을 걸어 검을 찾으라고 보냈겠지. 스케네 폐하께서는 마법사니까. 우리의 이번 임무는 스케네 폐하를 막고 아틀라스 폐하를 구하는 거야. 이번엔 지난번 미로와 차원이 달라. 반드시 막아야만 해." "뭐? 그런데 넌 그걸 어떻게 알아?" "아 너희한테 말 안 했나? 했던 것 같은데... 우리가 미로를 빠져나가고 나서 얼마 지나지 않아 잭 형이 편지를 보냈어. 나이 차이 별로 안 나길래 형, 동생 하기로 하고 나서 종종 봤거든. 형이 미안하다면서 자기도 누군가 가족을 인질로 잡고 협박을 해서 그랬다고, 용서해 달라고 그러더라고. 그래서 직접 찾아가서 물어봤어. 가서 누가 그랬냐고 물어보니까 하늘의 왕 어쩌고 저쩌고 하더라. 그 하늘의 왕은 스케네 폐하였겠지. 형이 아마도 스케네 폐하께서 마법 구슬을 보고 우리가 강한 걸 알자 해치려고 시킨 걸거라고 하더라." "와… 친화력은 유전이네." 테라는 고개를 끄덕였고 모타카는 울부짖었다. "야! 아니 그 중요한 걸 왜 이제 말해?! 진작에 말했으며언! 무슨 조치를 취..." "야. 안 그래도 심란하니까 조용히해." "옙." "그럼 이제 어떻게 해야 해?" "검을 찾으러 가자." "뭐? 미쳤어? 거길 왜 가! 우리 임무는 검을 찾는 게 아니라 왕을 구하는 거야. 쓸데없는 짓 하지마! 그리고 쟤를 생각해서라도 그건 안 돼. 더 가는 건 무리야." 아르마가 소리쳤다. "맞아. 네 말대로 우린 아틀라스 폐하를 구해야 해. 하지만 검이 있어야지 스케네 폐하를 어떻게든 막을 수 있어. 여긴 하늘이라 우리의 능력이 잘 발휘되지 않아. 테라야, 그렇지? 그리고 타우 너는… 음..." 드로메드는 테라에게 도움의 눈빛을 보냈다. 테라는 벤의 말을 토대로 아틀라스 왕과 스케네 왕의 정보를 조사하고 분석했다. 그리고 하나의 자료로 만들어 다이노원정대한테 보여주었다. "여기. 이거 봐봐." 다이노원정대가 자료를 읽자 테라가 설명을 했다. "여기 이걸 살펴보면 아틀라스 왕이 사라진 날짜는 8월 10일이고 오늘은 20일이니까 10일이 지났어. 아마 어딘가 쓰러져 있을 확률이 높아. 아무리 최면이 강하다 해도 말이지. 그리고 드로메드 말대로 여긴 하늘이라 무전도 잘 안 되고 힘도 최대치까지 끌어낼 수 없어. 능력 발휘가 안 되면 저번 미로처럼 드로메드 찬스도 못써. 그러니 지금으로선 검을 찾는 방법밖엔 없어."

드로메드가 고개를 끄덕였다. "맞는 말이야. 그리고 우선 최대한 빨리 전설의 검이 있는 쪽으로 가자." "드로메드. 너 내가 아무리 사정사정해도 끝까지 갈 거지?" 타우는 깊은 한숨을 쉬었다. 드로메드는 미안한 표정을 지으며 고개를 끄덕였다. "미안... 하지만..." "네가 하려는 말 알아. 그리고 나 자신도... 가야 한다는 걸 뼛속까지 느끼고 있어. 갈 거야. 가야해. 대신 절대 위험하게 하지 않겠다고 약속해줘. 너 어차피 폭주했을 때 정도의 힘도 못 쓰잖아. 그때 그게 우연이었다는 것, 나도 잘 알고 있어." 타우는 한숨을 쉬었고 드로메드는 가라앉은 목소리로 중얼거렸다. "절대 네가 위험해지는 일은 없을 거야. 걱정하지마. 이 세상이 위험하긴 하지만 네 생각만큼은 아니야. 나보단 네가 더 많은 경험을 했겠지만, 지금까지 내가 겪어본 바에 따르면 착한 사람도 정말 많더라. 그리고… 맞아. 그때는 우연이었어. 알렉스, 데이비드, 엘로이즈랑 너라면 알고 있을 줄 알았어. 마법이 완전 폭발하지 않고 4분의 1 정도만 폭발했으니 내 폭주를 자주 본 사람은 알고 있었겠지…” 말을 끝내고 드로메드는 각오했다. 지킬거라고. 무조건 다이노원정대를 지킬거라고. 사람들을 구할 거라고. 타우는 다시는 눈물을 흘리면 안 됐기 때문에. 드로메드가 이렇게 다짐한 건 타우에게 더 이상 상처를 주고 싶지 않았기 때문이다. 드로메드는 어릴 적부터 타우와 알고 지내는 사이였고 드로메드의 모든 것이 타우와 관련이 있었기에 그 사실을 자연스레 알 수 있었다. 그 일이 너무나 안돼서 드로메드는 각오가 되어 있었다. 모든 준비가 끝나고 다이노원정대는 떠날 채비를 했다. 바로 그때였다. 덤불 뒤에서 무언가가 쑥 튀어 올랐다.

14. 깜짝 손님

덤불 속에서 불쑥 나타난건 다름아닌 다이아였다. “저도 같이 가요! 지금까지 한 말이 사실이라면 저도 데려가 주세요! 아 진짜로, 여기까지 오는거 진짜 힘들었거든요! 제가 여기서 몇 년을 살았는데도 진짜 너무 힘들다고요! 늪에, 위험천만한 지형에, 독에... 생명을 위협하는 장애물이 너무 많아요! 그러니까 돌아가는 것도 진짜 힘…” 다이아는 열심히 쫑알쫑알 말을 하다가 벤을 보고 갑자기 멈췄다. “베… 벤 오빠?” 벤도 당황하긴 마찬가지였다. “다... 이아? 네가 왜 여기서 나와? 어쨌든, 잘 됐다. 너 아주 그냥 혼났어. 엄마 아빠가 너 들어오면 가만 안 둔다고 그랬거든!!” “아 나도 사연이 있었다고!” 둘 사이에는 묘한 기류가 흘렀다.

타우가 물었다. “왜? 둘이 아는 사이야?” 벤과 다이아는 동시에 대답했다. “동생.” “오빠.” “둘이 남매지간이었어?” “응.” 다이노원정대 모두가 놀랐겠지만 아마도 가장 놀란건 역시 타우였다. “벤… 너한테... 동생이... 생겼어...?” 벤은 머리를 긁적였다. “으응...” “와~! 진짜 신기하다!” 벤의 예상과 달리 타우는 조금 전에 울먹였던 건 다 잊고 펄쩍 뛰며 좋아했다. “우와! 요 꼬맹이가 네 동생이었다니! 나 요만한 동생 갖고 싶었는데 잘됐다!” “에이, 이 쥐방울 만한 게 말은 드럽게 안 들어요. 피곤하기만 해.” “뭐라고? 말 다 했어? 이 오빠가 정말!” 다이아가 벤에게 오랫동안 노를 저으며 다져진 강한 주먹을 날렸고 벤은 너무 아파서 데굴데굴 굴렀다.

벤과 타우의 대화가 길어지자 알렉스가 칼차단을 했다. “수다는 나중에 떨어라. 지금은 1분1초가 급하다.” “맞아. 그리고 다이아는 따라오도록 해. 내 예감상 너는 앞으로 굉장히 큰 도움이 될 거란 말이지. 막내 공주님~” “우와! 진짜요? 완전 좋아! 기대된다!” 드로메드는 다이아가 다이노원정대를 따라오게 해줬다. 카르노는 반대했지만 말이다. “드로메드 난 벤하고 다이아 맘에 안 들어. 아무리 타우의 친구들이라고 해도 말이야. 난 낯선 이는 수상하게 생각한다는 거 알잖아.” 드로메드는 괜찮다며 자기를 믿어보라고 했고 데이비드는 카르노가 멋쩍을 정도로 크게 웃었다. “하하하! 그건 두고 봐야지. 다이아는 굉장히 큰 힘을 가지고 있다고. 본인은 잘 모르지만 말이야. 꼭 이번은 아니더라도 우리가 위험에 빠졌을 때 분명히 큰 도움이 될 거야. 그러니 의심은 접어둬. 쟤 예감은 절대 틀리지 않아. 너도 알잖아~ 그리고 넌, 낯선 이를 수상쩍게 생각하는 게 아니라 낯선 이에게 빠질까 봐 조심하는 거잖아.” 그 말에 고집이 센 카르노도 얼굴이 붉어지며 두손 두발 다 들고 말았다.

카르노가 두손 두발을 든 이유는 따로 있다. 전에 카르노가 어떤 사람에게 확 넘어갔던 적이 있었다. 아직 학원에 다닐 때 카르노는 어마어마한 숙제에 지쳐 있었다. 그때 어떤 남자가 집중력이 높아지고 공부가 잘 된다며 음료수를 비싸게 팔아 넘겼고 카르노는 장염에 걸려 며칠 고생했었다. 그 끔찍한 기억 때문에 카르노는 낯선 이에 굉장한 적대감을 가지고 있었다. 그래서 이번에도 반대하였지만 데이비드가 너무 맞는 말을 하는 바람에 투덜거리면서도 잠자코 갈 수밖에 없었다. 우여곡절 끝에 다이노원정대는 진짜로 떠났다...!

15. 2번째 관문

다이노원정대가 스타베이비즈를 벗어나자 다이노원정대 앞에 찬란한 호수가 펼쳐졌다. 호수는 반짝반짝 빛났고 햇빛이 내리쬐서 더 신비로운 느낌이 났다. 한마디로 마성의 호수였다. 다이노원정대는 호수로 뛰어갔다. “우와! 아름답다!” “예쁘다...” “야호! 안 그래도 더웠는데 들어가야지!” 아르마가 몸을 식히려 호수에 들어가려고 하자 벤이 벌룬으로 아르마를 삼켰다. “악! 야! 뭐야?” “미안! 하지만 너희들은 절대로 저 호수에 들어가면 안 돼!” 벌룬에서 풀려난 아르마가 불평 불만을 해댔다. “칫! 왜!” 벤은 당황해서 말을 얼버무렸다. “어… 그게…. 나도 잘 몰라. 위험하다는 것 말고는...” 그러자 타우가 대신 대답을 했다. “여긴 겉은 아름답지만 정말 위험해. 아이레니아 라는 호수인데 저 물에 들어가기만 하면 죽어. 아주 천천히... 고통스럽게... 뭐, 특종도 가끔 있으니까 예외도 있지만.” (특종은 특별히 별난 종을 줄인 말로 모타카, 알렉스 같은 아이를 일컫는다.) 그 말을 듣고 아르마의 얼굴이 창백해졌다. “내... 내가 죽을 뻔했네.. 고맙다.” “별말씀을.” “흐아아악~!” 그때 갑자기 카르노가 소리쳤다. “왜 그래?!” “쟤… 쟤 좀 봐…!” 카르노가 가리킨 곳에는 모타카가 있었다. 모타카는 호수에 들어가서 놀고 있었다. 아주 즐겁게. “야! 당장 나와! 너... 너 안 그러면 죽어!” 그러자 모타카가 해맑게 웃으며 말했다. “죽는다고? 이거 물 되게 시원해!” 모타카는 특수한 방어능력으로 인해 아이레니아의 독에 전혀 영향을 받지 않아 죽지 않았다. 오히려 시원하고 청량한 느낌이 들었다. "...와." "잰 아무것도 안 하는 줄 알았는데 저런 장점이 있었네." "내 말이." "내가 그랬지? 특종이라고." 드로메드는 골똘히 생각하다가 좋은 생각이 떠올랐는지 무릎을 탁 치고 일어났다. "맞아! 저 물은 증발을 안 해. 그러니 백년 천년 마르지 않았던 거지. 모타카! 너 그 물이 너한테만 해당 있다고 했지!" "어! 근데 왜?" "그 물 좀 병에 담아줘!" "왜?" "일단 담아봐. 필요한 순간이 있어." "그래!" 모타카가 병에 물을 한가득 담고 나오자 카르노가 열기로 몸을 말려주려다가 모타카 머리를 태워버렸다. "으아아악!" "엇! 미안~" 모타카는 얼굴이 까맣게 그을렸고 물로 재빨리 정리를 했다.
카르노는 일부러 그런 건지 실수였는지 분간이 안 갈 정도로 히죽히죽 웃으며 모타카를 조금씩 놀리고 있었다. "모타카가 이런 장점이 있네." "어휴 모르고 들어갔으면 큰일날뻔했어. 그나저나 검이 있는 곳으로 가려면 이 호수를 지나가야 하는데 어쩌냐." "순간이동으로 가자." 드로메드가 제안했다. "윽! 또? 진짜 어지러운데…" 아르마가 토하는 시늉을 하자 드로메드가 웃으며 말했다. "그럼 천천히 나눠가자. 한꺼번에 여럿이 움직이면 나도 힘들고 너희도 힘들지만 나누어 움직이면 덜할 거야."
드로메드의 방법으로 천천히 조를 나누어 가자 훨씬 편하고 간편하였다. 고객 만족도는 최상이었다. 어린 다이아가 너무 재미있다며 계속 해달라고 졸라댈 정도였다. 전보다는 훨씬 나아졌음에도 불구하고 아르마는 어지러워 했다. 정말로 지독한 고소공포증과 어지럼증이었다. "하아... 어지러워...

그래도... 드디어 3차 관문이다…!"

16. 3번째 관문

3차 관문은 스케일부터 달랐다. 허공에 4미터 정도의 큰 문이 떠 있었고 그 밑으로 계단이 쭉 이어져 있었다. 무. 깡. 테라마저 몸이 떨리게 하는 비주얼이었다.
"후... 얘들아! 드디어 우리가 3차 관문까지 왔어. 이 관문을 넘고 하나만 더 넘으면 아틀라스 폐하도 구하고 검도 찾을 수 있어. 힘내자. 내가 먼저 올라갈게." 드로메드는 계단을 성큼성큼 올라갔다. 그 뒤를 따라 다이노원정대가 올라갔다.
드로메드는 불길한 예감이 들었지만 대수롭지 않게 생각하고 문을 조심히 열었다. 문 뒤에는 방이 있었다. 아름답지도, 더럽지 않은 지극히 평범한 방이었다. 이상한 점이 하나도 없어 보이지만 이 방에는 특별한 점이 하나 있었다. 아주 독특하고 신기한 향이 있다는 것이었다. 처음에는 옅고 싱그러운 향이라 좋았지만 향은 시간이 지날수록 아주 강하고 진해졌다. 다이노원정대는 향을 맡았다. "으… 어지러워." "너무 강해!" "밖에 나가고 싶어..." 테라는 문 쪽으로 갔다. 하지만 테라는 몇 걸음 못 가서 향에 중독되고 말았다. 그러자 테라의 눈에 환영이 보이기 시작했다. 테라가 가장 바라고 좋아하는 것이었다. 가족과 함께하는 생일파티. 그게 테라가 원하는 것이었다. 테라의 부모님이 너무 바쁘셔서 한 번도 생일파티를 제대로 해본 적이 없었기 때문이었다. 아이들은 점점 향에 중독이 되고 있었다. 테라를 시작으로 카르노 아르마, 티라, 모타카가 차례로 중독이 됐다. 카르노는 컴퓨터가 앞에 있다는 듯이 허공에 손가락을 움직였고 아르마는 동생들과 함께 노는 모습을, 티라는 공을 던지는 시늉을 했다. 모두 좋은 기억을 떠올리고 그 시늉을 하는데 타우는 이상하게도 입을 막고 고통스러워하며 바닥에 웅크리고 있었다. 모두 이상한 향 때문에 생기는 환영이었다.
시간이 좀 더 지나고 숨을 참고 버티던 알렉스까지 중독이 되고 말았다. 마지막으로 남은 건 벤과 드로메드 뿐이었다. 드로메드는 다이노원정대를 지켜야 된다는 명분과 대장으로써의 책임감으로, 벤은 아틀라스 폐하를 구해야 한다는 정신력과 의지력 하나만으로 버티고 있었다. 그렇지만 아무리 노력해도 숨을 참는 것도 한계가 있었다. 벤은 더 이상 숨을 참기 힘들었다. 더 이상 버티지 못하고 포기하려는 벤의 눈 앞에 문이 보였다. '그래! 저거다. 저 문을 열자. 저것만 열면 향이 빠져나갈 거야.' 벤은 비틀거리며 문 쪽으로 갔지만 너무 숨이 찼다. '하아, 하아 이제 더 이상은 무리야…' 벤은 모든 걸 포기하려 했다. 그때였다. 벤은 부모님과 다이아, 그리고 자신이 가장 존경하는 아틀라스 폐하가 생각났다. 또 그 존경하는 폐하가 위험에 빠져있다는 것도. 찰나의 순간 벤은 다시 마음을 다잡았다. '그래 내가 포기를 하면 폐하께서 위험하셔. 벤, 넌 할 수 있어!' 벤은 포기하지 않았지만 너무 지쳤다. 더 이상 걸음을 옮길 수 없었다. 벤은 온 힘을 다해 드로메드에게 눈빛으로 메시지를 보냈다. '제발… 드로메드 제발...' 드로메드는 답이 없었고 벤은 너무나 실망했다.

하지만 그건 벤의 착각이었다. 몇 초의 시간 동안 가만히 있던 드로메드가 벤의 메시지를 받았는지 문 쪽으로 움직이기 시작했다. 하지만 힘에 부치는지 중간에 멈춰서고 말았다. '제발... 제발!' 벤은 간절히 빌었고 드로메드는 포기하지 않았다. '후 내가 포기하면 내 친구들은… 난 가야만 해. 꼭 그래야만 해…' 드로메드는 악착같이 문에 다가갔다. 그리고는 문고리를 잡았다. 하지만 문은 너무 크고 무거웠다. 이미 힘이 빠질대로 빠지고 악력이 약한 드로메드가 문을 열긴 역부족이었다.

드로메드가 문을 열지 못하자 벤은 마음이 급해졌다. "에라 모르겠다!" 벤은 그대로 뛰어가서 온몸을 문에 부딪쳤다. 드로메드도 벤에 힘입어 있는 힘 없는 힘 다 끌어올려서 문을 밀었다. "으아아아아!" 쾅! 하는 큰 소리와 함께 문이 부서졌다. "하아, 하아…" 드로메드와 벤은 가쁜 숨을 내쉬었다. "드로메드?" "벤?" "성공 한거야?" "그런 것 같아…!" 두 소년은 서로 얼싸안았다.

다른 아이들도 원래대로 돌아왔다. "으음..." 아이들은 신음을 내뱉었다. "어? 얘네 왜 안 일어나지?" 벤이 타우를 흔들어봤다. "잠깐 기절한 걸 거야. 근데 여기는…" 드로메드는 사방을 둘러보았다. "나무가 엄청 많다. 큰 나무도 꽤 많이 보이고. 열대우림의 특성도 가지고 있는 숲인 것 같아. 애들이 쓰러졌으니까 오늘 밤은 여기서 보내자." 드로메드가 주위를 둘러보고는 벤에게 고갯짓을 하였다. "그래. 근데 일단 애들부터 옮겨야 될 것 같은데.." "넌 다이아 맡아. 내가 다들고 갈게." 벤은 의아해했다. "어떻게…?" "이렇게." 드로메드는 마법을 써서 아이들을 허공에 띄었다. 아이들은 지상에서 2m정도 붕 떠올랐다. 푸른 마법이 드로메드의 친구들을 이불 덮듯 감싸고 있었다. "헐… 그러고 가겠다고?" "당연하지. 뭐 어때. 빨리 가자." 드로메드는 숲 안으로 들어갔다. "야아, 같이 가!" 벤도 다이아를 업고 드로메드를 쫓아갔다. 드로메드와 벤은 아이들이 깨어날 때까지 교대로 나뭇잎을 주워 오기로 했다. "언제까지나 이러고 있을 수는 없으니까… 내가 텐트를 지을 줄 알아. 나뭇잎 주워 오자." "그래. 그게 낫겠다." 이 숲이 어딘지는 알 수 없으나, 안전해 보이지 않는 것은 사실이었기에 잠시 들어가 있을 장소가 필요했다.

두 친구는 나뭇잎을 주으러 다녔다. "우린 일행이 많으니까 큰 게 좋겠지?" 드로메드는 자기 몸통만한 나뭇잎을 낑낑거리며 가져왔다. 나뭇잎이랑 씨름을 오래 했는지 드로메드의 몸 이곳저곳에 흙이 묻어 있었다. "오 좋은데? 처음치곤 잘했어~ 근데 그런 것 보다는 이런 게 낫지." 벤은 자기가 찾은 나뭇잎을 들어 보였다. 벤의 키보다 컸으니 180cm가 넘는 거대한 나뭇잎이었다. 벤은 뿌듯한 표정으로 웃고 있었다. "대체 이런 걸 어디서 찾았대…" 드로메드의 눈이 동그래졌다. 이런 큰 나뭇잎은 아까 스타베이비즈에서도 보지 못했던 것이었다. "난 평생을 이런 곳에서 살았잖냐~ 이런 건 식은 죽 먹기지." 그 뒤로도 드로메드와 벤은 계속 나뭇잎을 주워 오고, 또 주워 왔다.

처음으로 숲에서 무언가를 해보는 드로메드의 몸은 온통 엉망이 되었다. 여기저기 쓸려 피가 나고 멍이 들었다. 반면, 벤은 익숙하게 할 일을 했다. 트라이나 왕국에서 10년을 넘게 산 벤 답게 모든 일을 익숙하고 빠르게 잘

했다. "아야… 나 힘들어. 못 해먹겠네 진짜! 여기는 왜 이리 척박하고 살기가 힘들어?" 드로메드의 투정을 가만히 들어주던 벤은 드로메드의 마지막 말에 낄낄거리며 웃었다. "야, 웃지 마… 내 얼굴에 뭐라도 묻었어?" 드로메드는 기분이 상했다. 언제나 다정한 그였지만 지금은 몸과 마음이 너무 힘들고 고단했다. 말이 곱게 나갈 리 없었다. "크큭… 흙이랑 먼지랑… 뭐가 잔뜩 묻긴 했네~ 좀 닦아. 너 지금 꼴이… 어우, 말도 못 해." "끄응… 닦을 게 없는데 어떻게 닦냐?" 드로메드는 털썩 주저앉았다. 눈은 초점을 잃은 채 흔들렸고 손을 달달 떨렸다. "그건 네가 알아서 하고 가서 좀 쉬어. 마무리는 내가 할게. 마음만 같아서는 3단계 벤트 아이를 마음껏 부려먹고 싶지만, 이건 너 시키고 싶어도 못하는 거라."

벤은 큼직한 나뭇잎들로 텐트를 짓기 시작했다. 작은 마디마디에 다른 나뭇잎을 집어넣고 들어 올리자 어느새 멋진 텐트가 완성되었다. "후~ 다 됐다." "뭐 허접하긴 한데… 그럭저럭 괜찮네." 드로메드는 어느새 다가와 임시 거처를 구경했다. "자 이제 들어가자!" 드로메드와 벤은 친구들을 데리고 임시 거처 안으로 들어갔다. "아이고, 삭신이야. 온 몸이 쑤신다. 야, 너 솔직히 진짜 죽을 만큼 힘들지? 맞지?" "아니야. 안 피곤해." 드로메드는 손사래를 쳤다. "그으래? 그나저나 얘넨 언제 깨어 날래나." 벤은 드로메드를 더 놀릴까 생각하다 곤히 잠들어 있는 친구들로 고개를 돌렸다. "그러게… 빨리 일어나야 출발하던가 하는데…" "아니 그게 아니라 난 배가 고프단 말이야. 배가. 재네가 깨어나야 먹든지 말든지 하지. 검이야 뭐, 딱 봐도 너희들 보통 실력자가 아닌 것 같은데 알아서 잘 되겠지." 드로메드는 어이가 없었다. 벤은 데이비드의 뻔뻔함과 장난끼가 더 추가된 것 같은 느낌이었다. "그래... 딱 보기에 넌 한 번도 굶어본 적이 없는 것 같으니까 당연히 배고프겠지. 내 배낭 봐봐. 먹을 게 좀 있을 거야." 드로메드는 혀를 끌끌 찼다. 하지만 드로메드도 허기진 건 마찬가지였다. 허기짐보다 몇 배는 더 큰 고단함에 파묻혀 그걸 느끼지 못하는 것뿐이다. "알았어! 어? 뭐야 배낭이 너무 복잡해.. 드로메드! 얼마나 많이 있고 뭐 가져왔어?" 벤이 묻자 드로메드는 대답을 했다. 하나도 안 틀리고 정확하게 말이다. "물 큰 걸로 20병, 혹시 몰라서 10병 더 챙겼지. 그러니까 물은 30병, 그릇 15개, 라면 12봉지, 가스레인지, 소금, 냄비, 전자레인지, 밀키트 등등이야."

이 가방은 수납 공간이 100㎡ 정도 되는 마법 가방이었기에 물건이 많이 들어갈 수 있었다. 보기에는 작아 보여도 그 속에는 어마어마한 물건들이 수납되어 있었다.

벤은 입이 떡 벌어졌다. "무겁지도 않냐? 가방이야 그렇다 쳐도 그걸 외우고 있다는 게 더 신기해! 사람 맞아?" "엄청 오래 걸릴 줄 알았단 말이야. 네 덕분에 빨리 와서 필요가 없어졌어. 어쨌든 간편하게 먹을 거면 라면 하나 끓여서 먹어. 냄비 있으니까." "오케이~! 근데 하나는 부족해. 2개는 먹어야지. 넌 안 먹어?" "응. 난 괜찮아." "배 안 고파?" "응. 딱히. 난 잘련다."

벤은 곧바로 라면을 끓였고 드로메드는 잠깐 눈을 붙였다. "오호~ 다 됐다!" 그때였다. 김이 모락모락 나는 라면을 먹으려던 벤을 누군가 잡았다. "어딜 혼자 먹으려고!" 누군가의 억센 손이 벤의 어깨를 턱 잡았다. "으악! 누구야!" "누구긴 누구야. 부대장님이신 옐로이즈지." "으~ 너 언제 일어났어!" "조금 전에. 근데 왜 이리 놀라?" "너 같으면 안 놀…" "됐고! 아! 배고파. 라면이나 먹자. 보아하니 2개 한 것 같은데." 옐로이즈는 그대로 라면을 먹기 시작했다. "야! 왜 남의 라면을 뺏어먹어!" "배고프니까!" 옐로이즈가 하도 당당하게 나오는 바람에 벤은 할 말이 없었다. "그래… 너도 배고프겠지. 내가 포기해야지…" 결국 둘은 같이 라면을 먹었다. "맛있다. 근데 오빠는?" "많이 피곤 했나봐. 눈 붙인다더니 깊이 잠들었어. 근데 넌 왜 일어났냐? 다른 애들은 아직도 쓰러져 있는데." 옐로이즈는 금세 라면을 다 먹어치우고는 말했다. "아~ 이제 좀 살 것 같네. 그리고 그거야 뭐. 난 엄청 배고픈 상태로 쓰러졌던 거라 그런 거지." "…" "근데 지금 몇 시냐?" 벤은 손목시계를 쳐다보았다. "저녁 8시34분." "헐~ 진짜? 저녁인데도 밝다. 여긴 원래 이렇게 밝아? 땅에서는 지금이면 어둡거든." "하늘은 이상하게도 해가 늦게 져. 그래서 밝고 좋아. 그래도 30분 정도 있으면 바로 깜깜해져." "너희 집은 어디야? 스타베이비즈에서 살아?" "응. 우리 집은 스타베이비즈 한가운데에 있는 멋들어진 절벽에 있어. 해가 질 때 내가 만든 요새에서 노을을 보고 있으면 그때만큼은 하루의 피곤이 싹 사라져. 발 밑으로 펼쳐지는 금색의 아름다운 풍경을 보면 가슴도 웅장해지고. 그래서 난 스타베이비즈가 정말 좋아." "와 정말 부럽다… 나도 너희 집 한 번 꼭 가보고 싶어!" "그래. 시간 되면 다음에 놀러 와. 초대할게." "진짜?" "그래. 언제든지 오라고. 난 좀 잔다." 벤은 자려고 누웠고 옐로이즈는 혼자서 책을 보며 놀았다. 벤이 잠든 후 10분 정도 지났을까. 알 수 없는 검은 손이 옐로이즈의 입을 막았다.

17. 옐로이즈의 실종

드로메드는 큰 소리에 의해 잠에서 깨어 벌떡 일어났다. 친구들은 모두 고요히 잠들어 있었고 주변은 지나치리만큼 조용했다.
하지만 그때, 드로메드의 예민한 레이더에 낯선 이의 마법이 감지되고 말았다. 오금이 저릴 만큼 사악한 기운이 곁을 감돌았지만 태어나길 나쁜 사람은 아니었다. "거기 누구야!" 드로메드가 소리쳤지만 임시 나뭇잎 집은 조용했다. "뭐지? 잘못 들은 건가…? 이 기운은 그냥 하늘의 기운인 걸까?" 밖에서 아무런 소리도 들리지 않았고 스산한 기운도 어느새 사라져 있었기에 드로메드는 안심을 했다. 잠에서 덜 깨서 느낀 불안정한 착각이라고 생각을 하면서 스스로를 진정시켰다. 그리고 드로메드는 친구들을 살펴보려 일어났다.
세번째 함정의 여파가 보기보다 강했는지 친구들은 아직까지도 일어나지 못하고 있었다. "다들 자네. 이렇게 영향이 클 줄이야. 근데 옐로이즈는 어딨지?" 드로메드와 똑 닮아 개성있는 외모를 지닌 옐로이즈가 어디에도 보이지 않았다. 옐로이즈의 걱정 없는 행복한 얼굴이 어디에도 보이지 않았다.
옐로이즈는, 친구들 곁에 있지 않았다. 마치 그 자리에서 증발이라도 한 듯 아무 흔적도 남아있지 않았다. 드로메드는 옐로이즈가 그새 일어나서 나갔나 싶어서 밖을 둘러보았다. 깊고 고요한 숲 속의 밤은 지상에서 보다 더욱 더 어두웠고, 옐로이즈는 드로메드와 달리 어두운 밤하늘을 싫어했다. 그러니 옐로이즈가 혼자서 제 발로 나갈 리는 없었다. "얘가 늦었는데 어딜 갔지?" 드로메드는 의아해했다. 안에는 없고, 그렇다고 밖에 있는 것도 아니고. 갑자기 덜컥 겁이 난 드로메드는 미친 듯 주변을 뒤져 보았다. 하지만 그 어디에도 옐로이즈는 보이지 않았다. 옐로이즈가 나간 흔적도, 머무른 흔적도 감쪽같이 사라졌다.

그때, 드로메드가 급하게 움직이며 나는 소리에 벤이 일어났다. "야, 왜 그래..." 벤은 졸린 눈으로 드로메드를 쳐다보았다. 그러고는 금방이라도 울 것 같은 드로메드의 얼굴에 당황해 벌떡 일어났다. "벤! 옐로이즈가 사라졌어. 밖에까지 다 살펴보았는데 없어! 본 적 있어?" 그 말에 당황해 하던 벤의 얼굴이 하얗게 질렸다. "걔… 아까 전까지 나랑 같이 있었는데… 내가 잠든 지 얼마 안 됐어. 그 사이에… 설마." 벤의 말을 듣자 드로메드는 하늘이 노래졌다. 아니, 칠흑같이 까매졌다. "그럼 대체…" 드로메드는 말을 더 잇지 못했다. 드로메드의 눈 앞에 아까 느꼈던 기운을 지닌 검은색 망토가 보였기 때문이다. 마치 드로메드를 도발하듯 망토가 펄럭였다.

드로메드는 휘날리는 천 조각을 보자마자 본능적으로 뛰기 시작했다. 드로메드는 지금 아무런 생각이 없었다. 동생이 잘못 되었을까 봐 너무 걱정되었다. 옐로이즈가 저 검은 망토 속에 있다면, 납치되어 잘못된 것이라면… 드로메드는 스스로를 용서할 수 없을 것이다.

벤은 드로메드를 잡으며 뜯어 말렸지만 소용이 없었다. "어쩌려고 그래? 무조건 함정이야!" 드로메드는 벤을 뿌리치고 뛰면서 소리쳤다. "함정이어도 상관없어! 옐로이즈를 구해야 해! 그리고 어쩌면 사라진 왕에 대한 단서를 찾을 수도 있을 거야. 넌 거기서 아이들을 지켜. 난 금방 올 거야!" 드로메드는 말을 마치자 마자 순식간에 사라졌다.

드로메드가 있던 자리에는 흔적을 감추기라도 하듯 밤이 내려 앉았다. 드로메드는 아무래도 온 힘을 끌어 모아 순간이동을 한 것 같았다. 벤은 떠나가는 드로메드의 뒷모습을 바라보며 제발, 제발 무사 하라고 간절히 빌었다. 지금은 드로메드도 없고, 옐로이즈도 사라져 버렸는데 유일한 희망인 다이노원정대 대원들마저 쓰러져 자고 있었기 때문이다.

혼자만 깨어 있는 텐트에서 아무리 이곳에서 오래 살고 이곳을 잘 안다 자신하는 벤도 혼자 있다는 불안감에 엄습하는 공포를 피할 수는 없었다.

18. 진짜 왕비를 만나다

드로메드는 엄청나게 빠른 속도로 검은 망토를 쫓았다. "거기 서!" 드로메드가 망토를 열심히 따라갔지만 역부족이었다. 검은 망토는 약을 올리듯 요리조리 피하며 발을 내딛었다. 길게 뻗어 자란 풀도 교묘하게 피하며 움직이는데, 그 움직임이 실로 대단했다.

반면, 드로메드는 밤이라 앞도 잘 보이지 않는데다 장애물마저 방해하느라 속도가 점점 느려지고 있었다. 체력도 금세 바닥나 숨을 헉헉댔다.

그런 드로메드를 가만 내려다보던 검은 망토는 순식간에 사라졌다. 순간이동의 마법이었다. 드로메드는 그가 사라질 때 달빛에 비추어 보인 눈동자를 잊을 수 없었다. 서늘하면서도 어딘가 슬퍼 보이는 눈빛이 찰나에 지나갔다. "어떻게 순간이동을…?" 더욱 놀라운 점은, 그이가 순간이동을 했다는 점이었다. 순간이동 마법은 아무나 할 수 있는 것이 아니었다.

드로메드는 순간 의문이 들었지만 오래 생각할 겨를이 없었기에 재빠르게 순간이동을 했다. 하지만 너무 급한 나머지 잊은 게 있었다. 바로 하늘에서는 능력이 잘 발휘되지 않는다는 것. "아악!" 드로메드는 마법의 부작용으로 굉장히 높은 곳에서 어느 어두운 곳에 떨어졌다. "으으… 여기가 어디야…" 드로메드는 한참을 두리번거렸다. 드로메드는 열심히 눈을 깜박였지만 주변에는 보이는 게 하나도 없었다. 그래서 드로메드는 마법 지팡이에 불을 켰다. “파라테란!” 아주 다행스럽게도 드로메드가 불을 붙였다. 하지만 하늘은 드로메드가 생활하는 땅이 아니었기에 마법이 크지 않았고 불은 계속 꺼져가고 있었다.

파라테란은 드로메드가 자주 사용하는 마법으로 어두운 상황에서 환한 빛을 내는 마법이다. 벤트 아이 중에서 마법 지팡이를 가진 아이라면 대부분 사용할 수 있는 마법이었다. 속성에 따라 다르기는 하지만 드로메드 같이 모든 마법을 능수능란하게 쓰는 실력자라면 더 강한 빛도 낼 수 있다. “으~ 이렇게까지 안된다고 하진 않았잖아! 뭐 그래도 어쩔 수 없지. 그나저나 여긴 어디야?” 드로메드는 지팡이를 들고 천천히 앞으로 나아갔다. “옐로이즈! 거기 있니?” 그렇게 드로메드가 애타게 옐로이즈를 부르며 한참을 가고 있는 그때 어디서 희미한 목소리가 들렸다. “거기 누구 없니... 나 좀 살려줘라...” 드로메드는 소리가 나는 쪽으로 뛰어갔다. 드로메드가 뛰어간 곳에는 어떤 사람이 쓰러져 있었다. 긴 원피스를 입은 괄괄해 보이는 여성이었다. 꽤나 생기 있고 발랄한 것 같았지만 지금 상태만 봐서는 옷도 다 찢어지고 너무 힘들어 보였다.

드로메드는 그 여인에게 다가갔다. 어느새 검은 망토는 다 잊고 말이다. “저기요! 괜찮으세요?!” 그 여인은 너무나 지쳐 보였다. “물… 물 좀...” 드로메드는 혹시 몰라 챙겨온 물을 후다닥 꺼내 주었다. “여기요. 근데 여기는 어디죠? 또 당신은 누구고요?” “하... 난 트라이나 왕국의 왕비야. 남편과 함께 최면에 걸려서 이곳에 왔지… 그리고 여긴 그 검이 있는 장소야! 난 최면에서 깨어났지만 우리 남편은 그렇지 않을 거야. 네가 누군진 모르겠지만 제발 우리를 좀 도와줘!" "안 그래도 전 폐하와 왕비님을 구하러 온 겁니다. 전 다이노원정대의 대장 드로메드라고 합니다. 강한 벤트 아이예요. 안심하셔도 됩니다. 약속하죠. 폐하는 꼭 구해드리겠습니다. 그런데 혹시 파란 눈을 가진 여자아이 못 보셨습니까? 옐로이즈. 제 동생이에요." 왕비는 골똘히 생각을 했다. 그러더니 손뼉을 탁 쳤다. "그래! 그 여자아이! 아까 검은 망토를 쓴 사람이 그 아이를 끌고 가는 걸 봤어!" "네? 정말요? 어느 쪽으로 갔죠?" 드로메드는 눈을 동그랗게 떴다.

왕비는 빛이 하나도 보이지 않는 어두운 통로를 가리켰다. "이쪽이야." "감사합니다. 꼭 같이 오겠습니다. 걱정하지 마세요." 드로메드는 서둘러 떠날 준비를 했다. 드로메드가 뛰어가려던 그때 왕비가 갑자기 드로메드를 멈춰 세웠다. "잠깐만! 혹시 남편과 닮은 우리 아들 못 봤니?" "아들이면... 왕자님이요?" "그래. 아틀라스 왕자 말이야. 조금 전에 헤어졌는데 아직 보지 못했어." "제가 찾겠습니다. 왕자님이 어떻게 생기셨죠?" 왕비는 아틀라스 왕자의 모습을 말해주었다. "키는 180정도 될 거야. 남편과 거의 똑같이 생겼어. 찾기 쉬울 거야." "알겠습니다. 폐하와 왕자님은 제가 찾을 테니 걱정 마시고 여기는 위험하니 빨리 나가세요! 이곳을 나가고 숲이 있는 쪽으로 가시면 제 친구들이 있어요. 벤이랑 다이아 아시죠? 걔네들이랑 막강한 실력자들이 있으니까 아마도 안전할 거예요." "고맙다. 정말 고맙다." 왕비는 숲 쪽으로 달려갔다.

그리고 드로메드는 마음을 굳게 먹었다. '옐로이즈! 폐하! 왕자님! 제가 갑니다 조금만 기다리세요!'

19. 싸움의 시작

벤은 드로메드를 기다리고 있었다. 하지만 아무리 기다려도 드로메드는 오지 않았다. "뭐야... 금방 온다더니 왜 이렇게 안 와…" 벤은 슬슬 걱정이 되었다. "그냥 가볼까?" 벤은 시간이 지날수록 초조해지기 시작했다. 그때 그런 벤의 마음을 아는 건지 다이노원정대가 일어나기 시작했다. "으아... 여기가 어디야..."

다이노원정대는 향이 일정 시간 동안만 지속되는 건지 몇 초 간격으로 모두 깨어났고 벤이 울먹이며 있었던 일을 설명해 주었다. "뭐? 옐로이즈가 납치되고 드로메드가 사라져? 야! 네가 그때 깨어 있었으면 말렸어야지!" 카르노가 버럭 화를 냈다. 그리고 카르노의 머리에서 순식간에 빨간 뿔이 튀어나왔다. 이 뿔이 의미하는 건 카르노가 무지무지 화났고 언제든지 맹렬한 공격을 퍼부을 준비가 되어있다는 뜻이었다. 장난꾸러기 카르노가 화를 내는 상황에서 자주 발생하는 일이다. "나도 말릴 만큼 말렸단 말이야. 근데 그냥 뛰쳐나가는 걸 어떡해..."

카르노가 다시 화를 내려 들자 테라가 막아섰다. "그만해! 화를 낸다고 뭐가 달라지지도 않잖아! 그리고 너도 드로메드 성격 알지? 아무리 말려도 걔 고집은 못 꺾어! 특히 옐로이즈와 관련된 거라면 더더욱! 네가 그 상황에 있었더라도 걜 말리진 못했을 거야. 화 그만 내. 지금은 대책을 세우는 게 우선이야.” 테라의 말에 수긍하면서도 친구들의 얼굴에 쓰인 근심은 사라지지 않았다. “맞는 말이긴 한데... 그 대책이라는 게 있어?” 모타카가 묻자 테라 대신 티라가 씩 웃었다. “암 있고 말고! 아주 훌륭한 대책이 떠올랐지...”

“그게 뭔데?”

티라는 설명을 해주었다. “자 일명 ‘치열한 싸움의 작전’ 이야.” “치열한 싸움의 작전?” “그래~ 테라야! 네 태블릿으로 마지막으로 마법이 감지된 곳을 찾아봐.” 테라는 마법 주파수가 감지된 곳을 찾아냈다. “찾았어! 여긴… 전설의 검 주변이야. 전설의 검이 강력한 마법을 뿜고 있어. 드로메드는 아직 살아있어! 잠깐! 여기서 또 희미하게 마법이 감지됐는데... 아마도 엘로이즈인 것 같아. 희미한 걸 보니까 기절한 것 같은데. 아니면 자는 거나… 엘로이즈라면 기절보다 자는 게 더 어울린다.”

그때였다. 테라의 말이 끝나기 무섭게 누군가가 집 안으로 들어왔다. “하아... 하아 여기가 벤이 있는 곳 맞니...?” 다이노원정대는 갑자기 들이 닥친 그 여인을 보고 빠르게 경계 태세를 갖추었다. “꼼짝 마라! 가까이 오면 공격한다!” 다른 아이들이 공격 태세를 갖출 때 벤과 다이아는 유심히 여인의 얼굴을 보았다. “어... 어? 와... 왕비님!” “왕비님 아니세요? 이번엔 진짜 왕비님 맞으시죠!” 왕비는 웃으며 말했다. “다이아, 벤! 보고 싶었단다!” “만세! 왕비님이 돌아오셨다!” 벤과 다이아는 왕비에게 뛰어갔다. 그리고 다이노원정대는 경계 태세를 풀었다. “뭐가... 어떻게 된거지?” 왕비는 어리둥절하는 다이노원정대를 보고 후후 웃었다. “많이 놀랐구나? 난 트라이나 왕국 왕비 맞단다.” 그리고는 걱정스럽게 말했다. “드로메드는 엘로이즈와 아틀라스, 내 남편을 찾으려 혼자 전설의 검 주변으로 갔어.” 그 말을 듣자 다이노원정대는 혼란에 빠졌다. “어떡하냐.” “글쎄…” “테라야 어쩌지?” 카르노가 묻자 테라가 정신을 차리고 말했다. “맞아! 그곳, 그곳으로 갔을 거야. 우리도 가야만 해!” “어딘데?” 테라는 바닥에 슥슥 그림을 그려 설명해주었다. “잘 봐. 여기가 우리 위치. 그리고 여기 이 피라미드 같이 생긴 것이 검과 폐하, 왕자님과 드로메드, 옐로이즈의 위치야. 아까 지도에서 언뜻 본 것 같았어. 우린 가장 빠른 길로 이곳으로 가야 돼. 그 뒤에 드로메드가 전투를 하고 있으면 돕고 전투를 하기 전이면 검을 먼저 찾아야 돼. 다들 이해됐지?” “응!” “자 이제 떠날 준비를 하자. 우리가 아무리 빨리 도착해도 전투를 피하긴 힘들어. 그러니 다들 준비 단단히 해. 왕비님! 실례가 안 된다면 혹시 같이 갈 수 있을까요? 저희는 전설의 검 피라미드가 어떻게 생겼는지 모르거든요.” 테라가 부탁하자 왕비는 흔쾌히 승낙했다. “감사합니다. 자, 그럼 이제 출발이다…!”

20. 대장의 위기

다이노원정대는 마음을 단단히 먹고 출발을 했다. 물론 무지 무섭고 떨렸지만 다이노원정대의 대장과 부대장을 지키려면, 한 왕국을 구하려면 그 정도 고통은 감수해야 하는 법이다.
테라는 어떻게든, 무슨 일이 일어나든 꼭 모두를 구할 수 있을 거라 믿었다. 그러려면 일단은 드로메드를 찾고 봐야 됐다. 드로메드가 제일 강할뿐더러 전략을 짜거나, 한 수 앞을 보고 생각하는 등 많은 일을 맡고 있는 드로메드와 예상치 못한 도움을 주는 옐로이즈가 없으면 다이노원정대가 제대로 돌아가지 않았기 때문이다. 둘이 대장과 부대장이 된 이유는 이것과 관련 있었다. 그래서 지금 다이노원정대는 닥치는대로 지도만 보고 가고 있었다.
티라가 '치열한 싸움의 작전' 이라는 계획을 짜긴 짰는데 그게 이름만 그럴듯하지 실제로는 그냥 치열하게 싸우자 뭐, 그게 다였다.
상황이 워낙 급한지라 다이노원정대의 브레인인 테라와 최고 전략가인 타우의 머리는 팽팽 돌아갔다. "일단 수비, 공격 라인을 세워야 해. 그래야지 막고 공격을 때리지. 그리고 검을 찾아서 없애는 거야. 최대한 신속하게. 빠른 티라와 이곳 지형에 익숙한 벤과 다이아, 데이비드, 그리고 내가 공격을 하고 나머지를 수비 쪽으로 보내자. 알렉스를 기준으로." 테라가 낸 의견에 타우가 반박을 했다. "좋은 의견이긴 한데 우리는 인원 수가 많은 편이 아니야. 그래서 길게 끌고가는 전투를 하기엔 불리해. 한 번에 제압을 해야지. 근데 그게 쉽냐고. 그리고 검을 없앤다고 했는데 그 검이 괜히 이름만 전설의 검이겠어? 엄청 강하고 위험할 거 아니야. 그런데 어떻게 없애. 그 검보다 더 강한 사람이 다루지 않는 이상 검을 없애긴 힘들어. 내 생각엔 힘을 모은 강력한 한 방에 적군들을 제압을 한 뒤 검을 찾아 파르낭 할아버지 한테 맡기는 거야. 강한 사람일뿐더러, 드로메드가 할아버지는 이 근처에 와 있을 거라고 했잖아."

타우의 말에 테라가 고개를 끄덕였다. "근데 한 방에 제압이 가능은 할까?"

"그러길 바라야지... 지금 상황에선 다른 방법이 없잖아. 힘을 최대한 모아보자. 설사 그게 불가능 할지라도..."

한편, 드로메드는 동생의 기운을 느끼며 무작정 앞만 보고 내달렸다. 땀이 비오듯 오고 숨이 턱까지 찼지만 아랑곳하지 않았다. 드로메드의 머리속에는 오직 동생과 왕자, 폐하의 안위뿐이었다. 드로메드는 체력이 눈에 띄게 약해 달리기를 정말 죽을 듯이 싫어했지만 지금은 그런 걸 따질 때가 아니었다.

그리고 한참을 뛴 끝에 께름칙한 기운과 옐로이즈의 기운이 뒤섞여 있는 결정의 문에 다다랐다. "하아... 하아... 여... 여긴가..." 드로메드의 앞에는 조금 전에 봤던 3차 관문의 문보다 2배는 더 큰, 보기만 해도 오금이 저리는 무서운 문이 있었다. 들어가지 말라는 듯 무서운 기세를 풍기고 있었다. 드로메드는 침을 꿀꺽 삼키고 심호흡을 한 다음 온 힘을 다해 문을 밀었다. 하지만 워낙 큰 문이고 드로메드는 달려오면서 힘이 빠지는 바람에 아무리 애를 써도 문은 열리질 않았다. 그렇게 드로메드가 한참을 애를 쓰고 있는데 아무리 밀어도 꿈쩍도 안 하던 문이 갑자기 스르르 열렸다. “어어, 뭐야! 그렇게 밀었는데 왜 이제 열려! 병 주고 약주기냐!” 드로메드는 한껏 툴툴거리며 문 안으로 조심스럽게 들어갔다. 그리고 엄청난 빛과 함께 드로메드는 보지 말아야 할 것을 보고 말았다.

21. 테라의 작전

다이노원정대는 빠르게 피라미드 쪽으로 가고 있었다. 시간이 지날수록 마음이 더더욱 조급 해졌다. “언제까지 가..? 너무 힘들다..” 다이노원정대는 이미 너무 지쳐 있었다. 자그마치 20km나 되는 길을 달려왔기 때문이다. “하아… 어? 얘들아, 큰일났어!” 다이노원정대가 잠깐 천천히 걷고 있을 때 아르마가 갑자기 소리를 질렀다. “왜? 무슨 일이야?” 아르마의 얼굴은 백지장처럼 새하얬다. 그리고 눈은 태블릿에 고정돼 있었다. “무슨 일인데 그래?” 카르노는 무심코 태블릿을 집어 들었다가 놀라서 태블릿을 떨어트렸다. “왜 그래?” 머리가 지끈지끈 했던 테라가 태블릿을 집어 들었다. 그리고 곧 테라는 여긴 어디 나는 누구하는 표정으로 멍 해졌다.

테라의 태블릿에는 드로메드의 불빛이 금방이라도 꺼질 듯 위태롭게 있었다. 드로메드가 아주 위험하단 뜻이다. 빨리 구조를 못 하면 죽을 수도 있다. 순간 테라의 머리에는 온갖 생각이 다 들어왔다. ‘어쩌지. 어쩌면 좋지.. 지금 내가 할 수 있는 건 뭐가 있을까? 일단 뭘 해야 되지?’ 하지만 테라는 생각을 오래 할 수 없었다. 모타카가 잡고 흔들었기 때문이다. “야아 어쩔 거야. 지식인! 무. 깡! 어떻게 좀 해 봐아!” 그러자 테라는 정신이 번쩍 들었고 다음에 뭘 해야 할지도 생각이 났다. “아! 그래 그거다.” “뭐가?” “다음 작전.” “작전이 뭔데?” “아무리 우리가 빨리 가도 우리가 가면 드로메드는 싸움 중일 거야. 그러니까 우리는 최대한 빨리 가서 드로메드를 도와야 해. 일단 시간계산을 하자면.. 가는 시간 5분, 싸우는 시간 30분, 찾는 시간 50분 다해서 85분 바꾸면 1시간 25분 그리고 스케네 폐하를 리스트너 왕국까지 배웅해 드리고, 리스트너 왕국의 왕자님이나 공주님이나 둘 중 한 분께 이 모든 일을 설명 드리고, 드로메드와 옐로이즈를 찾아서 데려오고 다 같이 아틀라스 폐하와 왕자님을 찾아서 트라이나 왕국까지 손을 본다면… 그러니까 간단하게 말하자면," 테라가 타우에게 눈짓을 하자 타우는 말을 정리했다. "대충 정리하면 우린 검을 지키고 폐하와 왕자님을 찾은 뒤 스케네 폐하를 본 왕국으로 다시 보내드리자, 이거야. 드로메드는 전투 중이거나 쓰러져 있거나 둘 중 하나이니 싸울 경우 뒤쪽에서 기운을 숨기고 들어가 몰래 덮치고, 쓰러진 경우 그냥 덮치고."

다이노원정대는 더 이상 지체할 시간이 없었기에 그 2배나 더 빠른 속도로 검이 있는 곳으로, 대장과 부대장을 구하러 갔다.

22. 도착

"와아~! 드디어 도착이요!" 다이노원정대는 엄청나게 걸어온 (아니지. '뛰어온'이 더 정확할 것이다.) 끝에 마침내 최후의 전투를 해야 하는 곳에 다다렀다.

다이노원정대는 힘차게 피라미드 안으로 들어갔다. 이제 여기서부터는 왕비의 몫이다. "어디가 어딘지 기억은 나시죠?" 다이아가 묻자 왕비는 고개를 끄덕였다. "응. 저곳들은 다 빈 방들이야. 딱 한 방에만 우리가 그토록 찾던 드로메드와 옐로이즈, 내 남편과 아들이 있을 거야. 스케네와 레드문도 있겠지... 그러니 우리는 신속하게 그 방을 찾아야해."

왕비의 말이 끝나자마자 모타카가 손을 번쩍 들었다. "왕비님! 그 레드문이 혹시 전설의 검인가요? 에헷." 아이들의 토하는 소리와 함께 왕비는 웃으며 답해주었다. "전설의 검의 정식명칭은 레드문이란다. 뜻을 해석하면 붉은 달인데, 말 그대로 붉은 빛을 뿜어내는 무서운 검이란다." "그렇군요. 데헷." "야! 그 에헷인가 데헷인가 그거 그만하지 못해?!" 티라가 소리치자 모타카는 윙크까지 하며 말했다. "에헷 데헷 둘 다 하는데? 그리고 이건 내가 나름대로 모두에게 사랑받는 방법이라고!" "윽, 그 모두에서 난 좀 빼줄래?" "우웩 나 진짜 토 할 것 같아..."

다이노원정대가 말은 그렇게 해도 모타카 덕분에 긴장이 풀려 좀 더 편안한 마음으로 발걸음을 옮길 수 있었다. “그런데 왕비님. 레드문이 있는 방 위치는 기억이 안 나세요?” 테라가 묻자 왕비는 한숨을 쉬었다. “전혀… 너무 급하게 나왔고 또 3일 동안 쓰러져 있어서 생각나는 건 별로 없어. 그 방엔 붉은 빛이 많았다는 거 말곤 말이야.”

그러자 다이노원정대에게 침묵의 시간이 왔다. “아이고, 왕비님… 저희가 말하는 건 그거예요. 그 방의 특징. 진작 좀 말씀해주시지..” 왕비는 놀라 휘둥그레진 눈으로 타우를 쳐다보았다. “뭐? 그런데 그건 알아서 뭐하려고…” 그러자 아르마가 자랑스레 답했다. “요즘 세대가 어느 세대인데요~ 저희 어머니께서 대기업 사장님이신데 거긴 뭐하는 회사냐 하면! 바로바로 로바로바…!” 아르마가 말하려는 순간 타우는 재빨리 끼어들었다. 아르마를 가만 놔두면 말이 엄청 많아질걸 알기 때문이다. “아르마 어머님 회사는 그런 방이나 사물의 위치를 분석할 수 있는 곳이에요. 최첨단 위치 분석 기술이라고 불려요. 그러니 특징만 듣고도 어딘지 맞출 수 있는 거죠. 사건을 수사할 때 유용해서 요즘 지상세계에서 인기를 얻고 있는 기술이에요. 하늘에도 도입하면 좋을 거예요.” 왕비는 고개를 끄덕였고 테라는 신속하게 조사를 시작했다.

탭에 파일을 설치하고 이 피라미드를 전면으로 조사했다. 테라의 손은 바삐 움직였다. 파일을 깔고, 지우고, 링크를 다운 받고… 잠시 뒤 테라는 결과를 다이노원정대에게 전했다. “얘들아! 왕비님 말씀을 토대로 방을 조사해봤더니…!” 다이노원정대는 침을 꿀꺽 삼켰다. “조사해봤더니…?” 테라는 한숨을 쉬었다. 그리곤… 활짝 웃었다…! “찾았어!”

다이노원정대는 환호성을 터트렸다. "우와와! 테라야 넌 역시 최고야!" 그리고는 재빨리 재정비를 했다. 드로메드가 중요한 일을 앞두었을 때는 늘 철저히 재정비를 하라고 알려줬기 때문이다. 드로메드는 그렇게 해서 실수한 적은 단 한 번도 없다고 했다. 다이노원정대는 재정비를 끝낸 후 신속하게 문제의 방으로 출발했다. 지금까지는 무작정 뛰었지만 이제는 다르다. 목적지를 알고 있으니 이제 남은 건 가기만 하는 것이다.

23. 이상한 사람들

"이... 이게 뭐야..." 드로메드는 눈앞에 펼쳐진 광경을 믿을 수 없었다. 드로메드의 앞에는 수많은 사람들과 수많은 물건들과 수많은 빛이 있었다. 그리고 무엇보다 옐로이즈와 왕과 웬 처음보는 사람이 있었다.

드로메드는 그들을 발견하자 마자 그쪽으로 뛰어갔다. 아니, 정확하게 뛰어가려 했다. 얼마 가기도 전에 막혔지만. 드로메드를 막아선 자들은 바로 스케네 왕의 최면에 걸린 사람들이었다. 그들의 눈은 검은 자와 흰자 대신 회색 빛이 감돌았으며 행동도 느렸지만 힘만큼은 정말 셌다. 마치 좀비 같았다. 때문에 드로메드는 그 안에 갇힌 채 옴짝달싹 할 수 없었다.

물론 드로메드는 그들을 뿌리치고 나갈 수도 있었다. 드로메드가 그들을 뿌리치지 않았던 이유는 바로 그들은 일반인, 민간인이었고 다이노원정대 규칙 제1조가 바로 민간인을 공격하지 않는다이기 때문이다. 드로메드는 그 어떤 무슨 일이 있더라도 철저히 규칙을 지켰다. 그런 드로메드가 규칙을 깬다는 건 지구를 파괴시킨다는 것과 다름없었다. 그래서 옐로이즈와 왕을 그림의 떡 보듯 쳐다볼 수밖에 없었다.

드로메드는 너무나 화가 났다. 사랑하는 동생이, 구해 달라고 부탁받은 사람이 위험에 처했는데 아무것도 할 수 없는 자기 자신에게, 이 음모를 꾸민 스케네 왕에게 너무나도 화가 나서 미칠 것 같았다. 드로메드의 생각이 여기까지 미쳤을 때 갑자기 드로메드는 '아' 하고 작은 탄성을 내질렀다. 그 이유가 뭐냐, 바로 미쳤다는 말이었다.
드로메드는 화가 나서 미치겠다고 생각을 했다. 그러니까 '스케네 폐하께서 누군가에게 세뇌를 받거나, 마법의 여파로 잠시 정신이 온전치 못하신 것이라면…?' 이라는 생각이 퍼뜩 든 것이다. 병원에서 의사, 간호사가 환자를 챙기듯, 스케네 왕도 누군가의 도움을 받을 것이다. 그 사람들은 스케네 왕이 사라진 것을 알고 부리나케 쫓아오겠지. 만약 그들이 먼저 도착하면 다이노원정대 다른 대원들이 올 때까지의 시간을 벌 수 있다! 이 생각이 나자 드로메드는 환하게 웃었다. '그래! 그걸 이제 알다니... 이런 바보… 제발 빨리 와주세요. 나의 친구들.'
하지만 그것도 잠시, 검의 방에는 계속해서 강렬한 빨간 빛이 방을 차지하고 있었다. 그 빛에는 광기, 욕망, 절망의 힘이 각각 들어있었다. 그래서 악한 자에게는 힘을 주지만 드로메드 같은 선한 마음을 가진 자에게는 너무나 견디기 힘들었던 것이다. 드로메드는 점점 더 힘이 빠져나갔다. 그리고 그 힘은 악한 마음을 가진 스케네 왕에게 갔다. 그래서 다이노원정대 대원들이 봤을 때 드로메드가 멀쩡한데도 희미하게 보였던 것이다. 드로메드는 악착같이 사람들을 밀어냈다. 하지만 사람들은 손아귀 힘이 너무 세서 아무리 애를 써도 벗어날 수가 없었다.
"하아... 하아.. 윽! 제발 나 좀 놔주세요... 난 내 친구들과 소중한 사람을 지키고 보호해야 해요... 당신들도 가족이 있잖아요...! 제발, 제발!" 사람들은 드로메드가 처음에 한 말은 신경도 쓰지 않다가 마지막 말을 듣자마자 잠깐 멈칫한 듯했다. 드로메드는 이때다 싶어 말을 막 하기 시작했고 그 방법은 아주 멋지게 통했다. 사람들이 길을 터 주기 시작한 것이다. 말 한마디 잘하면 천냥 빚 갚는다더니. 드로메드의 경우가 딱 그런 경우였다. "나 참. 죽는 줄 알았는데 이게 통하네. 조금만 더 버티자. 근데 먼저 공격은… 하는 게 좋겠지?"

스케네 왕은 검만 신경을 썼기 때문에 드로메드가 실컷 떠들고 다가오는 것을 몰랐다. 드로메드는 스케네 왕을 뒤에서 덮친 다음 최면 마법을 걸어 살짝 재우려 했다. 하지만 드로메드의 예상과는 달리 스케네 왕은 그렇게 만만하지 않았다. '조금만 더, 조금만 더… 됐다. 이제 마법을… 어?' 드로메드가 막 지팡이를 꺼내고 마법을 걸려던 순간 스케네 왕이 뒤를 돌아보았다. 스케네 왕은 드로메드가 당황해 마법을 쓰지 못하는 사이 드로메드를 세게 밀치고 음흉하게 웃었다. "아니 이게 누구야~ 우리 질문쟁이 대장님 아니신가~ 어린 애들이 이런 곳에 오면 못써요. 당장 돌아가! 죽고 싶지 않으면 말이야." '하… 오늘은 왜 이리 생명에 위협받을 일이 많은지 원… 저렇게 반격하실 줄은 몰랐지만… 이렇게 된 이상 난 정면돌파로 간다.'

드로메드는 순간 당황했지만 금방 일어서서 반격했다. 하지만 몸이 말을 듣질 않았다. 스케네 왕이 너무 세게 밀치는 바람에 넘어지면서 발목을 크게 다친 것이다. 드로메드가 아무리 강하다 해도 몸이 성치 않은 이상 스케네 왕에게 맞서는 건 무리였다. 스케네 왕은 드로메드를 마구잡이로 공격했고 드로메드는 9번 맞고 1번 방어하는 수준이었기 때문에 그리고 점점 세지는 붉은 빛 때문에 정신을 차릴 수가 없었다. "그만 포기하시지. 포기하면 목숨은 살려줄 수 있다. 어떻게 할 건가?" 스케네 왕이 바닥에 쓰러진 드로메드를 보며 차갑게 말했다. "아니..." 드로메드가 들릴 듯 말 듯한 작은 목소리로 말했다. "뭐? 크게 말해. 안 들려." 드로메드가 약할 거라고 생각한 스케네 왕이 드로메드의 소리를 들으러 왔을 때였다. "아니! 폐하, 저는 절대 포기하지 않습니다!!" 드로메드는 소리를 질렀고 갑자기 드로메드의 몸에서 푸른 빛이 나왔다. 정말 깨끗한 푸른 빛이었다. 스케네 왕이 그 빛 가까이에 가자 왕은 고통스러워했다. "으아아아악! 살려줘! 누가 나 좀 살려줘!" 스케네 왕이 고통에 빠져 절규하고 있을 때 드로메드는 비틀거리며 일어났다. "어? 대체 왜…?" 고통스러워하는 스케네 왕을 유심히 쳐다보던 드로메드는 스케네 왕이 고통스러운 이유가 자신의 몸에서 나오는 빛 때문이라는 것을 알게 됐다. "뭐야... 내... 내 몸에서 왜 빛이 나와...? 너무 많이 맞아서 환각이 보이는 건가? 아니면 내가 몹쓸 병에 걸렸나?" 테라가 그 모습을 봤으면 혀를 끌끌 찼겠지만 지금은 말해주는 사람이 없었기에 드로메드는 상상의 나래를 마구 펼쳤다. 하기야, 드로메드도 갑자기 제 몸에서 빛이 뿜어져 나오니 많이 놀랐을 것이다.

이때, 드로메드가 상상을 하느라 놓친 것이 있었다. 다이노원정대가 탄생하는 과정에서 옐로이즈는 드로메드 내면의 마법이 무언가에 반응하는 것 같다고 말했었다. 그러니까 이 빛은 드로메드의 마법이 무언가에 반응할 때 나온다는 것이었다. 어둠의 마법 치고는 좋은 효과를 내서 다행이었다.

그러면 여기서 의문점이 생긴다. 그 무언가는 뭐지? 대체 무엇에 반응하는 것일까? 옐로이즈가 말을 할 때 드로메드는 쓰러져 있어서 그 말은 못 들었지만 드로메드는 똑똑히 알고 있었고 느끼고 있었다. 수 년간 힘들게 숨겨왔던 어둠의 마법이 무언가에 반응하며 조금씩 세상 밖으로 나오려 하고 있었다.

24. 그 사람

드로메드는 고통스러워하는 스케네 왕을 내버려 둔 채 옐로이즈와 왕, 처음보는 사람에게 달려갔다. "옐로이즈! 폐하! 그… 누군진 모르겠지만 어쨌든 그 옆에 있는 사람! 모두 일어나십시오!" 그리고는 세 사람에게 달려가 묶여 있는 줄을 풀었다. 평범한 줄이 아니고 마법이 걸린 줄이라서 드로메드가 줄을 푸는 동안 줄에게 채찍질을 좀 많이 당했지만 치열한 사투 끝에 어찌 저찌 풀긴 풀었다. 줄을 풀고 나니 줄에 걸려있던 마법도 사라지면서 드로메드는 더 이상 채찍을 맞지 않게 되었다.

세 사람을 구했다는 행복과 함께 몸의 상처도 같이 얻으면서 드로메드는 일단 옐로이즈를 흔들었다. "옐로이즈! 정신 차려봐. 나야 드로메드! 네 오빠가 왔다고! 제발 좀 일어나…" 하지만 깊이 잠든 옐로이즈는 드로메드의 애처로운 목소리에 대답해주지 않았다. "폐하! 일어나십시오. 제발 일어나십시오… 제가 여기까지 얼마나 고생 고생을 하며 왔는데…" 역시나 아틀라스 왕도 묵묵부답이었다. 마지막으로 드로메드는 생판 처음 보는 사람을 깨우기 시작했다. 앳되고 어려 보이는 얼굴에 비해 큰 키와 여기저기 보이는 상처가 꽤 많았다. 드로메드가 마법을 느끼지 못하는 것으로 보아 벤트 아이는 아니였다. 드로메드는 낯선 사람을 열심히 깨우진 않았다. 앞의 두 사람이 깨어나지 않았으니 당연히 이 사람도 일어나지 않을 거라고 생각했다. “저기요? 일어나 보시죠. 당신은 어떠한 이유로 이곳에 오셨는지는 모르겠다만 그리 편하게 잠들어 있을 만한곳은 아니라서…” 드로메드가 대충 그 사람의 어깨를 몇 번 치자 깨어날 기대도 안 했던 그 사람이 갑자기 벌떡 일어났다. 그리고 그 사람이 일어남과 동시에 드로메드 머리가 바로 위에 있었기에 드로메드는 뜻하지 않은 박치기를 정통으로 당했다. 그런데 그 힘이 일반인이라고 하기에는 너무 세서 드로메드는 나가떨어져 두 바퀴 반을 구르고 말았다. “우와왁! 뭐야!” 그런데 그 사람은 별로 아프지도 않다는 듯이 드로메드에게 와서 물었다. “여긴 어디고, 나는 누구고, 너는 누구야? 내가 왜 이곳에 있지?” 드로메드는 얼얼한 이마를 문지르며 말했다. “아야… 여긴 전설의 검이 있는 피라미드고 나는 드로메드이고…” 그리고 벌떡 일어나 그 사람을 가리키며 말했다. “당신이 누군지는 저도 몰라요! 지금 그건 당신보다 제가 더 궁금합니다! 채찍질 당하면서 구해줬더니 박치기 날려서 날 죽일 뻔했어! 당신 아니어도 저 오늘 죽을 뻔했던 적 엄청 많거든요…!” 드로메드는 화를 냈지만 그 사람은 대답하지 않았다. 일반인이라 그런지 마법의 여파로 자기가 누군지도 기억하지 못하는 모양이었다. 드로메드는 그냥 그 사람을 내버려두기로 했다. 기억이 돌아올 때까지 기다렸다가 기억이 돌아오면 집에 돌려보내면 되었기에 딱히 신경 쓰지 않았다.

그렇게 드로메드는 구원자들과 다이노원정대가 올 때까지 바닥에 쪼그려 앉아 기다리기로 했다. 하지만 그것도 잠시였다. 1분쯤 되는 아주 짧은 시간이 지나자 지루해진 드로메드는 그 사람에게 가보기로 했다. 조그만한 정보라도 캐기 위해서다. 이 멀뚱해 보이는 사람이 중요한 인물일지는 아무도 모르는 일이었다. "저기요. 당신이 누군지는 잘 모르겠지만 저랑 얘기 좀 잠시 하죠." 드로메드는 그 사람을 빤히 쳐다보았다. '저 얼굴 낯이 익은데... 누구지?' 보면 볼수록, 계속 볼수록 드로메드는 확신했다. 저 사람 어디선가 본 적이 있다. 그런데 문제는 언제 어디서 봤냐는 거다. 분명 본 적은 있는데 누군지는 모르겠다. 드로메드가 생각을 골똘히 하는 동안 그 사람이 입을 열었다. "무슨 얘기? 트라이나 왕국? 아바마마께서 어디 계시려나…" 그 말을 듣자마자 드로메드는 모든 짐과 숙제가 해결된 느낌이 들었다. "으악! 난 정말 바보야 바보! 내 머리가 오늘 왜 이러지? 내가 왜 그 생각을 안 했을까!" 그렇다. 그 사람은 바로 그토록 찾던 트라이나 왕국 왕의 아들이자 왕자인 아틀라스였다.

25. 치열한 싸움

"크윽... 저 빛… 저 빛을 없애야 해..." 스케네 왕은 점점 힘을 되찾아갔다. 드로메드의 빛은 미미했으나 레드문에서 나오는 빛은 강력했기 때문이다. 스케네 왕은 조금씩 일어나기 시작했다. 하지만 드로메드는 아틀라스와 세상 즐겁게 대화하며 아직 이 사실을 까맣게 모르고 있었다.
"왕자님! 왕비님은 평안하게 잘 계셔요. 아마도 저희 쪽 친구들이 잘 보호하고 있을 테니 걱정일랑 마셔요. 아틀라스 폐하께서도 기력을 되찾으실 테니 걱정 마시고요!" "메디니아에서 온 아이로구나. 날 깨워 주어 고맙다. 우리의 백성들이 많이 힘들어 하고 있을 터인데, 어찌 한 나라의 왕자가 이렇게 가만히만 있을 수 있겠는가! 어서 돌아가야겠다. 보상금은 넉넉히 주마."
드라마에서만 보던 말투를 아틀라스 왕자가 똑같이 말하며 드로메드에게 미소를 지어 보였다. 어딘가 딱딱해 어색하긴 했지만 이미 알렉스에게 적응이 되었던 터라 크게 불편하지는 않았다. 아틀라스 왕자는 아틀라스 왕을 업고 이곳을 빠져나가려 했지만 드로메드가 붙잡았다. 스케네 왕이 쓰러졌고, 레드문 가까이에 갈 수는 없는데 옐로이즈와 아틀라스 왕이 깨어날 생각이 없자 그걸 기다리며 친구들이 올 때까지 기다리자는 거였다. 드로메드의 예상과는 다르게 스케네 왕이 금세 깨어나기는 했지만. 스케네 왕은 드로메드에게 인기척 없이 조심스럽게 다가왔다. 스케네 왕은 드로메드를 쳐서 쓰러트리려 했지만 아틀라스가 그 모습을 발견하고 말았다. 그리고는 스케네 왕을 알아보고 눈에 불이 화르륵 붙었다. 드문드문 희미했던 기억이 모두 돌아온 것이다.

“스케네 제왕. 아무리 제왕께서 리스트너 왕국의 제왕이시고 미련한 아이인 저보다 어른이라 해도 이번만큼은 용서할 수가 없겠습니다!” 아틀라스는 벌떡 일어나서 금방이라도 싸울 듯 공격태세를 취했다. 스케네 왕도 비열하게 웃으며 들어오라는 손짓을 했다.

그리고… 결국 싸움이 터져 버리고 말았다. 아틀라스는 힘이 정말 셌다. 그 사실은 드로메드 머리에 난 혹으로 증명할 수 있었다. 이 모든 일을 벌인 스케네 왕도 싸움을 잘했다. 드로메드는 그 사이에 껴서 어쩔 줄 몰라 했다.

“하아… 하아…”

아틀라스는 일반인 중에 특출나게 힘이 센 것뿐이지 마법을 쓸 수는 없었다. 힘이 세고 마법을 쓰는 어른을 상대로 이길 수는 없었다. 아틀라스는 호흡을 고르며 잠시 뒤로 물러났다. ‘애송이 주제에 힘은 무지막하게 세군…’ 스케네 왕도 잠시 호흡을 고르며 생각했다. ‘하지만 나의 목적은 저 애송이를 쓰러트리는 게 아니지. 헬레나를 살리려면 레드문을 손에 넣어야 해…! 그러려면 드로메드를 이용해야 한다!’ 거기까지 생각이 미친 스케네 왕은 드로메드에게 달려들었다. “으악!” 갑작스러운 공격에 가만히 숨죽이고 있던 드로메드는 그대로 넘어지고 말았다.

스케네 왕은 드로메드를 공격하기 시작했다. 타깃을 바꾼 것이다. 마법을 써서 공격했고 두 손 두 발을 묶어 놨기에 드로메드는 힘을 쓸 수가 없었다. "으아아... 왕자님...! 저 좀... 도와주죠…" 드로메드는 고통 속에서 자신을 도와줄 수 있는 유일한 사람인 아틀라스를 찾았다. 하지만 아틀라스는 조금 전 싸움 때문에 힘이 거의 소진된 상태였고 스케네 왕이 아틀라스 주위에 결계를 쳐서 할 수 있는 게 없었다. "미안하구나… 도와주고 싶은데 그럴 수가 없는 안타까운 상황인지라. 알다시피 난 벤트 아이가 아니라서 말이다…" 드로메드는 이제 거의 의식을 잃어가고 있었다. "얘들아... 언제 오냐…?" 결국 그 말을 끝으로 드로메드는 완전히 정신을 잃고 말았다. 스케네 왕은 드로메드가 정신을 잃는 것을 보고 좋아라 했다. 그리고 드로메드에게 조금씩 최면을 걸기 시작했다. "좋아... 너는 곧 내게 순종하게 될 것이다." 드로메드의 눈이 서서히 탁하게 변하려 하고 있었다. 선하디 선한 몸에 자꾸 악한 마음이 들어찼다. 하지만, 그때였다. "으악…! 누구냐!" 스케네 왕은 최면을 걸다가 느닷없이 날아온 강력한 화살에 맞았다. 팔에서 피가 흘렀다. 화살 덕분에 드로메드가 더 세뇌되는 것은 막을 수 있었다. "스케네 제왕. 아무리 제왕이여도 그렇지, 어딜 내 대장님에게...!" 데이비드였다!

데이비드는 잔뜩 화난 채로 부르르 떨었다. 그렇다. 다이노원정대가 드디어 이 피라미드에 도착 했다! 데이비드에 이어 다른 아이들도 속속히 도착했다. 벽을 부수고 들어온 다이노원정대는 누가 말할 것도 없이 각자의 위치에 섰다. 타우와 아르마는 의식을 잃은 드로메드와 아직 쓰러져 있는 옐로이즈, 아틀라스 왕을 신속히 옮겼다. 티라는 아틀라스에게 쳐져 있던 결계를 손짓 한 번에 풀었다. 위급한 상황이라 그런지 초인적인 힘이 나와 강한 결계가 금이 쩌저적 가면서 사라졌다. 나머지 아이들은 본격적으로 스케네 왕을 포위했다.

"너희들은 다이노원정대잖아! 여길 대체 어떻게 온 거야!" 테라가 중심에 섰고 다른 아이들은 원 모양으로 선 채 기도하는 자세로 손을 모았다. 테라에게 힘을 모아주는 듯했다.

스케네 왕은 좁혀지는 포위망에 당황했다. 다이노원정대는 아무 말도 하지 않았다. 불안할 정도로 차분했다. 오자마자 화를 내며 달려들 줄 알았는데 아니었다. 다이노원정대가 테라에게 힘을 모아주자 검은색이 섞인 보라색 빛이 일렁거렸다. 아이들에게서 보라색 빛이 나왔고 그 빛은 테라의 몸을 감쌌다. 중심에 선 테라는 서서히 자신의 무기인 카드를 꺼내 들었다. 테라는 검과 창, 활로도 싸우지만 마법이 필요한 상황에는 무기에 마법을 걸거나 카드 마법을 쓴다. 마법 지팡이와 폭주 시 손을 쓰는 드로메드와 옐로이즈 (드로메드를 막아야 할 때는 옐로이즈도 마법의 힘을 개방하고 우리는 이것을 폭주라 부르기로 했다.), 손을 이용해 얼음 혹은 불을 만들어내거나 쏘는 알렉스와 카르노, 칼을 마법 지팡이처럼 쓰는 타우 (평소에도 충분히 가능하지만 현재는 각성 시밖에 할 수 없게 되었고 각성 모습도 지금까지 한 번도 본 적이 없다.), 활과 지팡이를 쓰는 데이비드 등 여러가지 방법이 있었지만 그중에서 테라는 전 세계 35억의 인구 중 단 500명만 존재하는 희귀한 카드 마법사였다. 빛의 카드와 어둠의 카드. 이 두가지의 마법이 있고 서로 상반되는 강한 힘을 지녔다. 테라는 작은 목소리로 주문을 속삭였다. “어둠의 칼 크레타이나… 빛의 칼 아신다... 어둠과 빛이 만나면 그것이 바로 전쟁이로니...” 테라는 말을 멈추고 스케네 왕에게 두 카드를 겨누었다. 그리고 아주 큰 목소리로 소리쳤다. “어둠의 사자와 빛의 사자는 손을 맞잡아 봉인을 풀거라!” 테라는 지금까지 한 번도 풀지 않았던 봉인을 풀고야 말았다. 그리고 테라는 눈동자가 보라색으로 바뀌었다. 너무 강하게 타오르고 있어 무섭기까지 했다. 테라의 눈동자는 선명한 보라색이라 너무 섬뜩하고 무서웠다. 또한 머리카락이 길어지고 짙은 보라색으로 변했다. 검은 옷은 이 방의 배경과 너무 잘 맞아 잘 보이지 않았다. 각도에 따라 머리만 둥둥 떠다니는 것 같이 보이기도 했다. 카드를 들고 있는 테라의 왼손에는 검은 기운이, 오른손에는 밝은 기운이 도사려 있었다. 각성과 동시에 봉인을 푼 것이다. 봉인을 풀면 그 사람도 위험해지기에 이런 상황은 매우 이례적이라고 할 수 있다. (각성과는 다른 개념이다.) 테라는 카드를 들고 있던 양쪽 손을 합쳐 하나로 모은 뒤 스케네 왕에게 겨누었다. 합쳐진 손에서는 서서히 무형인 칼이 나왔다. 손에 잡히지 않는 무형의 칼이지만 실제 칼보다 더한 위력을 갖고 있었다. 상대를 단숨에 제압할 수 있었고 원한다면 죽일 수도 있었다. 칼은 스케네 왕에게 곧장 날아갔다. 스케네 왕은 당황한 나머지 제때 대응을 하지 못했다. “으악...!” 스케네 왕이 비명을 지를 때였다. 갑자기 테라의 무형 칼이 갑자기 사라졌다. 누군가 막아서고 있었다.

드로메드를 유인하고 옐로이즈를 납치했던 검은 망토였다. 그리고 그 옆에 검은 마스크와 망토로 몸과 얼굴을 가린 2명이 더 있었다. 다이노원정대는 당황했다. "어...?" 그때였다! 다이노원정대가 당황해 주춤하는 사이 검은 망토가 제일 가까이에 있던 데이비드를 공격했다. 워낙 움직임이 빠른 지라 꽤나 민첩하다고 자신하던 데이비드는 공격을 한가운데에 맞고 말았다. "윽…!" 쾅 하는 큰 소리와 함께 데이비드는 그대로 벽에 부딪히고 말았다. "악... 하, 사람 진짜 열 받게 만드네! 이 망토 뭐야! 당신 정체가 뭐냐고!" 뭐, 큰 소리로 불평불만을 해댄 것 빼면 다행히 크게 다친 곳은 없었다. 조금 전 테라에게 힘을 모아 주느냐고 마법을 쓰고 있었기 때문이다.

그 공격을 시작으로 피 터지는 싸움이 시작되었다. 더 이상 어리숙한 다이노원정대가 아니었기에 다이노원정대는 싸움에서 밀리지 않았다. 하지만 검은 망토와 그 옆에 있는 정체불명의 2명도 상당히 뛰어난 베테랑 고수였다.

"어둠의 활 다나인!" "하이얍!" 테라와 알렉스는 합동으로 공격해서 망토3을 쓰러뜨렸다. 두 손 두 발이 착착 맞았기에 일은 일사천리로 진행되었다. 망토3은 쓰러져서 일어나지 못했다. 하지만 다른 곳은 사정이 조금 달랐다. 테라와 알렉스는 둘 다 다이노원정대 내에서 무기를 잘 쓰고 실전 경험도 강하며 마법이 강력하고 무시무시하다고 소문난 실력자들이었지만 다른 친구들은 모두 고전하고 있었다. 실력은 출중하지만 어둡고 무서운 분위기 속에서 경험이 별로 없는 아이들은 지레 겁을 집어먹었기에 망토들은 손쉽게 아이들을 제압했다.

테라와 알렉스가 막 망토3을 무찔렀을 때 모타카가 달려와 테라 뒤에 숨었다. "으앙 테라야 나 좀 살려줘!" "으이그 넌 뭐 했다고 숨냐? 지금은 너의 겁쟁이 동료 카르노도 저렇게 잘 싸우잖아. 뭐, 불을 엉뚱한 곳에 쏘고 있긴 하네." 모타카는 여전히 테라 뒤에 숨은 채 울상을 지으며 말했다. "으으 저 망토 아저씨, 아줌마 넘나 무서워... 무기도 막 휘두르고 그런다니까! 진짜 이상하지 않아? 지금 너희 말고는 데이비드가 제일 잘 싸우는 데 혼자서는 무리야. 타우는 벌써 어딨는지도 모르겠고…" 테라는 이마를 짚으며 말했다. "아이고… 모타카. 싸울 때 무기 안 휘두르면 그게 더 이상한 거거든. 이럴 시간 없어. 네 몸은 네가 알아서 챙겨라. 알렉스! 넌 데이비드한테 가봐. 쟤 흥분해서 100%인 명중률이 95%로 떨어졌어. 지금 눈에 초점이 없잖아. 눈에 뵈는 게 없어." "알았어. 조심해라. 그리고 모타카, 쟤네 우리랑 나이 같거나 조금 많다. 아줌마 아저씨 아니다." 테라와 알렉스는 후다닥 다른 대원들을 도우러갔다. "야아! 같이 가, 제바알! 나 무섭단 말이야."

테라와 알렉스는 모타카의 말은 듣지도 않았다. 아주 당연하게도. 다이노 원정대에서 살아남으려면 이렇게 할 수밖에 없었다. 모든 걸 체념한 모타카는 무시무시한 기세로 달리고 있는 티라를 따라 사방을 물로 흥건하게 해 망토들이 미끄러지게 했다. "어둠의 칼 크레타이나!" "맛 좀 봐라!" 테라가 카르노와 티라를 도와 망토2를 쓰러트렸고 알렉스는 얼음을 움직여 망토1을 가둔 뒤 데이비드에게 기회를 줬고 데이비드는 자신의 시그니처인 일명 파이어 화살 (불 화살)을 쏘아서 망토1을 폭발시키려고 했다. 하지만 중간에 망토1이 얼음을 깨부수는 바람에 얼음은 산산조각이 났다. 마법을 쓰고 있던 알렉스는 얼음 파편을 몸에 맞으며 튕겨 나갔다.

그래도 데이비드의 명중력은 대단했고 몸에 불이 화르륵 붙으며 망토1은 쓰러졌다. 그 모습을 보고 알렉스는 충격을 받은 것만 같았다. “휴… 다 된 건가? 알렉스! 너 아까는 왜 그랬냐? 네 마법 실력으로는 충분히 유지시킬 수 있었을 텐데…” 데이비드는 이상하다는 듯 알렉스를 쳐다보았다. 알렉스의 실력으로는 충분히 얼음을 유지하고도 남았을 것이다. “…” 데이비드의 물음에 알렉스는 답하지 않았고 망토1 또한 놀란 듯 보였다. “으으 진짜 끝난 거지…?” 모타카는 사방으로 물을 마구 뿌리고 있다가 싸움이 끝났다는 소리를 듣고 빛의 속도로 튀어나왔다. 망토들은 모두 제자리에 쓰러져서 꼼짝 하지 않았다.

테라는 싸움이 끝나자 마자 엘로이즈와 드로메드에게 갔다. 아까 모타카가 보지 못했을 뿐이지, 타우는 부상자를 살피고 있었다. “얘들아! 괜찮아? 타우야, 얘네 괜찮은 거야? 살아는 있는 거지?” 타우는 어두운 표정으로 힘겹게 말을 뗐다. “불행 중 다행이라고, 엘로이즈는 가벼운 찰과상 외에는 크게 다친 곳이 없어서 괜찮아. 그냥 잔달까? 폐하는 기력이 좀 떨어지시기는 하셨는데… 크게 문제가 되진 않고. 그래서 조금 있으면 둘 다 깨어날 것 같아. 그런데 문제는 드로메드야. 너희들도 보이지? 눈으로 보았을 때도 상처가 저렇게 큰데 몸 안의 부상은 얼마나 더 클지 몰라. 넘어지면서 머리를 세게 부딪쳐서 아무래도 의식이 없는 것 같아. 이대로라면, 뇌사가 올지도…” “그… 그럼 죽는 거야?” “확신할 수 없어. 아직은 모르지. 그냥 지켜볼 수 밖에…”

26. 스케네 왕의 사연

다이노원정대가 망토 1, 2, 3을 쓰러트리고 잠시 숨을 고르고 있을 때였다. 알렉스는 망토1과 드로메드에게서 눈을 떼지 못했다. 이미 모든 체력과 힘을 소진해버린 대장과 상당한 실력자이자 서늘한 기운이 느껴지는 망토1이 어쩐지 눈에 밟혔다.

데이비드와 테라가 힘을 합쳐 소소하게 작은 상처들을 치료하고 결계를 설치해 드로메드에게 다른 균이 들어가지 못하게 막았다. 큰 도움은 되지 못했지만 상태가 더 악화되는 것은 막을 수 있었다. "으핫차차차! 아이쿠야!" 하는 소리와 함께 누군가 쿵 떨어지는 소리가 났다. "아이고… 제대로 도착한 게 맞나? 홀홀홀." 낯선 이가 나타나자 다이노원정대는 언제 앉아 있었냐는 듯 재빠르게 일어나 공격 준비를 했다. "누구냐!" "가지 못할까!" "으흑… 제발 그만 싸우면 안 돼…?" 그러나 다이노원정대가 공격 자세를 취한 게 무안할 정도로 낯선 이는 다이노원정대를 본체 만체 했다.

낯선 이는 다이노원정대에게서 등을 돌리고 있었지만 눈썰미가 좋은 테라는 그 뒷모습을 빤히 지켜본 끝에 그가 누군지 알아내고는 공격 자세를 풀었다. 환한 미소를 지은 채로. "파르낭 할아버지! 맞으시죠?" 자신의 이름을 부르는 소리가 나자 낯선 이는 고개를 돌렸다. "응? 아이고~ 내 생명의 은인들! 넌 그때 그 사납게 생긴 여자애잖아? 이름이… 티라였던가? 그나저나 너희들 같은 애송이들이 이 위험한 곳엔 어쩐 일이냐?" 테라의 예상이 맞았다. 그 낯선 이는 백년전쟁의 승자, 파르낭이었다. 위기에 빠진 다이노원정대에게 한 줄기 희망이 들어온 것 같았다. "저기 할아버지? 반가운 건 맞지만 짚을 건 짚고 넘어갑시다. 전 테라고 얘가 티라거든요. 저희는 스케네 폐하께서 잘못된 사고방식을 가지고 계시는 것 같아, 무례함을 무릅쓰고 그릇된 일을 막으려 여기까지 왔는데 할아버지는 여기 왜 오셨어요?" "난 내 검 주위에 나쁜 기운이 서려 있길래 확인 하려 왔는데? 그런데 오래전 그 스케네 1세가 아직도 살아있냐? 그것 참 신기하네."

파르낭 할아버지의 얘기를 듣는 순간 다이노원정대는 할아버지 앞에 빛의 속도로 다다다 앉았다. 그리고는 눈을 빛내며 물었다. "스케네 1세가 아니라 스케네 20세 제왕이십니다." "할아버지는 뭔가 알고 계시는 거죠?" "얘기해 주세요. 그래야 이 미스터리가 풀려요."

파르낭 할아버지는 다이노원정대의 간곡한 부탁에 긴 이야기를 시작했다. "그래. 그래. 내가 너희들을 믿으니까 아무에게도 안해주는 아주 중요한 얘기를 해줄게. 엄청 중요한 거야. 귀 열고 잘 들어. 거기 너! 딴짓 하지 마라. 그러니까 지금으로부터 653년 전쯤인가... 이 하늘에 아주 큰 전쟁이 났었지. 이름하여 백년전쟁. 하늘 나라 역사상 가장 큰 전쟁이었단다. 나는 트라이나 왕국의 장군이었고 백 년이라는 긴 시간을 전쟁터에서 보낸 뒤에야 승리를 거머쥘 수 있었지. 나는 전쟁터에 나갈 때 레드문이라는 명검을 사용했는데 그게 모든 것의 화근이 되었단다... 전쟁이 끝나자 리스트너 왕국의 스케네 1세는 트라이나 왕국에게 진 것이 분해서 견딜 수가 없었어. 그래서 백년전쟁이 끝난 지 30년 뒤에 또 전쟁을 일으켰단다. 그 당시 트라이나 왕궁은 완전 무방비 상태였고 리스트너 왕국은 30년 동안 힘을 키워 왔으니 당연하게도 트라이나 왕국은 전쟁이 일어난지 5일 만에 국토의 3분의 2 이상을 뺏겼단다. 이 전쟁을 통해 많은 사람이 죽었고 그걸 지켜볼 수 없었던 아틀라스 왕과 왕비는 백년전쟁을 승리로 이끄는데 많은 도움을 준 레드문을 찾아 나섰지. 너희가 지나온 길을 따라서 말이다. 가는 길은 혹독했어. 너희가 스타베이비즈를 지나 갈 땐 벤이 도와주었지만 왕과 왕비는 아무도 도와주지 않았단다. 그렇게 스타베이비즈를 지나고, 마성의 아이레니아 호수를 지나고, 흡입하면 무조건 중독되는 향이 있는 방에서 힘겹게 견디고서야 이 피라미드에 올 수 있었지. 그렇게 하기까지 꼬박 일주일이 걸렸단다. 하지만 왕과 왕비가 레드문을 찾아 나섰다는 소식을 들은 스케네 1세는 아틀라스 왕과 왕비가 임시 거처로 삼았던 동굴 입구를 막아 나올 수 없게 만들어 버렸지. 이제 왕과 왕비도 없어졌겠다, 스케네 1세는 두려울 게 없었어. 백성을 전보다 더 혹사 시켰고 이에 불만을 품은 백성들은 리스트너 왕국 이곳 저곳에서 반란을 일으켰단다. 스케네 1세는 백성들의 반란을 막기 위해 후퇴를 했지. 리스트너 왕국 백성들의 반란 때문에 트라이나 왕국이 전부 함락되는 일은 막을 수 있었지만 트라이나 왕국엔 이제 왕과 왕비도 없고 백성을 먹여 살릴 음식도 없고 아무것도 없었어. 이런 어수선한 상황에서 아틀라스 왕의 맏딸이 왕위에 올랐고 신분을 가리지 않고 인재를 등용하고 아주 훌륭한 정책을 펼친 덕에 트라이나 왕국은 점차 안정을 되찾았지. 그 여왕이 바로 내 친척이란 말씀! 그러니 나도 왕족이란 말이다. 흠흠, 어쨌든… 그렇게 전쟁은 끝이 났고 두 왕국은 평화롭게 지냈단다. 그 일이 있기 전까진… 에고 목 타. 물 있는 사람?"

"으아아 그렇게 중요한 곳에서 이야기를 끊으시면 어떡해요! 여기 물요. 빨리 다음 이야기 해주세요."

파르낭 할아버지는 물을 마신 뒤에 다시 이야기를 시작했다.

"그래. 다시 시작하마. 그 일은 말이야… 저기 쓰러져 있는 스케네 20세에게 일어난 비극적인 일이란다. 7 년 전, 스케네 왕은 지금처럼 포악하고 잔인하지 않았단다. 오히려 아틀라스처럼 너그럽고 누구에게나 상냥했지. 그 당시 스케네 왕의 왕비는 헬레나라는 여인이었는데 착하고 올곧은 성품을 지니고 있었단다. 덕분에 리스트너 왕국 역사상 가장 행복한 시간을 보냈지. 하지만 그 시간은 너무 짧았어. 10년도 채 되지 않았다. 왕비는 착하고 똑똑했지만 몸이 너무 약하다는 게 문제였어. 그래서 평소 정말 조심조심 다녔는데 그 사건이 일어난 날은 기분이 좋아서 무슨 일이 일어나겠냐고 방심을 했어. 왕비는 백성들의 생활을 살펴보기 위해 도시 한복판에 나왔지. 그렇게 왕비가 상점가를 누비며 상인들에게 지금 정책이 어떻냐고 질문을 하고 있을 때! 큰 마차의 바퀴가 풀리며 왕비를 덮쳤고 왕비는 그 자리에서 목숨을 잃고 말았단다. 한순간의 방심이 죽음이라는 비극을 불러온 거지. 그리고 스케네는 사랑하던 왕비가 죽자 미치광이가 된 채 나라를 돌보지 않았고 이곳저곳 떠돌아다니는 생활을 하게 되었어. 그렇게 떠돌이 생활을 하다가 스케네는 명검 레드문의 이야기를 듣게 되었단다. 그때부터 레드문에 집착해 이 사단이 난 것이란다."

파르낭 할아버지의 이야기가 끝났다. 스케네 왕의 사연을 듣고 나자 다이노원정대는 전처럼 스케네 왕을 미워할 수 없게 되었다. 오히려 불쌍한 마음이 들었다. 다이노원정대는 한동안 침묵하고 있었다. 그러다 보니 의문이 들었다. 이때만큼은 모두가 같은 생각을 했다. '떠돌이 생활을 하고 있던 스케네 왕에게 레드문이 있다고 얘기한 사람은 누굴까? 악의를 품은 자일까, 그냥 우연히 말한 걸까?' 궁금한 것을 참을 수 없었던 다이노원정대는 조심스레 할아버지에게 물어보았다. "할아버지, 스케네 폐하께 레드문 이야기를 해준 사람은 누구예요?" 하지만 파르낭 할아버지는 대답하지 않았다. "미안하구나. 그 이야기는 할 수 없다. 때로는 모르는 게 좋을 때가 있는 법… 그렇지만 그 사람은 강하고 어두운 힘을 가진 나쁜 사람이라는 것은 꼭 기억해 두거라."

파르낭 할아버지는 의미심장한 말만 남긴 채 멈추었다. 그 말을 들은 알렉스는 할아버지의 말을 곱씹어 보았다. '강하고 어두운 힘을 가진 나쁜 자라.. 예감이 안 좋아. 미리 준비하지 않으면.. 우리 모두 파멸의 길을 걷게 될 수도 있어…!'

27. 망토들의 정체

파르낭 할아버지의 이야기가 끝나자 옐로이즈가 깨어났다. "으윽... 잠깐! 내 라면은 어디 갔어! 야! 누가 먹었어! 어? 여기 어디야?" 옐로이즈의 말에 다이노원정대는 진지하게 생각하다가 헛웃음이 터져 나왔다. '다친 드로메드와 최면에 걸려 조종당한 폐하는 그렇다 치자. 근데 옐로이즈는 뭐야? 지금까지 자 놓고 이제 일어나서 라면 타령이라니...' 언제나 그랬듯 언제나 같이 타우는 간단명료하게 지금까지의 일을 설명했고 옐로이즈는 자기의 라면이 사라졌다는 얘기에만 반응을 했다. "그렇게 된 거였군… 그런데 너희들! 제일 중요한 것을 빠트렸어...!" 옐로이즈는 낄낄 웃으며 말했다.
"스케네 왕은 미쳐서 제정신이 아니라며. 그럼 스케네 왕의 부하들에게 꼬치꼬치 물었어야지. 그 망토 1, 2, 3이라는 사람들. 그러면 뭐라도 알아냈을 거 아니야. 꽤 오래 잔 거 같은데 그 긴긴 시간 동안 뭐 했냐?" 옐로이즈의 말에 다이노원정대는 우리도 그렇게 당연한 사실은 알고 있었다고 말하려 했지만… "너희들! 이것까진 생각 못했지? 책도 안 봤어? 보통 다 그렇게 하던데! 이게 바로 너희 같은 일반인과 나 같은 대단한 마법 소유자의 차이야. 앞으로 많이 보고 배우도록! 당연한 건데 이걸 못하다니." 옐로이즈의 말에 의해 말문이 막혀버렸다. "야 우리도 마법 쓰거든! 그러니까 여기까지 왔지!" 옐로이즈는 카르노의 말을 깡그리 무시하고는 한껏 거들먹거리면서 망토들에게 다가갔다. "오호라 너냐. 날 납치해간 녀석이. 너 덕분에 잠은 실컷 잤는데 내 라면은 못 살렸다. 지금쯤 퉁퉁 불어 있겠지... 나 참 기가 막혀서. 이봐. 다음부턴 타깃을 제대로 고르도록 해. 나는 한번 잠에 빠지면 절대 안 일어난다고. 너는 골라도 너무 잘못 골랐어. 큭큭큭." "시끄럽다. 지금까지 잔 녀석이 뭐 이리 할 말이 많냐. 그리고 내 이름은 스칼린이다. 훌륭하신 스케네 대장님의 부하다." 스칼린이라 불린 망토1은 아주 낮은 목소리로 말했다.

스칼린은 스케네 왕이 명령을 내리고 제일 믿는 부하라고 했고 칼린의 형이었다. 칼린은 지진과 화산, 쓰나미 등 자연재해를 일으키거나 비와 번개를 내리게 하는 등 대자연을 다루는 쪽에서 유명했고 스칼린은 스틸레토, 라피에르, 브로드소드 등 검에 차가운 기운을 두른 채 싸우는 무조건 백전백승, 무패의 검술 일인자로 잘 알려져 있어 다이노원정대도 이름은 들어본 적이 있다. 그런데 이 사람들이 스케네 왕의 부하라니… "아…!" 아무도 몰랐지만 그때 알렉스는 머리색이 노란색으로 변하고 있었다. 그건 알렉스가 놀라고 당황했다는 뜻이다. 보통 사람이 목소리를 내리깔면 말을 붙이지 않는 게 국룰이지만 옐로이즈는 눈치가 없어도 너무 없었고, 그것은 스칼린의 심기를 건드렸다.

"두 번 말하게 하지 마라. 시끄럽다." "근데 뭐! 어쩔 건데!" 이대로 가다간 옐로이즈와 스칼린이 주먹다짐을 할 수도 있었기에 다이노원정대는 급하게 옐로이즈와 스칼린을 제지했다. "그만해 레비. 네가 자꾸 그러면 저 망토가 언제 또 우릴 공격할지 모른다고. 질문을 할 거면 똑바로 해야지..."

"그래. 우린 기운도 다 빠졌단 말이야. 너야 멀쩡하겠지만..." "오케이! 다만." 옐로이즈는 망토들 앞에 다가섰다. "다만 뭐?" "이번엔 진심이야. 너희 모르겠니? 이 목소리 어디서 많이 들어보지 않았어?" 옐로이즈의 한 마디에 스칼린과 망토2, 3은 흠칫 놀랐다. "뭐? 그 말은…" "이런 바보들. 생각이 있는 거냐… 이 사람들은 우리가 아는 사람이야." 옐로이즈가 폭탄선언을 했다. 그러니까 옐로이즈의 말은 이 사람들이 다이노원정대가 아는 사람들이라는 것이다. "뭐라고...?" "레비, 이 상황에서 이런 장난은 치지 마." 다이노원정대는 적잖이 당황했다. "야! 너무 하네. 내가 맨날 장난만 치냐? 이 망토들은 우리 친구들이야. 그렇지? 플로야, 새미야."

플로와 새미는 다이노원정대의 같은 반 친구들이었다. 둘은 어렸을 때부터 알던 사이라 매일 둘이 같이 다니곤 했다. 5학년이 된 지금은 떨어지기는 했지만 바로 옆반이라 종종 보았다.

다이노원정대는 예상치 못한 인물을 만나자 충격을 받고 당황해했다. "저... 정말이야? 확신할 수 있어?" "그거야 직접 이 망토와 두건을 벗기면 되는 거 아닌가?" 옐로이즈는 콧방귀를 한 번 뀌고는 플로와 새미라고 불린 자들에게 다가갔다. 그리고는 두건을 확 벗겨 얼굴을 확인했다. 다이노원정대는 두건 속의 얼굴을 확인하자 다리에 힘이 풀려 주저앉았다. 그렇다. 친구에게 배신을 당한 것이다. 플로와 새미는 다이노원정대와 같은 반에서 생활하며 다이노원정대의 정보를 악의 조직에 넘기고 지금도 바로 옆반이라는 장점을 이용하고 있었던 것이다.

다이노원정대가 당황하는 동안 플로와 새미는 빠져나갈 궁리를 하고 있었다. "정체가 발각됐어. 이 사실이 그 분께 들어간다면… 우린 죽어." "그냥 용서해 달라고 빌까?" "후환이 두렵지도 않아? 어떻게 하면 그 분께 들키지 않을…" 플로와 새미가 대화를 주고받는 걸 눈치챈 모타카는 둘 사이의 대화에 불쑥 끼어들었다. "어이 그 분이 누구야." 플로와 새미는 자신들의 대화가 모타카에게 들렸나 하고 깜짝 놀랐다. "우린 아무 말도 안 했어!" 플로의 말을 듣자 모타카는 음흉한 미소를 지었다. "얘들아. 난 너희가 대화를 했다고 말한 적이 없는데 그렇다면 그 분은 혹시 할아버지가 말 했던 그 나쁜 사람?" 플로와 세미는 그 어떤 말도 하지 않았다. 다이노원정대에게 붙는 대신 자신들이 섬기는 대장을 배신하지 않기로 한 것이다. "오호라 지금 묵비권을 행사한다는 건… 내가 생각한 그 사람이 맞구나! 얘들아! 아무래도 우리 이제 고생 깨나 하겠는데?" 모타카가 쾌활하게 말했고 타우와 알렉스는 동시에 같은 생각을 했다. '모타카 네 말이 맞아... 나도 걱정돼서 죽겠어. 최강 빌런을 만난 것 같아서 말이야…'

망토들의 정체가 플로와 새미였다는 것을 알게 되자 분위기는 묘해졌고 그런 분위기를 세상에서 제일 싫어하는 파르낭 할아버지는 분위기를 바꿔 보려 애썼다. "에헴, 아 여기는 옛날이나 지금이나 참으로 어둡구나. 햇빛이라도 들어오면 얼마나 좋누?"

할아버지는 나름대로 애썼지만 그 말은 역효과만 가져왔다. 다이노원정대는 더 늘어졌고 망토들도 기분이 더 안 좋아졌다. 그때였다. "아이고, 삭신이야… 음? 여기는..." 때마침 아틀라스 왕이 일어났다! "아바마마!" 아틀라스 왕자와 왕비는 아틀라스 왕을 다시 만나 기뻐했다. "어… 어떻게 된 거지? 잠깐. 아틀라스 왕자. 이 아이는 누구냐. 우리 백성인가? 내가 알기론 이런 아이는 없었는데...” 아틀라스 왕이 드로메드를 가리키며 말했고 아틀라스 왕자는 고개를 푹 숙였다. “아바마마, 이 아이와 저기 저 사람들은 다이노원정대 라고 하옵니다. 땅에 살지만 스케네 제왕의 음모를 막고자 여기까지 왔으며 결국 스케네 제왕을 막았지요. 지금은 모든 것이 거의 정리된 상황이옵니다. 드로메드는 우리를 지키고자 자신의 몸을 희생해 아직까지 의식이 없습니다.” “아아, 우리를 위해 땅의 아이가 희생되다니… 탄식할 일이구나…” “드로메드? 아니 이것들아. 드로메드가 저렇게 되었으면 진작 말했어야지! 그러면 한참 전에 깨어났을 텐데.” 파르낭 할아버지는 이제야 드로메드를 발견하고는 한숨을 쉬셨다. 이 방이 워낙 어두워 잘 안 보이기 때문에 파르낭 할아버지께서 보지 못하신 거였다. 안 그래도 할아버지는 한참 전부터 드로메드가 어딨는지 두리번거리던 참이었다. “네? 그게 무슨 말씀이세요?” “내가 무술만 잘하는 게 아니야. 의술도 뛰어나단 말씀!” 파르낭 장군의 어깨가 으쓱 올라갔다. 드로메드의 큰 상처가 파르낭 할아버지께는 전혀 큰 일이 아닌 모양이었다. “그렇다면... 드로메드를 살릴 수 있으세요?” “그래. 상처가 얼마나 큰지에 달리긴 했다만 웬만한 건 가능 할 거야. 으이그 이 멍충이들. 나에 대해 공부를 하긴 한 거냐?”
다이노원정대가 우리가 그걸 어떻게 아냐고 투덜거렸고 파르낭 할아버지는 드로메드의 상처를 치료하기 시작했다. “으음… 상처가 꽤 심각하구나. 무자비한 스케네 같으니라고. 한 번 정신교육을 받아야겠어. 애를 이렇게까지... 쯧쯧.”

할아버지는 바로 치료를 시작했다. 중간에 위험했던 적이 있었지만 파르낭 할아버지는 드로메드를 살리는 데 성공했다. 중간 위험했던 순간에 파르낭 할아버지의 표정이 미묘하게 어두워졌던 건 가까이에 있던 타우만 볼 수 있었다. 타우는 누구보다도 과학과 의학에 대해 잘 알았다. 파르낭 할아버지가 드로메드를 무조건 살릴 수 있다는 것을 알았기 때문에 드로메드 대신 할아버지의 얼굴을 보았던 것이다. '역시… 모든 걸 알고 있어. 그 분이야. 염치없지만 조언을 구해야겠어.' 타우는 누구보다도 냉정하게 생각했다. 또다시 전과 같은 사태를 만들 수는 없었기에 거듭에 거듭을 더했다. 그리고, 시간이 조금 지나자 드로메드가 깨어났다! "으... 으윽... 뭐야... 너희... 온 거야...?" "으아아아! 너 안 일어나서 죽은 줄 알았잖아… 빨리 좀 일어나지!" 모타카가 달려들어 드로메드를 안으면서 울먹이며 말했고 방금 깨어난 드로메드는 매우 어처구니없었다. "으윽... 누르지 마... 진짜 아파. 그리고 와… 너희가 착각하나 본데... 여기서 이틀 누워 계신 폐하에 비하면 나는 정말 초스피드로 일어난 거거든? 내가 쓰러진 이유는 너희들이 너무 늦게 와서야. 그리고 할아버지 정말 감사해요. 할아버지 덕분에 살았어요. 내가 여기서 혼자 있으면서 얼마나 무서웠는데! 좀비 사람을 떨쳐내자마자 줄 한테 채찍질 맞고! 힘센 왕자님 때문에 바닥 두 바퀴 반 구르고! 그러다 머리에 혹 나고! 100번은 더 넘게 넘어지고! 최면에 조종당할 뻔하고! 또 채찍질 당하고! 고문당하고! 전기 공격당하고! 내가 진짜 얼마나 힘..." "오케이. 진정해. 넌 억울하겠지만 우리도 엄청 힘들었어. 여기가 얼마나 외진 곳에 있는지 원. 아이고, 걸어오느라 죽는 줄 알았네. 그리고 우리도 네 걱정 엄청 했다고. 난 봉인도 풀었어."

테라가 제때 드로메드를 제지시켜서 망정이지 안 그랬으면 밤새도록 이야기가 이어질 뻔했다. "음… 지금 상황을 좀 정리하자면… 이 망토들은 스케네 폐하와 나쁜 자(?)의 부하이자 우리의 친구인 플로와 새미라. 그리고 지금 파르낭 할아버지의 말을 줄이자면 스케네 폐하께서는 성군이었다가 폭군이 되었다. 그 이유는 죽은 왕비 때문이다. 이건가?" "맞아." "역시. 스케네 폐하께서는 성군이셨어. 처음에 가짜 왕의 정체가 스케네 폐하인 것을 알고 깜짝 놀랐다니까. 최근 리스트너 왕국이 위태하다는 뉴스를 봤기는 한데, 이렇게 위태한 줄은 몰랐지." 드로메드는 손을 탁탁 털고는 일어나서 아무 일도 없었다는 듯 말했다. "자, 그럼 이제 이 어수선한 상황을 정리 좀 하자. 우리도 이제 가야 되잖아." "어떻게?" "어떻게 되지." 드로메드는 데이비드에게 눈을 찡긋했다.

28. 정리

“위대하신 아틀라스 제왕이시여, 저는 드로메드이고 다이노원정대의 대장인데요. 실례지만 저희를 잠시만 도와주시겠습니까?”
지금까지 어리벙벙하게 서 있었던 아틀라스 왕은 드로메드의 말에 퍼뜩 정신을 차렸다. ‘아! 한 나라의 왕인 내가 여기서 대체 무얼 하고 있는 건가. 내가 갑자기 사라져서 우리 백성들은 두려움에 떨었겠구나. 빨리 이 상황을 정리해야겠다.’ 그리고는 고개를 끄덕였다.
“그러지. 내가 무엇을 도와주면 되겠나?”
“일단 리스트너 왕국으로 스케네 폐하를 안전히 보내 드려야 합니다. 하지만 저희는 리스트너 왕국이 어디 있는지, 성이 어딘지 몰라서 말이죠…”
하지만 아틀라스 왕도 모르긴 마찬가지였기에 알려주고 싶어도 알려줄 수가 없었다. 트라이나 왕국과 리스트너 왕국은 교류도, 무역도 하지 않고 문화도 공유되지 않았기 때문에 알려진 정보가 거의 없었다.
그때였다. “아바마마! 어디 계십니까?” 다급한 목소리와 함께 남자아이와 여자아이가 들이 닥쳤다. 가뜩이나 좁은 방에 사람이 계속 들어와 꽉 차면서 발 디딜 틈도 없었는데 더 좁아졌다.
드로메드는 그 아이들을 보자마자 깜짝 놀랐다. “유니아! 카일! 내가 아까 쓰러지기 전부터 너희들을 그렇게 기다렸는데 이제 와? 이제 와? 진짜 어떻게 이럴 수가 있냐! 신호는 진작 받았을 거 아니야!" 드로메드는 격분하여 소리쳤고 유니아와 카일이라고 불린 사람들은 멋쩍어 하며 사과했다. "드디어 만났네. 우리가 좀 많이 늦었나 누나?" "그러게. 미안하다." "난 너희 걱정까지 했는데…! 진짜 너무해!"

갑작스레 등장한 인물들이 천하의 드로메드를 울리자 다이노원정대는 이게 뭔 상황인가 하고 어리둥절해했다.

"미안하네 이거. 우리가 너무 늦었나? 나는 유니아 공주라 한다. 이 아이는 카일. 11살이며 리스트너의 왕자이다. 알다시피, 우린 리스트너 왕국의 왕자와 공주야. 뉴스에서 봤지? 드로메드 대장과는 어렸을 때부터 알고 있었어."

다이노원정대는 자기들이 지금까지 으르렁거리며 싸운 자의 딸과 아들이 자기들 대장의 친구였다는 걸 알자 이걸 좋아해야 하나 싫어해야 하나라는 생각이 들며 두번째로 충격을 받았다. 옐로이즈는 입을 쩍 벌리고 굳어 있었다. 하지만 테라는 그 중에서 정신이 가장 말짱했고 자기가 할 일을 잘 해냈다. "좋아요. 리스트너 왕국의 왕자와 공주시라면 스케네 폐하를 모셔 가시길 바랍니다. 부상자도 있고 저희는 지금 녹록치 못한 상황에 놓여 있어요. 저희도 다시 아래 세상으로 내려가야 합니다." "오… 왕족 앞에서 당차게 이야기한 아이는 네가 드로메드 다음으론 처음이다. 우리도 그러려고 온 거니 경계하지 말거라. 왜 이리 으르렁대." "한 나라의 공주와 왕자에게 예의를 차리는 것은 맞지만 그렇다고 무서워 해야 한다는 법은 이 세상 그 어디에도 없습니다."

테라는 말 그대로 지금 초 예민 상태였고 툭 치기만 해도 폭발하기 바로 직전이었다. 오늘 짧은 시간 동안 너무 많은 일들을 겪고 긴장을 많이 했었는데 이제 모든 것이 진정되고 원래대로 돌아가자 안심이 되면서 맥이 탁 풀렸기 때문일 것이다.

유니아는 씩 웃더니 스케네 왕을 마법으로 번쩍 들고 그 상태로 테라에게 질문을 퍼부어 댔다. "너한테 질문 좀 할게." "저는 테라입니다. 다이노원정대의 대원입니다." "오케이, 테라야. 지금까지 상황 정리 좀 해줄래? 알다시피, 방금 도착해서 말이다. 무슨 상황인지는 알아야 우리가 도와줄 수 있을 것 같은데." "이야기가 깁니다. 일단, 말씀드린 대로 상황이 녹록치 않아 자세한 내용은 타우에게 물어보아야 할 것 같습니다. 저 아이가 타우입니다."

테라는 일부러 더 쌀쌀맞게 대답했고 타우는 한숨을 쉬더니 자신의 재주를 한껏 발휘했다. "제가 타우입니다. 공주님의 질문에 성심성의껏 답변하도록 하겠습니다. 처음, 저희는 아틀라스 제왕의 편지를 받고 이곳 하늘로 올라왔습니다. 저희는 마검 레드문을 찾으러 여러 관문을 헤쳐 가며 피라미드로 오고 있었지만 도중에 아틀라스 제왕께서 스케네 제왕이셨다는 것을 알았고 레드문을 확보하기 위함이 아니라 지키기 위해 피라미드로 오게 된 것입니다. 저희도 그 전의 내용은 자세하게 모릅니다만, 와보았더니 다 정신을 잃고 쓰러져 있더군요. 한바탕 싸움 후에 드로메드를 깨웠더니 공주님과 왕자님께서 오셨습니다."

유니아와 카일은 그제야 이해가 간다는 듯 고개를 끄덕였고 정말 떠날 준비를 했다. "난 더 자세히 듣고 싶었지만… 다음에 듣도록 하지. 오늘 진짜 고마웠다. 이 은혜는 잊지 않도록 하마." 카일이 생긋 웃으며 인사를 건넸다. 다이노원정대보다 더 어린 아이답지 않게 품위 있었고 우아했다. "잘 가. 다음에 또 보자. 얼굴 꼭꼭 가리고 놀러 와." 드로메드도 친구들에게 인사를 건넸다. "오케이! 그럼 이만!" 유니아와 카일은 서둘러 스케네 왕을 데리고 떠났다. 스케네 왕의 회복이 중요했기 때문에 사담을 나눌 시간은 없었다. 유니아와 카일이 스케네 왕을 데리고 순간이동을 이용해 사라지자 다이노원정대도 마음 놓고 쉴 수 있었다. "정말 피곤한 하루였어..." "그러게 정말 많은 일이 있었다." "근데 마지막엔 상황이 휘리릭 급 정리된 것 같지 않아? 역시 드로메드야." "응. 우리가 오늘 고생해서 이룬 결과는 나중에 우리가 살아갈 때 큰 도움이 될 것 같아." "…너무 급전개야."

29. 다시 집으로

다이노원정대는 올라왔을 때처럼 번개를 타고 내려가야 했다. 드로메드의 힘이 다 고갈되어서 순간이동은 쓸 수 없었다. "오늘 정말 고마웠소. 다이노원정대 이 은혜는 잊지 않겠소이다." "고마워 얘들아!" "와! 우리 오늘 인사 엄청 받네? 은혜 갚는다는 소리를 몇 번 들은건지 나 참." 카르노는 한창 으스댔고, "아주 까불어. 아무것도 안 했으면서." 초예민 상태인 테라에게 맞았다.

다이노원정대는 드디어 다시 집으로 가게 되었다. 하지만 타우를 비롯한 몇 명은 아쉬워했다. "흐흑... 정말 오랜만에 다시 만났는데... 벌서 헤어져야 한다니... 난 못 가! 이게 몇 년 만인데..." 타우는 벤과 헤어지게 되자 눈물을 흘렸다. 그런 타우를 진정시키느라 달래느라 벤은 꽤나 고생을 했다. "타우야. 영영 못 만나는 거 아니야. 네가 못 오면 내가 갈게. 어차피 나도 너네 대장한테 배울 게 많아서 갈 예정이었어. 그렇게 울면 내가 미안해서 어떡하냐." "약속해?" "그럼~ 약속하고 말고." 벤이 드디어 화사하게 웃었다. 오늘 하루 벤도 너무 힘들었기 때문에 얼른 돌아가 쉬고 싶었다. "알았어... 꼭 자주 와야해!" "그래." 타우 달래기 일인자인 벤은 타우를 진정시키는데 성공했고 자주 놀러 오겠다고 약속했다. "얘들아 잘가거라!" "안녕히 계세요 할아버지!" "오냐!" "벤, 잘 있어!" "그래. 잘가라! 진짜 고맙다!"

다이노원정대는 번개를 타고 집으로 내려갔다. “아르마 괜찮아?” 옐로이즈가 걱정스레 물었고 “응. 올라올 때보다는 괜찮아.” 아르마는 웃으며 대답했다. 고소공포증보다 더한 일을 겪어서 그런지 이딴 공포증 따위는 하나도 무섭지 않았다. “다행이다. 근데 너희는 우리가 겪었던 일. 다 기억나? 나는 지금 약간 멍하거든.” “모타카. 나도 약간 그래.” 다이노원정대는 정말로 약간 멍해졌다. 드로메드, 타우를 제외하곤. “난 벤과 함께 더 같이 있고 싶었어... 너무 슬퍼… 다이아랑도 놀고 싶었는데!” 타우는 계속 훌쩍이고 있었다. 그리고 드로메드는... “난 너무 아파. 아파서 다 기억난다. 내 몸에 남아 있는 상처 좀 보라고.” “하하... 상처는 나을 거야. 걱정 마.” “타우야 너무 속상해 하지마. 아픈 것도 이해하고 친구 보고 싶은 것도 이해해. 하지만! 오늘 우리 진짜 짜릿하고 흥미로운 일을 겪었지?” “응 맞아. 옐로이즈 넌 제일 짜릿할 때 자고 있었긴 하지만.” 데이비드는 킥킥 웃으며 옐로이즈를 놀렸다. “그건 맞지.” 그리고 티라마저 데이비드의 말에 맞장구를 쳤다. 도발의 결과는… 옐로이즈의 완승이었다. 데이비드와 티라 둘다 옐로이즈의 강한 힘이 고스란히 담겨 있는 딱밤을 맞았다. “옐로이즈 진정해~ 근데 진짜 재밌기는 했어!” “그래. 너희 다 동의하지? 그거면 된 거야.” 테라가 세상 속 편하게 웃으며 말을 꺼내자 아이들이 다 맞장구를 쳤다. “그래.” “당연하지!” 다이노원정대가 화기애애한 분위기를 풍기며 웃자 다이아도 조용히 말을 꺼냈다. “저도 오늘 언니 오빠랑 모험하면서 정말 즐거웠어요! 비록 싸움에서 큰 활약을 하진 못 했지만 그래도 잊지 못할 추억이 될 거예요.”

다이아가 눈을 감으며 속삭였다. 밝고 씩씩한 다이아 덕분에 다이노원정대가 힘을 내어 모험을 할 수 있었다. "무슨. 네가 있어서 분위기가 그나마 엄청 화기애애 했어." "그럼 다행이고요. 조금만 더 가면 돼요." 조금 더 내려가자 드디어 다이노원정대의 집이 나왔다. "드… 드디어… 집 도착이요!" "와아! 땅아… 내가 널 얼마나 그리워했는지 알아?" "아, 드디어 짧고도 긴 여정이 끝났구나!"

30. 선물

다이노원정대가 하늘에서 모험을 겪고 다시 땅으로 돌아온 지 한달이 지났다. 그 한달 간에 다이노원정대에게는 많은 일이 있었다.
우선 유명 인사가 되었고 그 덕분에 전보다 사건 의뢰가 더 많이 들어왔다. 진지한 사건들도 꽤 있었고 앞으로의 더 큰 활약을 위해 학교는 잠깐 쉬기로 했다.
또한 다이노원정대에게는 크고 작은 변화도 생겼다.
일단 타우는 다행스럽게도 이번 일을 계기로 무엇이든 두려워하는 게 조금 나아졌다. 타우의 달라진 모습에 친구들은 기뻐했고 타우는 조금씩 세상에 발을 들이게 되었다.
드로메드는 체력이 훨씬 더 좋아졌다. 물론, 아직 놀라울 만큼 좋아진 것은 아니다. 힘들어 할 때도 있지만 다이노원정대의 대장 답게 드로메드는 견뎠다. 옐로이즈는 지난번 하늘에서 팅팅 불었던 라면 때문인지 전보다 먹성이 더 좋아졌다. 그리고 옐로이즈에게는 안 됐지만 드로메드가 옐로이즈를 전보다 더욱 더 감시하게 되었다. 옐로이즈는 오빠가 짜증난다며 불평불만을 해댔지만 관심을 받아 내심 좋아했다.
그리고 유니아와 카일의 존재를 드로메드가 숨겨서 한동안 옐로이즈와 드로메드의 분위기가 안 좋았었다. 카일은 워낙 착하고 누나, 형들에게 잘 해

금세 옐로이즈와 친구가 되었다. 옐로이즈는 유니아와 잘 지내보기로 드로메드와 약속했다. 아직 좀 까칠한 면도 있지만. 네 명은 거주지가 달라서 나중에 또 오기로 하고 헤어졌다. 테라는 고수가 되는 훈련에 매진했다. 지난번 봉인을 해제하고 자신의 몸에 무리가 오는 걸 느낀 뒤에 충격을 받았기 때문이다. 한동안 테라 역시 방에 틀어박혀 무술을 익히고 밖에서는 마법을 미친 듯 썼다.

마법에 악착 같이 달라붙는 테라의 모습에 자극 받은 알렉스도 테라보다 더 강해지겠다는 목적 하나로만 열정을 불태우며 몸을 혹사 시켰다. 그렇게 몸을 혹사 시키던 알렉스는 결국 쓰러지고 말았다. 지난 번 하늘에서 아이스 헌팅을 하고 나서 가뜩이나 몸이 안 좋았는데 앓아눕게 된 것이다. 그 사이 만날 밖에 쏘다니던 테라도 센 감기에 걸려 며칠 간 고생을 했다. 그리고 안타깝게도 플로와 새미는 잡지 못했다. 아마도 혼란스러웠던 잠깐의 틈을 타 도망친 것 같았다. 하지만 다이노원정대는 바빠서 플로와 새미, 다른 것에 대해 신경 쓸 겨를이 없었다. 그때는 방심을 한 나머지 그리 중요한 인물이라고 생각하지도 못했다.

다시 다이노원정대의 현재로 돌아가 보자. 오늘도 마찬가지로 다이노원정대는 무척 바빴다. 각자 바쁘게 돌아다니며 일을 처리하고 있었다. 그때, "띵동~" 벨 소리가 울렸다. 마침 근처에 있던 모타카는 후다닥 밖에 나와보았다.

"누구세요? 택배 안 시켰는데요? 어...? 너희는... 당신은…" 그리고 익숙한 얼굴을 보자 깜짝 놀랐고 놀람은 서서히 기쁨과 화로 변했다. "모타카. 애들 좀 불러줄래?" 사람들 중 하나가 말했고 모타카는 친구들이 모여 있는 2층으로 후다닥 뛰어갔다. "얘... 얘들아! 기… 기… 긴급 속보야!" "뭐라고? 또..." "아니 그게 아니라… 아 일단 나와봐!" 모타카는 친구들을 1층 거실로 내던지다시피 데려왔다.

다이노원정대는 예상 외의 인물에 정말 깜짝 놀랐고 경악을 금치 못했다. "너… 너희는... 당신은…" "벤, 다이아!" 타우는 기뻐서 자신의 친구와 동생에게 뛰어갔다. 그랬다. 선물. 선물이 왔다. 벤과 다이아, 아틀라스 왕과 왕비, 왕자, 파르낭 할아버지와 정체모를 상자(?), 유니아와 카일, 그리고... 이 사건의 중심이 된 인물이자 다이노원정대가 하늘에 가게 한 사람. 스케네 왕이 왔다. "스케네 제왕…"

스케네 왕은 저번에 다이노원정대가 보았던 모습과는 너무 달랐다. 그때는 당당한 모습이었지만 지금은 고개를 푹 숙이고 서 있었다. 또한 붉었던 눈동자도 노랗게 변해져 있었다.

"아니 대체... 다들 여기 어떻게 왔어요?" 티라가 떨리는 목소리로 말했다.

타우는 벤과 다이아를 본 기쁨도 잠시 불 같이 화를 냈다. "스케네 제왕! 당신은 무슨 면목으로 오셨습니까? 제가 다시는 제왕을 보고 싶어 하지 않다는 걸 잘 아실 텐데요… 제왕께서도 알다시피 제왕 때문에, 제왕의 욕심 때문에 제 삶은 망가졌습니다! 평범하게 살지 못하게 됐습니다... 제왕께서도 알지 않습니까? 오지 말라고 했는데도…" 타우는 원망과 증오로 가득차서 그 분노에서 헤어나오지 못했다. 다이노원정대는 사람들이 왔을 때마다 더 놀라고 말았다. 모두가 알다시피 타우는 목소리를 크게 내는 편이 아니다.

언제나 조곤조곤 말로 설명했었다. 그런 타우가 스케네 왕에게 저렇게까지 화를 내다니... 타우는 자신의 감정을 조절하지 못했고 벤이 급하게 제지를 했다. "자자 타우 진정해. 스케네 폐하께서는 너희에게 할 말이 있어서 바쁜 몸을 이끌고 행차하신 거라고. 그리고 파르낭 할아버지께서도 너희에게 줄게 있어서 오신 거야. 우리도 마찬가지지." 벤은 타우를 달랬고 타우는 그제야 좀 화를 삭혔다.

그리고 스케네 왕이 입을 열었다. "짐이 어린 너희에게 너무도 극악무도한 짓을 저질렀기에 염치없지만 사과하러 왔다. 그때의 짐은 정말이지 제정신이 아니었어. 정말 미안하다. 아, 그리고 드로메드, 데이비드. 따로 할 말이 있어서 말인데 잠시 짐을 만나지 않겠느냐." 스케네 왕이 다이노원정대에게 사과를 했다. 유니아와 카일도 고개를 끄덕였다. '어라, 이게 무슨 소리지?' 다이노원정대는 당황했다. 테라는 속으로는 마구 욕을 하다가 멈칫했다.

테라가 생각했다. '안 그래도 스케네 폐하가 미웠었는데··· 저 말은 뭐지? 게다가 걔네에게 할 말이 있다고?' 다이노원정대도 대부분 다 테라와 비슷한 생각을 했다. 모두 의아해했다.

끔찍한 침묵이 이어지고 보통 모타카가 하던 일을 이번에 아틀라스 왕자가 대신 해주었다. "아이고, 분위기가··· 자자 진정들 하시고. 여러분과 어마마마, 아바마마께 잠시 불경한 일이 일어나긴 했지만 여러분도 한 번만 이해해주세요. 제왕께도 사연이 있었잖아요. 스케네 제왕께서는 이 일을 제대로 기억도 못 하십니다." 그 말로 인해 다이노원정대의 화는 누그러졌고,

타우도 눈물을 뚝 그쳤다.

그 틈을 타서 벤은 놀라운 말을 전했다. "얘들아! 일단 우리가 온 이유는, 우리가 저번에 너희에게 보답을 못했잖아. 그래서 오늘은 보답을 하러 왔어. 일단 나와 다이아, 유니아 공주… 아니 유니아와 카일, 아틀라스 왕자… 님이 아니라 아틀라스는 다이노원정대가 되고 싶다는 것. 너희가 허락만 해준다면 말이야. 너희도 하늘에서 다져진 우리의 능력은 잘 알지? 그리고 보답 중 첫번째는 아틀라스 폐하께서 너희에게 엄청난 스케일의 본부를 선물하신다는 것! 마지막으로 파르낭 할아버지 역시 너희의 스승으로 남고 싶어한다는 것과 너희에게 줄 선물이 있다는 것이지! 할아버지도 다이노원정대가 되고 싶어하셔. 저 상자는 온갖 비법서와 전략, 무기가 담겨 있지. 너희도 알다시피 파르낭 할아버지가 보기엔 좀 그래도 되게 강하… 윽! 아 때리지 마세요!" 벤은 화난 할아버지에게 한 대 얻어맞았고 벤이 말한 두가지 선물에 다이노원정대는 어리벙벙해졌다. 하긴, 그럴 만도 했다. 갑자기 들이닥친 깜짝 손님들과 타우의 분노, 그리고 벤의 말까지.

드로메드는 알렉스와 눈을 마주치고는 고개를 끄덕였다. 일단 회의부터 해서 상황을 진정시키고 스케네 왕을 만나자는 뜻이었다.

드로메드가 혼란스러운 상황에서 차분히 말했다. "음… 스케네 폐하. 이런 말씀 드리기 너무나 죄송스럽고 송구하오나 우선, 저희에게 하실 말씀은 조금만 있다가 해주시길 바랍니다. 지금은… 때가 아닌 것 같습니다. 그리고 벤, 다이아, 유니아, 카일, 아틀라스 왕자… 님이 아니라 아틀라스가 다이노원정대에 들어올지 말지는 회의를 해보지. 파르낭 할아버지도요. 나야

다 대환영이지만 말이야. 모두 잠시만 기다려 주세요. 다이노원정대 긴급회의 소집이다! 각자 위치로!" 드로메드는 긴급회의를 소집한다는 명령을 내렸다.

다이노원정대 전원은 눈 깜짝할 사이에 사라졌고, 손님들은 잠깐 다른 방에서 기다렸다. 다이노원정대가 본부로 쓰고 있는 저택은 모두 4층으로, 회의실은 3층에 있었다. 다이노원정대는 회의실로 올라가 열띤 회의를 했다.

"자, 난 지금 솔직히 잠깐 사이에 뭔 일이 일어나는 건지는 잘 모르겠다만, 파르낭 할아버지가 오는 것은 찬성이야. 벤, 다이아도. 벤과 다이아는 우리를 도와주고 계속 같이 있으며 활약했으니까. 아, 송구하지만 존칭 뺀다. 아틀라스 왕자는 아직 믿지 못해. 아틀라스 왕자와는 만난 시간도 짧아. 얘기도 안 해봤어. 유니아 공주와 카일 왕자는 더더욱! 스케네 폐하의 자녀분 이셔. 으, 이러니까 말이 이상하잖아. 하여튼, 내가 하려던 말은 스케네 폐하의 자녀 분이신 유니아 공주와 카일 왕자가 겉으로 사과하고 속에서는 우리 발목을 도끼로 찍는 것에 그치는 게 아니라 아예 잘라버릴 수도 있다고!" 테라는 과격한 말을 사용하면서까지 유니아와 카일은 절대 안 된다고 결사반대했다. 하지만 옐로이즈는 분명히 테라에게 다른 마음도 있다는 걸 알았다. 그리고 웃음을 참기 위해 노력 해야 했다.

"저기…" 드로메드가 말을 하려고 할 때 곧이어 데이비드도 말했다. "합리적으로 생각하고 신중히 조사한 바에 의하면, 난 반은 찬성, 반은 반대야. 내 생각도 테라와 비슷해. 벤, 다이아, 파르낭 할아버지는 믿을 만해. 아, 그리고 내가 알기론 아틀라스 제왕께서는 늘 백성을 생각하는 성군이시니 그 아들도 훌륭하겠지. 엄한 교육을 받으며 자라왔을 테니까. 드로메드가 아틀라스 왕자는 매우 믿을 만 하고 벤트 아이가 아님에도 불구, 굉장히 강하다고 했어. 그나저나 내가 걱정하는 건 두가지야. 아틀라스 왕자가 트라이나 왕국의 왕자잖아. 트라이나 왕국의 법은 강력해. 어기면 그 누구라도 강한 처벌을 받지. 트라이나의 법 제1조1항이 '우리 국민은 자랑스러운 우리의 조국을 떠나지 않는다.' 야. 물론 여행을 제외하고. 어쩔 수 없는 상황에서의 이민도 뭐, 존중은 하지만 대부분의 국민이 그렇지 않지. 왕족은 더더욱. 그리고 제1조2항은 '왕국의 후손은 우리 국민을 지키기 위해 목숨을 바친다.' 고. 그러니 아틀라스 왕자는 국민을 지킬 의무가 있어. 당연히 여기 오면 안 돼. 그리고 아틀라스 왕자가 다음 번 왕이 될 사람이라면 여기 안 되는 거 아니야? 게다가 테라 말처럼 스케네 제왕께서는 아직 위험해. 나도 제왕께서 자신의 의사에 따라 행동한 것이 아니라는 것을 너무 잘 알지만, 제왕 뒤의 세력이 이 사실을 알고 다시 세뇌를 시킨다면? 직접 온다면? 우리는 피할 수 없을 거야. 그리고 유니아 공주와 카일 왕자가 괜찮은 사람이라고 해도… 난 좀 그래." 데이비드는 자신의 지식이 닿는 데까지 설명하며 주장을 했다. 일리 있었다. 똑똑한 데이비드 답게 설명을 잘했다.

"저기…" "난 너희처럼 요목조목 따져서 말 안 해. 난 반대. 그리고 아틀라스 왕자의 위에는 고귀하신 공주님이신 아니아 공주님께서 계시다. 다음 번 트라이나 왕국 후계자는 아니아 공주이시다. 아틀라스 왕자는 아직 성인이 아니기에 그 의무를 지킬 필요도 없고. 너무 자유로워서 왕국에서도 잡을 생각이 없는 듯 하다. 스케네 제왕에 대한 것은, 아직 걱정할 필요 없어. 그쪽도 빨리 대응하지는 않을 거다." 알렉스는 얼음장 같이 차가운 목소리로 말했다. 내용은 간결했다.

데이비드는 알렉스의 말을 듣고 고개를 끄덕이며 수긍했다. 트라이나 왕국의 속사정까지는 잘 알 지 못했기에 금세 설득 당할 수 있었다.

그리고 카르노는 알렉스와 달리 진짜 불을 사용해 주변을 태우며 소리쳤다. "으아아! 짜증나 죽겠네! 여기가 어디라고 와! 난 결사반대다! 결!사!반!대! 절대 못 와! 한 발자국도 안 들여보내주겠어!" 카르노는 새 손님들이 오는 것을 거부했다. 이유는 말하지 않아도 알 것이다. "저기 카르노 있잖아. 난…" 테라는 카르노의 불이 세지자 알렉스에게 손짓했고, 알렉스는 한숨을 쉬며 얼음으로 카르노를 뭉게버렸다. 그 틈을 타서 엘로이즈는 걱정스레 말했다. "나도 반대야. 스케네 폐하께서 사과를 해도 그 죄가 사라지지는 않아. 우리를 죽이려 했어. 물론, 본인의 의사는 아니었지. 그래도 좀… 아틀라스 왕자님도 잘 모르겠어. 우리가 믿었던, 아니 생각지도 못했던 친구들인 플로와 새미가 우릴 배신하고 정보를 빼내고 있었던 것처럼 아틀라스 왕자님께서 또 세뇌를 당하거나 마법의 영향을 받아 그럴 수 있잖아. 아틀라스 왕자님께선 너무도 맑고 순수하신 영혼을 지니고 계시며 귀하신 존재이시지만 말이야. 그래도 벤과 다이아, 파르낭 할아버지는 괜찮아. 우리가 겪어봐서 알잖아?"

드로메드는 다시 말하려 했지만 그때 타우가 입을 열었다. "나는 말이야. 내 어렸을 적 일이 그러니까 내가 이렇게 된 건 스케네 제왕과 관련이 있어. 뭐, 더 자세하게는 제왕의 뒷배와? 그래서 난 제왕과 관련된 모든 게 싫어.

나도 한낱 민간인인 내가 귀하신 국왕에게 이러면 안 된다는 것을 잘 알지만… 그래. 난 싫어. 하지만 유니아 공주님과 카일 왕자님은 괜찮은 것 같아. 나도 왜 그런지 모르겠어. 그런데 유니아 공주와 카일 왕자께서는 그런 느낌이 강하게 들어. 저 고귀하신 분들께서는 날 해치지 않을 거라는 것. 오히려 내가 아는, 내 소중한 사람들과 닮아 있는 것 같아 좋았어. 난 유니아 공주와 카일 왕자가 마음에 들어."

타우의 말에 다이노원정대는 충격을 받았다. 아니, 그 다른 누구도 아닌 타우가, 아까 스케네 왕에게 그렇게 화를 내던 타우가, 유니아와 카일이 좋다고? 장난해?!

"아이고, 왜 다들 나에게 말 할 기회를 안 주니... 아까부터 그렇게 노력했는데! 내 말 좀 들어봐. 우리 유니아와 카일을 시험에 들게 하는 거 어때?" 어수선해진 틈을 타 드로메드가 입을 열었다.

드로메드의 눈이 초롱초롱하게 빛났다. 드로메드의 눈이 빛날 때는 모 아니면 도였다. 정말 괴상망측한 생각을 하든지, 정말 기발한 생각을 하든지, 둘 중 하나였다.

"시험?" 드로메드의 반쯤 나가 있는 눈을 바라본 데이비드가 떨떠름하게 말했다. "그래. 내가 만든 우리의 규칙에 있는 그 시험 말이야. 실력에 따라 합격 여부가 결정되니 공정하기도 하고. 벤과 다이아는 하늘에서의 일로 실력이 증명되었고 아틀라스 왕자님은 무엇보다 내가 직접 겪어봤잖아. 그 박치기에 난 두 바퀴 날라가기도 했고 무의식에 말한 것이나 행동을 미루어 보아 나쁘지 않은 사람이 확실해. 빡빡한 트라이나의 왕자이니 교육도 엄하게 받아 나쁜 짓을 하고 싶어도 할 새가 없었을 거야. 유니아와 카일은 내 친구이지만 너희와 만난 시간이 짧았으니 너희와 잘 알지 못하잖아? 내 친구들의 실력을 검증 시키기도 하는 거고, 시험에 불합격 한다면 바로 떨어지는 거니 불만 없지?" "아~ 그런 이유에서라면… 난 그건 찬성." 모타카는 고개를 끄덕였고, 무엇보다 타우가 찬성했기에 다이노원정대는 유니아와 카일을 시험해 들기로 했다.

"좋아. 데이비드! 우리 규칙 제7조를 설명해줘. 상세하게. 지금은 말할 기운이 없어." 드로메드가 전용 의자에 앉자, 데이비드가 '에헴' 하고 설명을 했다. "맡겨만 달라고~ 다이노원정대 제7조. 새로운 대원을 들일 때에는 반드시 시험을 봐야 한다. 시험은 총 5가지이며, 첫번째 시험은 무술 실력을 테스트 하는 거야. 테라가 주관하지. 무. 깡. 테라에게서 98점 이상을 받은 사람만 두번째 시험을 볼 수 있어. 두번째 시험은 인내심과 멘탈이 얼마나 강한지 시험하는 거야. 알렉스가 주관하고, 다이노원정대 공식 냉철남에게서 마찬가지로 98점 이상을 받아야 3번째 시험을 볼 수 있어. 이번엔 민첩함 시험이야. 전광석화 티라가 주관하지. 여기서는 티라와 달리기 시합을 하게 되는데, 티라와 기록이 크게 벌어지면 안 돼. 기록이 3초 이상 벌어지면 자동 탈락이지. 티라와 달리기 기록이 3초 이내로만 벌어지는 사람이 4번째 시험을 볼 수 있어. 바로 유혹을 떨쳐낼 수 있는지 보는 시험이야. 레비가 주관해. 이 시험은 우리가 하늘에서 넘은 3차 관문을 배경으로 내용을 더 추가 했어. 안에 향을 잔뜩 집어넣고 환영에 빠지는지, 빠지지 않는지 시험하는 거지. 옐로이즈는 향의 강도를 계속 올리는 역할을 해. 문을 잠가서 빠져나올 수는 없어. 환영에 빠진 자의 환영에서는 옐로이즈가 무시무시한 무기를 들고 무시무시하게 쫓아와! 진짜 재밌을 것 같아. 옐로이즈의 향에서 무사히 빠져나온 사람은... 드디어 마지막 시험을 보게 돼! 우리 대장인 드로메드가 보는 시험이야. 드로메드는 두가지 문제를 내. 첫번째 문제는 드로메드가 쓰는 마법을 전부 피하면 돼. 하지만 두번째 문제는... 나도 몰라. 어쨌든 이게 다이노원정대가 되기 위한 시험이야." 데이비드의 상세한 설명이 끝났다.

"설명 고마워. 드로메드, 그 두번째 문제는 뭐야?" 테라가 묻자 드로메드는 씩 웃었다. "그건 그때 보면 알게 될 거야. 너희는 예상 못했을 걸? 자, 그러면 모두 찬성한 거지? 이제 가자." 다이노원정대는 거실로 내려왔다. "오래 기다리셨죠? 죄송해요. 의견이 좀 엇갈리는 바람에. 일단 파르낭 할아버지와 벤, 다이아, 아틀라스 왕자님께서는 다이노원정대가 된 걸, 다이노원정대에 오신 걸 축하해. 정말 감사드리고요 왕자님. 앞으로 힘을 합쳐서 멋진 모험을 하자고~ 그리고 유니아 공주와 카일 왕자. 너희에게는 한 번의 기회가 있어. 우리가 낸 시험을 모두 통과하면 돼. 그러면 다이노원정대가 될 수 있어. 어때? 꽤 괜찮은 조건이지? 난 너희의 실력을 알아. 잘할 수 있을 거야. 음, 그리고 스케네 폐하. 저희가 지금 얘기를 들어야 할 것 같아요. 조용한 곳을 원하신다면, 따라오세요. 적합한 곳이 있습니다."

유니아와 카일은 세차게 고개를 끄덕였다. "당연하지. 빚을 갚는 의미로도, 모험을 할 때 도움을 주는 의미로도 우린 꼭 참여할 거야."

스케네 왕과 드로메드, 데이비드는 조용한 곳에 가서 얘기를 나눴다. "고귀하신 폐하. 저희를 부르신 이유가 무엇인지 여쭙겠습니다. 무슨 고난이 있으신 겁니까?" "그게... 고백할 게 있어서 말이다." "고백이요?" 둘이 동시에 물었다.
국왕이 한낱 일반인에 그치지 않는 아이들에게 고백할 것이 뭐가 있을까? "사실 저번에 파르낭 장군께서 말씀하신 강하고 어두운 힘을 가진 나쁜 자. 그 자가 나에게 레드문 얘기를 해주었고 난 그 말을 듣고 혹했다. 그래서 이번 일을 벌이게 되었어. 나는 그 분의 부하였어. 그 분이 시키는 대로 했지. 어둠의 힘에 중독되어 내가 어떤 끔찍한 짓을 하는지조차 몰랐다. 잭의 가족을 인질로 잡고 너희를 미로에 던진 것도 내가 시킨 일이야. 안타깝게도 왜 그랬었는지 기억은 잘 나지 않아. 한동안 깊은 잠에 빠졌던 것처럼 정신이 몽롱해. 그리고, 최근 내가 제일 믿는 부하에게 명을 하나 내렸다. 저번에 너희가 동굴로 올 때 보았던 칼린이 내가 명령을 내린 부하란다. 그런데 칼린이 캐온 정보를 입수해 보니 충격적이더군. 데이비드. 넌... 드로메드와 타우랑 연관이 있고. 진짜 정체가 밝혀지면 위험해 진다는 것도 알고 있다. 드로메드 넌 존재 자체가 타우와 관련되어 있다 던데. 데이비드와도 마찬가지고. 재빨리 명을 거두고 그곳에서 나왔으나 칼린이 너무 멀리 있어 그 소식이 전달되지 못한 것 같으니 아직 너희의 정보를 캐고 있을 거야. 아마도... 머지않아 그 분께 그 정보가 들어갈 것 같다." 스케네 왕이 깊은 한숨을 내쉬었다. 이 이야기를 들은 드로메드와 데이비드의 눈이 커다래졌다. "네? 그... 그 정보가 조직의 손에 들어 갔다고요? 아니 어떻게 그걸..." "큰 악의 조직이야. 원하는 정보는 무엇이든 캘 수 있어. 그 어떤 것이라도...”

“우선, 폐하께서는 칼린을 데려와 주세요. 어디까지 정보를 캤는지 말해주세요. 염치없고 무례한 부탁이며 매우 송구하오나 그곳에서 나오지 말고 계속 있어 주시면 감사할 것 같습니다. 그러면서 그곳의 정보를 저희에게 넘겨주셔요. 하늘의 일과 오늘의 일은 제가 관련된 이들을 제외한 나머지 사람들 기억을 모두 지울 터이니 없는 일로 하는 겁니다. 우리가 번개를 타는 것을 목격한 사람이나, 그 회색 눈의 좀비 인간들 말이에요.”

“알겠다. 칼린을 이곳으로 부를게. 칼린도 다이노원정대에 협조할 것이야.”

“황송하옵니다. 그럼 바로 시작하죠. 절대 비밀입니다. 무덤까지 가지고 가야해요.” 드로메드와 데이비드는 스케네 왕과의 충격적인 대화를 끝내고 시험을 준비했다.

“…타우에겐 말하지 마. 하더라도 나중에. 알지?” 데이비드가 암울한 분위기 속에 먼저 말을 꺼냈다. “당연하지. 알렉스에게도 먼저 말하지 않으려고. 물어보면 답해야 하겠지만.” 드로메드는 씁쓸한 표정을 지었다. “난 칼린이란 사람, 정체가 뭔지 알 것 같아.” 데이비드가 의미심장한 말을 꺼냈다. “누군데? 난 잘 모르겠어. 그냥 고수인 줄만 알았거든. 베일에 싸인 고수.” “아, 아직 확실치 않아서. 모든 게 드러나면 꼭 알려 줄게.” 데이비드는 지금은 아니라며 고개를 저었고 드로메드는 한숨을 푹 쉬었다. “내가 태어나면 안 되었어. 아니, 태어났었더라도 멀쩡하게 태어나야 했어. 딱 3일만 더 기다렸으면 되었어. 왜 하필…!” 드로메드는 주먹을 꽉 쥐었다. 너무 힘을 주는 바람에 팔 전체가 부르르 떨렸다. “네 잘못이 아니야. 단지 시기가 당겨지고 어둠이 새로이 나타났을 뿐. 어디에도 네 잘못은 없어, 널 이용하려는 사람들이 나쁜 거야." 데이비드는 고개를 숙여 친구의 얼굴을 바라보았다. 드로메드가 좌절하는 표정이 다 보였다.
드로메드는 친구들 앞에서는 감정을 잘 숨기지 못했다. 가족들이나 다른 사람들에게는 항상 웃는 얼굴이지만 친한 친구 셋과 있을 때는 나약한 소년으로 변했다. 옐로이즈도 예외였다. 옐로이즈 앞에서 드로메드는 절대 나약한 모습을 보이지 않았다. 강하고 이해심 많은 모습을 보였다. 자기야 어떻게 되든 상관없지만 그의 가족과 친구들은 상처받지 않았으면 했기 때문이다. 모든 것이 두렵고 불안한 어린 아이. 이 모습이 드로메드의 본 모습이었다. 그의 친구들은 드로메드를 이해하고 보듬어 주었다. 이렇게라도 하지 않으면 드로메드는 세상을 버틸 원동력이 없어지는 것과 마찬가지다. 그때, 알렉스를 만나지 않았다면 드로메드는 진작에 죽었을 것이다. 옐로이즈가 다 막지 못했을 테니. 친구와 가족이 없으면 이 힘든 세상을 살아갈 이유가 없었다. 문제는, 이런 날이 얼마 남지 않았다는 것이다. 드로메드는 물론이고 데이비드도 그것만 생각하면 가슴이 철렁하고 손이 덜덜 떨렸다. 차라리 드로메드 말고 나였으면, 데이비드 말고 나였으면 하는 생각이 자꾸 떠올랐다. 그렇지만 두 아이는 생각만 할 뿐, 근본적인 해결책을 찾지 못했다. 아무 생각도 하지 않은 채 영원히, 모든 일이 끝낼 때까지 잠들어 있고 싶었다. 모든 게 해결 된 뒤에 일어나면 얼마나 좋을까. 하지만 그런 일은 절대 일어나지 않았다. "드로메드. 잘 들어. 힘듦을 이겨내는 가장 좋은 방법은 피하지 않고 부딪히는 거야. 아프고 힘들어도 부딪혀. 피하면 넌 계속 네 속 어둠에 지는 거야. 그러니까 정신 차리고 이겨내자. 알았어?" 데이비드가 할 수 있는 말은 그거였다. 그 말 밖에는 할 수 없었다. "그래. 나도 너무 잘 아는 사실이야. 늘 상기시켰던 것이기도 하고. 늘 그랬던 것처럼 오늘도 버텨내자. 하루하루 열심히. 아득바득 살면서. 그러다 보면, 언젠가 빛에 도달할 수 있겠지." 짧은 대화를 마친 두 사람은 서둘러 친구들이 있는 곳으로 돌아갔다. "근데 시험은 어디서 치러? 너희 집이 아무리 넓어도 그 정도는 아니지 않아?" 모타카의 질문에 드로메드는 곰곰이 생각을 해보았다. 맞았다. 드로메드의 집은 어리고 강한 벤트 아이들의 시험을 견뎌줄 만큼 튼튼하지 않았다. 그때 아틀라스 왕이 허허 웃었다. "다이노원정대. 걱정하지 말거라. 그거야 다이노원정대의 새 본부에서 하면 되지."

31. 유니아, 카일 다이노원정대의 5관문을 뛰어넘어라!

"아까 폐하께서 말하신 그..." "맞단다. 짐의 작은 선물이지. 가자꾸나."
다이노원정대와 일행은 다이노원정대의 본부로 갔다. 생각보다 멀지 않았다. 다이노원정대의 걸음으로 4분에서 5분 정도 걸렸으니 말이다.
아틀라스 왕은 모두가 편하게 이동할 수 있게 본부의 위치를 최대한 다이노원정대의 학교와 집에 가깝게 지어 놨다. 다이노원정대의 본부는 정말 어마어마하게 컸다. "우와…" "진짜 크다!" "여기가 우리 본부라고?" "어떤가? 마음에 드니?" 아틀라스 왕은 떨리는 마음으로 물었다.
왕은 정치만 할 뿐, 서민들의 문화와 10대 아이들의 취향을 잘 몰랐기 때문에 혹여 마음에 차지 않기라도 할까 걱정이 된 것이다. "완전 좋아요!" "진짜 멋있다!" 다이노원정대의 새 본부는 크고 멋있었다. 새로 지어서 그런지 모든 곳에서 광이 났다. 그곳은 다양한 시설들도 많았다. 데이비드와 테라가 좋아하는 훈련장과 타우가 좋아하는 도서관, 알렉스의 고향인 프로아나를 축소해 놓은 남극관도 있었다. 각자 방도 있었으며 주방과 화장실도 있었다. 아주 큰 하나의 집 같은 구조였다. 그리고 웬 훈련용 무기와 실전용 무기들이 이렇게 많은지 테라와 티라가 눈이 해까닥 뒤집혀서 미쳐 날뛰었다. "좋아. 여기면 딱 좋겠다. 아틀라스 폐하. 정말 감사드립니다." "다이노원정대가 우리를 도와준 것에 비하면 이런 건 아무것도 아니다. 한 나라의 국왕으로서, 두 나라의 전쟁을 막고 세계의 평화를 지켜준 다이노원정대에게 정말 감사하구나." 드로메드는 씩 미소를 짓고는 친구들을 다 불러모았다. "자 모두 모여! 바로 시작하자." "바로? 조금만 둘러보면 안 돼?" "그 다음에. 지금은 이게 우선이야. 조금만 참아."

다이노원정대는 새 본부를 둘러보고 싶었으나 꾹 참고 곧바로 시험을 시작했다.

첫번째 시험을 주관하는 테라는 몸을 풀었다. 심판은 규칙을 잘 아는 데이비드가 맡았다. 시험 시작을 알리는 종이 울리고 데이비드가 유니아와 카일에게 말했다. "유니아, 카일! 조심해. 무.깡. 테라는 진짜 무서워. 그리고 엄청 강해." "걱정 마~"

"자 규칙은 간단해. 너희가 테라를 공격하면 돼. 무기를 써도 되고. 너희가 할 수 있는 공격이란 공격을 다 하면 돼. 알았지? 그리고 테라 너는 무기를 쓰면 안 돼. 제한시간은 딱히 없으니 최대한 많이 공격해. 내가 휘슬을 불면 끝났다고 생각하면 돼. 그 뒤에는 테라가 점수를 매길 거야."

"잠깐! 심판. 우리가 막 공격하면 쟤가 다치지 않을까? 그리고 2대1인대..."

"뭣도 모르는 소리. 테라가 얼마나 강한데. 내가 볼 때는 너희가 튕겨 나갈 가능성이 훨씬 높아. 그리고 내 이름은 데이비드야."

"아 데이비드. 쟤가 그렇게 강해?"

"테라는 모두가 뛰어난 다이노원정대에서도 손꼽히는 실력자라고." 대화가 길어지자 저 멀리에서 테라의 재촉하는 소리가 들렸다. 드디어 시험의 시작을 알리는 호루라기 소리가 들리고 유니아와 카일은 테라에게 덤벼들었다. 유니아는 주먹을 날릴 준비를 한 뒤 달려왔고 카일은 위에서 날아왔다. "흣. 이 정도 쯤이야." 테라는 가볍게 공격을 피했고 재빠르게 카일을 쳐냈다. 그리고 달려오는 유니아에게 태클을 걸어 넘어트렸다. 탁탁, 탁 하는 소리와 함께 두 명 다 뒤로 밀려났다.

"우와 역시 테라야. 확실히 달라." 지켜보던 다이노원정대는 테라의 민첩함과 공격력에 감탄했다.

"뭐냐. 겨우 이 정도야? 생각보다 약하군. 아니지, 내가 너무 과대평가 한 건가?" 테라는 유니아와 카일을 도발했다.

다시 일어난 유니아는 테라에게 화살을 쏘았다. 세 발이었다. 정확히 테라에게 겨냥되었다. 보이지도 않을 정도로 빠르게 날아왔지만 테라는 눈도 깜빡하지 않은 채 그 화살들을 손으로 쳐냈다. 테라가 화살을 막는 동안 카일이 뒤에서 칼을 들고 테라에게 달려들었다. 뒤통수에 서늘한 기운이 느껴지자 테라는 화살을 막는 동시에 카일의 칼을 막았다.

그때 테라의 등에서 검은 두 날개가 나왔다. 프테라노돈의 날개였다. 유니아는 테라에게 활이 잡힌 채, 카일은 칼이 잡힌 채 하늘 위로 올라갔다. 테라는 그 상태로 빙글빙글 돌았다. 강한 회오리가 공중에서 만들어졌다. 테라는 어느 정도 둘의 힘이 빠졌다고 생각하자 순식간에 날개로 바람을 일으켜서 유니아와 카일을 땅으로 처박았다. "으윽..." "강하다...!" 유니아와 카일은 비틀거렸고 테라는 여유만만하게 내려왔다. "형편없군. 정말 형편없어." "뭐라고?! 욕하지 마!" "그러면 더 나은 모습을 보이던가. 그렇게 형편 없는 나약한 모습만 보이는데 어떻게 내가 너희에게 좋은 점수를 줄 수가 있지?" 유니아와 카일은 분노했다. 참을 수 없었다. 그 모습을 보고 테라는 드로메드에게 눈을 찡긋했다. 드로메드는 테라에게 고개를 끄덕여 주었다.

그랬다. 이것은 다 계획된 것이었다. 시합 전, 드로메드는 유니아와 카일이 싸움을 잘 못할 경우 최대로 능력을 끌어내게 화를 돋우라고 했다. 치사하기는 했지만 그 방법은 아주 잘 먹혔다. 유니아와 카일은 조금 전과는 확실히 다르게 테라를 공격했다. "우리가 얼마나 강한지 보여주마!" "그래. 이제 좀 봐줄 만하군. 덤벼라!" 유니아와 카일은 창에 물 마법을 걸고 화살에 불을 붙여서 테라를 공격했다. 테라는 날개로 아까보다 더 큰 바람을 일으켜서 그 공격을 반사시켰다.

유니아와 카일도 반격했다. 유니아는 불 화살에 불을 더 붙여 속도가 붙게 했고, 카일은 물 마법이 걸린 창을 다시 쥐고 누나와 힘을 합쳐 테라에게 던졌다. 불 화살은 테라의 머리카락에 불을 붙였고 테라는 그 불을 손으로 가볍게 껐다. 하지만 날아오는 물 창은 피하지 못하고 등과 어깨 쪽에 맞았다. '콰직' 하는 섬뜩한 소리와 함께 테라의 날개 깃 몇 개도 부러졌다. 테라는 팔로 창을 쳐냈다.

유니아와 카일은 테라가 이제 전혀 오른쪽 팔과 날개를 쓰지 못할 거라고 생각했다. 하지만 테라는 전혀 타격이 없었다. 오히려 웃고 있었다. 테라는 날개 깃이 부러졌지만 날거나 수비에 전혀 지장이 없었다. 이런 일은 하도 많이 겪어봐서 너무 익숙했기 때문이다. 처음 겪을 땐 조금 아팠지만 지금은 다르다.

"이… 이럴 수가… 공격이 전혀 통하지 않아!"

"내가 괜히 이름만 다이노원정대 제일 실력자겠어? 더 해봐." 이 말을 들었으면 알렉스와 테라는 대판 싸웠을 것이다. 둘 다 자기가 제일 강하다고 주장하고 있으니까. 알렉스가 못들은 것이 다행이었다. 하지만 그 말을 1열에서 들은 유니아와 카일은 더 거센 공격을 퍼부었다. 테라는 반은 공격을 맞았고 반은 피하며 역공격을 했다. 테라의 입장에서는 정말 가벼운 공격들이었지만 그 공격들은 무시무시하게 유니아와 카일에게 퍼부어졌다. 하지만 테라도 공격을 받았기에, 유니아와 카일도 보기보다 꽤 강했기에 점점 지치고 있었다. 게다가 유니아는 자타공인 독 전문가였다. 계속 강한 독이 날아와 중독되어 가고 있었다. 이걸 테라에게 말하면 분명히 아니라고 할 테지만. 유니아와 카일은 무조건 98점 이상의 점수를 받기 위해 미친듯이 달려들었고 테라는 그 공격들을 피하고 맞으며 버텼다.

테라는 이기는 게 목적이 아니었기에 건성건성 공격했지만 유니아와 카일은 진심이었다. 그들은 무조건 이기기 위해 있는 힘 없는 힘 다 끌어내며 악을 썼다. 테라는 잠시 뒤로 물러가 숨을 가쁘게 몰아쉬었다. '내가 주관하는데 내가 포기하면 되겠어? 저런 아마추어들한테 질 수는 없지.' 테라는 다시 마음을 다잡았다. 그만큼 유니아와 카일의 실력이 좋았다.

그때였다. 시합 종료를 알리는 종 소리가 울렸다. "아 이제 시작하려 했는데! 데이비드 자식… 뭐, 수고했다. 유니아, 카일. 내 평생 드로메드, 알렉스, 옐로이즈, 데이비드 말고 너희만한 상대를 만난 적이 없는데… 그건 그만큼 너희가 강하다는 것이겠지. 너희 둘. 앞으로 경쟁하며 성장해라. 가장 잘 알고 가까운 사람끼리 싸워보는 게 빠른 성장의 가장 좋은 지름길이야.” 테라는 유니아와 카일에게 씩 웃어 보인 뒤, 뒤를 돌아 다이노원정대에게 갔다. “테라야! 괜찮아?” 옐로이즈가 소리쳤다. “드로메드. 네 방법이 도움이 되더라. 쟤네 꽤 강했어.” 테라가 웃었다. “아무리 그래도 그렇게까지 하면 어떡해. 난 빨리 끝낼 건데 너도 좀 빨리 끝내지.” 드로메드와 옐로이즈는 동시에 말했다. 드로메드는 한숨을 내쉬었다. “쌍둥이라 그런가 아주 데칼코마니네. 난 쟤네의 최대 힘을 끌어내야 했다고. 나 진짜 멀쩡… 으윽…” 테라는 다친 상처가 꽤 아파 보였다. 그도 그럴 것이 테라의 옷은 여기저기 찢어져 있었고 유니아의 독을 맞은 부위에는 피가 흐르고 있었으며 날개의 깃털도 몇 개 빠지고 부서져 있었다. “나 괜찮… 악!” 그때였다. 갑자기 테라 위로 물이 확 쏟아졌다. “퉤! 야 모타카 너 지금 뭐하는 거야!” 모타카는 울상을 지었다. “으으 테라야 괜찮아? 내가 물 더 뿌려 줄게. 아플 땐, 물만큼 좋은 게 없는 거야. 잠깐만!” 모타카는 화장실을 향해 달려갔다. “모타카 기다려. 가지 마! 난 옵탈모사우루스가 아니야! 어룡도 아니고!” 하지만 모타카는 쏜살같이 화장실로 가서 테라의 말이 전달되지 않았다. “아… 쟬 어떡하면 좋냐…” “애들이 다 약 가지러 갔어. 멀리서 보기에 네 상처가 너무 심각해 보여서… 다들 경악했어. 오래 걸릴 거야. 너무 넓어서 어딜 가야하는지 모르나 봐. 닥치는대로 돌아다니더라. 벤, 다이아, 아틀라스 제왕, 아틀라스, 파르낭 할아버지도. 스케네 제왕께서도 저곳에서 보고 계셔. 내가 장담하는데 알렉스는 원래 목적은 훌륭했을지 몰라도 남극관에서 정신이 팔려 있을 거고, 타우는 도서관에 눈이 팔려 있을 거다. 본능적인 거니까.

그나저나 점수는 생각해 봤어?" 데이비드가 어느새 훅 끼어 들어서 말했다. "맞다. 점수 어떻게 하지? 난 괜찮았어. 하지만 모두의 문제니 너희 의견도 들어볼게." "음... 난 좋았어. 너라는 너무나도 강한 상대 앞에서도 포기하지 않은 용기가 멋있었어. 그 용기가 다이노원정대가 되기 위한 것에 포함되기도 하고. 난 테라에게 이렇게 이 악물고 달려드는 상대는 한 번도 못 봤거든."

데이비드는 유니아와 카일이 마음에 든다고 했고 드로메드도 고개를 끄덕였다. "좋아! 한 번 더 기회를 주지. 99점!" "유니아와 카일을 통과시키기로 한 거야?" "응. 딱히 엄청 마음에 쏙 든 건 아니지만 너희 말대로 한 번 더 기회를 주려고. 어차피 내 다음 때문에 떨어질 같기도 같지만." "알았어. 현명한 선택이야."

테라는 다이노원정대와 함께 쉬었고 곧바로 두번째 시험이 시작되었다. '그 냉철한 테라에게서 99점을 받다니… 더 악독하게 시험해봐야겠군.' 데이비드의 말처럼 남극관에 눈이 팔려 있다가 어느새 돌아온 알렉스가 생각했다. "자 이번에는 멘탈과 인내심을 시험할 거야. 규칙은 참는 것뿐. 그럼 시… 작!" 2번째 시험이 시작되었다.

알렉스는 시험장에서 순식간에 배경을 바꿨다. 화산이었다. 화산이 폭발하고 있는 배경이었다.

"으악!" "이게 뭐야!" 유니아와 카일은 용암을 피해 도망쳤다. 그리고 용암이 덮치려던 그때 배경이 바뀌었다. 유니아와 카일이 화산은 생각보다 무서워하지 않았기 때문이다. 알렉스는 문득 유니아와 카일이 리스트너 왕국에서 나고 자랐다는 사실을 기억해 냈다.
리스트너 왕국은 자연 환경이 매우 안 좋고 치료가 불가한 여러 병과 자연 재해가 많이 일어나는 곳이었다. 이런 척박한 환경에서 살아난 것이 용한 것이었다. '그렇다면…' 이번에는 익룡들이 가장 싫어하는 바다였다. 알렉스는 천천히 시간을 두고 지켜보았다. '바다…?' '으읍! 숨을 못 쉬겠어!' 정말 바다는 아니었지만 유니아와 카일은 그렇다고 착각을 했다. 알렉스는 그것을 시험하는 것이다. 저들이 가장 무서워하는 것을 분석해 배경을 계속 바꾸었다. 유니아와 카일은 숨을 쉬려고 가려했지만 올라갈 수 없었다. '어리석은 녀석들. 역시 익룡은 익룡이군. 저 녀석들이 테라에게서 어떻게 그 점수를 받았지? 걔가 봐준 건가... 하지만 나에겐 어림없다.' 알렉스는 바다의 배경에서 순식간에 얼음을 만들어 그 안에 유니아와 카일을 가두었다. 진짜 얼음이었다. '윽 차가워!' '하아… 너무 힘들어!' 유니아와 카일은 빠져나오려 했지만 쉴 새 없이 몰아치는 공격에 느끼는 두려움과 불안감 때문에 마음대로 할 수가 없었다. 알렉스가 완전한 얼음을 만들지 않았기에 그들의 힘으로 충분히 빠져나올 수 있었지만 유니아와 카일은 그러지 못했다. '한심한 녀석들 같으니라고. 바로 끝내주마.'
알렉스는 얼음을 치우고 배경을 바꾸어 환상을 만들어냈다.
"누나! 이것도 시험일까?"
"그래. 이번엔 절대 그 냉철하고 차갑고 웃지도 않는 이상한 놈에게 당하지 말자. 그 무엇이 오든."
알렉스는 화가 머리 끝까지 났다. 당연하게도 누군가에게 냉철하고 차갑고 웃지도 않는 이상한 놈이라고 불리는 건 좋은 일이 아니었다.
그때였다. 알렉스가 만들어 낸 어린 남자아이가 유니아와 카일 앞에 뛰어왔다. "엄마! 엄마 어디 계세요? 아빠! 엄마!" 그 어린 남자아이는 울고 있었다. "너… 너는…!" 유니아와 카일은 그 아이를 보고 휘청거렸다. "으흐흑... 우리 엄마 아빠가 사라졌어요… 갑자기 보이지가 않아요... 모든 게… 모든 게 R때문에 사라졌어요… 흐흑…"
'유니아. 카일. 과연 너희가 이걸 견딜 수 있을까. 견뎌라!'
"으아악! 이게 다 당신 때문이야! 유니아! 카일! 다 너희 때문이야! 절대… 절대 용서할 수 없어. 리스트너 왕국, R… 난 죽을 때까지 너희를 증오할 거야!"
울던 아이는 갑자기 확 커졌다. 그 아이는… 타우였다. 타우가… 타우가 유니아와 카일에게 소리치고 있었다.
알렉스는 살짝 당황했다. '잠깐. 이건 아닌데. 타우는 유니아와 카일이 마음에 든다고 했어. 바꿔야겠군. 좋아, 지금이 인내심 시험을 할 기회다!' 알렉스는 모든 걸 치우고 또 한 번 배경을 바꾸었다.
얼음 왕국이었다. "그래 카일. 타우는 우리를 미워하겠지…? 우리가 다이노원정대가 되면 타우가 괴로워할까? 우리는 되면 안 되는 걸까? 하지만 난 가능성이 있댔어." "모르겠어. 나도…" 유니아와 카일은 혼란스러워 했고 알렉스는 진짜 단단한 얼음으로 주변을 조금씩 얼렸다. 날씨는 점점 더 추워졌다.
"으윽… 누나 나 더는 못 버티겠어…"

"아니야. 안 돼. 우리는 무조건 해야만 해. 이건 인내심 시험이야. 우리는 참아야만 해! 알았어? 타우에게 진 빚을 갚아야지! 지금 우리를 시험하는 애 말이야. 걔는 엄청 냉철하고 무섭기로 유명해. 걔는 그걸 노리는 거야. 타우의 어릴 적 모습으로 우리의 멘탈이 흔들리게 하고 얼음으로 고문하는 거라고! 우리 여기서 포기하지 말자. 절대." 유니아는 정신을 바짝 차리고 카일을 다독였다. '나 참. 걔는 기억력이 안 좋은 거야? 우리를 왜 걔 아니면 얘라고 불러? 그나저나 나 안 좋게 소문 나 있었구나... 하여튼 내 기분을 상하게 하다니… 더욱 강력한 맛을 보아라!' 알렉스는 화가 나서 얼음으로 유니아와 카일이 있는 곳을 얼리더니 이제는 서서히 기온을 낮췄다.

하지만 알렉스는 추위를 아예 느끼지 못했고, 어느새 기온은 영하 40도까지 내려갔다. 유니아와 카일은 얼어 죽을 것만 같았지만 꾹 참고 버텼다. 그때 얼음 왕국에서 갑자기 감옥으로 배경이 바뀌더니 그 안에 갇혀 있는 사람이 나왔다. "으… 으윽... 살려주십시오… 제발 아이만은 살려주십시오... 그 아이는 아무 잘못이 없어요! 제발..." 그 사람은 남자였고 고문을 당한 듯 옷이 찢어지고 신음을 길게 했다. "당… 신은…" 유니아는 얼굴이 창백해졌고 카일은 눈물을 흘렸다. "이게 다 레이몬드 때문이다… 이게 다 R 때문이야! 그자의 욕심 때문에 모든 것이 망가졌어. 그러니 그도 비참한 최후를 피하지 못할 것이다!" R이란 사람에 대한 분노와 서러움. 그 남자는 R에게 깊은 원한을 가지고 있었다. 그 남자는 그 말만 남긴 채 홀연히 사라졌다.

유니아와 카일은 정신이 나갈대로 나갔고, 추위도 계속 거세졌다. '버텨. 유니아! 정신 차려. 버텨. 버텨야 해.' '여기까지 왔는데 포기 못해!'

그때였다. 알렉스는 매서운 눈보라와 추위를 멈추고 원상복구를 시킨 뒤, 추워서 머리부터 발 끝까지 꽁꽁 싸매고 있는 심판인 데이비드에게 소리쳤다. "데이비드! 난 이쯤에서 그만하지. 내 시험은 끝났다. 카르노 한테 불 좀 뿜으라고 전해라."
알렉스는 데이비드에게 그 말만 전하고는 유니아와 카일에게 걸어갔다.
"포기할 줄 알았다."
"뭐?"
"처음에 너희들이 테라한테서 어떻게 99점을 받았을까 했지. 테라는 나 다음으로 쌀쌀맞은 애라고. 걔 한테서 좋은 점수를 받을 확률보다 차라리 복권 당첨 될 확률이 더 높을 정도로. 뭐, 조금은 이해가 간다. 안 좋은 일을 끄집어 내서 멘탈 시험을 하고, 저 세상 추위로 인내심 시험을 했는데 너희는 포기하지 않더라. 마음에 들었어. 앞으로도 절대 무슨 어려운 일이 닥쳐도 포기하지 마라. 내 점수는 100점. 오늘 복권 꼭 사라. 아, 그나저나 나 이상한 놈으로 소문 나 있었나?" 알렉스는 좀처럼 보기 힘든 미소를 짓더니 유니아가 어리벙벙한 채 그렇다고 하자 인상을 쓴 채로 그대로 돌아 휙 가버렸다. "알렉스! 난 꽉 채웠는데 넌 왜 이렇게 빨리 끝냈어? 그래도 되는 거야?" 테라는 머리에서 물이 뚝뚝 떨어진 채 억울하다는 듯이 말했고 알렉스는 웬일로 웃었다. "음… 이미 내가 낸 시험을 저 아이들이 완벽하게 통과 했으니까. 그나저나 너… 어휴 모타카 성격 알지?" "말도 마. 죽겠어..." 테라는 한숨을 쉬었고 드로메드가 물었다. "다이노원정대 5시험 중에서 가장 악독하다고 소문난 그 시험을 유니아와 카일이 저렇게 빨리 통과했다고? 그리고 너 몸은 괜찮은 거 맞지?" "응. 내가 낸 시험의 목적을 알아차린 거지. 난 괜찮다. 그리고…" "아 몰라! 시험의 목적이고 뭐고." 테라는 그 둘의 대화를 끊어 놓기 위해 안간힘을 썼다. 드로메드와 알렉스가 만나면 대화를 지치지도 않고 계속하기 때문이다. 만약 그러면 그 사이에서 테라는 질려 죽고 말 것이다.

다행스럽게도 그때 3번째 시험이 시작 되었다. "자 이번 3번째 시험은 티라와 하는 달리기 시합! 1000미터를 달리면 된다! 단, 티라와의 달리기 기록이 3초 이상 벌어지면 자동 탈락이다! 그러면 준비하시고… 준비… 시…작!" 3번째 시험은 순식간에 시작되었다. 시작과 동시에 티라는 쏜살같이 앞으로 뛰어나갔다. "우와! 눈에 보이지가 않아!" 테라는 환호성을 질렀고 모타카는 어지러워서 쓰러지고 말았다. 드디어 약을 찾은 아르마도 저 멀리서 뛰어왔다. "우와! 저 누나 왜 이렇게 빨라?" 카일이 소리쳤고 유니아도 열심히 쫓아갔다.

하지만 역부족이었다. 데이비드와 알렉스, 드로메드, 옐로이즈, 테라, 타우는 저 멀리서 지켜보고 있었다. "테라야!" 아르마는 어느새 테라의 몸 곳곳에 약을 덕지덕지 바르고 있었다. "우와… 역시 전광석화라니까." "암~! 티라는 아무도 못 따라잡지. 그렇지 드로메드?" 데이비드가 호탕하게 웃었고 드로메드도 고개를 끄덕였다. "응. 이번에는 통과를 못할 수도 있어." "아 여기서 탈락시키기에는 너무 아까운데…" 테라가 걱정스레 말했고 알렉스도 마찬가지라며 걱정했다. 달리기 시합은 티라가 훨씬 앞서갔고 유니아와 카일은 애를 썼지만 쫓아갈 수 없었다.

그때 그 모습을 걱정스럽게 지켜보던 타우가 갑자기 소리쳤다. "그래! 티라를 완전히 이기지는 못해도 이 시험을 통과할 수 있는 방법은 있어. 그 방법을 2분이 채 되지 않는 아주 짧은 시간 안에 찾아내는 게 이 시험의 목적이야. 그러니까 그 능력을 확인하려는 거지. 단순한 달리기 시합이 아니라."
데이비드와 알렉스, 드로메드는 깜짝 놀랐다. "아 그래! 이 시험의 목적은 따로 있었던 거야!" "와... 역시 타우야!" "그런가? 네 말이 맞는 것 같기도?" "올~ 좋은 걸 잘 캐치했네?" "과연 유니아와 카일이 방법을 찾나 못 찾나 보자고~"
한편 다이노원정대와 벤, 다이아, 파르낭 할아버지, 아틀라스 왕과 왕자, 스케네 왕이 저 멀리서 지켜보고 있는 동안 카일과 유니아도 테라가 알아낸 것을 눈치챘다.
"누나! 우리 이대로는 안 되겠어!" "그래.. 우리 저기! 저기로 가보자!" 유니아는 작은 언덕을 가리켰다. 유니아와 카일은 언덕을 가로질러 티라를 따라잡았다. 유니아와 카일은 다이노원정대가 예상한 시간보다 이 시험의 목적을 훨씬 빨리 알아챘다. 그래서 티라는 당황했다. "어쭈구리~ 이 시험의 목적을 알았나 보군. 좋아, 아주 좋아!" 티라는 당황한 것도 잠시 전력을 다해 뛰기 시작했고 유니아와 카일도 더 전력을 다하기 시작했다. "야! 언덕 한 번 더 이용해!" 점점 격차가 벌어지자 유니아와 카일은 한 번 더 언덕을 이용하려 했고 그걸 눈치챈 티라는... "어? 안 돼! 내가 가만 놔 두지는 않지~ 암 그렇고 말고!" 이렇게 외치더니 한쪽 손으로 바람을 일으켜 언덕을 날려버렸다.

유니아와 카일은 당황할 새도 없이 그냥 길을 가로질렀고 마침내 결승선이 보였다. “슛~~! 골인!” 티라가 결승선에 도착했고 곧 유니아와 카일도 도착했다. “티라의 기록은 1분 55초 36! 역시 빨라~ 유니아와 카일의 기록은... 1… 1분 57초 87! 3차 시험 통과!” 티라는 엄청 빠른 기록으로 결승선을 통과했고, 유니아와 카일도 정말 아슬아슬하게 통과했다. “하아... 하아... 와... 진짜 걔 너무 빠르다.” “윽 죽을 것 같아... 토할 것 같애…” “크~ 오랜만에 달리니 기분 최고다! 너희 잔머리 하나는 인정 해줘야겠네. 앞으로 다이노원정대 활동하면 머리 많이 쓸 거야. 먼저 연습한 거라고 생각해~ 아, 그런데 이 말을 하는 나도 머리를 별로 안 쓰네? 뭐, 대부분은 테라랑 드로메드, 타우가 하니까.” 티라가 말을 끝내고 발에 박차를 가하며 멀어졌다. “우와 우리가 해냈다! 앞으로 2개만 더 통과하면 돼!” “진짜 힘들다...”

유니아와 카일은 너무 힘들어 했지만 다이노원정대의 4번째 시험은 유니아와 카일에게 쉴 틈을 주지 않고 바로 시작되었다.

“이번에는 부대장 옐로이즈가 주관하는, 제일 간단하게 보이지만 실은 제일 어려운 4차 시험이다! 멘탈과 인내심, 지성…을 필요로 하지. 너희는 이제 저 방에 들어가게 될 거야. 규칙은 환영에 빠지지 않는 거다!” 옐로이즈의 4차 시험이 시작되었다. “알렉스, 테라야 티라야! 유니아와 카일이 너희에게서 다 좋은 점수를 받았지? 걔네들의 가장 큰 장점은 뭐라고 생각해?” 시험이 시작되기 전, 옐로이즈는 알렉스와 티라, 테라에게 물었다.

“어? 옐로이즈. 넌 유니아와 카일을 알지 않아?”

“아니. 우리 오빠하고만 아는 사이야. 치사하게도, 나는 한 번도 만난 적이 없어."
"아 그렇구나. 그래서 네가… 일단 유니아와 카일은 절대 포기를 안 하더라고. 좀비인 줄 알았어."
테라가 제일 먼저 말했다. "유니아와 카일은 인내심도 강하고 멘탈도 강해. 조심해라." 알렉스가 이어서 말했고 티라도 유니아와 카일에 대해 설명해 주었다. "음… 걔네들이라면 분명히 네 시험에서 빠져나갈 방법을 찾을 거야. 잔머리가 좋더라고. 좋게 말하면 지성이 뛰어나다고~" "음… 알았어. 난 딱히 떨어트리고 싶은 마음은 없는데... 최선을 다해 해봐야겠지? 처음 강도는 상에 가깝게 해보지 뭐." 옐로이즈는 옐로이즈 답지 않게 오래 고민을 하다가 결정을 내렸다.
옐로이즈가 막 가려 할 때 알렉스가 옐로이즈를 붙잡더니 갑자기 무언가 속삭였다. 옐로이즈는 충격을 받은 듯 알렉스와 데이비드를 쳐다보았고 드로메드를 강력한 눈빛으로 쏘아보더니, 후에 고개를 끄덕였다. "열심히 해." "됐어!" 드로메드가 웃어 주었지만 옐로이즈는 평소 답지 않게 쌀쌀 맞게 대답하더니 시험장으로 가버렸다.
드로메드는 굉장히 의아해했다. "어? 왜 저러지… 알렉스 너! 무슨 말 했냐..." "난 거의 아무 말도 안 했다. 구지 힌트를 좀 주자면 나랑 데이비드, 타우의 정체 비스무리한 걸 좀 알게 됐다고나 할까?" 알렉스는 의미심장하게 말했고 드로메드는 충격을 받았다. "뭐?! 네... 네가 그걸 감히 말해? 야!"
드로메드는 배신감에 화가 머리 끝까지 나서 알렉스에게 다가갔다. 얼굴이 울그락붉그락 한 게 정말 화가 난 모양이었다. 드로메드는 고개를 빳빳이 들고 알렉스에게 소리쳤다. “아니, 그걸 지금 말하면 어떡해? 옐로이즈가 상처를 받아야겠어? 아니, 진짜 이건… 읍…” 알렉스는 재빨리 드로메드의 입을 막았다. “읍… 뭐 하는…! 이거 놔!” 드로메드는 버둥거렸지만 알렉스의 힘을 이길 수는 없었다. “야, 데이비드랑 타우까지 있을 때 말해. 그만 쫑알거리고. 지금은 다른 애들도 있잖냐.” 알렉스는 드로메드 귀에 대고 작게 속삭였다. 드로메드가 소리치는 바람에 당황한 것 같았다. 주변에는 남의 일에 참견하길 좋아하는 애들이 많았다. 여기서 비밀을 들킬 수는 없었다. 드로메드는 어쩔 수 없이 고개를 끄덕였다. 하지만 마음속의 배신감은 숨길 수 없어서 알렉스에게 눈길 한 번 주지 않았다. ‘이놈의 쌍둥이들은 쌀쌀맞은 때도 똑같다.’ 알렉스는 고개를 가로저었다.

그때 4번째 시험이 시작 되었다. 옐로이즈는 유니아와 카일이 있는 거대한 방 앞에서 손을 모으고 중얼거렸다. “나의 분신들이여. 시험자들에게 가서 우리의 힘을 보여 주거라…” 그러자 연기가 피어오르더니 방으로 곧장 들어가 향을 뿜어냈다. 옐로이즈는 향의 강도를 조금씩 올렸고 지난번 하늘의 3차 관문보다 더 강하고 진한 향기가 방을 꽉 채웠다.

한편, 방에 있는 유니아와 카일은 점점 높아지는 향에 정신을 차리지 못하고 있었다. “윽 누나 숨을 못 쉬니까 죽을 것 같아…!” “야 카일! 저거… 저거 주어와!” 유니아는 최대한 향을 마시지 않으려 노력하며 방바닥에 떨어져 있는 잡동사니들 중에서 가장 뾰족한 물건을 집어 들었다. “카일 준비 됐어? 이걸 소방 훈련 비슷한 거라고 생각해. 처음엔 무얼 하지?” “응 누나. 처음엔… 일단 불이야 하고 외친 다음 화재가 난 곳에서 벗어나야지.”

"맞아. 이 방에서 나가는 거야!" "진짜? 그래도 돼? 규칙에 어긋나지 않아?" "내가 죽게 생겼는데 규칙은 무슨 규칙! 그리고 이런 거 하지 말라고 심판 남자애가 말하지도 않았잖아."

향은 점점 더 강해져서 최고조에 달해 있었다. 둘 다 기절하기 일보 직전이었다. 눈 앞에 있는 물건도 제대로 보이지 않았다. "으윽... 자… 준비… 시… 작...!" 유니아와 카일은 미친 듯이 방의 벽을 두드렸지만 벽은 생각보다 튼튼했고 유니아와 카일은 당황했다. "헉... 뭐야...?" "더 빨리! 더 강하게!" 한참을 미친 듯이 두드려 댄 후에 벽은 조금씩 구멍이 뚫리기 시작했고 유니아와 카일은 향에 반쯤 취해 있었다. "으음? 누나. 저기서 무슨 여자애가 곤봉을 들고 쫓아오는데? 조금 흐릿하긴 한데.." "어 나도 그래..." 엘로이즈는 깔깔 웃고는 소리쳤다. "뭐야! 그렇게 빨리 취하면 어떡해? 하하하! 재미없잖아~" "누나 쟤가 우리 보고 재미없다고 한 거 들었지?" "응. 다른 건 다 참아도 그건 못 참지." 유니아와 카일은 해롱해롱하다가 갑자기 재미없다는 말에 정신을 차리고 눈을 부라렸다.

"카일! 스피드를 올리도록!" "네 누나!" 둘은 미친 듯이 벽을 허물었고 엘로이즈는 당황했다. "뭐야? 이것들이... 아서라!" 엘로이즈는 바삐 돌아다니며 벽 사이의 구멍으로 향을 쏘아 넣었고 유니아와 카일은 잠시 멈칫하다가도 다시 벽을 향해 무기들을 휘둘렀다. 그 상황은 계속 반복되었다.

저 멀리서 지켜보던 아이들은... 웃음을 참지 못해 뒤집어졌다. "으하하하! 흐흑… 아이고, 배야." "역시 레비가 시험을 보니까 저렇게 재밌구나! 으흑… 너무 웃겨.." "역시 엘로이즈답네. 하여튼 조금이라도 진지하게 할 거라 생각했던 내가 바보지…"

다이노원정대는 미친 듯이 웃었다. 손님들도 박장대소를 했다. 그만큼 옐로이즈의 시험은 난장판이었다. 마치 개그 코너의 한 장면 같았다.

유니아와 카일은 벽을 거의 뚫었고 옐로이즈는 이제 아예 향을 시험자들의 얼굴에 뿜고 있었다. 그때 시합 종료를 알리는 벨이 울렸고 시험이 끝나자 옐로이즈와 유니아, 카일은 서로의 얼굴을 보고 빵 터졌다.

옐로이즈는 이리 저리 뛰어다니느라 머리카락이 마구 헤집어져 있었고 다리가 후들거려 몸을 제대로 가누지 못했다. 유니아와 카일은 다크써클이 발 끝까지 내려갈 것만 같았다. 옐로이즈는 유니아를 별로 좋아하지 않았지만 이때만큼은 다 잊어버리고 실컷 웃었다. "으하하하 공주랑 왕자, 너희 몰골이 장난 아니구나!" "큭큭 너는 또 어떻고! 제대로 서있지도 못하면서."

옐로이즈가 다이노원정대가 있는 곳으로 오자 유니아와 카일도 잠시 동안 휴식을 맛볼 수 있었다. "옐로이즈. 이번에 너의 시험은 정말 모두가 다 미친 시험이었어! 오해는 말길. 좋은 뜻으로 말이야." "완전 대환장 파티였다고." "원래 시험이 이렇게 웃겨도 되는 거야?" "역시. 넌 장난이 아니야." 알렉스는 실컷 웃은 뒤 점수를 물었다. "점수는?" "말해 뭐해. 당연히 100점 만점에 100점이지. 그나저나 오빠! 데이비드! 알렉스! 타우! 잠깐 나 좀 봐."

옐로이즈는 유니아와 카일에게 만점을 주었다…! 드디어 유니아와 카일은 다이노원정대가 되기 위한 마지막 시험을 보게 되었다. 그런데 마지막 시험 주관자인 드로메드와 심판 데이비드, 알렉스, 타우는 옐로이즈에게 끌려가 대화를 주고 받았다. 그래서 뜻하지 않게 유니아와 카일은 꿀 같은 휴식을 취할 수 있었다. 가쁜 숨을 몰아쉬며 바람을 맞으니 이제야 좀 진정이 되었다. “오빠! 어떻게 나한테 그런 거짓말을 할 수가 있어? 그것도 이렇게 오랫동안? 내가 쟤네를 알고 지낸지가 얼만데!” “옐로이즈 미안해… 하지만 너만 모르는 게 아니야. 우리를 제외한 모두가 몰라. 오늘 이건 다 얘 때문이야…!” 드로메드는 알렉스를 흘겨보았다.

이글거리며 불타는 눈동자를 보아, 아마 이 짜증은 꽤나 오래 갈 것이라고 알렉스는 추측했다. 드로메드는 삐치거나 짜증을 내는 일이 1년에 두 세 번 정도로 아주 적지만 한 번 삐치면 그게 오래 갔다. 뭐, 그럴 때마다 알렉스는 드로메드를 똑같이 신경 쓰지 않고 냉대해 먼저 다가오게끔 만들었지만. 한 번도 드로메드는 알렉스를 이긴 적이 없었다. 이번에도 역시 그럴 것이다. “우리는 정체를 밝히면 안 되는 이유가 있어. 그래도… 너에게 말하지 않은 건 사과할게.” “맞아. 나도 사과할게. 하지만 그러면 우리는 위험해진다고.” 드로메드와 데이비드, 알렉스, 타우는 옐로이즈에게 변명을 했다. “위험해진다고? 왜? 그게 뭐 어때서? 난 너희가 그렇다고 해도 별 신경 안 써.” 옐로이즈는 대수롭지 않게 말했다.

그 말에 데이비드와 알렉스는 한숨을 쉬고 타우는 씁쓸한 미소를 지었다. “넌 그냥 매사에 신경 안 쓰는 거고… 하긴 네 오빠 덕에 신경 쓸 일이 없었겠지. 그게 네 장점이기도 하고. 왜 그러냐면, 우리가 살아 있다는 걸 아는 사람도 별로 없고 알게 되면 분명히 나를 이용하고 내 가문을 이용할 게 뻔하기 때문이야.” 타우가 말했다. “내가 지금껏 별로 말도 안 한 것도 그것과 관련이 있다." "이해해줘 레비." 데이비드는 머리를 긁적였다. "암만 그래도…" "넌 모르겠지만 내가 지금의 모습이 된 건 말야. 어렸을 때의 큰 사고 때문이야. 그게 잿네랑 연관이 있기도 하고 또…" "알아. 또 스케네 폐하의 조직과 연관이 있지. 근데 알렉스. 넌 그걸 왜 나에게 알려준 거야? 하필 지금?" "으응… 네가 애들이랑 떨어져 있을 때가 그때밖에 없어서… 그리고 그건 네 도움을 구하기 위해서다. 우리를 좀 도와줘." "내가 뭘 어떻게 도와주면 되는데?" "누군가 우리 정체에 대한 정보를 캐고 있다는 것이 밝혀졌어. 그리고 그 명을 내린 사람은 스케네 제왕이셨지. 스케네 제왕께서 잭을 시켜 너희를 해하게 했고 아틀라스 제왕께 벌어진 일도 자신의 짓이라 했어. 우리에 대해 조사하라 명을 내린 것도 스케네 제왕이셔. 하지만 모두 세뇌와 마법에 잠식되어 발생한 일일뿐, 스케네 제왕께서는 본디 성군이셔." 땅이 꺼질 것만큼 한숨을 쉬며 데이비드가 설명했다. "스케네 폐하께서 원래대로 훌륭한 정치를 펼치시고 완전히 바뀌셨잖아. 그러면 된 거 아니야? 뭐가 문제야?" "스케네 제왕 배후에 누군가 있어. 저번에 파르낭 할아버지가 말한 강하고 어두운 힘을 가진 나쁜 자가 그 배후에 있는 사람들인 것 같아. 그 사람들은 이 일을 끝낼 생각이 없어. 그리고 스케네 제왕께 레드문 이야기를 한 것도 그자의 짓이야. 우린 그 배후에 있는 자를 찾아야해. 그래서 지난번 하늘에서 내려온 직후 조사를 좀 했더니 결과가 나왔어. 내가 처음에 의심했던 사람들과 같은 사람들이더라. 이제 더 자세한 걸 조사해야 하는데 그 일에 네가 도움을 줬으면 해."

데이비드가 옐로이즈를 바라보았다. 잔뜩 기대에 찬 눈이었다. "음… 좋아,

재밌겠다! 그러니까 스파이 비슷한 걸 하라는 건가?" "음... 이걸 저렇게 이해하다니… 뭐, 그렇다고 생각해." "좋아! 하지만! 다시는 비밀 같은 거 만들지 마. 한 번만 더 그랬다가는 아주 확 그냥!" "아… 알았어. 진정해." "저기 옐로이즈? 분명히 말하는데… 이건 결코 재미있는 일이 아니야." 드로메드와 데이비드, 알렉스, 타우, 옐로이즈는 극적으로(?) 타협했다.

그런데 데이비드와 알렉스, 타우의 진짜 정체라는 건 무엇일까? 많이 위험하고 누구도 예상하지 못하고, 무엇보다 타우의 어릴 적과 관련이 있다고? 그리고 아직도 드로메드, 알렉스, 데이비드, 타우는 옐로이즈에게 제대로 된 사실을 알려주지 않았다. 자기들의 정체만 알려줬을 뿐. 드로메드와 데이비드가 스케네 왕과 나눈 더 자세한 이야기들도 아직 알렉스와 타우에게 온전히 전해진 것은 아니었다.

극적 타협이 이루어진 뒤, 드디어 마지막 5차 시험이 시작되었다. "잘 해. 다치지 말고. 유니아와 카일이 성공하길 빌게." 타우가 드로메드를 조용히 응원해 주었다. "응… 오늘 걔네가 성공하면 몇천 년 된 악의 고리가 끊길 거야. 꼭 그래야만 해." 드로메드도 주먹을 꼭 쥐었다. "유니아, 카일. 여기까지 오느라 수고 했어. 이번 시험은 내가 봐. 평소 우린 친구 사이지만 이제는 아니야. 정이란 정은 쏙 빼놓고 시험할 거니까 각오해." "우린 이미 각오하고 있어. 망설이지 말고 최선을 다해줘." "데이비드!" "오케이~ 자 이번 마지막 시험은 두가지로 나뉘어진다! 첫번째는 그냥 좀 간단하게 몸 푸는 의미로 드로메드의 공격을 전부 피하면 되고, 두번째는... 이 세상에서 단 한 명 밖에 할 수 없는 일을 너희가 하면 돼. 지금까지 단 한 명만 성공시킨 일이니 당연히 무척 어렵겠지?" 데이비드가 규칙을 설명했다. "잠깐. 첫번째는 이해가 가는데, 두번째는 이해가 안 가. 이 세상에서 단 한 명만 할 수 있는 일은 대체 뭐야? 이 세상에서 단 한 명만 할 수 있는 일을 우리가 어떻게 해?" "하하~ 이 세상에서 옐로이즈 밖에 못 하는 일이지. 그게 뭐냐, 바로바로 드로메드의 공격 본능을 막는 일! 어때? 우리의 시험이. 놀랐지? 놀랐지?"

데이비드의 말이 끝나자 여기저기서 숨을 들이키는 소리가 들렸다. "내... 내가 지금 뭘 들은 거야...? 그걸 걔네가 막을 수 있다고?" "말도 안 돼! 그건 드로메드 찐친인 데이비드랑 알렉스도 못하는 거 아니였어?" "근데 드로메드는 이제 힘을 제어 할 수 있지 않아?"

온갖 추측이 난무하는 가운데 시험이 시작되고 시험 시작을 알리는 벨이 울리자 마자 드로메드는 날아올라 가벼운 공격부터 쏘아대기 시작했다. 시험장에는 다이노원정대와 손님들의 숨소리와 드로메드가 마법 주문을 중얼거리는 소리 밖에 들리지 않았다.

"야 카일. 저거 맞으면 우리 끝장이야. 잘 피해!" "걱정 마!" 드로메드는 계속 공격을 퍼부었고 공격들은 거세지고 있었다. 한꺼번에 많은 양의 공격이 쏟아지고 유니아와 카일은 공격을 정신없이 피해 다녔다.

드로메드는 점점 어둠의 마법에 빠져들어 더 이상 유니아와 카일이 누군지도 잊었고 그들의 형태도 뚜렷이 보이지 않은 채 어둠에 빠져들었다. 드로메드는 이제 눈에 뵈는 게 없었고 그만큼 자기가 위험하다는 생각이 들어 보호하기 위해 공격은 더더욱 거세졌다. 유니아와 카일을 적으로 생각했기에 가능한 일이었다. 저 멀리서 이걸 지켜보던 다이노원정대는 드로메드와 유니아, 카일을 걱정스레 보고 있었다.

“얘들아. 다이노원정대의 시험은 원래 5가지 밖에 없었지만 드로메드가 자기가 어둠의 마법에 빠지면 위험하다는 걸 알면서도 이 시험을 추가로 넣은 이유가 뭔지 알아?” 그때 타우가 질문했다. “응? 원래 있던 게 아니야?” “응. 우리가 스타베이비즈에 있을 때. 그때 넣었어. 둘 다 드로메드가 하는 거라 하나로 통일했을 뿐이야. 아마 그때의 드로메드는 유니아와 카일이 이 시험을 보게 될 것이라고 예상했겠지.” “왜 그런건데?” 그러자 알렉스가 답했다. “아마 어둠의 마법으로부터 완전히 자유로워지고 싶기 때문일 거다.” “뭐? 설마 그 말은...” “그래. 쟤는 아직 어둠의 마법에게서 완전히 풀려나지 못했어. 요즘 어둠의 마법이 자주 드러나지 않고 흥분을 잘 안 해서 그런 거지. 아직…” 그렇다. 드로메드가 태어날 때부터 그를 옥죄었던 어둠은 아직도 고통스럽게 드로메드를 괴롭히고 있었다. 그걸 멈출 수 있는 사람은 쌍둥이 동생인 옐로이즈 밖에 없었다. “그런데 문제는 요즘 점점 그 어둠의 마법이 전보다 더 크게 감지 되고 있어.” “근데 넌 어떻게 저걸 멈춰?” “잘 모르겠긴 한데 아마 나는 태생이 빛이고 오빠는 어둠이라 그런 것 같아. 그러니 이 일을 유니아와 카일이 해낸다는 건 거의 불가능에 가까워.” 옐로이즈가 답했다. ‘아니야. 넌 하나는 알고 하나는 모르는구나… 그래, 모르는 게 당연하지. 이 비밀을 아는 자는 세상에서 오직 나랑 드로메드, 데이비드와 타우, 그리고 그 분 밖에 없으니... 너희 부모님도 몰라. 하지만... 하지만 이건 너에게 말할 수 없어. 미안해. 정말 미안해...’

알렉스는 테라의 장난에 심각해져 있다가 환하게 웃는 엘로이즈의 얼굴을 보며 크나큰 죄책감을 느꼈다. 하지만 엘로이즈를 위해서라도 그걸 밝히는 건 안 됐다. 그게 밝혀지면 엘로이즈가 너무 큰 충격을 받을 테니까.

한편 유니아와 카일은 요리조리 피하며 기회를 엿보고 있었다. "으악! 어어? 헉! 악!" "으윽! 왜 이리 빨라?!" 유니아와 카일은 예상치 못한 드로메드의 강력함에 놀라 제대로 된 반격을 하지 못했다. 몸이 겁에 질려 말을 듣지 않고 계속 도망만 다녔다. 너무 무서워 도망가는 것도 힘들 정도였다.

그때였다. 유니아와 카일이 미친 듯이 피하고 드로메드가 공격을 쏘고 있을 때 데이비드가 갑자기 기다랗고 뾰족한 원반을 휙 던졌다. 드로메드는 그 원반을 차마 보지 못한 채 맞았고 바닥으로 추락했다. 쾅 하는 소리와 함께 큰 먼지 바람이 일었다. "야 데이비드! 지금 뭐하는 거야?! 너 스파이지!" 테라는 불 같이 화를 내며 데이비드를 공격했다. "아야... 나 스파이 아니야! 화내지 마. 드로메드가 시킨 거야. 마지막에 분노와 힘을 끌어내기 위해 자기를 공격하라고 했다고. 나도 싫어 쟤가 저렇게 처절하게 몸부림치는 게. 자꾸 착각하는 데, 쟤 내 친구거든." "아 맞다. 드로메드는 자극 받으면 더 강해지지... 쏘리." 테라는 동작을 멈췄고 후에 고개를 끄덕였다.

"합리적으로 생각하고 신중히 조사한 바에 의하면, 드로메드가 이걸 바랄까?" 데이비드는 알렉스의 눈을 바라보며 말했다. 하지만 유일하게 해답을 줄 사람인 알렉스조차 혼란스러운 눈을 하고 있었다. 알렉스는 데이비드를 보며 복잡미묘한 표정을 지었다. '데이비드. 드로메드는 저 둘이 꼭 이번 시험을 통과할 거래. 겉으로만 보면 드로메드는 단지 유니아와 카일이 시험을 통과하길 바라는 것 같지만… 그렇지 않아. 드로메드는 저 둘이 이번 시험을 완벽하게, 아주 완벽하게 해내길 간절히 바라고 있어. 넌 우리와 함께한 시간이 많지. 친하고. 누구보다도 이걸 잘 알 거다… 옐로이즈는 단순히 잠깐의 시간 동안 그 마법을 몸으로 흡수해서 막는 거야. 완벽히 막지 못하지. 계속해서 더 강해지는 마법을 견디는 건... 이제 버거울 거다.'

알렉스는 미친 듯이 몸부림치는 드로메드와 걱정하는 친구들을 바라보고 한숨을 쉬었다. 알렉스는 매우 착잡했다. 기뻐해야 하는 날이지만 드로메드의 마지막 시험 때문에 알렉스는 기뻐할 수가 없었다.

오만가지 생각이 들었다. 드로메드는 왜 마법에서 풀려나지 못하는 걸까. 드로메드는 왜 이렇게 태어난 걸까. 난 왜 이렇게 쟤를 걱정하는 걸까. 내가... 내가 쟤를 어째서 친구로 삼은 걸까. 알렉스가 계속해서 골치 아파 하는 동안 유니아와 카일은 드로메드를 막아야겠다는 생각은 전혀 하지 않고 도망 다니기만 했다. '저걸 어떻게 막아?' '저 마법에 한 번이라도 맞는다면 그대로 죽어!' 드로메드는 유니아와 카일을 매의 눈으로 쫓았다. 명중률은 갈수록 높아지고 있었다.

드로메드는 최후의 일격을 날릴 준비를 했다. 유니아와 카일은 체력이 바닥나서 더 이상 시험을 지속할 수 없었다. "기… 기권." "나도..." 유니아와 카일은 결국 포기를 해버렸다. "시험 종료!" 데이비드가 시험이 끝났음을 알리는 벨을 누르고 모든 시험은 종료되었다. 유니아와 카일은 결국 마지막 시험을 통과하지 못했다. "이제 내 차례야." 옐로이즈는 폭주하는 드로메드에게 다가갔다. "오빠, 시험 끝이야!" 옐로이즈가 소리치며 드로메드의 손을 확 들어 뒤쪽으로 비틀고 순식간에 드로메드의 어둠의 마법을 빨아들였다. 워낙 빨라서 사실을 알고 있는 3인방 말고는 아무도 그 사실을 몰랐다.

옐로이즈는 강한 마법을 빨아들여 잠시 괴로워했다. 인상을 살짝 찌푸렸지만 오래 가지 않았다. 다행히도 이번에 드로메드는 기절하지 않고 금방 정신을 차렸다. "윽… 어라? 시험… 끝났어? 결국 실패했구나. 역시 이번에도 성공하지 못한 거지?" 드로메드는 굉장히 아쉬워했다. "오빠? 그게 무슨 소리야? 그렇게 속상해?" 옐로이즈가 의아해했고 알렉스가 서둘러 드로메드의 입을 막았다. "아니, 얘 말은 유니아와 카일이 떨어져서 아쉽다는 거다. 그, 그렇지?" "응? 아, 그… 럼!" 그 뜻을 알아챈 드로메드도 서둘러 동조했다.

옐로이즈의 수상쩍은 눈빛을 뒤로한 채 다이노원정대는 본격적으로 회의를 시작했다. "유니아와 카일이 마지막 시험을 통과하지 못한 건 많지만 그래도 다른 건 충분히 잘했으니 합격시키는 게 맞는 것 같아." 먼저 아르마가 말했다.

"위기 상황일 때 나오는 힘과 에너지, 아이디어가 좋아. 하지만 난 아직 부족하다고 생각해. 너흰 모르겠지만 난 시험을 주관했던 자로서 느껴졌어." 테라는 유니아와 카일의 실력이 아직은 부족하다고 생각했다.

몇몇은 아르마의 의견에, 몇몇은 테라의 의견에 찬성했다. "알렉스 너는?" "…" "알렉스!" "어?" 알렉스는 다른 생각을 하다가 티라에게 꿀밤을 맞았고, "윽… 나는 찬성." 알렉스는 유니아와 카일의 합격 여부에 찬성을 했다.

"그러면… 7대 3로 찬성 쪽의 의견이 더 많아. 유니아와 카일은… 다이노원정대 합격이야!" 찬성 쪽이 7, 반대쪽이 3으로 유니아와 카일은 다이노원정대가 되기 위한 시험에 합격하였다! 포기하지 않고 버틴 끝에 해낸 것이다. "우와아! 우리 친구가 더 늘었다!" "걔네는 그럴 자격이 있어." 다이노원정대는 유니아와 카일에게 이 소식을 전해주었다. "우리가 회의를 한 결과, 너희들은 다이노원정대에 적합한 인재라는 결론이 나왔어. 축하해. 유니아, 카일." 드로메드가 웃으며 말했고 유니아와 카일도 방방 뛰며 기뻐했다. "아싸! 보람이 있구나!" "우리 힘을 합쳐 열심히 모험을 하자!" "좋아!" "오늘은 잔칫날이다!" "으휴, 또 먹을 생각하지?" 유니아와 카일은 온갖 시련을 이겨내고 다이노원정대가 되었다. 앞으로 생길 일들을 해결하는데 다재다능한 유니아와 카일은 큰 도움이 될 것이다. 손님들이 오고 시험이 치러진 그날 밤은 흥겨운 파티가 지속되었다.

다이노원정대 3

사막에서의 SOS

프롤로그

"제발… 제발… 이곳에서 나가려면 밖과 연락이 닿아야 하는데 어쩌지?"
아무것도 보이지 않는 캄캄한 어둠 속에서 누군가가 강력한 마법을 쓰고 있다. 그 어둠의 가운데에는 다리까지 내려오는 아주 긴 금발머리에 탐험복을 입은 여자가 서있었다. 앳된 얼굴이지만 고생을 많이 한 모양인지 얼굴이 수척했다.
여자는 다급하게 마법을 쓰고 있었다. 여자의 양 손에서 에틱라마가 치지직 소리를 내며 만나고 있었다.
에틱라마, 마법의 전선이라는 뜻이다. 이름 그대로 마법으로 이루어진 선이다. 주로 두 에틱라마를 한 곳에서 만나게 해서 강력한 힘을 내는데 쓰인다. 여러 명이 힘을 모아 6개 이상의 에틱라마가 모이면 노르아덴을 3분의 1 이상을 파괴할 수 있는 힘이 나온다고 한다. 하지만 아직 아무도 시도를 안 했기에 그건 알 수가 없다. 노르아덴에는 마법이 존재하고 마법과 마법사들은 각자의 등급이 있다. 1단계, 2단계, 3단계, 4단계로 나눴을 때 1단계는 완전 초보의 단계라 할 수 있다. 1단계의 마법을 쓰는 사람들은 마법을 부작용 없이 잘 쓰는 것조차 어려워 하는 경우도 있다. 2단계는 1단계보다 높은 마법을 쓰는 중간 등급의 마법사이다. 모든 마법 초등학교의 선생님들은 모두가 2단계의 마법사다. 3단계는 다이노원정대와 같은 높은 마법을 쓰는 사람들로 이루어져 있다. 흔히 보기는 힘들다. 작년 다이노원정대의 담임 선생님 이셨던 다니엘 선생님도 은하 초등학교 70여명의 교사들 중 5명 정도 밖에 되지 않는 3단계 마법사였다. 다니엘 선생님은 다이노원정대가 크면 지금보다 몇 배는 더 강한 힘도 쓸 수 있을 거라고 추측했다. 마지막 4단계는 이론 상으로만 존재하는, 그 누구도 막을 수 없는 마법사이다. 대마법사 베르테와 몇 백년 전의 어떤 아이가 4단계 마법사라고 여겨지고 있다. 하지만 강한 어둠의 힘 또한 가지고 있다고 전해져 내려왔다. 1부터 4까지의 단계 중에서 에틱라마는 3단계 이상의 고수들만 쓸 수 있었다. 이 사실로 미루어 보아, 여자는 3단계의 마법을 쓰는 센 벤트 아이라는 걸 알 수 있었다.

여자는 다급하고 초조하게 마법을 썼다. 강력하고도 무서운 마법이었다. 여자가 진심으로 마음만 먹는다면 이 세상을 반쯤 날려버릴 수도 있을 것 같았다.

그리고 그때였다. 한참을 애쓴 여자의 마음을 이제야 알았는지 두 마법이 완벽하게 만나며 섞였다. 그러더니 잠시 후 마법을 썼던 여자의 손에서 다이노원정대가 사는 마을이 허공에 나타났다.

“드… 드디어! 됐어, 이제 나갈 수 있어. 아스, 저곳으로 가 내 목소리를 친구들에게 들려줘. 옐로이즈에게, 드로메드에게, 알렉스에게… 제발 구해달라고…” 여자는 눈물을 글썽이며 떨리는 목소리로 다이노원정대의 대원들을 차례대로 불렀다.

아스는 편지 형태로 되어 있는 마법 생명체이다. 어디든 간섭 받지 않고 자유로이 갈 수 있어 사람들이 직접 가기 귀찮거나 힘들 때 아스를 이용하고는 한다. 또한 아스는 어떠한 마법의 결계가 쳐져 있어도, 물속, 하늘에도 갈 수 있다. 아스가 넘을 수 없는 것은 단 둘. 죽은 자의 세계와 산 사람의 세계 사이에 쳐 있는 결계와 우주로 통하는 결계 뿐이다.

그리고 여자의 간절한 마음을 담은 아스가 날아가 다이노원정대 본부에 도착했다.

1. 평화

위이잉 위잉. 요란한 벨소리가 다이노원정대의 아침을 시작했다. 소리를 듣고 일어난 테라는 조용히 알람을 껐다. 모두들 고된 훈련에 지쳐 깊이 자고 있었고 아직 더 자도 될 시간이라 깨우기 미안했다.
티라에 밀려 침대 밑에 떨어지기 일보 직전인 다이아를 보고 테라는 작은 미소를 지었다. 테라는 겉으로 표시는 잘 안 하지만 속마음과 행동은 정말 따뜻하고 다른 사람을 잘 아낀다. 테라는 잠시 머리 정리를 한 뒤 다이아를 다시 올려주었다. 침대에서 곤히 자고 있는 친구들을 보니 든든하고 마음이 놓였다.
테라는 늘 무언가에 쫓기는 듯 불안하게 살았다. 감정 기복도 심하고 내가 과연 뭘까 하는 생각이 자꾸 들었기 때문이다. 한마디로 겉으로는 거만하다 싶을 정도로 기가 셌지만 진짜 모습은 자존감이 굉장히 낮은 아이의 모습이었던 것이다. 하지만 1년 전 드로메드를 만나 다이노원정대 대원이 되고 내가 느끼고 있는 생각과 감정을 나눌 친구들이 생기자 요즘 안심, 안도라는 느낌이 자주 들었다.
늘 신경을 곤두세우고 주변의 소리와 분위기에 예민하던 테라가 몇 개월 전부터 안심하며 주변을 전처럼 신경 쓰지 않았다. 낯설지만 기분 좋은 감정이었다. 테라는 작게 웃으며 이불을 개고 창문을 활짝 열였다.

아직 이른 아침이라 날씨가 서늘했지만 햇빛은 눈부셨고 공기도 맑고 개운했다. 테라는 눈을 감고 바깥의 소리 하나하나에 집중하며 아침을 즐겼다. 그때였다. "뭘 그렇게 생각해?" 어느새 일어난 드로메드가 테라 곁으로 다가왔다.

"아!" 테라는 화들짝 놀랐다.

"어… 미안. 놀래키려고 한 건 아니야. 아침부터 뭐하나 궁금해서." 드로메드가 머쓱해 했다.

"그렇게 소리 없이 다가오는데 어떻게 안 놀라. 그냥 바람 좀 쐬고 있었어. 의외로 아침 공기는 분위기랑 온도가 밤에 비해 다르거든."

"안 추워? 감기 걸려. 잠바라도 입던가." 드로메드가 걱정되는 표정으로 묻자 테라가 한숨을 쉬었다. "아이고, 잔소리 하고는… 어떨 땐 네가 울 엄마보다 더한 거 알아? 옐로이즈가 어떻게 이 잔소리를 버텼나 몰라." "네가 감기 걸리면 다이노원정대한테 너무 큰 손해인 걸. 그리고 우리 옐로엔은 무지 착하고, 예쁘고, 내 말을 엄청 잘 따라. 우린 단 한 번도 떨어진 적도 없을뿐더러 내가 옐로이즈를 사랑하는 만큼 옐로이즈도 내 잔소리를 사랑의 소리로 생각하는 거지." 드로메드가 행복한 표정으로 말을 꺼냈다. "내가 애니? 다 내가 알아서 해요. 그렇게 챙길 것 없어. 옐로이즈가 언제 나한테 그러더라. '오빠는 날 너무 사랑하지만 잔소리도 너무 심해! 만날 같은 소리만 듣는다고 생각해봐! 지겨워 죽는다니까?' 하고 말이야." 테라는 웃으며 드로메드를 쿡 찔렀고 그 말에 드로메드도 처음에는 심각한 표정을 짓더니 헤헤하고 미소를 지었다. 그러더니 어딘가 쓸쓸해 보이는 표정으로 말을 꺼냈다. "음… 난 말야. 지금 이 생활이 너무 좋아. 행복해. 넌 모르겠지만 난 네 생각보다 더 오랫동안 집에 있었어. 그러다가 밖에 나오니까 무섭기도 했지만 좋더라. 근데 항상 이런 행복은 오래가지 않더라고. 그래서 난 이제 이 평화와 행복을 지킬 거야. 더 이상 도망가는 겁쟁이가 되지 않을 려고. 이제는 맞서 싸울 시간이야. 그러니까… 네가 내 옆에서 날 도와줄래? 너한텐 믿음이 많이 가거든. 언젠가 난 네 곁을, 옐로이즈를, 그리고 다이노원정대를 떠날 거야. 하지만 그때까지는 네가 도와줬으면 해." 테라는 갑작스러운 드로메드의 말에 당황했지만 잠시 생각을 하더니 주먹을 불끈 쥐었다. "너에게 무슨 일이 있었었는지도 모르고, 앞으로 우리에게 무슨 일이 생길지도 모르겠지만 내가 도울 수 있는 한은 최대한 도울게. 그리고 떠난다는 생각은 하지마. 괜히 불안하잖아. 네가 떠나면 다이노원정대는 누가 이끌어? 네가 떠나면 남은 사람들은? 특히 옐로이즈는? 절대 그런 생각은 하지도 마. 우리가 헤어지면, 다이노원정대의 대장과 일원의 역할로 만나지 못하고 떨어진다면 난 널 아마 잊게 될 거야. 누군가의 기억에서 잊히는 건 슬픈 일이니까, 오랫동안 옆에 있으라고. 아침의 태양처럼, 밤하늘의 달처럼."

언제나 옐로이즈와 친한 세명의 친구들과는 다른 방식으로 자신에게 힘이 되어주는 테라를 보며 드로메드는 이게 맞을까 하는 의문이 들었다. '누군가의 기억에서 잊히는 건 슬픈 일이니까… 그러면 그분도 날 잊었을까. 그리고… 테라가 나중에 모든 걸 알게 되면 배신감에 상처받지 않을까? 옐로이즈도 모든 걸 알지는 않으니 말할 수 없이 속상해 할 거야. 난 내가 사랑하는 사람들이 슬퍼하는 게 싫어. 말해줘야 할까 아니면 끝까지 비밀로 해야 할까. 내가 없어도 잘 지내야 하는데…'

드로메드가 혼자 심각해 하고 심란해 하고 있을 때 다이노원정대가 일어나기 시작했다.

"아오! 잘 잤다… 헉! 벌써 시간이 이렇게 됐어? 빨리 나가서 오늘도 열심히 일하자고!" 드로메드의 마음과는 다르게 하품을 하며 일어난 카르노가 활기차게 소리쳤다. 그 우렁찬 소리에 다른 아이들도 모두 깨고 말았다.

마지막 모타카까지 일어나자 다이노원정대는 서로 눈치를 보더니 모두 질세라 우르르 식당으로 건너갔다. "어어? 야 치사하게! 같이 가~" 그 모습을 본 테라는 빠르게 친구들을 쫓아갔고 드로메드도 놓칠 세라 후다닥 테라를 따라갔다.

다이노원정대는 아틀라스 왕이 감사의 의미로 선물해준 본부에서 살고 있다. 부유한 트라이나 왕국의 선물이라 그런지 본부의 스케일도 남달랐다.

다이노원정대는 방을 남자 방과 여자 방으로 구분해 생활하고 훈련했다.

물론 잠자리가 험한 옐로이즈와 알렉스는 분리시켜 놓았다. 옐로이즈는 잠꼬대와 잠버릇이 너무 심하고 알렉스는 잘 때는 자기도 모르게 주변을 영하의 온도로 만들어 놓아 추워서 잘 수가 없었다.

다이노원정대의 본부는 침실, 주방, 화장실 등 일상생활에 필요한 시설은 모두 갖추고 있었다. 또한 아주 큰 훈련장, 회의실, 응접실, 무기 창고, 남극관, 500m 깊이의 수영장, 도서관, 방의 온도가 60도가 넘는 방 (카르노 말에 따르면 화염관), 2000m 레인 등 각자의 특성에 맞는 특별 시설들도 있어서 다이노원정대는 본부를 마음에 쏙 들어 했다.

새로운 친구들과 파르낭 할아버지가 합류한 끝에 다이노원정대의 아침은 더욱 활기차고 행복했다. “아르마 언니! 오늘 아침은 뭐예요?” 다이아가 아르마의 손을 잡고 물었다. “맨날 똑같지 뭐~ 오늘도 시리얼일 거야. 그나저나 다이아님~ 오늘 훈련 조금만 일찍 끝내주면 안 될까?” 아르마는 불쌍한 표정을 지으며 다이아를 졸라댔다.

오늘은 월요일. 훈련이 있는 날이다. 다이아와 알렉스는 고난도의 훈련을 추구하기에 다이노원정대는 훈련을 받는 날마다 다이아를 조른다. 둘 다 고된 훈련은 고된 상황에서 우리에게 달콤한 열매를 준다라고 생각한다. 해석하면, 열심히 훈련하다 보면 힘든 상황을 헤쳐 나갈 수 있다 이 말이다. 아르마가 동생인 다이아에게 이 말을 하는 이유는 알렉스에게는 아무리 입이 아플 정도로 말해 봤자 소용이 없기 때문이다. “아르마 언니, 원래는 이러면 절대 안 되지만… 오늘은 어차피 훈련 없어요.” 다이아는 한숨을 쉬면서 말했다. “어? 오늘 드로메드가 얘기한 거 없었는데… 왜 없어?” 아르마의 눈이 커졌다. “저랑 알렉스 오빠랑 같이 훈련 지도해야 하는데 하늘 갔다 온 이후로 알렉스 오빠 몸이 점점 안 좋아지잖아요. 어제 저한테 내일 훈련 못하겠다고, 내일은 쉬자고 그러던데요? 아마 이따 드로메드 오빠가 공지할 거예요.” 다이아가 설명하자 아르마가 생각에 잠겼다. “음… 알렉스 걔, 아이스 데거를 쓰고 그 부작용이 지금 온 걸 거야. 알렉스에게는 안됐지만, 우린 좋네.”

다이노원정대는 식당에 도착해 시리얼을 먹고 씻은 뒤, 본격적으로 하루를 시작했다. 알렉스는 몸과 마음의 평화를 찾으려 남극관으로, 타우는 데이비드와 엘로이즈가 옷을 또 찢어 놨다며 실을 사려고 뜨개질 가게로, 아틀라스는 산으로, 벤과 다이아, 유니아, 카일, 파르낭 할아버지는 데이비드에게 다이노원정대가 알아야 하는 것들과 훈련 등에 관한 마지막 수업을 받으러 갔다. (처음에 데이비드는 새파랗게 어린 놈이 어떻게 할아버지를 가르치냐며 질색을 했지만 할아버지가 원했기에 수업을 진행했고 지금은 서로의 티키타카가 너무 잘 맞는다. 아틀라스는 일치감치 수업을 다 끝냈다.) 나머지 아이들도 저마다 자신의 할 일을 하러 각기 다른 곳으로 퍼졌다.
"아… 죽을 맛이다 진짜… 애들한테 병간호 좀 해달라 그럴까. 이걸 견딘 우리 선조들도 대단하다. 우리 선조들도 12살에 아이스 데거를 쓰진 않았겠지만. 이렇게 진 빠지는 건 처음이다." 지난번 하늘에서 쓴 아이스 데거의 후유증이 지금 심하게 와 알렉스는 요즘 몸이 안 좋다. 비가 오나 눈이 오나 폭염이거나 한파거나 늘 하던 훈련까지 쉬었다니 말 다 한 것이다. 알렉스는 남극관으로 저벅저벅 걸어갔다. 그때 알렉스 뒤 벽에 어디선가 날카로운 아스가 날아와 꽂혔다. (*시즌 3 프롤로그 참고*) "악! 죽을 뻔했다… 아 피 나!" 알렉스는 벽에 몸과 머리를 붙이고 천천히 갔기에 3cm라도 더 가까웠으면 알렉스의 머리를 관통할 수도 있는 상황이었다.
다행히도 아스는 알렉스의 머리를 관통하는 대신 목을 그어놨다. 피가 조금 났지만 심하지는 않았다.
알렉스는 벽에 단단히 박힌 아스를 꺼내려 낑낑 거렸다. 벽 속에 너무 깊숙이 박힌 탓에 힘이 센 알렉스도 꺼내는 데 진땀을 뺐다. "아 드디어 뺐군. 대체 정체가 뭐냐?" 알렉스의 손 위에서 아스가 펼쳐지며 급하게 휘갈겨 쓴 글씨가 드러났다. "이… 이 글씨체는 분명 소피아다! 그렇지만 소피아는 죽었어… 이건 대체…" 알렉스의 손이 벌벌 떨렸다. 그리고 하얀 알렉스의 피부가 더 하얗게 질려서 마치 하늘에서 내리는 눈 같이 변했다. 하지만 감정 기복이 심하지 않고 조금 시간이 지나면 원래대로 돌아오는 알렉스 답게 금방 평정심을 되찾고 옆에 있던 비상벨을 눌렀다. "전 대원에게 말한다. 긴급회의를 소집한다. 회의실로 모여라.

다시 한번 말한다. 긴급회의를 소집한다. 회의실로 모여라." 알렉스는 비상벨을 누르고 외친 다음 후다닥 회의실로 달려갔다. 너무 빨라 마치 한 마리의 치타를 보는 것 같았다. 몸이 안 좋은 상황이었지만 지금은 그걸 생각할 겨를이 없었다. 그렇게 다이노원정대는 눈 뜬지 2시간 만에 회의실로 모이게 되었다.

2. 긴급회의

다이노원정대가 본부 회의실에 숨을 헐떡이며 모였다. 알렉스가 조금 전에 정말 위급할 때만 울리는 비상벨을 울렸기 때문이다. “왜, 왜 그래? 무슨 일이야?” “알렉스 목소리 던데. 왜 누른 거지?” “긴급 상황이야? 어쩌지, 아틀라스랑 타우가 지금 못 올텐데.” 다들 다른 곳에서 일하다 와서 모두가 모이지는 못했다. 본부 밖으로 나간 아틀라스와 타우가 아직 도착하지 않았기 때문이다.

다이노원정대는 지금 혼란스러웠다. 그냥 회의를 한 적은 자주 있었지만 긴급회의 비상벨이 울린 것이 오늘 처음이었기 때문이다. “알렉스 너구나. 너 피 난다. 이따 나한테 와. 그나저나 무슨 일로…” 도서관에서 달려온 드로메드도 놀라기는 마찬가지였다. “저기, 아틀라스랑 타우는…” 데이비드가 말하려 했지만 알렉스의 소리에 묻히고 말았다. “아 빨리 빨리! 지금 세계가 깜짝 놀랄 만한 아스가 나에게 왔으니까.” 알렉스는 평소와는 달리 너무나 상기된 모습이었고 좀처럼 흥분을 감추지 못했다.

다이노원정대가 자리에 앉자 알렉스는 설명을 시작하려 했다. 하지만 아틀라스와 타우가 없었다. 수를 헤아리던 드로메드는 당황했다. “어? 아틀라스랑 타우는?” 그러자 데이비드가 설명했다. “아오, 아까부터 말했는데 이제 물어보냐? 아틀라스는 우리 같은 벤트 아이 못지 않은 괴력을 만들거라며 산으로 올라갔고 타우는 레비랑 내가 옷 막 써서 실 사러 뜨개질 가게로 갔어. 아 뭐, 아틀라스는 이미 충분히 대단하지만. 그나저나 네가 그렇게 흥분하는 건 내 12년 인생 처음이다. 왜 이래 성난 용처럼. 네가 하우쥔이냐?"
데이비드가 지금 언급한 하우쥔은 용의 한 종류이다. 불 같은 빨간색 비늘에 긴 목, 날카로운 발톱을 가지고 있으며 가슴에 다이아몬드 문양의 무늬가 새겨져 있다. (*자세한 내용은 노르아덴의 생물 부문 참고*)
"흠… 그러면 알렉스 진정시킬 겸, 조금 기다리자. 뜨개질 가게는 여기랑 가까우니까 금방 올 거고, 테라야 네가 아틀라스 좀 데리고 와줘라." 드로메드는 부탁 같은 명령을 내렸고 테라는 유니아에게 봤지? 하는 표정으로 씩 웃어보이더니 밖으로 휙 나갔다. 그런 뒤, 순식간에 빛이 나는 검은 날개를 펼치고 산을 향해 날아갔다. 유니아는 잠시 어리둥절 했지만 어깨를 으쓱하고 말았다. "그나저나 알렉스. 넌 지금 대체 왜 이러는 거야? 아스를 처음 본 것도 아니고. 내 생각엔 아마도 그 아스 주인이 대단한 사람인 것 같은데?" 조용히 침묵을 지키던 아르마가 도저히 참을 수 없다는 듯 입을 열었다.
아르마는 늘 철옹성 같이 가만히 있다. 화날 때를 빼면 말이다. 화가 날 때 아르마는 180도 변한다. 그 외에 아르마가 말을 할 때는 정말 놀라운 일, 아니면 자신이 좋아하는 분야가 주제가 되었을 때다. 그럴때면 아르마의 엄청난 추리력과 머리가 빛을 발한다. 이번에도 역시 그런 것인지 알렉스의 머리색이 흥분이 가득한 갈색이 되었다. 밝지도 않고 어둡지도 않은 갈색. 보기만 해도 희망이 샘솟는 갈색. 늘 마음이 남극의 빙판처럼 고요하고 차가운 알렉스에게서 나오기 힘든 색이었다. 그만큼 좋은 일이었지만 살짝 칙칙한 노란색이 섞여 나오는 걸 보아 마냥 좋아하기만 할 일은 아니었음을 미루어 볼 수 있었다. 역시 관찰력이 뛰어난 아르마 다웠다.

"아르마 말이 맞구나? 누구길래? 역시 우리도 아는 사람이겠지?" 옐로이즈가 물었다. "네가 알면 정말 깜짝 놀랄 거다. 그리고 새 친구들의 능력이 빛을 발할 때이기도 하다." 알렉스는 흥분을 가라앉히지 못했다.

그때 회의실 문을 열고 타우와 테라, 아틀라스가 들어왔다. "으… 옷 좀 꿰매려 했더니! 너희가 하도 옷을 찢어 놔서 그래. 특히… 그런 눈으로 쳐다보지 마 옐로이즈." "난 나무 심는 연습을 하고 싶었어." 타우와 아틀라스 모두 일을 하다 불려와서 투덜거렸지만 알렉스의 반응과 테라의 눈빛을 보고 잠자코 자리에 앉았다. 그러자 드로메드가 말하라는 눈짓을 했다. "자, 우리가 여기에 모인 이유는 이거다. 내가 아까 남극관으로 갈 때 벽에 아스가 박혔다. 이 아스를 보낸 사람은… 나와 드로메드, 옐로이즈의 죽은 친구 소피아다."

3. 아레폴리스

다이노원정대는 고개를 갸우뚱했다. “에이, 뭔 소리를 하는 거야.” “걔가 누구야?” “죽었다고?” 다들 웅성웅성 거렸다. 단 2명을 제외하고는.
드로메드와 엘로이즈는 소피아 라는 이름을 듣자 마자 얼굴이 파래져서 알렉스를 쳐다보았다. 너무 파랗게 질려서 온 몸이 파란 어리일 요정을 보는 것 같았다. (*노르아덴의 생물 부문 참고*) “하… 하지만 알렉스. 그건… 말이 안 되잖아! 소피아는… 소피아는 오래전에 죽었어. 내 친구 소피아는… 오래전에 죽었다고. 어떻게… 어떻게 죽은 사람이 아스를 보낼 수가 있어? 아스는 산 사람과 죽은 사람의 경계는 넘지 못해!” 엘로이즈는 벌떡 일어나서 소리쳤다. 그 외침은 오래가지 않았고 엘로이즈는 충격으로 인해 휘청거리며 다시 자리에 앉고 말았다.
“엘로엔 말이 맞아. 소피아는… 죽었어.” 드로메드는 쓴 약을 삼키듯 고통스럽게 말했다. “아니, 도대체 소피아가 누구길래 우리 대장님과 부대장님이 이렇게 충격 받았을까?” 파르낭 할아버지가 옆에서 물었다. 굉장히 궁금한 모양이었다. 말도 제대로 못 하는 둘을 대신해 언제나 냉철한 알렉스가 말했다. “할아버지. 할아버지라면 이 의문을 푸실 것 같네요. 소피아는 몇 년 전 아틴사막으로 떠난 저희 친구예요. 근데…” “돌아오지 못했구나. 그러니 죽었다고 생각한 거고.” 파르낭 할아버지가 말을 끝내주었다. “어떻게 아셨어요?" 알렉스의 눈이 휘둥그레졌다. "얘네 표정을 봐라. 당연히 알 수 있지. 그나저나 아스에 뭐라 써져 있다?" 파르낭 할아버지가 물었다.
그러자 알렉스는 아스를 건넸다. "흠, 드로메드, 엘로이즈, 알렉스. 제발 날 살려줘. 제발… 난 내가 목숨을 바치더라도 꼭 가보고 싶었던 곳에 와 있어. 너희라면, 어딘지 알 거야. 그러니 이곳으로 와서 날 도와줘…! 라고 써져 있구나. 목숨을 잃더라도 꼭 가보고 싶었던 곳이라… 너희는 짐작이 가니?" 파르낭 할아버지가 아스에 쓰어져 있던 내용을 읽더니 다시 질문했다.
"아… 알 것 같아요. 그곳은 오래전 사라진 유일했던 지하의 왕국, 아레폴리스일 거예요." 드로메드가 천천히 말했다. 옆에서 테라와 타우가 가만히 진정시켜줘서 그런지 좀 전처럼 떨지 않았다. 그리고 드로메드의 말이 끝나자 여기저기 숨을 들이키는 소리가 들려왔다. 다들 충격 받은 것이다. 모두가 400년 전에 사라졌다고 믿는 그 전설의 왕국에 갔던 친구가, 죽은 줄 알았던 그 친구가 아스를 보냈다고? 이게 말이 돼? 다이노원정대는 알렉스가 흥분한 이유와 드로메드와 엘로이즈가 어리일 요정처럼 새파래진 이유가 뭔지 단번에 이해했다. 아스를 보낸 이가 정말 드로메드의 친구라면 그 친구는 살아있다는 것이었다. 아스는 산 사람과 죽은 사람의 경계를 빼고는 그 어떤 곳이든 갈 수 있었다.
"합리적으로 생각하고 신중히 조사한 바에 의하면, 이건 불가능해. 절대 있을 수 없는 일이야. 어떻게 그 왕국에 갔지? 어떻게 지금까지 살아있지? 거긴 지나가던 산루도 (*노르아덴의 생물 부문 참고*) 알만큼 위험한 곳에 있어. 아틴사막이라고! 아틴사막의 지하야! 사방에 모래 구덩이가 있고 물이라고는 한 방울도 없으며 모래 폭풍이 몰아치고 건조하고 낮과 밤의 온도 차가 40도나 나는 위험천만한 곳이야! 아틴사막이 노르아덴에 있는 사막 중 가장 위험한 사막인 건 알지? 그곳에선 생물이 살 수 없어!" 데이비드가 소리쳤다. 적잖이 놀란 것 같았다.

"아니, 소피아라면 가능할지도. 소피아는 테리지노사우루스야. 원래도 사막에서 산다고. 어… 특별하게 바다에 있는 왕국인 사이리덜에서 살긴 했지만. 가능성으로 보면 아예 불가능한 건 아니였어. 하지만… 떠난 이후로 소피아에게선 그 어떤 연락도 없었어. 아이단 오빠가 아레폴리스의 마법 때문에 그렇다고 했어." 옐로이즈가 조용히 말했다. 평소답지 않았다. 안색이 안 좋았다.

알렉스는 뒤에서 안절부절을 못하고 있었다. 옐로이즈 때문인지 소피아 때문인지 아니면 옆에서도 느껴질 만큼 극도로 떨고 있는 드로메드 때문인지 감이 오지 않았다. 어쩌면 셋 다 인지도 몰랐다. 옐로이즈의 말을 듣고 골똘히 생각하던 타우도 한마디 던졌다. "음… 틀린 말은 아니야. 〈400년 전, 지하에서는 무슨 일이 일어났을까〉 라는 책에선 아레폴리스에는 특별한 마법이 걸려있다고 했어. 세상과 단절되어 그들만의 문화만 존재하게 해주는 마법의 결계가. 그 결계는 아레폴리스의 초대 왕 그란디스가 세상을 떠나며 남긴 선물이라고 했어. 아, 추가로 그란디스는 거대하다, 웅장하다 라는 뜻이야. 그러니 네 친구가 살아있었어도 연락이 되지 않았을 수도 있지." 타우는 자세한 설명을 다이노원정대에게 해주었다. 설득력 있었다.

타우가 말한 책의 저자는 아레니카 볼도라는 유명한 역사학자였다. 볼도의

논문과 책은 믿을 만했다.

"근데 아이단이 누구야?" 모타카가 물었다. "아이단은 드로메드의 형. 그러니까 아이단 형이 첫째, 드로메드가 둘째, 옐로이즈가 막내. 지금 19살이야. 나이 차이가 많이 나. 3단계 벤트아이이자 역사학자이기도 하고." 타우가 드로메드와 옐로이즈의 형제에 대해 설명해 주었다. "와! 네가 첫째가 아니었구나." "이 모나카야. 지금 그게 중요한 게 아니잖아!"

주변이 계속 시끄러워지자 테라가 제압 시켰다. "모두 그만! 지금은 잡담할 때가 아니야. 드로메드, 몇 년 전에 무슨 일이 있었던 거야?" "그래. 설명이 필요하겠다. 그러니까 지금으로부터 3년전, 우리가 9살 때 이야기야. 소피아는 나와 옐로이즈, 알렉스의 친구였어. 아, 데이비드, 타우 그런 표정 지을 것 없어. 우리도 자주 만나지 못했는데 너희가 어떻게 봤겠어. 어쨌든, 그렇게 드문드문 만나다가 언제 그런 얘기를 하더라고. 자신의 꿈은 잃어버린 전설의 왕국 아레폴리스를 찾는 거라고. 그땐 농담이라 생각하고 웃어넘겼는데… 글쎄, 몇 달 뒤에 진짜 사라진 거야. '아레폴리스는 내가 정복한다!' 라는 쪽지를 남겨둔 채. 그 뒤로 연락이 오지 않았고 우린 소피아가 죽었다고 생각한 거지."

드로메드의 이야기를 듣던 파르낭 할아버지가 심각한 표정으로 말했다. "음… 만일 소피아가 아레폴리스에 가서 죽지 않고 아직까지 살아 있다면… 우리가 구출해야 한다. 아레폴리스는 사라지기 전에 아주 난폭한 왕국이었어. 내가 잘 안다. 그곳에 가봤으니까. 지금으로부터 정확히 454년 전에 말이다. 사신으로 간 거였지. 아레폴리스의 사람들은 아름답지만 폭력적이고 외부인을 극도로 경계한다. 지난 400년 동안 바깥의 문명이 전혀 들어가지 않았으니 지금이라고 달라진 건 별로 없을 거야. 소피아가 위험해!"

4. 사막으로 가는 방법

드로메드가 벌떡 일어섰다. "다이노원정대, 출동 준비! 긴급상황이다. 모두 무기를 챙겨 아틴사막으로 떠난다!"
드로메드의 말을 들은 다이노원정대는 일사불란하게 움직였다. 무기창고에 가 각자의 무기를 챙겼고 드로메드의 다음 명을 기다렸다. 모두가 진지했다.
"드로메드! 준비는 끝났어. 근데… 아틴사막까지 어떻게 가?" 아틀라스가 물었다.
"음… 지금 우리 위치에서 아틴사막까지 아무리 빨리 가도 18시간은 걸려. 걸어가는 건 불가능해." 드로메드가 심각해졌다. 테라와 타우도 마찬가지였다. 전략가인 셋은 곧장 회의에 들어갔다. "드로메드. 네가 마법을 써보는 건 어때? 순간이동 마법 말이야." 타우가 아이디어를 냈다. "내 순간이동이 빠르기도 하고 유용하지만… 아틴사막에도 마법이 존재해. 마법은 힘이고 마법은 권력이고 마법은 힘과 권력을 가진 노르아덴을 돌아가게 한다 라는 말 알지? 사막은 노르아덴의 강력한 자연 중 하나로 다른 곳에 비해 척박해서 더욱 강력하고 신비로운 마법이 도사려져 있어. 소피아를 실종케한 그 아레폴리스의 마법도 깔려 있고. 그 마법은 내 마법을 대부분 막아. 전에도 여러 번 시도해봤는데 안 됐어. 거기까지 마법으로 간다면 아예 불가능 한 건 아닐 지 몰라도 전력 손실이 엄청 클 거야. 몇 달 간 나 움직이지도 못해." 드로메드가 고개를 저었다. "그럼 어떡해. 사람이 거기 있는데… 가긴 해야 될 거 아니야." 테라가 울상을 지었다. "그러게… 그럼 이건 어때?" 세 아이들의 분위기가 심각해지자 조용히 있던 카일이 무언가를 깨달은 듯 환한 미소를 지으며 끼어들었다. "형, 누나. 방법이 없는 건 아니야. 고대의 지하 통로를 찾으면 최소 1시간 만에 아틴사막으로 갈 수 있어. 그리고 내가 알기론 그 통로는 다행스럽게도 우리와 가까운 곳에 있어." 카일의 말에 세 사람의 표정이 눈에 띄게 밝아졌다. "오 카일! 네가 우리를 살리는구나! 그래서, 그 통로가 어딨어?" 타우가 기쁨에 겨워 소리쳤다. "음… 고대의 책에 따르면 그 통로는 산! 정확히는 저 산에 있어. 거기서 +가 두개 합쳐진 것 같은 문양을 찾아 거기에 알맞은 열쇠를 꽂아 넣으면 지하통로가 열린다고 했어. 근데 저 아마 저 아래에 처박혀 있을 거야…" 친구들과 동생의 이야기를 옆에서 듣던 모타카가 말했다. "헤이, 잠깐만. 좋은 의견 맞는데 우리에겐 시간이 없어요. 저게 말만 그냥 산이지 저 빅빅베리휴지한 산에서 그 문양을 어떻게 찾으며 열쇠는? 열쇠도 없잖아." 모타카가 너무도 옳은 말을 했다. "그건 걱정 마. 열쇠는 내게 있어." 그때 유니아가 당돌하게 외쳤다. 그러자 다양한 색의 눈동자가 유니아를 쳐다보았다. "왜들 그렇게 봐? 이 열쇠, 우리 왕국에서 가져온 거야. 리스트너 왕국과 아레폴리스는 오래전에 교류하면서 그 흔적이 아직 남아있거든." 유니아는 자랑스럽게 열쇠를 흔들었다. "유니아! 정말 고맙다. 소피아를 살릴 수 있을 거야!" 알렉스가 함박 웃음을 지었다. 유니아는 지난번 시험에 이어 두번째로 알렉스의 미소를 보게 되었다. 그 모습을 보자 마치 알렉스의 밝은 은색 눈동자로 빨려 들어가는 것만 같았다.

유니아는 잠시 알렉스에게 정신이 팔렸지만 이내 고개를 저었다. "1분 1초가 급해. 빨리 가자." 테라가 어느새 쌀쌀 테라로 돌아와 모험을 떠날 준비를 했다. 그리고는 다이노원정대 본부 바로 뒤에 있는 산을 향해 출발했다. "방법을 찾았으니 이제 가는 건 시간 문제야." "아이고, 이번에도 고생 꽤나 하겠네." "재밌겠다! 난 기대되는걸?" '소피아라… 그 아이는 데르덴 대공의 딸 아닌가. 그 아이를 찾으러 간다니. 대공께서 기뻐 하시겠군. 그 사람도 틀림없이 좋아할 거야. 알렉스의 친구인 아이기는 하지만… 소피아는 나중의 문제다.'

다이노원정대는 산으로 올라가는 길에 여러가지 말과 생각을 했다. 그곳에는 기쁨과 안도감, 호기심, 그리고 정체를 알 수 없는 어둠이 있었다.

5. 비밀통로를 찾아서

다이노원정대는 고된 산행을 계속했다. 아무리 눈을 씻고 찾아봐도 카일이 말한 문양은 보이지 않았다. “너무 오래돼서 없어진 건 아닐까? 우리가 이렇게 봤는데도 없다는 건…” 파르낭 할아버지께서 말을 흐렸다. 할아버지의 말이 맞았다. 문양은 오래되었고 무언가에 의해 사라졌거나 묻혔을 가능성도 있었다.

안타깝게도 다이노원정대에게는 더 이상 가망이 없었다. 모두 한숨만 푹푹 쉬고 있었다.

그때였다. “아 그래! 거기야 거기!” 한쪽 바위에 앉아 있던 아틀라스가 고개를 들고 소리쳤다. 얼굴이 뿌듯함으로 빛나고 있었다. “이 덩치야 분위기에 안 맞게 왜 그래?” 티라가 인상을 쓰며 물었다. “나, 그 문양 여기서 본 것 같아!” 아틀라스의 말이 끝나기도 전에 드로메드가 벌떡 일어났다. “그게 정말이야? 어딘데? 어디야?” “나 아까 여기 왔었잖아. 거기서 봤어. 나무 심는 일 하느냐고. 내가 심었던 나무기둥에 그 문양이 있었어. 특이하게 생겨서 기억하고 있었지.” 아틀라스가 눈을 찡긋했다. 기쁠 때 나오는 일종의 버릇이었다. “오늘 새 친구들이 아주 큰 활약을 하네. 아틀라스, 안내해줘!” 아틀라스는 곧장 앞장섰다. “윽… 여기가 저기 같고 저기가 여기 같네…” 그냥 산이라고 하기에는 모타카의 말마따나 빅빅베리휴지한 산이었기에

(big big very huge) 초반에 조금 해맸지만 친구들의 간절하고 간절한 눈빛에 금방 길을 찾았다. "아 여기야! 여기가 내가 연습하던 곳이야." 아틀라스가 뒤에도 들리도록 크게 외쳤다. 그 말을 듣고 제일 먼저 나온 사람은 엘로이즈였다. 유니아 또한 열쇠를 들고 엘로이즈를 뒤쫓았다.

다이노원정대는 서둘러 문양을 찾았다. +가 두개 합쳐진 듯한 이 문양은 고대 아레폴리스 왕국의 상징 문양이었고 파르타곤이라고 불렸다. 고대 아레폴리스의 군대가 이 문양이 크게 새겨진 깃발을 들고 자주 다른 나라를 침범했었기에 파르타곤을 보고 공포에 떠는 사람들이 많이 있었다고 한다. 그리고 파르타곤은 굉장히 특이한 생김새를 갖고 있었기에 금방 찾을 수 있었다. "여기야! 찾았어!" 관찰력이 좋은 벤이 소리쳤다. 벤은 스타베이비즈에 오래 살며 멀리 보고 작은 움직임도 잘 알아챌 수 있는 훈련을 받았다. 스타베이비즈에서 살아남으려면 이것들을 잘 배워야 했다. 그래서 벤은 시력과 청각, 후각이 다른 친구들에 비해 아주 뛰어나고 예민했다. 그리고 그런 능력들은 여러 상황에서 유용하게 쓰였다.

"어디?" "와! 진짜 특이하다." "그런데 이 통로 저 밑에 있다고 하지 않았던가…?" "이게 아레폴리스 왕국의 공포의 문양, 파르타곤이구나…" 파르타곤은 거대한 나무의 기둥 정중앙에 작게 모습을 감추고 있었다. 자세히 보지 않으면 못 볼 뻔했다. 또한 파르타곤은 아주 정교하고 섬세하게 조각되어 있었다. "우와 이렇게 작은데… 벤은 그렇다 치고, 넌 어떻게 봤어?" 드로메드가 물었다. "아, 이 나무를 뽑으려 하는데 안 뽑혀지는 거야. 그래서 몇 번 힘주다가 앞을 딱 봤는데 이게 있더라고. 저주 받은 나무 같아서 그 다음부터 안 건드렸지.” 아틀라스가 머쓱해했다. “당연하지. 카일 말이 사실이라면 이 밑에 지하통로가 연결되어 있을 거야. 안 뽑히는 게 당연해. 네가 이걸 뽑았으면, 소피아가 아레폴리스에 가서 살아있다는 것보다 그게 더 신기한 일이 되었을 걸?” 테라가 나무를 올려다보았다. 묘한 느낌이었다. 나무가 마치 그곳에 가지 말라고, 열쇠를 꽂아 넣지 말라고 말하는 것만 같았다.

나무를 올려다본 순간 테라는 느꼈다. ‘함정이야. 고대 아레폴리스의 사람들이 가는 길을 이렇게 쉽게 지나가게 만들 리 없어. 분명히 무언가가 있을 거야.’ 테라는 친구들에게 이 방법은 위험하다고 설명하려 했다. “함정 걱정하는구나? 그렇지만 이건 안전해.” 그때 아르마가 뒤에서 말했다. “어떻게 알았어?” 테라는 화들짝 놀랐다. “누가 모르니? 그리고 난 지하에서 살아. 이곳에 함정이 있긴 하지만 위에서 화살이 쏟아지거나, 바닥에서 창이 솟아난다는 것. 별거 없지? 아, 그 외에도 다른 함정이 있긴 한데 괜찮을 거야. 내 감을 믿으라고~” 아르마가 별거 아니라는 듯 손을 탁 튕겼다.

“음… 이게 불행인지 다행인지 몰라도, 우리가 맨날 받는 훈련이 이거 아니야?” 모타카가 새삼스럽다는 듯 말했다. “네 맞아요! 이건 저랑 알렉스 오빠가 맨날 하는 워밍업인데… 이게 함정이에요?” 다이아가 믿을 수 없다는 표정을 지었다. 자기라면 더 악독한 함정을 설치했을 거라는 생각을 하는 듯했다. 다이노원정대 모두가 똑같이 생각했다. 생각한 것보다 위험하지 않았다. “유니아! 열쇠를 꽂아줘. 갈 시간이야.” 카르노가 웃으며 말했다. 예상치 못한 모험에 들뜨는 듯 했다.

그리고 소피아는 데르덴 대공의 딸이었다. 데르덴 대공은 메디니아와 국경을 접하고 있는 바다의 왕국, 사이리덜 왕국의 대공이었다. 높은 지위를 차지하고 있었으며 사이리덜 왕국의 정치, 경제적 면에서도 큰 영향을 주고 있는 사람 중 하나였다. 사이리덜 왕국에서는 데르덴 대공이 웬만한 왕족보다 권력과 위세가 높다고 알려져 있다. 그런데 3년전 가을, 데르덴 대공의 외동딸 소피아가 실종되는 사건이 발생했다. 데르덴 대공은 다른 사람에게는 무뚝뚝했지만 가족에게는 따뜻한, 상당한 딸바보였기에 그때 사이리덜 왕국이 발칵 뒤집혔었다. 데르덴 대공은 애타게 딸을 찾았지만 소피아는 돌아오지 않았다. 아무런 연락도 없었다. 아틴사막으로 간 사람들은 반쯤 죽어서 돌아왔다. 그렇게 미제 사건이 되나 싶었던 데르덴 대공의 딸 사건을 다이노원정대가 파헤친다는 것이다. 타우는 꺼림칙한 기분을 떨쳐낼 수 없었다. '음… 불안하다. 진짜 불안해. 좋은 예감이 들진 않은데… 역시 알렉스 말처럼 내가 너무 예민한 건가? 그렇지만 함정이라니! 다이아랑 알렉스를 제외한 그 누가 함정을 좋아 하겠어. 휴… 그래도 어쩔 수 없어. 드로메드와 옐로이즈와 알렉스의 친구인 대공녀를 찾아야 되니까…'

그렇게 불안한 생각을 하다가 타우는 드로메드의 표정을 무심코 보았다. 타우는 깜짝 놀랐다. 항상 슬퍼도 웃으려 노력하고 밝던 드로메드의 표정이 어두워져 있었다. 몇시간 새 다크써클이 쭉 내려오고 툭 치면 금방이라도 울음을 터트릴 것만 같았다. 드로메드와 오래 안 사이인 타우도 그런 모습은 거의 본 적이 없었다. 그만큼 중요하고 힘든 일이란 것이기에 타우는 자신이 도움을 줄 수 있는 만큼 주려고 노력하기로 다짐했다. 친구들을 믿고 의지해서 가능한 일이었다. 하지만 안타깝게도 타우의 불길한 예상은 늘 그랬듯 적중하고 말았다.

6. 비밀통로로 들어오다

유니아는 작은 열쇠를 목걸이에서 빼내었다. 단지 평범한 보석 목걸이 인 줄 알았지만 그 보석 안에는 열쇠가 담겨 있었다. 작게 새겨진 파르타곤처럼 열쇠도 매우 작았다.

“자 비밀통로야, 문을 열거라!” 유니아는 두 손으로 열쇠를 꽉 쥐더니 파르타곤에 열쇠를 꽂아 넣었다. 유니아가 파르타곤의 구멍에 열쇠를 꽂은 뒤 천천히 한 번 돌렸다. 그러자 엄청난 빛과 함께 굉음이 들렸다. 순식간에 빛과 소리가 산 전체를 집어삼켰다. “으아악!” “아… 눈부셔…” “불 싫어! 싫다고!” “오 이런. 타우 병이 재발했군.” “귀가 멀어버릴 것 같아!” 다이노원정대는 저마다 소리를 질렀다.

마치 태양을 바로 앞에서 보는 듯한 빛이 쏟아져 나왔고 천둥 소리 같이 큰 소리가 들려왔다. 지난 번 다이아가 타고 왔던 번개가 낸 소리보다 10배는 더 강한 빛과 소음이었다. 다이노원정대가 진정하고 다시 앞을 보기까지는 5분이 걸렸다. 그 5분동안 모두의 흑역사라 해도 과언이 아닐 만큼 다같이 좀비처럼 허우적거렸다. 참으로 웃긴 모습이었지만 아무도 이 꼴을 못 본 것이 오히려 다행이었다. 만약 보게 되었으면 몇 년 동안 두고두고 이야깃감이 되었을 테니.

“으윽…” “아 굉장했어.” “와! 이제 앞이 보이네~” 모두가 눈을 뜨고 앞을 봤을 땐 언제 소리를 질렀냐는 듯이 여기저기서 탄성이 나왔다.
나무는 거대한 가지가 여러 개 더 생기며 금빛으로 빛나고 있었고 나무기둥에는 전에 없던 큰 구멍이 생겼다. 다 자란 성인이 자유롭게 들락날락 할 수 있는 크기의 구멍이었다. 파르타곤은 유니아가 열쇠를 꽂고 돌리자 시계 방향으로 천천히 돌아가며 구멍을 만들었다. 눈을 찡그리는 바람에 아무도 보지 못했을 뿐이다.
"와… 이 통로가 바로 아레폴리스 왕국으로 이어지는 유일한 비밀통로구나…" "으… 안전은 한거야?" 다이아는 감탄했고 타우는 아무것도 보이지 않는 구멍에 겁을 먹었다. "으이구, 생각을 해봐. 우리가 지나가려는 이건 아레폴리스 왕국으로 들어갈 수 있었던 유일한 통로였는데 안전하겠냐?" 티라는 혀를 끌끌 찼다.
타우는 얼굴이 백지장처럼 하얘졌고 드로메드는 먼저 앞장서서 구멍으로 들어갈 준비를 했다. "얘들아, 내가 먼저 들어갈게. 줄을 갖고 들어갈 거야. 아틀라스. 내가 줄을 두 번 당기면 안전하다는 뜻이니 들어오고 한 번 당기면 위험하니 날 올려줘." 아틀라스는 벤트 아이가 아니었지만 힘이 누구보다도 셌다. 아틀라스는 고개를 끄덕였다. 그러자 드로메드는 여러 번 심호흡을 하고는 구멍으로 뛰어들었다. "어어? 생각보다 깊은데? 천천히… 조금만 더 천천히…" 드로메드는 천천히 내려가고 있었다.
그때, "으아아아!" 드로메드는 천천히 내려가다 갑자기 놀라운 속도로 바닥으로 떨어졌다. 건물 40층 정도 높이만큼 긴 길이었다. 애당초 그런 스릴을 굉장히 무서워해 좋아하지 않는 드로메드는 내려가는 동안 크게 소리를 질렸고 그 바람에 줄을 잡고 있던 아틀라스도 놀라 구멍으로 딸려갈 뻔했다. 아틀라스가 줄을 놓쳐서가 아니었다. 드로메드는 줄과 아틀라스의 힘에 의존해 천천히 내려가고 있었다. 그런데 갑자기 어떤 힘에 의해 드로메드가 밑으로 당겨진 것이다.

"드로메드! 너 괜찮은 거야?" 아틀라스가 다급하게 물었다.

몇 초 후에 '쿵' 하는 작은 소리와 함께 드로메드의 곡소리가 들려왔다. 그 소리에 들어가야 하나 걱정했던 다이노원정대는 안심했고 드로메드는 일어나 줄을 두 번 당겼다. "윽… 나 괜찮아! 모두 들어와도 될 것 같아."

드로메드의 신호를 받은 뒤 테라를 시작으로 한 명씩 밑으로 내려갔다. 드로메드가 미리 마법으로 막을 설치해 두었기에 다이노원정대는 안전히 비밀통로의 입구에 도착할 수 있었다. "이제 다 도착한 거지? 그럼 이제 출발하자. 파라테란!" 드로메드는 특별히 챙겨온 가장 강력한 힘을 내는 마법 지팡이를 잠바 주머니에서 꺼내 빛의 마법을 걸었다. 마법 주문을 외우자마자 주위는 금세 환해졌다. 그제야 다이노원정대는 비밀통로 입구의 주변을 제대로 살펴볼 수 있었다.

"헐… 아레폴리스가 왜 공포의 왕국이었는지, 파르타곤이 왜 공포의 문양이었는지 알 것 같아…" "여긴 진짜 섬뜩하고 무섭다." "으…! 너무 더워…"

비밀통로의 입구에는 4개의 거대하고 큰 기둥이 떡하고 버티고 있었다.

그 기둥에는 정체모를 문자들과 그림들이 아주 많이 쓰여 있었다. 각 기둥에는 가장 큰 그림이 하나씩 그려져 있었는데, 그 모습이 드래곤과 흡사했다. 무시무시한 모습의 그 생명체는 얼굴이 매우 흉측하게 그려져 있었다.

각 기둥에 그려진 그림은 비슷한 듯 하지만 조금씩 달랐다. 어느 그림은 색이 빨간색이었고 다른 그림은 노란색이었다. 이 그림은 다이노원정대에게 공포심을 불어 일으켰다. 지금 노르아덴의 모든 나라는 '베르' 라는 공용어를 쓴다. (그래, 대마법사 베르테의 이름에서 따온 말이다.) 그렇지만 기둥에 쓰인 이 문자는 지금 쓰는 문자와는 달랐다. 고대 아레폴리스의 문자인 것 같았다. 당연하게도 다이노원정대에서 이 언어를 아는 이는 단 한 명도 없었고 기둥에 있는 문자에 담긴 의미를 해석할 수는 없었다.

다이노원정대와 소피아를 가로막고 있는 문의 양쪽에는 입을 쩍 벌리고 있는 돌 조각상이 있었다. 세칸을 닮은 그 조각상은 매우 무서웠다. 그리고 중앙에 파르타곤이 크게 새겨진, 철로 된 문이 다이노원정대와 아레폴리스를 가로막고 서 있었다. 아주 크진 않았다. 아틀라스의 키보다 30cm 정도만 더 컸으니 2m가 살짝 넘는 크기였다. 큰 크기가 아니었음에도 불구하고 다이노원정대는 여기저기 녹슨, 아레폴리스로 가게 해주는 그 문의 분위기와 느낌에 겁을 먹었다.

"이게 정말 안전한 걸까? 느낌이 안 좋아." 타우는 아까 전부터 하고 싶었던 말을 겨우 꺼냈다. "나도 타우 말에 공감한다. 여긴 내가 버티지 못할 만큼 더워." 알렉스는 인상을 마구 쓰고 있었다. 그도 그럴 것이 알렉스는 카르노 곁에는 잘 있지도 못할 만큼 더운 걸 싫어한다. 그런데 아레폴리스는 사막에 있는 왕국이고 여기는 사막과 연결된 통로이니 당연히 후덥지근하고 더웠다. 얼음, 겨울, 차가운 것을 선호하는 알렉스에게는 지금 이 상황이 악몽과 다름없었다.

아무리 친구를 구한다고 해도 이건 무리였다. 게다가 알렉스는 지난번 하늘에서 아이스 데거를 쓴 이후 아직도 그 후유증이 남아 있었다. 쓸데없는 자존심 때문에 그걸 인정하지는 않았지만. "알렉스. 저길 잘 봐. 여기만 이렇지 저 안에 들어가면 너무 좋다고 그럴걸? 문에 얼음 결정이 있잖아. 그만큼 춥다는 거라고. 옛날에도 너 같은 애가 있었나 봐~" 여태까지 가만히 있던 테라가 킥킥거리며 예리하게 사실을 짚어주었다. 알렉스는 믿을 수 없다는 표정으로 문에 가까이 다가갔다. "아니 정말이잖아! 이걸 어떻게…" 테라의 말이 맞았다. 문은 차가웠고 서리가 껴있었다.
"자, 그럼 이제 저 문을 열 시간이야." 드로메드가 뿌듯한 표정을 지으며 문에 양 손을 댔다. 드로메드의 손에서 아침 햇살과 같은 따뜻한 노란빛이 번져 나가며 문을 감쌌다. 노란 빛이 문 전체에 퍼지자 드로메드는 천천히 힘을 주며 문을 밀었다. 처음에 잘 열리지 않았던 문은 드로메드가 계속 힘을 주자 스르릉 하는 소리를 내며 한쪽으로 밀리었다.
오랫동안 쓰이지 않았기에 먼지가 엄청나서 드로메드의 옷과 머리 위에 먼지가 잔뜩 쏟아졌다. 칼각과 대칭, 청결을 좋아하는 드로메드는 질겁을 하며 인상을 썼다.
옐로이즈는 문이 열리는 모습을 보자 많은 감정들이 한꺼번에 쏟아져 들어와 모든 감정들이 뒤섞인 듯한 느낌을 받았다. 마치 몇 명 밖에 살지 않았던 평화롭던 감정 마을의 견고했던 문이 열리며 천가지의 감정이 이민을 온 느낌이랄까. 이 느낌은, 이 감정은 친구가 살아있어서 안도하는 안도감일까 새로운 모험에 대한 두려움일까. 어쩌면 다른 감정일 수도 있었다.

옐로이즈는 스스로 감정을 추스르고 드로메드에게 달려갔다. “오빠 같이 가!” “아 그래. 오늘 되게 조용하네. 없는 줄 알았어.” 드로메드가 옐로이즈에게 해맑게 웃어주었다. ‘오빠, 우리가 언제까지 이렇게 웃을 수 있을까? 이렇게 웃을 수 있는 시간, 얼마 남지 않았어. 그동안 막아야 해. 행복은 찾아오지 않아. 오래 머무르지도 않고. 내가 먼저 다가가 붙잡아야 하는 게 행복이야. 그 행복을 붙잡았을 때 진심으로 행복해지는 거야. 하지만… 그래, 지금은 소피아 찾는 데만 열중하자.’ 옐로이즈는 드로메드를 마주보며 미소 지었다. 어딘가 많이 쓸쓸하고 슬퍼 보이는 미소를…

7. 첫번째 함정

다이노원정대는 문을 열고 안으로 들어갔다. 다이노원정대의 전력분석원이자 브레인인 테라가 추측한대로 안은 굉장히 서늘했다. 이번에는 반대로 알렉스는 만족해 했지만 카르노는 달달 떨며 몸의 온도를 60도까지 높였다.

그리고 입구가 아닌 진짜 '통로'로 들어오자 다이노원정대는 어디 있는지, 어디서 튀어나올지 모르는 함정에 대비해 천천히 움직였고 방어 태세와 공격 태세를 갖추었다. "바닥 조심하고, 천장 조심하고, 옆에 있는 벽도 조심해. 절대 아무것도 건드리지 마." 이런 상황이 익숙한 드로메드가 낮은 목소리로 모두에게 말했다. 드로메드의 동생인 옐로이즈도 마찬가지였다. "얘들아 대부분의 함정은 바닥에 설치되어 있어. 바닥 타일을 밟았을 때 푹 들어가면 함정이니 도망쳐야 해."

그때였다. '딸깍' 고요한 통로에 불길한 소리가 울려 퍼졌다. "음… 옐로이즈. 미안한데 나 버튼을 누른 것 같아아아!" 티라가 매우 미안한 표정을 짓더니 갑작스레 비명을 질렀다. 다른 아이들도 마찬가지였다. 위에서는… 불붙은 화살이 마구 쏟아지고 있었다! "다들 침착해! 우리가 맨날 하던 거에 불만 붙었을 뿐이야! 모두 당장 나에게 화살을 던져!" 데이비드가 소리쳤다. 그 말에 다이노원정대는 자신들이 이렇게 떨 이유가 없다는 걸 깨닫았다. 그 모습에 겁을 먹었을 뿐 난이도 자체는 그리 어렵지 않았다.
다이노원정대는 화살이 쏟아지자 마자 공격 태세를 갖춰 씨름 중인 테라를 돕기 시작했다. 다만, 항상 훈련하던 곳이 아닌 어둡고 춥고, (누군가에겐 덥고) 낯선 곳에서 이런 상황을 맞자 당황해 몸이 굳었다.
"하이얍!" "그러고 보니까 만날 다이아가 시키던 거잖아! 이게 이렇게 고마울 줄이야." 테라는 위에서 쏟아지는 불붙은 화살을 가볍게 피한 뒤 그 불을 손으로 꺼버렸다. 눈에 보이지 않을 만큼 재빨랐고 민첩했다. 알렉스가 혹시 모른다고 챙긴 얼음으로 된 실로 만든 장갑을 착용했기에 테라는 화상을 입지 않고 불을 끌 수 있었다. 그렇게 불을 끄고 나면 데이비드에게 던져주었다. 그 화살을 받은 데이비드는 재빨리 활에 화살을 끼워 넣고 활시위를 당겼다. 데이비드는 다이노원정대가 되기 전부터도 소문난 명궁이었고 학교에서도 양궁부였다. 성인인 양궁 선수라도 데이비드를 이길 수는 없었다. 즉, 데이비드가 노르아덴의 1등 신궁이라는 말이다. 다이노원정대가 된 후로 더 수준 높고 고된 훈련을 받았으니 전보다 실력이 더 향상되어 조준력, 스피드가 올라갔다.
날아간 화살은 다이노원정대에게 쏟아지던 또다른 화살을 맞추어 떨어트렸다. 이곳 바닥과 벽면은 모래와 불에 붙지 않는 특수한 재료로 이루어져 있어 다행히 불이 붙지는 않았다. 티라는 물을 다루는 모타카를 데리고 빠른 달리기로 요리조리 화살을 피했고 모타카는 물을 화살에 쏘아 불을 껐다. 티라와 모타카는 5년지기인데 오늘 그 둘의 오랜 시간에 걸쳐 다져진 협동심이 빛을 발했다.

모타카가 불을 꺼서 떨어지는 화살은 알렉스가 받았고 그냥 맨손으로 잡아 던지기도 했다. 알렉스는 얼음을 다루고 추운 곳에서 살기에 그의 손은 매우 차가웠고 불은 알렉스의 손에 닿는 순간 그냥 꺼져버렸다. 훈련만 받았지 실제 경험은 없어 어쩔 줄 몰라 서 있던 아틀라스도 알렉스가 데리고 다니며 화살을 받게 시켰다.

아틀라스는 트라이나 왕국에서 배운 것과 다이노원정대의 훈련을 잘 받아서 그런지 처음치고는 굉장히 좋은 성적을 거두었다. 많이 허둥거리기는 했지만 말이다.

드로메드는 무서워하는 타우를 안전한 곳으로 대피시킨 뒤 테라의 태블릿을 주며 이곳 지형과 또다른 함정을 조사하라고 시켰다. 타우도 훈련을 잘 받았고 전투도 누구보다 잘했지만 자기가 무섭다라고 느끼는 순간 모든 능력이 0%가 되기 때문에 드로메드는 타우의 뛰어난 재능을 마음껏 쓰지 못한다는 점에서 늘 아쉬워한다.

타우는 다른 도움이라도 주고 싶어서 미친 듯 검색을 시작했다. 타자를 치는 손은 티라의 달리기 속도보다 빨랐고 머리 속에서는 5개 이상의 정보를 한꺼번에 처리했다. 많은 정보가 계속 들어와 처리하기 힘들었지만 타우는 머릿속에 파일을 만들어 차곡차곡 정리했다. 그 상황에, 그 압박감을 느끼며 일을 하기란 쉬운 일이 아니었지만 타우는 지금 눈에 뵈는 게 없었다. 몸 쓰는 일을 하면서도 눈에 뵈는 게 없으면 참 좋을련만. 원래는 테라가 이 일을 했지만 지금은 할 수가 없어서 타우가 대신 했는데 예상 외로 너무 잘하고 있었다. 일 처리 속도가 정말 빨랐다.

다이노원정대의 막내 다이아도 스릴과 공포를 너무나 좋아하는 사람이어서 놀이공원에 간 것 마냥 신이 나 소리를 지르고 있었다. 다이아의 발차기와 손짓 하나면 화살 5개가 바닥으로 떨어졌다. "어어, 조심! 너 머리 위에!" 드로메드가 늘 애지중지 하며 아껴서 그렇지 누구보다도 강한 힘과 마법을 지닌 옐로이즈는 다이노원정대의 부대장 답게 바람처럼 빠르게 움직이며 데이비드에게 화살을 주었다. 옐로이즈는 다이노원정대에서 두번째로 강하다. 어쩌면 노르아덴 전체에서 두번째일지도. 그렇게 뭐 또 새로운 거 없나 고개를 딱 돌리던 순간 옐로이즈는 유니아의 머리 위로 불붙은 화살이 떨어지는 것을 보았다. 유니아는 의욕이 앞서 앞만 보고 싸웠기에 그 화살을 보지 못했다. 처음이라 서툰 것도 있었다. 옐로이즈는 단 1초만에 마법지팡이를 꺼냈고 순식간에 주문을 외웠다. "오스타네닛 스크루마!" 오스타네닛 스크루마는 어떠한 사물이나 사람을 마법이 걸리자 마자 멈추게 하는 마법 주문이다. 약 1시간 동안 지속되며 그 시간 동안은 죽은 것처럼 가만히 있게 된다. 공중에 떠 있는 상태로 주문이 걸려도 마찬가지다. 바다에서는 주문이 걸리면 그 상태로 심해 밑바닥까지 가라앉게 된다. 파란 광선이 일렁이며 화살에게 날아갔고 유니아의 머리에 닿기 바로 직전에 멈추었다. 유니아는 눈을 질끈 감았다가 불이 붙지 않자 조심스레 위를 보았다. 화살은 물론 불까지 얼어붙은 듯 얌전히 있었다. "어? 옐로이즈, 네가 날 구해준거야?" 이 모습을 뒤에서 지켜본 드로메드는 조용히 기뻐했고 최후의 일격을 준비했다.

옐로이즈는 화살을 막으며 무심하게 말했다. "그럼 친구가 불에 타 죽을 뻔

한 순간에 가만히 있는 바보가 어딨어. 그렇게 있다간 또 맞아. 빨리 움직여." 옐로이즈는 손발이 뒤엉켜 넘어지던 카일에게 다가가 도와주었고 유니아도 잠시 멍하다가 움직이기 시작했다. 드로메드는 더 이상 시간을 끌지 않기 위해 얼른 마지막을 준비했다. "스티타니아 루세라켄타마크도문!" 드로메드가 폭풍의 마법과 나에게 라는 주문을 외우자 폭풍이 드로메드에게 돌아왔다. 그에 맞춰 빙그르르 돌자 폭풍은 드로메드의 몸에 완전히 감겼다. 드로메드는 마법으로 공중에 붕 떠 빙글빙글 돌며 계속 폭풍을 일으켰고 화살들은 모두 나가떨어져 바닥과 벽에 박혔다. 드로메드는 잠시 휘청였지만 금세 균형을 잡았다. "끝났어." "첫번째 함정 치곤 너무 빡쎄…" "아니예요! 이 정도는 회전목마 수준이죠! 롤러코스터를 타려면 한참 남았어요!" "첫번째가 이렇다면 두번째, 세번째는 더 힘들다는 거네…"

화살은 다 떨어졌고 다이노원정대는 단 한명의 사상자 없이 무사히 지나갈 수 있었다. "타우야 결과는?" 드로메드가 물었다. "여기는 검색이 잘 안되더라. 알아낸 건 별로 없어. 이 앞에 4개의 함정이 더 있다는 것 밖엔…" 타우가 속상한 표정으로 말을 흐렸다. "그거라도 알아낸 게 어디야. 적어도 조심은 할 수 있잖아. 고마워~" 옐로이즈는 어느새 평소대로 돌아와 타우에게 환한 미소를 지어주었다. "그건 옐로엔 말이 맞아. 다친 사람은 아무도 없지? 시간이 없어. 다시 출발하자." 드로메드도 첫번째 함정을 무사히 지나간 것을 감사히 생각하며 앞장섰다. 함정은 다이노원정대가 아무리 조심해도 발동될 것임을 알아버린 다이노원정대는 편안하게 가기로 했다. '함정이 더 있다는 걸 안 것만으로도 감지덕지다.' 라고 생각하며.

8. 두번째 함정과 위기

“으… 여긴 너무 음산하고 어둡다. 드로메드, 옐로이즈! 불을 더 밝힐 수는 없어?” 아레폴리스로 이어지는 비밀통로 속에서 카르노는 덜덜 떨었다. 카르노는 카르노타우루스이다. 노르아덴의 카르노타우르스는 모두 불 속성이다.

즉, 카르노 또한 불 속성이라는 얘기다. 카르노는 계절 중에서도 겨울, 겨울을 가장 싫어한다. 그래서 카르노는 겨울만 되면 집에 틀어박혀 학교와 학원을 갈 때는 제외하고 절대 집 밖으로 나오지 않는다. 다이노원정대가 된 이후로는 학원을 다니지 않아 카르노는 정말 좋아했다. 이불 밖은 위험하다는 말은 누구보다도 카르노 한테 어울린다. 겨울만 되면 힘이 철철 흘러넘치는 알렉스와는 정말 정반대이다. 그렇지만 여름이 되면 체내 온도가 60도, 70도까지 너무 올라가 딱히 여름을 좋아하지도 않고 봄이나 가을을 가장 좋아한다. 힘듦, 무서움, 추움 등 이유는 여러가지였지만 가장 중요한 건 지금 카르노가 이 온도와 추위를 견디지 못한다는 것이었다.

“미안 카르노. 우리도 이게 최선이야. 조금만 참아.” 드로메드가 미안한 표정을 지었고 카르노는 옷을 더 못 챙겨온 것을 후회했다. “흠흠… 합리적으로 생각하고 신중히 조사한바에 의하면, 난 지금 추위보다는 함정이 더 걱정돼.” 데이비드가 목을 가다듬으며 말했다. 아무도 대답하지 않았지만 모두 데이비드의 말에 공감했다.

알렉스는 10분 전처럼 돌아가 다시 인상을 잔뜩 찌푸리고 있었다. 뭔가가 심각하게 마음에 안 든다는 표정이었다. 알렉스의 머리색은 지금 완전히 까만색이었다. 밤하늘처럼, 새카만 벤과 다이아의 눈동자 색처럼. 그 색은 알렉스가 엄청나게 기분이 안 좋다는 걸 의미한다. 검은 머리를 그냥 놔두는 걸 보니 머리색을 바꿀 기운조차 없는 모양이었다. 이럴 때 알렉스를 건들이면 가볍게는 쓴소리를 들을 것이고 심하게는 얼음 속에 갇히게 될 것이다. 그건 드로메드와 데이비드, 타우도 마찬가지였다. (실제로 얼음에 갇힌 적은 별로 없다. 1년에 한 번 정도랄까?) 타우는 뒤에서 알렉스를 잠깐 동안 지켜보며 알렉스의 진짜 마음과 생각을 금방 파악하고 그에 맞은 해결책을 생각해낼 수 있었다. '너 많이 아프구나. 하긴, 그때 너무 무리했어. 날 구하겠다고… 대체 어디서 그런 힘이 나온 걸까? 아무리 쟤라도 그런 힘을 내는 건 많이 힘들었을 텐데. 언제 네가 나한테 그랬지. 약한 것을 강하게, 절망을 희망으로 바꾸어 주는 게 바로 힘이라고. 자기는 그 힘을 얻기 위해 죽는 한이 있더라도 미친 듯 노력할 거라고… 하지만 알렉스. 네가 숨을 쉬며 움직이고 이 인생, 삶을 살아가는 것, 하루하루를 목표를 향해 쓰는 것. 이게 바로 희망과 힘이야. 삶이 있는 한 희망은 있어. 희망이 있기에 하루를 살아갈 수 있고 힘이 있기에 하루를 버틸 수 있는 거야. 난 네가 죄책감과 아픔에 그만 시달렸으면 좋겠어. 넌 그때 아무것도 할 수 없었어. 이 얘기를 너에게 소리 내어 해주고 싶지만… 지금은 그냥 있는 게 좋겠다.'

"잠깐만, 저게 뭐야? 다들 멈춰. 벽이 이상해!" 유니아가 갑자기 소리쳤다.

유니아의 소리에 다이노원정대는 일제히 뒤를 돌아보았다.
“왜 그래?” “내가 잘못 본게 아니라면, 벽에서 뭔가가 움직여!” 유니아 말이 사실이었다.
벽은 가만히 있지 않고 녹는 것처럼 흐물흐물 거리고 있었다. 마치 천천히 흘러내리는 용암처럼 움직였다. 천장, 오른쪽과 왼쪽 벽, 그리고 바닥. 다이노원정대를 둘러싸고 있는 모든 면이 움직이며 탁구공만한 구멍을 만들었다. 한곳만이 아닌 여러 곳에서 500개 이상의 구멍이 생겼다.
“어… 아무래도 두번째 함정인 것 같은데…” 모타카가 불안하게 말했다.
“창이 벽에서 솟아날 것 같아요. 바닥에서도, 천장에서도!” 다이아도 소리쳤다. 목소리가 굉장히 올라가 있었는데 그 이유는 겁을 먹었기 보다는 새로운 함정을 깰 생각에 들뜬 것 같았다. 타우마저도 결연한 표정을 지었다. 이번만큼은 용기를 내어 팀에 도움을 주고 싶다는 표정이었다.
드로메드와 옐로이즈가 마법으로 모두를 공중에 띄었다. 아, 물론 이미 날 수 있는 테라와 아틀라스, 유니아, 카일은 제외했다.
다이아의 예상대로 구멍에서는 창들이 서서히 나와 다이노원정대와의 거리를 좁혀갔다. “옐로이즈, 여기선 순간이동 마법이 통하지 않지?” 카르노가 물었다. “통한다면 진작에 했겠지. 지금은… 이 창들을 없애는 게 급선무야!” 옐로이즈가 안 되겠다 싶었는지 마법을 쓰는 것을 멈추고 지팡이를 꺼내 들었다. 드로메드는 큰 힘이 갑자기 사라지자 잠시 휘청였지만 바로 균형을 잡았다.
옐로이즈와 동시에 테라도 카드를 꺼냈다. 옐로이즈와 테라는 서로 잠시 쳐다본 뒤 앞으로 돌진했다. "오스타네닛 스크루마! 바한텐!" "어둠의 창 다크나이트스피어!" 옐로이즈가 주문을 외우자 움직이던 창들이 즉시 멈추었다. 오스타네닛 스크루마. 아까도 옐로이즈가 유니아를 구하기 위해 썼던 주문이다. 모든 걸 멈추게 하는 마법 주문 말이다. 그리고 또 하나의 주문인 바한텐. 바한텐은 주문이 걸린 대상을 원래 있던 자리로 돌아가게 할 수 있었다.

더 나아가 최상위 고수들을 살펴보자면, 최상위 고수들은 시간을 돌릴 수도 있었다. 예를 들어 전쟁터 같은 곳에서 이 주문을 날아오는 화살, 창, 칼 등에 건다면 그 화살, 창, 칼이 원래 쏘아졌던 곳으로 돌아가 역공격을 할 수 있게 되는 것이었다. 이 주문은 간단하게 보이지만 실은 정말 상위권 고수들만 쓸 수 있는 마법 주문이라 실제 전쟁터에서 쓰인 사례는 매우 희귀하다.

옐로이즈의 입에서 바한텐이라는 말이 나오자 다이노원정대를 위협하던 창들은 즉시 나왔던 구멍으로 들어갔고 창이 끝까지 들어가자 구멍은 사라졌다.

반대쪽에서 테라는 어둠의 창으로 변한 카드 다크나이트스피어를 끝도 없이 나오는 창들에 던지며 다시 구멍으로 집어넣고 있었다.

어두운 기운을 풍기며 날아간 창은 그 즉시 아레폴리스의 마법을 없애 버렸다. 왜 테라가 다이노원정대에서 어떨 때는 드로메드와 옐로이즈보다도 더 강한 에너지를 낼 수 있는 사람인지 증명 시켜주는 대목이었다.

옐로이즈와 테라의 공격을 시작으로 본격적으로 다이노원정대는 다가오는 창들을 막기 시작했다.
카르노는 기다렸다는 듯이 사방으로 불을 뿜어 댔다. 온도가 너무 높아 불이 창에 닿는 즉시 녹아버렸다. 너무나 추웠던 탓에 카르노는 이성을 잃고 아군에게도 불을 쏘았다. 아무리 말해도 카르노가 듣지 않자 다른 아이들은 창을 막는 동시에 카르노의 불을 피해야만 했다. 드로메드는 안타깝게도 모두를 공중에 띄우고 있느라 다른 마법을 쓸 수 없었고 친구들에게 모든 걸 맡길 수밖에 없었다. 다행스럽게도 드로메드의 든든한 친구들은 각자 맡은 바를 잘 해내고 있었다. 다이아는 처음 느끼는 짜릿한 느낌에 함박웃음을 지으며 창을 탁탁 쳐내고 있었다.
다이아의 손과 발, 전기 공격에 못 이겨 창들은 내동댕이 쳐지고, 튕겨져 나가고, 모래에 박혔다. 다이아가 리듬을 타며 창을 쳐내자 경쾌한 소리가 울려 퍼졌다.
벤은 창이 사람이 있는 쪽에서만 움직인다는 걸 깨닫고 위장술로 모습을 감추었다. 벤이 갑자기 주변 배경과 똑같은 모습이 되어 사라지자 창들은 움직임을 멈추었다. 벤은 스타베이비즈에서 나고 자랐으므로 위장술로는 그 누구도 벤을 이길 수 없었다. 이 능력을 이용해 다른 친구를 놀래키거나 숨바꼭질 축제에서 1등을 하기도 한다. *(노르아덴의 전통과 문화 부문 참고)* 벤이 위장술을 쓸 때는 주변과 너무 똑같아져서 아무리 시력이 좋다해도 벤은 찾을 수 없었다. 위장술로 모습을 숨긴 뒤 벤은 창을 하나씩 없애기 시작했다. 몰래 접근해 단단한 비눗방울 안에 창들을 가둬 놓았다. 비눗방울 안에 갇혀 있어 창이 가까이 와도 아프지 않았다.

파르낭 할아버지 또한 왕년에 100년 전쟁을 승리로 이끈 장군이었다는 걸 증명한다는 듯 매우 빠른 몸짓과 판단력으로 창을 하나씩 제거해 나가고 있었다. 하지만 문제는 창이 나왔던 구멍이 없어져도 조금 뒤면 다시 생긴다는 것이다.

드로메드도 여러 명을 띄우고 있느라 지쳐 있었고 그런 드로메드를 카일이 도와주었다. 높은 음과 낮은 음. 그 중간의 음역대에서 소리를 내면 잠깐이라도 물건들을 띄울 수 있었다. 다른 사람들에게 소리는 들리지 않아도 카일은 안간힘을 쓰고 있었다.

드로메드는 카일의 도움에 잠시 숨을 돌렸다. 그리고 고군분투하는 친구들을 보았다. 아직 너무 무서워도 마법 주문을 아무거나 미친 듯 외우며 다가오는 창에게 마법 주문을 거는 타우가 있었고 아무것도 하지 않은 채 그대로 굳어 머리를 감싸 쥐고 있는 알렉스를 보았다. 평소였다면 열심히, 누구보다도 빨리 위험 요소를 제거해 가고 있었겠지만 지금은 아까보다도 더 상황이 안 좋았다.

막아도, 막아도 계속 눈덩이처럼 불어나는 창들을 보며 드로메드는 그 구멍이 사라지기 직전에 얼음이나 불로 막아야 한다고 생각했다. 하지만 카르노는 이성을 잃었고 알렉스는 너무 아파 보였다. 드로메드가 할 수도 있겠지만 모든 아이들을 공중에 띄우려면 마법을 써야 했고 동시에 다른 마법을 쓸 수는 없는 노릇이었다.

'아 어떡하지… 이성을 잃은 카르노는 정확도가 떨어질 것이고 아픈 알렉스에게 일을 시킨다면 건강이 더 악화될 거야. 데이비드는 불이 아닌 폭발

전문이고. 엘로엔도 불이나 얼음은 카르노나 알렉스처럼 강한 효과를 낼 수 없어. 음… 그래! 나와 엘로엔 비슷한 종류의 마법을 쓰지만 더 강한 불과 얼음의 마법을 쓸 수 있는 사람이 있어.' 드로메드는 걱정 반, 기대 반이 섞인 눈으로 누군가를 쳐다보았다. 여러 사람들 중에 드로메드의 눈길이 멈춘 곳은 바로… 눈을 질끈 감고 있는 타우였다.

9. 타우의 도전

드로메드는 타우를 쳐다보았다. 타우는 엘로이즈와 드로메드에 버금갈 정도로 정말로 강력한 마법을 지녔지만 도통 그걸 쓰는 날이 없다. 좋은 능력을 썩혀 두고 있는 것이다. 그래서 알렉스와 데이비드, 드로메드, 엘로이즈는 늘 혀를 쯧쯧 차고는 한다. 타우의 어린 시절 안 좋은 기억 때문에 타우의 마법은 아주 안전한 일상생활을 할 때가 아니면 보기가 힘들다. 그것도 조금만. 하지만 지금 상황에서는 타우가 유일한 희망이었다.

드로메드는 서둘러 타우에게 다가갔다. "타우야? 진정하고, 혹시나 해서 먼저 서론부터 말할게. 이건 네가 무조건 꼭 해야 하는 일은 아니라는 것을 전제 하에 혹시, 혹시 된다면…" 드로메드는 주변에 있던 창들을 모두 없앤 뒤 타우에게 말했다. "안 봐도 비디오지. 나도 알아. 지금 내 힘이 필요하다는 걸. 근데… 너도 알다시피, 난 이게 아직… 너무 두려워. 다시는 똑같은 일 겪고 싶지 않아. 그때도 나 때문에 그 사달이 났는 걸?" 타우가 말을 이었다. 두려운 눈빛이었다. "한 번 생긴 트라우마는 쉽게 없어지지 않지... 그건 나도 겪었던 일이고 지금도 겪고 있어. 근데 왜 나는 지금 그럭저럭 괜찮은지 알아? 친구들을 의지하는 마음. 친구들에 대한 믿음. 그리고 사랑. 난 내 친구들을 믿고 사랑해. 그건 너도 마찬가지일 거야. 그럼 날 믿어주는, 내가 정말 사랑하는 친구들을 지키기 위해선 어떻게 해야 할까?" 드로메드가 따뜻한 표정으로 물었다. "강해져야지. 강해져서 친구를 지켜야지." 타우도 그 대답을 너무나 잘 알기에 망설임 없이 대답했다. "그래. 한 생명을 살리려면 다른 생명의 희생도 필요해. 그렇다고 너보고… 희생하라는 건 아니야. 난 언젠가는 떠날 거고 너희는 절대 그렇게 만들지 않을 거니까. 단지 사랑하는 사람을 지키려면 용기와 힘이 필요하다는 것이지. 타우야. 언제까지나 그렇게 두려워하고 숨어있을 수만은 없어. 더 후회하기 전에 바꿔야만 해. 너도 알다시피 이젠 나에겐 시간이 없어. 절대 나 대신 내 가족과 너희를 희생시키진 않을 거야. 하지만 넌 아니잖아? 난 네가 후회하지 않았으면 좋겠어. 용기를 내. 넌 할 수 있어. 그때와는 달리 지금은 네가 가장 좋아하고 사랑하는 친구들이 여기 있잖아."

드로메드의 마지막 말을 듣자 타우는 머릿속의 뇌가 강렬하게 힘을 써야 한다고 신호를 보내는 것을 그제서야 비로소 느낄 수 있었다. 드로메드의 말이 맞다. 사랑하는 사람들을 지키려면 강해져야 하고 그러려면 더 이상 숨어있을 수만은 없었다. 이젠 나설 차례였다.

"드로메드. 나 이제 할 수 있어. 네 말처럼, 나 더 이상 숨지 않을래." 타우는 잠시 생각하다가 고개를 힘차게 끄덕였다. 늘 불안하고 초조해 보였던 타우의 눈빛이 지금 희망과 자신감으로 가득 차다 못해 흘러내리고 있었다.

타우의 온 몸에서 밝은 햇살이 뿜어져 나오는 것만 같았다. 그와 동시에 드로메드의 얼굴도 눈에 띄게 밝아졌다. 지금 상황만 안전했다면 드로메드는 소리를 지르고 방방 뛰어다녔을 것이다. 항상 불안해하고 모든 걸 무서워하던 친구가 드디어 용기를 내어 모두를 구하겠다고, 이제 더 이상은 숨지 않을 거라 큰 소리로 말하는데 그 어떤 누가 기쁘지 않겠는가. "타우야! 정말 잘 생각했어. 정말 고마워. 정말… 정말 고마워…" 드로메드는 저도 모르게 눈물을 글썽였다. 그 기쁨은 차마 말로 표현할 수 없었다.

"언젠간 이 벽을 부숴야만 했어. 난 오늘로 이 몇 년 된 벽을 부수고 부숴 가루로 만들어 버리고 날려 버릴 거야. 이 창들을 4개 빼고는 다 두 토막 내버릴게…" 타우는 결연한 표정으로 말했다. "4개는 왜 남겨둬?" 드로메드는 의아한 표정을 지었다. "아 그냥 앞으로 함정에 대비하는 차원으로. 데이비드 하나, 테라 하나, 너 하나, 엘로엔 하나. 천하무적 4인방이잖아!" 타우는 꽤나 진지하게 주먹을 불끈 쥐었다. 드로메드는 어이없다는 듯 헛웃음을 지었다.

그 말을 끝으로 타우는 불안해 보였던 전과는 완전히 다른 모습으로 한가운데에 섰다. (정확하게는 바닥에 발을 딛고 선 게 아니라 공중에서 다리를 쭉 피고 있었다는 얘기.) 그리고는 몇 초 뒤 갑자기 전에 한 번도 본 적 없는 모습으로 옷과 머리 색, 눈동자 색이 바뀌었다. 타우의 각성 모습이었다. 다른 친구들이 각성을 할 때는 다 요란한 주문과 함께 조금의 시간이 소요 되지만 타우는 주문과 시간이 필요하지 않다. 자기가 원할 때 언제나 각성을 하거나 마법을 쓸 수 있었다. (마법 주문을 아예 안 쓴다는 얘기가 아니고 주문을 안 외우고도 마법을 쓸 수 있다는 얘기.) 타우의 옅은 초록색 눈동자는 피처럼 빨간 붉은색으로, 갈색 곱슬 머리는 검은 곱슬 머리로, 옷은 검은 천으로 되었고 그 속에는 황금 문양이 있는 옷으로 바뀌었다. 또한 타우는 긴 검을 왼쪽 손에 들고 사방의 창을 천천히 둘러보며 야릇한 미소를 짓고 있었는데 드로메드의 도움을 받지 않고도 공중에 떠있었다. 그 모습은 매사 지나칠 정도로 신중하고 초조한 타우의 각성 전 모습과는 너무나 달랐다. 그 사람은 타우와 똑같이 생겼지만 전혀 타우 같지 않았다.

타우는 마치 에스멜레 왕국의 호위무사처럼 보였다. 에스멜레 왕국은 그들만의 전통만 따르기에 전통 옷, 문화, 전통 춤 등이 독특하고 신비롭다. 다른 나라의 영향을 받지 않은 채 살아가고 있다는 것이다. 타우도 에스멜레 사람이고 그곳에서 오래 살았기에 각성 모습이 이런 것 같았다. (물론 메디니아에 있는 지금은 메디니아의 법과 전통을 따르고 있다.)

타우는 마법 쓰는 걸 극도로 싫어하기 때문에 그의 오랜 친구들인 드로메드, 옐로이즈, 알렉스, 데이비드도 타우의 각성에 당황했다. “음… 우리가 각성할 때는 겉모습은 달라져도 분위기는 유지를 하는데 타우는…” 옐로이즈가 떨떠름한 표정으로 옆에 있던 데이비드를 쳐다보았다. “그러게. 내가 아는 타우의 모습이 아니야. 그리고 한가지 말하자면 옐로이즈, 너도 각성할 땐 꽤 조용해.” 데이비드도 고개를 끄덕였다. “지금은 그게 중요한 게 아니지. 타우가 우리를 위기에서 구할지 지켜보자고. 드로메드. 넌 우리 공중에 잘 띄우고 있어라. 놓치면 안 돼. 놓치면 다 죽어. 밑에 봐.” 알렉스 조차도 목소리가 굉장히 올라가 있었다.

타우의 등장에 창들은 모두 타우를 겨냥했고 덕분에 다이노원정대는 위협받지 않고 한쪽에서 기다릴 수 있었다. “흐음… 이런 기분 오랜만이야. 더 즐기고 싶은 걸? 크크큭… 이걸로 모든 일을 원래대로 돌려낼 수도 있지.” 타우는 이 상황이 재미있다는 듯 킬킬 웃으며 검을 이리저리 돌려보고 휘둘렀다. 그리고 그 칼을 보자마자 타우는 인상을 찌푸렸다. "왜 그 사람 생각이 나는 거지? 그 악당 생각이… 왜 그 얼굴이 떠오르는 거냐고! 기억해 지금 이 느낌... 그 사람이 했던 말이었나? 대체 나랑 무슨 관계이길래. 아니야, 내가 칼춤 한 번만 추면 다 나가떨어졌을 것들인데 너무 오래 살아있었어. 오늘 신명 나게 놀아보자!" 타우는 혼잣말을 끝낸 후 위로 솟구쳤다. 그리고는 칼을 여기저기로 휘둘렀다. 타우의 손짓 한 번에 천장에 있던 창들이 사라져 버렸다. 금빛 모래가 되어 타우의 머리 위에 천천히 내려 앉았다. 그리고 구멍에서 다시 새로운 창이 나오기 전에 에스멜레 왕국 전성기 시대에 쓰였던 까만 붕대를 구멍에 붙였다. 단단하고 질긴 붕대에 끈끈이를 바르고 구멍에 붙이니 창이 나올 수 없게 되었다.

다이노원정대가 멀리서 보기에는 그냥 마구 칼만 흔들어 대는 것 같았지만 타우는 최대한 칼을 이용해 창을 제거해 나가면서도 찔리지 않게 몸을 멀리 했다. 정말 힘든 일이었지만 각성한 타우에게는 가능한 일이었다. 아니, 오히려 재미있고 신나는 일이었다. 타우의 칼에는 마법이라도 걸려있는 건지 칼이 창에 닿자 모래로 변해 없어져 버렸다.

"뭐야… 너무 쉽잖아!" 타우는 금방 장애물들이 사라지자 인상을 팍 썼다. 처음에 500개가 넘어 보이던 창들을 4개 남겨두고 없앤 뒤 나올 수 없게 구멍까지 막아버렸으니 더 이상 장애물이 나올 리가 없었다.

10분이 채 안 돼 모든 것이 끝났다. 감탄을 할 새도 없었다. 눈을 깜빡여 보니 상황이 정리되어 있었다. 타우가 창 4개를 빼자 다시 원래의 모습으로 돌아왔다. 믿을 수 없다는 듯 타우는 손을 이리저리 살피며 멍한 표정으로 친구들을 쳐다보았다.

제일 먼저, 기쁨에 벅찬 드로메드가 뛰어나가 타우를 꼭 안았고 그 다음에는 다이노원정대 전원이 타우에게 잘했다고, 수고 했다고 따뜻한 말을 전해주었다. 타우는 활짝 웃으며 몸 둘 바를 몰라 했고 드로메드는 조금 떨어져서 지켜보며 친구들이 하루하루 성장하는 것에 감사하고 기뻐했다.

10. 세번째 함정

두번째 함정에서까지 빠져나오고 나서 다이노원정대는 순조롭게 길을 지나갈 수 있었다. 한동안은 함정이 나오지 않았기 때문이다. "난 말야, 이럴 때가 제일 불안해. 큰 게 튀어나올 거 같거든." 모타카는 인상을 찌푸리며 드로메드의 옆에 딱 붙어 갔다.
겁이 많은 모타카는 계속 함정이 안 나오니 불안한지 여기저기를 마구 살폈다. 그건 뒤에 있던 아틀라스도 마찬가지였다. 덩치에 맞지 않게 아틀라스는 겁이 많았다. 다른 아이들은 자기를 지킬 수 있는 마법이라도 있지만 아틀라스는 아니어서 더 그런 것 같았다.
보통의 상황이었다면 카르노 또한 겁쟁이 대열에 합류하겠지만 지금 카르노는 너무 추워서 함정이고 뭐고 다 잊고 있었다.
긴 통로는 영원히 끝나지 않을 듯 계속 이어졌다. 돌고, 돌고, 또 돌았다.
다이노원정대는 조금씩 질리기 시작했다. "아 언제 나와? 엄청 걸은 것 같은데…" 벤이 불평했다.
이때다 싶어 다른 친구들도 한마디씩 던졌다. "너무 지겨워. 어지럽고." "맞아. 마치 같은 자리를 빙빙 돌고 있는 것 같다고!" 모타카의 외침에 드로메드는 우뚝 멈춰섰다. 그리고는 모타카 쪽으로 천천히 고개를 돌렸다. 그 표정에는 두려움과 당혹스러움이 묻어 있었다. "그래, 세번째 함정이야…! 우린 지금 같은 자리를 벗어나지 못하고 있어!" 드로메드는 떨리는 목소리로 말했다. 맞았다. 다이노원정대는 같은 자리를 돌고 있었다. 아무리 끝없이 걸어도 함정과 출구가 나오지 않는 이유가 단번에 설명됐다.
지금 이 자체가 함정이었으니까. "뭐…? 그럼 이게 세번째의…" "설마! 그냥 이 통로가 아레폴리스 왕국으로 이어지는 통로다 보니 너무 긴 거 아닐까?" "확인할 방법이 없어. 함정이라면 여기 멈춰 서서 방법을 생각해야 하지만 그렇지 않다면 가야 하잖아. 그러다 보면 모두 지칠 거야." "확인할 방법이 있어. 타우야 아까 챙겨온 창 좀 줘봐." 타우는 드로메드에게 창을 주었다.
드로메드는 한쪽 벽을 마주본 채 무릎을 꿇고는 창의 끝 부분으로 손을 깊게 베었다. 선명한 붉은 색 피가 드로메드의 손에서 흘러져 나왔다. 드로메드는 잠시 고통에 인상을 찌푸렸지만 오래가지는 않았다. "뭐하는 거야? 다쳤잖아!" 놀란 데이비드는 빠르게 다가와 드로메드의 손을 잡았다. 깊숙하게 베였지만 생각보다 출혈이 많지는 않았다. 드로메드는 피를 벽과 모래 바닥에 조심스럽게 묻혀 놓았다. "나 같이 강한 벤트 아이의 피엔 마법이 흐르고 있어. 어두운 곳에선 빛을 내고 마법에 반응하면 푸른색으로 변하지. 어쩌면 빠져나가는데 도움이 될지도. 내 피가 푸른색으로 변하면 지금 이건 함정이라는 거야. 그것도 많이 위험해서 죽을 수도 있는…" 드로메드의 섬뜩한 말을 들은 그의 친구들은 눈을 끔벅였다.
죽을 수 있다는 가능성이 있다고, 그것도 안 죽을 가능성보다 죽을 가능성이 더 많다는 얘기는 썩 좋은 얘기는 아니었다. "그럼 어떡해 형?" 카일이 물었다. "어쩌긴. 기다려야지." 알렉스가 대신 답해주었다.

하지만 알렉스의 말과는 다르게 다이노원정대는 기다릴 필요가 없었다. 알렉스의 말이 끝나기 무섭게 드로메드의 붉은 피는 창백한 푸른색으로 변하기 시작했기 때문이다. 푸른 피는 강한 기운을 풍기며 빛을 냈다. 그와 동시에 드로메드는 급격히 굳었다. 위험한 함정이라는 게 확실해 졌다. “어떡해… 어떡하지?” 드로메드는 울상을 지으며 아무 생각 없이 옆에 있던 데이비드를 쳐다보았다.

또 한 번 두렵고 여린 그 눈동자를 보는 순간 데이비드는 아무 말도 할 수 없었다. 아무 생각도 들지 않았다. 드로메드의 푸른 눈을 본 순간 뇌가 운동을 멈출 것만 같았다. ‘다시는 저 겁에 질린 모습을 보고 싶지 않았어.’ 데이비드의 머리 속에서 든 생각은 이것뿐이었다.

데이비드의 멍함과 드로메드의 울상을 보던 파르낭 할아버지는 둘을 일으켜 세웠다. “지금 이러고 있을 시간이 어딨냐? 나갈 방법을 찾아야지. 뭐, 나도 이런 적은 처음이긴 하다만… 일단 이런 함정을 빠져나가기 위한 이론은 두가지다. 첫째, 위로 가기. 둘째, 아래로 가기.”

그때부터 다이노원정대는 함정에서 빠져나가기 위한 방법을 열심히 궁리하기 시작했다. 벽에 구멍 뚫고 지나가기, 바닥에 구멍 뚫기, 에틱라마끼리 만나게 해 강력한 에너지 내기 등등 많은 방법이 나왔다. 그렇지만 벽에 구멍을 뚫는 건 조사 결과 벽이 약 1m로 너무 두꺼워 안 되었고, 바닥을 뚫는다는 건 사실상 불가능했다. 시간도 오래 걸릴뿐더러 바닥을 뚫을 도구도 없었다.

마지막으로 다이노원정대가 생각해 낸 것은 에틱라마였다. 하지만 에틱라마를 썼다가 예상보다도 더 강한 힘에 의해 통로가 파괴된다면 조용히 구조를 하려던 다이노원정대의 계획은 모두 물거품이 될뿐더러 위험했다.
“하… 힘들다.” 알렉스는 털썩 주저앉았다. 앞이 자꾸 흐려지고 다리에는 힘이 안 들어갔다. 세상이 뱅뱅 도는 것 같았다. 오로지 여기서 쓰러지면 안 된다 소피아를 구해야 한다 하는 생각만으로 버티고 있었다. 머릿속에서는 몸에 계속 지시를 내리고 있었지만 몸은 말을 듣지 않았다. 함정을 빠져나가려는 방법이고 뭐고 아무것도 할 수가 없었다.
카르노도 마찬가지였다. “나도… 너무 추워. 얼어 죽을 것 같아.” 카르노는 너무 추웠다. 체내 온도를 최대로 끌어올렸음에도 불구하고 달달 떨었다.
알렉스와 카르노가 주저앉고 등을 마주 댄 순간 갑자기 엄청난 힘이 섞이며 다이노원정대는 튀어 올랐다.

11. 얼음과 불

다이노원정대는 순식간에 높이 튀어 올랐다. 너무 높이 올라가 천장에 머리와 등이 달 듯 말 듯 했다. 그것도 잠시, 몇 초 동안 공중에 떠 있던 다이노원정대는 밑으로 빠르게 떨어졌다. 하지만 다이노원정대는 엉덩방아를 찧지 않았다. 모래 바닥이 문처럼 열리며 그 아래의 또다른 통로로 떨어졌기 때문이다.

"으아아!" "이건 또 뭐야?!" "떨어진다아아아!" 다이노원정대는 저마다 괴상한 소리를 질러 대며 안착했다. 쿵, 쾅 하는 소리와 함께 다이노원정대는 엄청난 고통에 시달렸다. "뭐… 뭐였어?" 타우가 떨리는 목소리로 말했다. 알렉스와 카르노는 놀란 눈으로 서로를 쳐다보았다. "너, 뭐 했어?" 카르노가 먼저 물었다. "아니 그럴 리가. 넌?" 알렉스는 고개를 저었다. "아니야. 나도 아니야." 카르노는 영문을 모르겠다는 표정으로 앞의 차가운 소년을 뚫어져라 보았다. 알렉스도 마찬가지였다. "너희, 대체 뭘 한 거야?" 엘로이즈가 둘에게 성큼성큼 다가왔다. 많이 놀란 것 같았다. 지금까지 단 한 번도 이런 일이 있었던 적이 없었기 때문이다.

"모르겠어. 등을 맞댄 것 밖엔 없는데…" 카르노는 의아해 했다. 도저히 이해가 가지 않았다. "얼음과 불." 파르낭 할아버지와 드로메드는 동시에 외쳤다. "역시… 너도 잘 아는 구나." 파르낭 할아버지께서 드로메드에게 고개를 끄덕였다. "네. 전설로 들어본 적 있어요. 실제로 보는 건 처음입니다. 그나저나 여긴 어디죠?" 드로메드가 주변을 두리번 거리며 할아버지께 물었다.
"지금 그게 중요해? 물론 그것도 중요하긴 하지만, 이 현상부터 설명해봐."
카르노는 드로메드를 닦달했고 드로메드는 설명을 시작했다. "그래. 넌 궁금할 수도 있겠다. 다만, 이건 정확한 이야기가 아니고 전설이야. 오래전부터 각자 반대되는 속성끼리의 힘이 섞이면 아주 강한 힘이 발생한다는 설이 있었어. 예전에… 어떤 분이 나에게 해준 얘기야. 나도 이렇게 보는 건 처음이지만."
드로메드는 간결하게 이야기를 해주었다. "그러니까, 나랑 얘랑 반대 속성이라 그렇다 이 말인가? 하지만 평소에는 몸이 닿아도 아무렇지 않았어."
"그건 지금 너희의 기분은 최고로 안 좋고 컨디션도 난조하지만 몸은 평소보다 긴장한 상태이므로 본능적인 두려움에 의해 마법이 최대로 나올 수 있거든. 최대치와 최대치가 만나니 큰 시너지가 발생 한거지. 에틱라마와 비슷한 원리라고 생각하면 이해하기 편해."
알렉스는 인상을 확 찌푸렸다. 아까 카르노랑 등이 닿았을 때 알렉스는 간신히 잡고 있던 정신줄을 놓아 버렸다. 엄청난 힘이 갑자기 빠져나가고 뜨거운 기운이 몸을 휘감았다. 난생 처음 느껴본 기분이었다. 너무 뜨거워 숨이 턱 막혔다. 항상 고요하고 잔잔했던 알렉스의 머릿속에 뜨거운 용암이 흘러내리고 운석이 떨어져 불바다가 된 것 같은 느낌이었다. 그건 카르노도 마찬가지였다. 갑자기 차가운 기운이 주변을 감싸 온몸의 털이 쭈뼛 섰다. 체온은 계속 내려갔고 가뜩이나 추워하던 카르노는 고통스러워 했다. "아흑… 이걸 대체 넌 어떻게 견디냐? 너무 춥네…" "그럼, 우리도 카르노와 알렉스처럼 강한 힘을 낼 수 있어?" 타우는 놀라워 했다. "그렇지. 근데 지금은 반대되는 속성이 없어. 나와 옐로이즈는 가족이고 테라는 어둠과 빛 두가지 힘을 모두 사용하니까. 전기와 물은 반대라기엔 애매모호해." "그나저나 여긴 어디죠?" 다이아는 도저히 참을 수 없다는 듯 끼어들었다. "그러게. 지금 중요한 건 이거야. 할아버지. 여기가 어딘지 아세요?" 모타카가 고개를 끄덕였다. "세번째 함정을 너희 덕분에 잘 빠져나온 것 같구나. 여긴 아레폴리스 왕국으로 가는 두번째 통로일 것이야. 아무리 가도 빠져나갈 수 없는 함정을 맞닥뜨렸을 땐 위로 가거나 아래로 가야 한다. 아깐 그 방법을 찾지 못했을 뿐. 이제 두개의 함정만 더 잘 견디면, 소피아를 구할 수 있어."

파르낭 할아버지의 말에 알렉스는 없던 힘이 다시 생기는 걸 느낄 수 있었다. '…얘네들은 이제 내게 없으면 안 되는 존재가 되었다. 이렇게 된 이상, 이젠 내가 이 아이들을 지켜줘야 해. 처음 드로메드가 나를 지켜주었던 것처럼.' 알렉스의 바로 옆에 서 있던 벤은 전에 느껴본 적 없는 차가운 바람이 훅 불어 일으키는 걸 느낄 수 있었다. 그 바람을 일으킨 사람은 알렉스였다. 평소에도 알렉스의 몸 주변에는 차가운 기운이 늘 도사려 있었지만 이번은 달랐다. 뼈까지 시리고 등골이 오싹해지는 매서운 추위였다. 한겨울 프로아나에 반팔만 입고 가 강렬한 눈보라를 맞는 기분이었다. 프로아나는 원래도 춥지만 겨울이 되면 더 추워진다. 심할 때는 영하 30도나 40도까지 내려가고는 한다. 여름이라고 해봤자 최고 기온이 겨우 영상 10도였다.
벤은 알렉스의 은색 눈동자가 푸르게 변하며 타오르는 모습을 볼 수 있었다. 바다에 운명의 화살이 던져져 폭풍우가 몰아치고 파도가 넘실거리는 것 같았다. 각성은 아니었다. 만약 알렉스가 각성했다면 어떠한 주문을 읊었을 것이고, 옷차림과 외모도 변해 있었어야 했다.
이게 말로만 듣던 반각성인가? 반각성이란 어떠한 감정이나 생각이 강하게 들며 각성하는 것과 비슷한 모양새가 되는 걸 뜻한다. 하지만 대부분의 경우 자신이 반각성했다는 사실을 잘 인지하지 못하며 밤에 꿈을 꾸거나 극한의 상황에 치닫았을 때 반각성을 하고는 한다. 미묘한 변화는 있지만 각성 시처럼 강한 에너지는 내지 못한다. 전에 데이비드와 알렉스는 드로메드가 폭주하자 바로 반각성 상태가 되었었다. 드로메드의 어둠의 마법에 몸이 반응했고 막아야 한다, 위험하다 라는 생각이 강하게 들며 반각성 하는 것이다. 그때처럼 반각성 상태가 되자 뼛속까지 감정이 지배했다.
지금 알렉스에게서 느껴지는 것은 두가지 밖에 없었다. 강한 분노와 강한 신뢰. 벤은 문득 이 아이가 궁금해지기 시작했다. 어떤 것에는 강하게 분노하고 어떤 것은 강하게 신뢰한다. 크나큰 분노를 품고 살면서 겉으로는 내색하지 않는다. 아니, 자기 자신도 자기가 분노를 품고 산다는 걸 모르는 듯했다.
가장 수상한 점은 이것이었다. 같은 팀에 소속되어 있는 친구들인 알렉스와 데이비드, 타우, 드로메드, 엘로이즈의 관계. 이 다섯 아이들의 관계가 가장 수상했다.

벤은 곰곰이 생각했다. 퍼즐 조각이 맞춰질 듯 맞춰지지 않고 있었다. 두 가지의 조각이 맞아 떨어져 다른 조각을 끼우려고 하면 그 조각이 맞지 않아 처음부터 다시 시작해야 했다. 하지만 한가지 확실한 건 옐로이즈는 자세한 내용을 모르는 것 같았다. 부대장을 제외한 나머지 넷의 행동을 보아 가벼운 일은 절대 아니었다. 옐로이즈가 사건의 내막을 알았다면 지금처럼 밝게 있지는 못했을 것 같았다. 다른 네 아이들처럼 조금씩 우울하고 어두운 기운이 곁을 맴돌고 있었겠지. 다행스럽게도 옐로이즈는 그런 기운이 단 하나도 보이지 않았다.

그럼 나머지 넷은 대체 정체가 뭘까? 사실 벤은 얼마 전 놀랄 만한 광경을 목격했었다. 새 친구들과 파르낭 할아버지, 자기 자신이 합류하고 며칠 지나지 않은 무렵이었다. 알렉스와 드로메드는 벤치에 앉아 무언가를 골똘히 생각하고 있었다. 드로메드는 알렉스의 어깨에 살짝 기대어 있었다. 드로메드의 습관이었고 편안할 때만 나오는 행동이었기에 그때까지만 해도 별로 수상한 점은 없었다.

의문은 시간이 조금 더 흐른 뒤에야 들었다. 둘이 너무 조용하게 있어 방해하면 안 되겠다 싶었던 벤은 멀찌감치 떨어져 있었다. 위장술을 써서 몸을 가리고 귀를 쫑긋 세웠다. 먼 거리였음에도 불구하고 시력과 청각이 다른 친구들에 비해 몇 배나 더 뛰어난 벤은 둘의 표정 변화와 소리까지 다 보고 들을 수 있었다. 감각 기관이 지나치게 발달한 벤은 주변의 분위기와 미세한 떨림까지도 피부와 귀를 통해 느낄 수 있었다.

엿보려던 것은 아니었지만 호기심 대마왕인 벤은 요주의 인물인 두 아이가 둘이서만 무슨 이야기를 하는지 너무 궁금해 참을 수가 없었다. 둘은 피식 웃기도 하였고 미간을 좁히기도 하였다. 벤은 별 문제없구나 하는 생각을 하고는 발걸음을 돌리려고 했다. 이미 너무 오래 서 있어서 다리가 아프던 참이었다. 벤이 심드렁 해져 있던 바로 그때, 드로메드의 눈에서 반짝이는 무언가가 흘러내렸다. 앞머리도 길어 있었고 고개를 숙이고 있어 눈이 보이지는 않았지만 그것은 분명히 눈물이었다. 벤은 처음에 자기 눈을 의심할 수밖에 없었다. 눈을 비비기도 하고 계속 끔벅거리기도 했다.

드로메드가 운다고? 드로메드의 표정이 미세하게 어둡게 변하거나 슬퍼 보였던 적은 꽤 있었지만 우는 건 처음 보았다. 벤이 드로메드를 본 게 오래되지 않아서 일수도 있다. 그렇지만 짧은 시간이었더라도 벤이 지켜본 드로메드는 그 어떤 상황이 닥치더라도, 과정이 힘들더라도 어떻게든 마무리를 좋게 하는 사람이었다. 처음에 멘탈이 흔들리고 자기가 힘에 부쳐 몰래 울어도 주변 사람들은 절대 울리지 않는 강인한 사람이었다. 겉으로는 굉장히 남에게 잘 속고, 흔들리는 약한 사람처럼 보였지만 드로메드는 누구보다도 강했다. 외유내강의 사람이었다. 다이노원정대에서, 아니 노르아덴 전체에서 드로메드 만큼 강한 사람은 없을 거라며 벤은 사람 대 사람으로 드로메드를 존경했다. 드로메드는 따뜻하지만 누구보다도 강한 리더였다.

그리고 알렉스의 표정 또한… 너무 충격적이었다.

드로메드의 눈물을 본 순간 알렉스의 얼굴이 찡그려졌다. 그건 동정과 안타까움 보다는 두려움과 혼란에 가까운 표정이었다. 20초 이상 당황해하고 화를 내지 않는 알렉스가 지금 가장 사랑하고 가까운 사람에게 화를 내고 있었다. 그러한 알렉스의 모습은 너무 어색했다. 드로메드는 알렉스의 시선을 피한 채 고개를 돌려 버렸다. 조금 시간이 흐른 뒤 알렉스가 드로메드에게 먼저 사과하기는 했다.

대체 저들이 숨기고 있는 게 뭐길래 드로메드가 울고 알렉스가 변하고 타우가 겁에 질리고 데이비드가 절망할까? 벤은 타우와 오래 알고 지냈고 타우가 겪은 일이 무엇인지도 알지만 왜, 어떻게 그런 일이 벌어졌는지는 알지 못한다. 타우가 그 일에 대해 입을 꾹 다물었기 때문이다. 타우에게 자신의 호기심과 궁금함을 풀기 위해 그걸 물어볼 수도 없었다. 타우는 지금도 몇 년 전 그때 그 일을 통해 괴로워하고 있으니까. 벤이 의문과 질문이 드는 것은 당연한 것이었다. 벤은 더 고민해보고 싶었지만 그럴 시간이 없었다. 티라의 괄괄한 목소리가 복잡한 머릿속을 비집고 들어왔기 때문이다. "야 뭐해? 얼마 안 남았어! 빨리 가자." "…응? 어… 그래!" 당황해 잠시 눈을 깜빡이던 벤은 곧바로 생각들을 떨쳐 냈다. 지금은 실종자를 구조하는 것이 목적이었다. 다섯 아이들에 대해선 앞으로 차차 알아가면 되었다. 누가 또 아나? 그들이 자진해서 말해줄지. 생각은 그렇게 하고 있었지만 벤의 발걸음은 그 어느때보다 무거웠다.

다이노원정대는 새로운 통로를 따라 천천히 이동했다. "이 새로운 통로 때문에 많은 사람들이 아레폴리스를 찾지 못했나 봐. 그런데 소피아는 대체 어떻게 여길 지나갔을까?" 타우가 물었다. "그러게. 어쩌면 다른 일행이 있었는지도 몰라." 티라가 타우의 질문에 곧바로 대답했다. 티라도 어떻게 소피아가 이곳까지 올 수 있었는지 매우 궁금해 하는 눈치였다. "그럼 소피아의 속성은 뭐였어?" 긴장이 조금 풀린 드로메드는 그제야 웃으며 말을 시작했다. "음… 소피아는 말이야…"

12. 사이리덜의 아이 소피아

바다에는 8개의 왕국이 존재한다. 사이리덜, 프리다알, 아리덴, 스테쿠나, 프리타니아, 오레벨티오, 루테나울, 알바다넬스. 이 8개의 왕국 중 소피아는 사이리덜 왕국의 사람이었다.

사이리덜은 히슨 가문이 700여년 째 왕국을 다스리고 있었다. 워낙 지형이 험난해 노르아덴의 22개 왕국 중 유일하게 단 한 번도 침입을 받지 않은 왕국이기도 했다. 침입과 전쟁이 없었다는 건 그 나라의 문화재가 지금까지 남아있다는 뜻이기도 하다. 그래서 사이리덜에는 아름다운 건축물이 많았다.

소피아는 사이리덜의 데르덴 대공의 딸이었다. 데르덴 대공은 사이리덜 왕국의 핵심인물이었다. 왕국의 경제 발달과 여러가지 정책을 왕과 의논하는 일을 했고 늘 현명한 선택을 해 사이리덜의 경제, 정치 발전에 큰 기여를 했다. 한 마디로 왕보다도 백성들에게 존경받는 인물이었다. 데르덴 대공은 좀 무뚝뚝했지만 가족들에게는 한없이 다정하고 상냥한 남편이자 아버지였다. 특히 소피아는 하나 밖에 없는 귀한 외동딸이었다. 형제도 없이 외롭게 자라 왔기 때문에 데르덴 대공은 드로메드와 엘로이즈, 알렉스를 좋아했었다. 세 아이들이 딸과 친해지면서 잘 놀기를 바랬던 것이다. 사이리덜 왕국에 놀러 갔던 세 아이가 부모님과 떨어져 길을 잃었었는데 소피아가 그걸 구해주는 게 인연이 되어 친구가 되었던 것이다. 그리고 그 소망은 이루어졌다. 소피아는 마음도 잘 맞고 너무 순수해 엉뚱한 말로 모두를 웃기고는 했다.
여기서 안타까운 것은 딱 한 가지다. 데르텐 대공의 바람과는 달리, 사이리덜 왕국은 바다, 메디니아 왕국은 땅에 위치해 있었다는 것이다. 거리도 멀었고 데르텐 대공은 소피아를 메디니아까지 데려다 줄 시간이 나지 않아서 넷은 자주 만나지는 못했다. 하지만 3년 전, 그날은 달랐다. 몇 달 만에 만난 아이들은 재잘재잘 수다를 떨고 있었다. 소피아는 금색의 머리칼을 칼단발로 자르고 순수한 갈색 눈동자를 지니고 있었다. 평소 호기심과 질문이 너무 많고 미궁 속에 빠져 있는 아레폴리스 왕국을 좋아하는 9살 꼬마아이였다.
소피아의 방에는 탐험복과 탐험 모자, 노르아덴의 모습을 담은 세계 지도와 잘 알려지지는 않았지만 그 어떤 왕국보다도 유명한 아레폴리스 왕국에 대한 모든 것이 쓰여 있는 책들이 존재했다. 소피아에게 아레폴리스는 생각만 해도 좋은 미지의 세계였다. 아레폴리스가 없었다면 소피아는 지금처럼 호기심이 많지도, 질문을 많이 하지도 않았을 것이다.
친구들이 다 도착하자 소피아는 언제나 그랬듯 새로 알아낸 아레폴리스에 대한 정보를 말해주기 시작했다. 소피아가 아레폴리스에 대해 말해주는 대부분은 허황된 소문이었지만 그날만큼은 뭔가 달랐다. 아레폴리스로 갈 수 있는 통로에 대한 이야기였다. 그리고 그 통로는 바로 메디니아에 있다고 했다. 소피아의 친구들은 그 이야기를 그냥 웃어 넘겼었다. 어디서 또 누가 순진한 내 친구를 상대로 이상한 이야기를 해줬구나. 드로메드의 머릿속에 든 생각은 이것뿐이었다. 아무것도 이상하지 않았다. 아무 일도 없었다. 그 때까지만 해도 그랬다.

하지만 다음 날, 모든 것이 달라졌다. 절대 원래의 모습으로 회복될 것 같지 않은 일이 벌어난 것이다. 거대한 저택은 어지럽혀지고 뒤집혀 졌으며 소피아의 부모님은 손을 떨며 소피아의 이름만 계속 중얼거리셨다.

그렇다. 소피아는 행방불명 되었다. 행방불명. 어떤 사람의 위치나 현재 상태를 확인할 수 없다는 뜻이었다. 데르덴 대공의 집에서 그의 딸과 탐험복, 탐험 모자, 그리고 아레폴리스의 지도가 하룻밤 새 사라졌다. 소피아의 방에는 '아레폴리스는 내가 정복한다!' 라고 삐뚤빼뚤 써져 있는 쪽지 하나만 있었다.

그로 인한 상실감은 말할 수 없이 컸다. 데르덴 대공은 힘이 닿는 곳까지 사방팔방 노르아덴을 뒤졌지만 결국 소피아의 행방은 찾을 수 없었다. 아레폴리스에 가려고 다녀온 사람들은 거의 반쯤 죽어서 돌아왔고 아예 돌아오지 못한 사람도 있었다. 왜냐고? 아레폴리스는 가장 악독한 지역인 아틴사막에 있던 왕국이었으니까. 아틴사막은 낮과 밤의 일교차가 40도가 넘고 매우 건조하며 거센 모래 폭풍이 이는 곳이었다.

아레폴리스의 사람들은 제1대 왕인 그란디스가 세상을 떠나며 남겨준 선물인 마법의 결계를 왕국에 치고 살았다. 그채로 몇 백 년 전 사라진 것이다. 그래서 소피아의 생존 가능성은 더욱 낮아졌다. 아무리 소피아가 테리지노사우루스라고 해도 아틴사막의 험난한 지형과 구조, 결계 속에서 살아남았을 거라는 보장이 없었다. 다이노원정대가 통로를 지나고 있는 지금도, 소피아는 살았는지 죽었는지 확인할 수 없었다. 그래도 다이노원정대가 가지고 있는 유일한 희망은 소피아의 속성이 물과 정신 치유력이고 뛰어난 차광 능력을 가지고 있어 그나마 버텨줄 수 있지 않을까 하는 것이었다. 그리고 소피아는 정말 질기고 한 가지 일에 빠지면 위험할 것 같다는 생각이 들 정도로 몰두했다. 소피아의 정신력과 생존력이라면 아레폴리스에서 살아남을 수 있을 것이다. 아니, 그래야만 했다.

13. 소피아는 어디에?

“그럼 소피아는 물 속성이네? 근데 정신 치유력… 그게 뭐야?” 집중해서 듣던 아르마는 고개를 갸웃했다. “그러니까 쉽게 말하면, 몸의 상처 대신 마음의 상처를 치료해 주는 일이지. 소피아는 치유력을 갖고 태어났거든.” 엘로이즈가 명랑하게 말했다. “하하, 소피아는 110억분의 1의 확률을 뚫고 태어난 게로구나.” 파르낭 할아버지가 허허 웃으셨다. “네? 그게 무슨 말이세요?” “치유력은 110억분의 1의 확률로만 가질 수 있단다. 110억이란 노르아덴의 인구의 약 3배 되는 수야. 어마어마하지?”

그랬다. 소피아는 110억분의 1의 확률을 뚫고 치유력을 갖고 태어났다. 뛰어난 정신력으로 이 척박한 환경에서 살아남을 수 있었을 것이다. “그럼 소피아가 지금까지 잘 있을 수도 있겠다. 물 속성이기도 하니까. 근데… 어디에?”

그 순간 다이노원정대에는 끔찍한 침묵이 흘렀다. 지금까지 아레폴리스의 함정을 제치고 지하의 왕국으로 갈 생각만 했지 소피아가 어디에 있는지는 생각을 한 번도 안 해본 것이다. 평소의 지성이라면 출발하기 전부터 모든 경우의 수를 염두에 두고 생각했겠지만 너무 정신없이 출발하고 통로에 도착한 이후로도 계속 이어지는 잔혹한 함정들에 의해 소피아의 위치를 찾아볼 생각을 할 수가 없었다. “아… 그러게…? 아레폴리스 왕국이 얼마나 넓지?" 데이비드가 잔뜩 일그러진 표정으로 머리를 굴렸다. "매우 넓단다. 7,452,675 제곱 킬로미터야. 엄청 넓다. 그 당시 최고 기술을 자랑하던 기술자들과 건축가들이 많은 바람에 모든 도시가 골고루 발달 했었고." 파르낭 할아버지가 절망적인 소식을 전해주었다.

아레폴리스 왕국은 너무 넓었다. 하지만 아무리 생각해 봤자 떠오르는 것은 없었다. 꽉꽉 차 있던 머릿속의 지식이 청소기에 빨려 다 사라진 것 같았다.

"음… 테… 테라야 타우야. 일단 소피아의 위치를 조사해 볼래? 도와줄게." 드로메드가 타우에게 애써 미소를 지어 보였다. 너무나 급한 마음에 무작정 오기만 했지 정확한 위치는 파악하지 못한 것이다.

드로메드의 애처로운 마음을 잘 아는 타우는 바로 테라와 검색을 시작했다. 노르아덴 최고의 전략가이자 해커인 둘이 만나자 검색 속도는 놀라울 정도로 빨라졌다. 테라는 아무리 찾아도 원하는 정보가 보이지 않자 비장의 무기인 컴퓨터를 꺼냈다. 타우는 탭을, 테라는 컴퓨터를 불이 붙게 내리쳤다. 전원도 잘 켜지지 않는 이곳에서 둘은 할 수 있는 최선의 힘을 다하고 있었다. "아휴… 걔도 정말… 성격이 너무 급해. 몇 년 전이랑 똑같구만. 똑같어. 중요한 걸 써줘야지 오라고만 하면 어떡해." 옐로이즈는 한숨을 푹푹 쉬었다.

옐로이즈의 기억 속 소피아는 밝고 한없이 순수했으면 항상 무언가를 잃어버리고 잊어버리는 덜렁이였다. 옐로이즈보다도 더 아이 같고 매번 무언가를 깜빡하고는 했다. 덜렁이라면 옐로이즈도 둘째 가라면 서러워 할 정도였지만 소피아는 넘사벽이었다.
또한 소피아는 굉장한 다혈질이었다. 화가 나면 눈에 뵈는 것 없이 달려들었다. 화와 짜증이 나고 억울한 상황이 되면 소피아는 변했다. 배려와 이해, 타협 따위 소피아의 사전엔 존재하지 않았다. 내가 화났는데 다른 게 뭐가 중요해 파였다. 그때는 어려서 그런 걸 수도 있었다.
하지만 엘로이즈의 추측에 따르면 지금도 소피아는 변하지 않았을 것이다. 중요한 내용은 쏙 파뜨린 채 급히 오라고만 한 것도 소피아의 성격이 예나 지금이나 똑같다는 걸 단단히 각인시켜 주었다. "뭐가 좀 나왔냐?" 카르노는 테라와 타우를 살펴보았다. "소피아가 아스를 보냈으면 분명히 마법을 썼을 거야. 그 마법을 추적해야 해. 소피아도 아스를 보낸 이상 더 움직이지는 못했을 테니."
테라는 마법을 추적하고 있었고 타우는 소피아가 보낸 아스의 상태와 아스에 걸려 있던 마법이 언제 사라졌는지, 어느 지역에 오래 있었는지를 조사하고 있었다. 쉬운 일은 아니었지만 다른 방법은 없었다.
"아!" 타닥타닥하는 자판 소리만 들리던 그때 테라가 옅은 탄성을 질렀다. "왜? 왜 그래?" "마법이 감지됐어. 많이 희미하지만. 아직은 살아있어. 근데… 불안정해서 자꾸 흔들리네." 테라는 소피아가 아직 무사하다고 말했다.
마법을 감지하기는 했지만 아직 제대로 된 위치는 파악하지 못했다. 소피아가 살아있다는 건 확인 했지만 위치가 계속 바뀌었기 때문이다. 소피아는 다이노원정대가 처음 파르타곤을 찾았던 뒷산, 세번째 함정이 있던 위의 통로, 그리고 다이노원정대의 본부 등 상관없는 장소에 계속 머물러 있다가 갑자기 이동했다. 절대 그럴리가 없으므로 기계의 오류였다. 소피아가 순간이동을 해 밖으로 나올 수 있었다면 진작 그렇게 했을 것이다. 그리고 소피아는, 순간이동 마법을 쓰지 못한다. "타우 오빠는요? 뭐 조그마한 거라도 알아낸 거 있어요?" 다이아가 물었다. 다이노원정대의 귀염둥이 막내는 지금 지루해 죽을 판이었다. 태블릿과 컴퓨터를 가득 채운 숫자와 어렵고 빽빽한 글들, 오빠와 언니들이 말하는 게 무엇을 뜻하는지 당최 알아들을 수가 없었다. 좀 전까지만 해도 참을 만 했지만 지금은 달랐다. 지금이 심각한 상황이고 드로메드 오빠와 옐로이즈 언니가 눈에 띄게 떨고 있다는 게 보이긴 하지만… 이성보다는 감성이 앞섰다.
"어… 조금만 기다려 볼래? 여러가지 방법으로 조사하고 있어." 타우는 정신이 없었다. 조금만 더하면, 조금만 더하면 되는데 그 조금만을 하기가 힘들었다. "테라야. 우리가 뭐 도울 거 없을까?" 옐로이즈가 살짝 우울한 목소리로 말을 꺼냈다. "글쎄올시다… 음… 우린 여기 함정에 대해 좀 알아보자." 테라가 웃으며 말을 꺼냈다. "오~ 좋은 생각이다~" 옐로이즈도 바로 수긍했다. "어떻게 알아보게? 몸으로 체험하게? 그럼 난 떼 놓고 가!" 모타카가 잔뜩 울상이 된 채 테라에게 속삭였다. "어차피 네가 데려가 달라 사정해도 놓고 갈 생각이었을뿐더러, 우린 이 컴퓨터로 알아볼 거야. 이렇게 좋은 기기가 있는 데 뭐하러 가냐?" 옐로이즈는 모타카를 툭 쳤다. '어떻게 이렇게 단순할 수가 있지? 머리에 아무것도 안 들어있나?' 하는 생각과 함께 말이다. (그건 옐로이즈가 모타카에게 할 말은 아니었다.)

테라는 이 밑의 통로에서는 와이파이가 좀 더 잘 터진다는 것을 확인하고는 옐로이즈와 함께 통로와 함정에 대해 알아보았다. 중요한 일은 아니었기에 전처럼 급하게 할 필요는 없었다. 하지만, 옆에 무릎을 꿇은 친구의 상황은 달랐다. 마음은 급한데 기계가 따라 주질 않았다. 로딩 중, 업데이트, 와이파이 전송 중 등등… 타우는 점점 초조 해졌다. 계속 곁을 빙빙 돌고 있었다.

한참을 기기와 씨름하던 그때, 타우는 드디어 손을 멈추었다. "왜 그래?" 옐로이즈가 다급하게 물었다. "아… 나도 잘 모르겠는데… 이게 맞는 것 같기도 하고 아닌 것 같기도 하고…" 타우는 결과를 보여주었다. "음… 뭔지 보여주기만 하면 어떡해? 설명을 해야지." 옐로이즈는 뚱한 표정으로 물었다. "아니 그게… 나도 잘 모르겠단 말이야. 뭔가 찾은 것 같기는 한데… 거기가 어딘지, 이 글자가 뭐를 의미하는지 진짜 하나도 모르겠어."

다이노원정대는 여기가 아레폴리스라는 것을 잠시 잊고 있었다. 그들은 아레폴리스의 문자를 몰랐다. 그러니 당연히 화면을 가득 채운 글자가 무엇을 뜻하는지 알 턱이 없었다. "그래도 소피아가 아레폴리스의 수도인 아레폴라이눔에 오래 있었다는 건 파악이 되었어. 여기 아레폴라이눔이라는 글자가 반복해서 6번 정도 나오거든. 아레폴라이눔은 아레폴리스의 수도야. 아마 제일 큰 번화가이자 교통의 중심지 일 테니 가장 안쪽에 있지 않을까? 전쟁에 대비해서 물 근처에 있을 것 같기도 하고. 지금쯤이면 자리를 바꿨을 수도 있을 것 같아." "수고했어. 소피아는 지금 살아 있고, 아레폴라이눔에 오래 있었다는 거네? 그럼 아레폴라이눔에 가야 되겠지." 아틀라스가 중얼거렸다.
“하지만 우리는 거기가 어딘지 모르잖아. 가본 사람이 있어야 말이지. 물이 근처에 있고 큰 건축물이 있는 곳은 위의 땅이나 바다의 왕국들처럼, 하늘의 두 왕국처럼 수도 말고도 많아.” 유니아가 바로 받아쳤다.
맞는 말이라 할 말이 없었다. 꽤 정성을 쏟아부었지만 조사로는 큰 단서를 얻을 수 없었다. “이거 어쩌나. 난 아는데.” 그때였다. 어디선가 당찬 남자아이의 목소리가 들려왔다.

14. 당대 최고의 명의

다이노원정대는 일제히 고개를 돌렸다. 그곳에는 장난끼가 조금 있어 보이는 남자 아이가 서있었다. 고개는 삐딱하게 꺾고 몸을 벽에 기대고 있었다. 팔짱까지 끼고 있어 건방져 보였지만 고생을 많이 한 듯 얼굴이 수척했다. 남자지만 새카만 머리가 목 뒤쪽을 반 정도 덮을 정도로 길고 곱슬 거렸다. 제법 잘 어울리게 안경까지 끼고 있어 잘생긴 얼굴이었다. 키는 멀대같이 크고 옷은 무릎까지 내려오는 흰 가디건을 입고 있었다. 또한 눈빛이 노골적으로 강했다. 다이노원정대를 마치 동물처럼 관찰하고 싶은 것처럼 보였다.

"뭐야 넌?" 드로메드가 바로 지팡이를 꺼내 들었다. "내려 놔." 짧지만 강한 한 마디에 드로메드는 움찔했다. 그 누구도 자기에게 이런 식으로 말한 적이 없었다. 일반인들도 드로메드가 강한 마법을 지녔다는 걸 본능적으로 느껴 직접적으로는 절대 건들이지 않았다. 하물며, 딱 봐도 벤트 아이인 것 같은 사람이 명령을 내려? 감히? 하지만 그 자신감이 헛된 것은 아닌지 이 아이는 생각보다 강해 보였다.

드로메드의 몸에서는 전에 한 번도 느껴보지 못했던 마법을 거부하며 강렬한 통증을 느끼고 있었다. 3단계 이상의 강한 벤트 아이였다. "넌 뭔데 이래라 저래라야. 정체를 밝혀. 더 다가온다면, 나도 가만 있지 않겠어. 그리고 제발 조금 떨어져. 아프단 말이야…!" 드로메드의 경계심은 극에 달했다. 가뜩이나 머리 아파 죽겠는데 이런 건방진 아이까지 상대하고 싶지 않았다.

드로메드의 바람과는 달리 그 아이는 성큼성큼 다가와 드로메드의 바로 앞에 섰다. 통증은 더욱 커져만 갔다. "워워 진정해. 지금 보니 소피아라는 여자애를 찾고 있는 것 같은데 좀 도와줄까 싶어서 말이야. 난 대공녀가 어딨는지 알아. 처음에 걔가 아레폴리스로 들어가 관광하게 도와준 것도 나야 다이노원정대 대장님. 소피아는 지금 어떤 상태인지는 말해줄 수 없어. 알면 재미없잖아? 한가지 살아있다는 사실만 알아둬~ 난 너무 중요한 단서를 가지고 있으니 떨어지기 보다는 더 가까이 다가가는 게 좋을 것 같아. 그렇지?" 아이는 드로메드를 내려다보며 미소를 지었다. 악의라기 보다는 장난이 담겨 있는 미소였지만 다이노원정대는 그 미소를 비웃음이라 인식해 사납게 굴었다.

드로메드마저 인상을 썼으므로 이 아이가 마음에 들지는 않았지만 소피아의 위치를 알고 있는 사람이라면 어떻게든 협조를 시켜야 했다. 거짓말을 해봤자 저 아이가 얻을 것도 없고 오히려 이 강한 함정들 속에서 다니느라 기운만 빼는 행동이므로 시간을 많이 버릴 게 뻔했기 때문에 다이노원정대는 그의 말을 믿었다. "하… 그 말이 진실이라면… 좋아. 그럼 빨리 안내해. 한시가 급하…" 드로메드가 발을 동동구르는 걸 지켜보던 아이는 손으로 드로메드의 입을 막았다. "쉬잇. 나보고 손해만 보라고? 하! 날 뭐로 보는 거야? 조건이 있어." "조건? 그게 뭐지?" 가만히 보고만 있을 수 없던 테라가 앞으로 나섰다.

“너 말고. 우두머리랑 얘기를 좀 하고 싶은데? 빠져.” 너무나 태평하게 웃으며 말하는 아이의 말에 테라는 이를 바득 갈았다. 자기를 이렇게 무시하는 거 역시 드로메드처럼 처음이었다. “조건을… 말하고 제발… 내 몸에서 떨어져.” 드로메드의 말이 끝나기 무섭게 아이는 하하 웃었다. 항복 의사를 표하고 드로메드에게서 한 발자국 물러났다.

드로메드는 이 아이의 마법에 내성이 없었지만 지금쯤이면 적응이 되었어야 했다. 몇 달 전까지만 해도 적응에는 5분에서 10분 정도가 걸렸지만 많이 강해진 지금은 금세 적응이 되었고 고통도 웬만해선 크지 않았다.

하지만 이 아이의 마법만큼은 왜인지 적응이 되지 않았다. “좋아, 그래야지. 내 조건은, 다이노원정대가 되게 해줘. 싫다면 따라다니게 라도. 그리고 파르낭 귀빈님. 인사가 늦었네요. 고귀하신 장군님께 저 에이파타 인사 드립니다.” 아이의 이름은 에이파타였다.

그런데 에이파타는 파르낭 할아버지에 대해 잘 아는지 허리를 숙이고 인사를 했다. ”응, 닮았네. 어떻게 이 가문 애들은 다 이렇게 생겼을까. 인사는 나중에 하고 일단 얘네랑 인사 좀 해라.” 파르낭 할아버지도 에이파타를 아는지 웃으며 받아 주었다. 그러고는 옆에 있던 카르노의 등짝을 퍽 내리 치셨다. 카르노는 푹 고꾸라졌다.

카르노는 낯선 이에게 강한 적대심을 보이고 있어서 파르낭 할아버지의 선택이 아주 탁월했다. 에이파타도 카르노를 노려보고 있었기 때문이다. 그리고 에이파타가 말한 조건을 들은 다이노원정대는 어이가 없었다. “야,

뭐? 에이파타? 그래. 너, 우리에 대해 좀 아는 것 같은데 우리가 어떻게 여기 들어왔는지 알아? 날 포함한 몇 명은 미로에서 죽다 살아났고, 유니아와 카일은 시험 5개 보면서 죽다 살아났고, 나머지 할아버지랑 애들은 저 하늘에서 죽다 살아났어! 네가 다이노원정대가 된다면, 이건 우리의 노력을 무시하는 것과 다름없어!" 아르마가 소리를 빽 질렀다. "하… 워워, 나 자신 진정해. 지금 어이가 없는 건 내 쪽이야. 난 너희가 여기 이 통로에 발을 들인 순간부터 지금까지 들키지 않고 쫓아왔어. 얼마나 힘들었게? 아침에 저 프테라노돈이 케찰코아틀루스를 빨리 찾을 수 있게 검은 천을 펄럭여 주의를 끈 것도 나야. 또, 난 이 시대와 노르아덴 최고의 명의야. 아무도 의학과 과학으로 날 이길 수 없다고! 몇 백년 전 에스멜레 왕국의 전성기를 이끌었던 그 가문의 수장도 내 머리와 기술, 마법은 못 당해. 그깟 지상의 마법이 이 지하보다 강력할까? 여기는 저 위에서 2단계 벤트 아이로 태어날 거 3단계 벤트 아이로 태어날 수 있는 곳이야." 이 말에 아이들은 어리둥절 했다.

"노르아덴 최고의 명의? 아무도 이길 수 없어? 아침에 내가 길을 찾게 도와줘?" 특히 테라가 제일 어리둥절했다. "그래! 후, 아까도 말했다 시피, 난 에이파타라고 해. 이곳 아레폴리스의 말로 명의라는 뜻이지. 아침에 네가 이 덩치 찾을 때 내가 검은 천으로 눈에 띄게 만들었어. 또한 파르타곤을 찾을 수 있게 아틀라스 네가 있던 곳으로 이 길고 상상할 수도 없을 만큼 무거운 통로를 옮겨 두었지. 원래 장소에서 아레폴리스까지의 길이도 상당한데 이곳으로 옮기느라 더 길어진 통로의 빈 공간을 다 채워 넣고 완벽하게 또 이어 놨어. 나의 노력이 있었기에 너희가 여기 있을 수 있는 거야. 통로는 저 땅 속 깊은 곳에 깊숙이 박혀 있었다고! 옮기느라 얼마나 힘들었는지 알아? 너희가 내 인생과 아레폴리스를 바꿔 놓을 것 같아서 기껏 해놨더니. 그리고 통성명 좀 하지."

이 아이, 에이파타의 말이 사실이라면 그 능력은 가히 대단한 것이었다. 일단, 에이파타는 강력하고 신비로운 지하의 유일한 왕국 아레폴리스의 아이였다. 어쩐지 흰 가디건 안의 옷이 독특하다 싶었다. 금빛과 은색, 검은색이 섞여 매우 괴상한 옷이었다. 그리고, 이 길고 위험한 통로를 짧은 시간 안에 이렇게까지 바꿔 놓을 수 있었다면 아주 강력한 마법을 가지고 있는 게 틀림없었다.

드로메드가 계속 적응을 못하는 것을 보니 자기 말로 세계 최고 명의라 하는 것도 거짓 같아 보이지는 않았다. 무엇보다 가장 중요한 건, 에이파타가 소피아의 위치를 알고 있다는 것이었다.

"…널 잘 알지도 못하면서 무턱대고 받아들일 수는 없어. 대신… 임시 요원으로 임명할 테니 길 안내 좀 해줘 제발… 너에 대한 것은 소피아를 구조한 다음에 꼭 회의를 해볼게. 제발 부탁이야. 난 친구를 구해야해." 드로메드가 내린 결정은 그거였다. "흠… 어딜 봐도 내 손해이지만… 불쌍한 이들을 위해 자비를 좀 베풀도록 하지. 따라와. 눈 크게 뜨고. 여기서 잘못 짚으면 황천길 간다. 가면서 자기소개 좀 하고." 에이파타는 다이노원정대의 간절한 눈빛을 보고 항복했다. 말한 건 드로메드 하나였지만 모두가 같은 생각을 하고 있어 반박하지 않았다. 성격이며 말투며 뭐 하나 맘에 드는 게 없었지만 지금은 어쩔 도리가 없었다.

"조금만 더 가면 네번째 함정이 나와. 그 함정은 너희가 알아서 잘 지나가 보도록. 난 여기를 수시로 들락날락해서 너무 쉽다 이거야." 에이파타의 말에 다이노원정대는 바짝 긴장했다. 앞의 세 함정도 빠져나오기 정말 힘들어서 체력이 많이 딸렸는데 네번째 함정은 또 얼마나 무시무시할지 상상이 안 되었다.

"힌트만 조금 줄 수 있냐? 대비용으로. 아무래도 갑작스러운 것 보다는 미리 대비를 해두는 게 더 안전하니까." 데이비드가 묻자 에이파타는 경쾌하게 웃었다. "그건 곤란하겠는데~? 힘들다는 것만 알아 둬. 빡셀 거야." "그럼 이제 네 소개를 좀 해봐. 우린 다 했잖아. 아레폴리스가 어떻게 지금까지 남아 있는지도 설명하고. 우린 널 아직 믿지 못해. 우릴 배신해서 다른 곳으로 데려가면 어떡해?" 유니아의 말에 에이파타는 자기소개를 시작했다.

"어휴… 좋아, 정 원한다면. 난 에이파타. 아레폴리스에서는 이름이 모두 독특해. 적응해두고. 저마다 각자의 뜻이 있으니까. 아까도 말했다 시피, 난 최고의 명의야. 아레폴리스 왕국은 오래 전 멸망할 뻔 했지만 초대 왕 그란디스의 결계 덕분에 간신히 살아남을 수 있었지. 난 그렇게 살아남은 아레폴리스의 왕자다. 전세계에 얼마 없는 치유력을 갖고 태어나기도 했지. 난 정신도, 몸도 다 치유할 수 있어. 가장 강한 왕국의 왕자로서 가지는 특권이라고나 할까?"

에이파타는 아레폴리스의 왕자였다. 명의라고 하길래 치유력을 가지고 있는 건 알았지만 정신과 몸까지 치유할 수 있다는 건 몰랐다. 보통 하나의 능력만 갖지 않나? 에이파타의 말에 드로메드는 그제야 왜 자신이 아픈지 이해할 수 있었다. 드로메드는 정신 치유력을 가지고 있는 소피아의 친구이자 정신 치유력의 DNA (디옥시리보핵산)을 갖고 있어 처음에는 아파도 금세 적응했지만 몸의 치유력은 DNA가 없었다. 드로메드는 거의 모든 마법의 성분을 담고 있는 DNA가 있었지만 지금의 경우처럼 가끔 없는 경우도 있었다. 최소 각 나라의 왕, 여왕만 죽을 각오로 임하면 성공할 수 있다는 생명을 살리는 마법이 그 대표적인 예이다.

잠시 뜸을 들인 에이파타는 다시 말을 시작했다. "여기는 온갖 마법이 존재하는 아레폴리스야. 난 두가지 치유력을 모두 갖고 태어날 수 있었지." "잠깐, 방금 왕자라고… 네가 왕자라는 건 대체 뭔 말이야? 아직 왕가가 남아있다는 거야? 더 자세히 설명해봐." 다이노원정대는 낯선 이방인이 그 고대의 아레폴리스 왕자라는 사실에 입을 다물지 못했다.

"말 그대로 난 아레폴리스의 왕자야. 덕분에 더 강한 힘을 가질 수 있었지. 나에겐 행운이야. 우리의 왕조는 끝나지 않고 쭉 이어져 오고 있어." "네가… 아니 고귀하신 왕자께서 진짜 왕자라면, 왜 통로를 떠도는, 아니 떠도시는 겁니까? 왕국에서 편히 지내며 서민을 생각하셔야죠." 옐로이즈가 존칭을 쓰며 말을 바꾸었다.

왕족에게는 무조건 존칭과 존댓말을 써야만 했다. 어길 시에는 어마어마한 벌이 기다리고 있기 때문에 다이노원정대는 바로 말을 바꾸었다.

"뭔 존댓말이야. 어색해. 말 놔. 동갑인데 무슨 존댓말이야 존댓말은. 난 집이 싫어. 다 날 싫어해. 그래서 다이노원정대가 되고 싶은 거야. 한 왕국의 왕자라는 사람이 이렇게 떠돌면서 살 수는 없잖아. 창피하게 거지도 아니고 이게 뭐야. 그렇다고 촌스러운 집에서 사느니 강한 애들 집합체에서 존재력 과시하며 사는 게 낫지." 에이파타는 인상을 확 찌푸렸다.

"왕자님께서 말 놓으라고 하셨습니다. 이제 말 편하게 한다. 야, 대체 왜 집이 싫은 거야? 난 우리 가족이랑 다같이 살 수 있다고 하면 만세 삼창을 하겠다." 타우가 입을 쭉 내밀었다. "네가 나로 살아 봐. 부모님부터 신하들까지 얼마나 날 닦달하는지 알아?" "뭐로 닦달하는데?" 강한 왕국의 왕자로 태어난 것만큼 행운이 또 어딨다고 이러는 걸까? 심지어 외부의 간섭도 받지 않고 잘 사는데. 옷차림과 외모를 보니 아레폴리스 왕국은 아직 부유한 것 같기도 하고. "외모가 너무 잘났다는 등, 너무 똑똑하다는 등, 키가 크다는 등, 쓸데없이 싸움만 너~무 잘한다는 등, 말투와 성격이 마음에 안 든다는 등. 별의 별 이유 갖고 볶는 거야. 뭐, 내가 너무 잘난 탓이지. 이렇게 맨날 영양가 하나 없는 헛소리만 들면서 인생을 망치느니 자유롭게 살 거야. 난 이 왕국하고는 전혀 안 맞아. 난 개방적인데 이놈의 왕국은 날 잡아 두려고만 한다고."

에이파타의 말을 들어보니 왜 욕을 먹고 사는지 알 것 같았다. 에이파타는 천생 왕자였다. 너무 거만했다. 에이파타의 말투와 성격이 마음에 안 든다는 걸 100% 공감했다.

"쯧쯧, 하는 거 봐서 생각을 좀 해봐야겠어. 지금은 영 마음에 안 들어서 말이야. 너, 너무 건방져." 데이비드가 에이파타에게 혀를 끌끌 찼다.

하지만 에이파타는 지지 않았다. "허? 왜 내 성격 갖고 뭐라 해? 남에게 피해만 안 주면 되잖아. 내 생각엔 네가 더 짜증나게 구는 것 같은데?" "뭐? 한 주먹거리도 안 되는게 까불고 있어! 야, 내가 누군지 알…" 데이비드는 화르륵 타올랐다.

둘 다 승부욕도 강하고 전혀 물러날 생각이 없었다. 그러자 드로메드가 급하게 데이비드의 말을 막았다. "조용히 해…! 들키면 절대 안 돼. 안 그래도 아파 죽겠어. 가까이 다가가지 마." 드로메드는 입을 앙 다물고 최대한 조용히 데이비드에게 경고를 날렸다. 그러고는 에이파타에게 쓴웃음을 지어 보였다. "데이비드가 지금 체력이 좀 딸려서 예민해져서 그런 거야. 네 사정도 충분히 알았으니, 가자. 너무 지쳤어 우리 모두. 특히 저기 있는 알렉스. 걔 거의 죽어가고 있잖아. 저러다 쓰러지겠어." "하! 네 친구 덕분에 산 줄 알아. 한 주먹거리도 안 되는 건 너라고." 에이파타는 곧장 앞장섰다. 성큼성큼 빨리도 가는 바람에 다이노원정대는 뛰다 시피 쫓아가야 했다. "드로메드. 너 왜 저런 애 편을 들어준 거야? 난 걔가 싫어!" 데이비드는 속상했다. "미안해… 하지만 지금은 우선 순위를 따져야 할 때야. 에이파타에 대한 것은 나중에 가서 생각해도 늦지 않아. 나도 썩 좋진 않다고. 지금 내가 얼마나 힘든데… 팔 다리가 끊어지고 화상 입은 것처럼 욱신거려." 드로메드의 한숨에 데이비드는 굴복하고 말았다.

한편, 밑의 통로는 위에 비해서 더운 탓에 뒤에 있는 알렉스는 죽는 게 더 낫겠다 싶을 정도로 고통스러워 하고 있었다. "더워…" 그 말을 가까이서 들은 모타카가 물로 열기를 식혀 주려 했다. "많이 아파? 어떡하냐. 뜨거운 것 좀 식혀." 알렉스는 손에서 간신히 차가운 기운을 뽑어내 물을 얼음으로 바꾸었다. "…고맙다." 알렉스에게 고맙다는 말을 들어본 적이 있었나? 얼음 같은 알렉스에게서 고맙다는 말을 들은 모타카는 기분이 좋아졌다. "응! 도움이 필요할 땐, 언제든지 말해. 네 곁엔 든든한 친구들이 있으니까!" "친구…? 응, 알았어. 친구." 알렉스는 빙그레 웃었다.
얼음은 열기에 금세 녹아 사라졌으나 알렉스의 이성적이고 친구를 위하는 마음은 사라지지 않았다. 아팠던 게 싹 사라지는 것 같았다. 물론, 기분만 그렇게 느낀 뿐 알렉스의 몸은 전혀 호전되지 않았다.
"거의 다 왔어." 에이파타가 멈춰섰다. "어디에?" "네번째 함정. 여기서부터는 니들이 알아서 가야 해. 난 먼저 앞에 가 있는다~" 에이파타는 그 말을 끝으로 어둠 속으로 사라졌다.
다이노원정대는 찜찜한 기분을 뒤로 한 채 아주 천천히 발을 내딛었다. "저러고 도망가는 거 아니야?" "설마… 나쁜 애는 아닐 거야. 그럴 거야." 카르노의 걱정스런 말에 엘로이즈는 고개를 휘저었다. 마음 한 편에서는 에이파타가 그럴 수도 있다는 생각이 들었지만 애써 부정했다. "아니, 에이파타는 절대 도망 못 간다." 다이노원정대의 근심이 커지자 가만 있던 알렉스는 한마디를 툭 던졌다. "왜?" "생각을 해봐. 걔 말에 따르면 그렇게 구박받고 사는데 우리랑 합류해서 안 좋을 게 뭐 있냐. 그리고 아까 드로메드 볼 때 눈빛 장난 아니었다. 걔가 대장이니까 걔한테 잘 보여야 될 거 아니냐. 우리 볼 때랑은 완전 다르다고." 아틀라스는 알렉스가 기분이 언짢을 때는 말이 길어진다는 걸 깨닫고는 터져 나오는 웃음을 참을 수 없었다. 걔도 말이 많아질 때가 있긴 하구나 하는 생각이 들었기 때문이다.

그러나 알렉스의 말은 다 옳았다. 에이파타는 드로메드를 볼 때 최대한 친절하게 말하려 애썼기 때문이다. 처음 보고 느껴보는 대장의 특권이었다. 하지만 당사자는 전혀 친절한 대우를 받고 있다고 생각하지 않았다. "이런 관심은 정말 필요가 없는데 말이야…" 드로메드는 나지막이 중얼거렸다. 네번째 함정을 통과하고 또 에이파타를 만날 것을 생각하니 머리가 지끈거렸다. 그리고 아까 자기에게만 속삭인 에이파타의 말에 적지 않아 놀랐었다. "다이노원정대 대장님. 나한텐 깨끗해져 보지? 숨기는 거 없이. 너 같이 약한 몸을 타고난 아이는 그렇게 강한 마법을 죽어도 갖지 못하고, 설사 갖게 되어도 금방 죽음에 이르는데 넌 아직까지도 건강하구나?" 에이파타의 정곡을 찌르는 말에 드로메드는 주저 앉을 뻔했다. 둘만 조용히 주고받아 다른 친구들은 눈치채지 못했다. "뭐야…? 그걸 어떻게?" "흠… 아직 비밀. 처음부터 모든 걸 알고 가면 재미없잖아. 그치?" 에이파타는 킬킬 웃으며 이유를 알려주지 않았다. "그럼 그것만 말해줘. 너, 진짜 정체가 뭐야?" "나로 말할 것 같으면… 그란디스의 후손? 내가 줄 수 있는 힌트는 다 줬다~ 그 다음부턴, 네가 해결해야 할 숙제야." "나도 네가 그란디스의 후손이라는 것쯤은 알아. 근데 그게 뭐? 당연히 아레폴리스의 왕족이면 그란디스의 후손 아니야? 네 어머니, 혹은 아버지도 말이야." "이렇게 힌트를 줘도 모르냐? 눈치 없기는." 에이파타는 한숨을 쉬었다. 더 이상 말해줄 가치도 없다는 듯이. 드로메드는 상당히 화가 났다. "하… 그걸 내가 어떻게 아냐고… 그냥 속 시원히 말을 해 말을!" "워워 진정해. 그건 안 된다고. 책이나 열심히 찾아보셔~ 아, 전혀 비꼬는 건 아니다! 걱정돼서 그러는 거야. 저 지상과 바다, 하늘에 어떤 왕국들이 있는지 잘은 모르지만 또 우리 꼴 나면 안 되잖아. 엄청난 인명 피해가 생길 거고 너도 위험해질 거야. 어쩌면… 죽을 수도. 우리 아레폴리스는 원래 지하에 있었고 결계가 쳐져 있어서 더 아래로 내려가고 문명이 들어오지 않는 것에만 그쳤지만 저 위는 그렇지 않을 거 아니야. 그리고 그때 걔는 바로 죽었어. 난 네가 죽지 않았으면 좋겠어. 넌 좋은 애 같거든. 그때 걔는 계속되는 폭주로 인해 정신이 오락가락 했다던데 말이야. 그러니까 조심해." 에이파타는 그 말을 남기고 앞으로 휙 나가 걸어갔다.

드로메드는 쓰라린 고통과 에이파타가 말해준 수수께끼 같은 말에 정신을 차릴 수가 없었다. '그란디스…? 대체 그 사람이 뭔 상관인데… 난 네 조상님을 모른다고!' "왜 그래?" 타우가 조심스럽게 물었다. "아 타우야. 잘 왔어. 혹시 그란디스에 대해서 알아?" "그란디스? 아레폴리스 1대 왕?" 타우는 고개를 갸웃했다. '이 상황에서 이걸 왜 물어보지?' "응. 궁금해서." "많이 알려진 게 없긴 한데… 최대한 설명을 해보자면, 일단 아레폴리스를 세운 1대 왕이야. 사실보다는 설이 좀 있긴 하다. 그란디스도 4단계 마법사라 결계 말고도 곳곳에 '은혜로운 선물'을 내렸을 거라는 말도 있고, 아무래도 옛날이다 보니 아내가 9명이라는 말도 있고…" "다른 건?" 드로메드는 도중에 끼어들었다. '지금까지의 말만 듣고는 아무것도 모르겠다.' 지금 드로메드의 생각은 이랬다. "아 신빙성이 없는 게 하나 더 있긴 한데. 들어볼래?" "응. 뭔데?" "그란디스가 21명의 마법사 중 하나라는 설이 있어. 대마법사 베르테님께서 노르아덴을 만드시고 정착한 곳이 너와 옐로이즈의 고향인 페디그라드잖아. 그란디스는 대마법사 베르테님이 강하게 신뢰하던 제자 마법사 중 하나였대. 너도 대마법사 베르테님이 제자 마법사 21명과 벤트 아이와 함께 이곳에 내려와 노르아덴을 만들었다는 이야기는 알지? 각 제자 마법사들은 각자 왕국을 하나씩 다스렸는데 그중 그란디스는 특별한 왕국을 다스리게 되었어. 한 왕국의 왕이자 대마법사 베르테님이 신뢰하는 그란디스는 전보다 더 강력한 마법을 갖게 되었고 지하의 유일한 왕국을 다스리게 되었지. 그란디스는 세상을 떠나기 직전 아레폴리스에 거대한 결계를 치고 죽었대. 그런데 몇 백년 전 그 강력한 결계를 방패로 삼고 지내던 아레폴리스를 무너뜨린 무언가가 나타났어. 그 무언가가 뭐였는지는 모르지만 아주 강력한 것이었다는 건 확실해. 그것으로 인해 견고하던 아레폴리스는 순식간에 무너졌고 모두가 아레폴리스 왕국이 사라졌다고 생각했어. 뭐, 지금 보니 그런 것 같지는 않지만." 타우는 긴 이야기를 해주었다. 드로메드는 열심히 경청했다. 타우가 말해준 21명의 제자 마법사와 벤트 아이들의 이야기는 들어본 것 같지만 더 깊이는 알지 못했기 때문이다.

'잠깐, 잠깐만. 그란디스가 아레폴리스의 1대 왕이자 21명의 제자 마법사 중 하나였고 그래서 강력한 마법을…? 그렇다면 에이파타도!' 거기까지 생각이 미치자 드로메드의 머리는 아주 복잡 해졌다. "내 말이 도움이 좀 됐어?" "응. 지금 내가 추론하는 게 있거든? 일단 이 구조만 끝나고 너희들한테 다 알려 줄게." 타우의 물음에 드로메드는 비장하게 답했다. "뭔 추론이길래? 어쨌든 알았어. 네가 그렇다면 그런 거지~ 파이팅!" "파이팅 할 일이 전혀 아니긴 하지만… 고마워. 너희 같은 애들이 내 곁에 있어 얼마나 다행인지 몰라." 드로메드는 미소를 지었다. 많이 놀랐지만 내색하지 않았다. '여기서 말하면 안 돼. 절대 흔들리면 안 돼. 아직은 아무한테도 말할 수 없어. 파르낭 할아버지와 에이파타한테만 물어봐야겠어.'

"얘들아 힘내서 가보자. 세번째 관문까지 잘 통과했으니 네번째 관문부터는 비교적 쉽게 느껴질 수도 있어. 모두 힘내자!" 다이노원정대를 통솔해야 하는 위치에 서 있는 드로메드는 정신을 가다듬었다. "난 더 어려워질 것 같구나. 더하면 더 했지 덜하진 않을 것이야." "끙… 그렇기는 하겠네요. 하지만 깨기 어려울 정도는 아닐 거예요." 그때였다. 드로메드의 말이 끝나기가 무섭게 통로는 굉음을 내며 움직였다.

15. 네번째 함정

땅과 천장은 마구 흔들렸다. "지진인가?" "아니, 지진이라면 벽과 천장이 동시에 저렇게 흔들릴 리가 없어! 당장 피해!" 다이노원정대는 무너지는 통로를 막무가내로 달렸다.

흔들리기만 하던 천장과 땅이 이제는 마구 갈라지고 부서져 떨어져 내렸다. 영화에서만 보던 무서운 광경이었다. 위, 아래에서 구조물이 무너지니 큰 덩어리들이 머리 위로 떨어지고 땅이 갈라졌지만 때론 친구들이 도와줘서, 때론 마법을 써서 빠져나갔다.

하지만 아무리 다이노원정대라도 떨어지는 돌덩이들을 모두 피할 수는 없었다. 부상자도 당연히 생겨났다. 땅이 갈라지며 생긴 틈으로 발이 빠져 넘어진 데이비드는 발목이 꺾이며 한바퀴를 굴렀다. 그런 데이비드를 도와주려던 아르마도 차마 위를 보지 못하면서 떨어지는 돌에 등을 맞으며 고꾸라지고 말았다.

"데이비드! 아르마! 괜찮아?!" 절규와 고통의 신음과 굉음이 난무하는 현장이었다.

옐로이즈는 조심하며 둘에게 다가갔다. 장애물들이 너무 많아 아주 느린 속도였지만 그래도 천천히 발을 옮겼다. 그 모습을 본 타우와 카일도 도와주러 조금씩 움직이기 시작했다. 타우와 카일은 옐로이즈보다는 데이비드와 아르마에게 가까이 있어 금방 도착해 둘을 안전하게 지켜주었다.
고수 2명과 유능한 신입생이 부상자들에게 다가가는 것을 본 드로메드는 반죽음이 된 알렉스를 챙기고 소리를 질렀다. “거기 위에 떨어진다! 정지, 정지! 벤! 버블로 돌을 안에 가두고 다이아는 감전시켜 가루로 부숴! 모타카는 당장 카르노에게 가! 걔 도와줘!” 드로메드는 목청껏 소리를 쳤지만 겁에 질리고 다친 친구들의 귀에는 하나도 들어오지 않았다. 모두가 혼란스러운 그 와중에 알렉스는 결국 정신을 잃고 말았다. “알렉스! 아… 이걸 어째?” 드로메드는 잠시 알렉스에게 방어막을 쳐 놓고 친구들에게로 달렸다. ‘아레폴리스의 마법이 너무 강력해서 방어막이 오래 버티지 못할 거야. 어떻게든 그전에 빠져나가야 해!’ 드로메드는 본능적으로 느꼈다. 지금이 바로 어둠의 마법을 써야 할 때라는 것. “나도… 너무 힘들어. 하지만… 하지만…” 순간 드로메드는 망설였다. 그렇지만 순식간에 일어난 사태에 당해 옆에서 피를 흘리는 친구들이 눈에 계속 밟혔다.
“하… 오늘 내가 여기에 뼈를 묻어도, 난 몰라.” 그 말을 끝으로 드로메드는 숨겨만 왔던 어둠의 힘을 폭발시키고 말았다. 드로메드가 공중에 떠오르며 눈이 서서히 붉은색으로 바뀌었다. 드로메드에게서 느껴지던 익숙한 기운이 칙칙하고 무거운 어두운 무언가로 바뀌었다.
친구들이 놀라 소리쳤다. 만에 하나 드로메드가 잘못되면 모두가 위험해진다. 결과를 장담할 수 없는 내기였다. “드… 로… 메드… 그럼 안 돼…!” 데이비드는 간신히 소리쳤다. “이 방법밖에는… 없어!” 드로메드도 같이 소리쳤다.

그리고 곧 어둠에 정신과 몸을 잡아 먹히고 말았다. 드로메드의 품속에서 서서히 검고 긴 마법 지팡이가 나왔다. 강한 기운을 내뿜는 지팡이였다. 700년 된 하야나무로 만든 지팡이였다. 섬세한 장인의 손길이 들어가 더 정교하게 다듬어졌다. 노르아덴에서 마법 지팡이를 마법의 매개체로 삼은 마법사와 벤트 아이들의 속성과 마법의 강도에 따라 마법 지팡이의 강도도 결정된다.

드로메드가 폭주했을 때 쓰는 이 지팡이는 오래된 나무로 만들어 원래도 강한 힘을 낼 수 있다. 그런 지팡이에 드로메드가 폭주 시 내뿜는 강력한 어둠의 마법까지 더해지자 지팡이의 속성은 어둠이 되었고 원래 드로메드의 힘의 6배가 더 강해진 채로 공격을 하게 되었다. 이 지팡이의 이름은 이어다크. 풀네임은 이어리 다크네스라는 뜻이지만 너무 길어 네 글자로 줄이게 되었다. 드로메드가 어둠의 아이로 완전 각성하면 손만으로도 마법을 쓸 수 있지만 지팡이로 마법을 이끌어 내는 것이 더 효과가 크기 때문에 특별한 경우가 아니라면 보통 지팡이를 쓰지 않고는 했다. 효과가 더 크다는 얘기는, 어둠의 마법이 사람들과 이 세상에 미치는 영향이 더욱 막대하다는 뜻이기 때문이다. 드로메드는 다친 친구들을 먼저 바닥에서 끌어올린 뒤 안전한 결계에 가둬 놓았다. 그때까지는 아주 조금이지만 이성이 남아 있었기 때문에 드로메드는 서둘러 일을 진행시켰다. 자기가 완전하게 어둠의 마법에 빠지면 친구들을 공격할 수 있기 때문이었다.

그러나 그 뒤로 완전한 어둠의 마법에 빠진 드로메드는 굉장히 혼란스러워 했다. 왜 혼란스러운 가를 봤더니, 이곳에서는 다친 사람들 말고는 다른 사람이 보이질 않는다는 것이 가장 큰 이유였다. 누굴 공격해야 될지를 모르겠다는 것이다. 그러니 어둠의 마법이고 뭐고 쓸 수가 없었다. 지금 드로메드는 사람이 아니라 위에서 떨어지는 돌을 가루로 만들고 아래의 땅을 메꿔야 했다.

평소의 현실적인 드로메드라면 이런 이성적인 판단이 충분히 가능하고도 남았겠지만 어둠의 마법에 완전히 잠식된 드로메드는 이성을 잃어서 정상적인 판단이 불가했다. 그렇지만 드로메드의 평소 마법으로는 지금 이 상황을 혼자 버틸 수 없었다. 이 공간은 너무 넓었고 그 넓은 공간이 다 무너져 내리고 있기 때문이었다. "오빠! 땅을 메꿔! 땅 사이의 틈을 없애!" 결계 안에서 옐로이즈가 바락바락 소리를 질렀지만 드로메드는 전혀 듣지 못했다.

하지만 시간이 조금씩 흐르자 드로메드는 자기 몸을 공격해오는 돌덩이들을 조금씩 없애기 시작했다. 드디어 적을 인식한 것이었다. 가만히 있기만 하면 제 몸이 공격받고 아프다는 사실을 느낀 것 같았다. 콰광 하는 큰 소리와 함께 무너져 내리던 돌덩이들은 가루가 되어 밑으로 떨어졌고 드로메드는 한 손을 들어 주문을 외웠다. "바한텐 에리세!" 드로메드가 이 주문을 외움과 동시에 천장은 무너지기의 전 모습으로 완벽하게 복구되어 돌아갔다. 돌이 새로 생겨나 천천히 천장을 채워 나갔다. 그건 땅도 마찬가지였다. 하지만 아직 불안정했다. 톡 건드리면 다시 부서질 것만 같았다.

드로메드도 불안했는지 한 번 더 마법을 걸려는 준비를 하는 듯 했다. 드로메드도 엄청난 마법을 유지 시키는 것이 힘들었는지 숨을 헐떡였다. 드로메드가 한참 동안 어떤 주문을 거는 것이 가장 효과적인지 고민하는 것 같더니 드디어 입을 움직였다. "…마인드리아 엑세탄!" 다이노원정대 모두가 처음 들어보는 주문이었다. 누구보다도 혼합 마법에 능통한 옐로이즈도, 드로메드의 곁에서 몇 년간 지켜와 본 그의 친구들도, 하늘의 백년전쟁에도 참전했던 파르낭 할아버지까지도 말이다. 하늘의 백년전쟁은 온갖 마법이 난무하던 전쟁이었다. 그런 전쟁터에서도 보지 못한 주문을 드로메드가 읊조리자 난리통에도 불구하고 호기심이 생겼다. 드로메드가 주문을 외운 직후에는 바로 효과가 나타나지 않는 듯 했다.

조금 시간이 흐르자 숨막히던 정적을 깨고 조금씩 무언가가 움직이기 시작했다. 아까 드로메드가 애써 복원시켜 놓은 땅과 천장이었다. "뭐… 뭐야! 다시 무너지잖아!" "드로메드 정신 차려!" "위험해! 당장 피해!" "미쳤냐?! 네가 다친다고!" "위험해! 그러지 마!"

다이노원정대는 드로메드의 방어막 안에서 아우성쳤다. 드로메드는 피하지 않았다. 다시 무너지는 천장을, 다시 갈라지는 땅을 가만히 지켜만 보고 있을 뿐이었다. 드로메드의 붉은 눈은 절대 흔들리지 않았다. 확신에 가득 차 있었다. 그리고 조금 시간이 흐른 뒤 놀라운 일이 벌어졌다.

16. 나아가는 거야

"야! 정신차리라고! 다 무너져 내린다고!!" 유니아가 크게 소리를 질렀다. 위에서는 몇 톤이 넘는 천장이 무너져 내리고 있었고 땅도 거의 다 갈라졌다. 살 가망은 없어 보였다. 도대체 드로메드의 꿍꿍이가 뭔지 알 수 없었다. 유니아를 제외한 나머지 아이들도 각자 고래고래 소리를 질렀다. 각성해 어둠의 마법에 휩싸인 드로메드는 아무것도 듣지 못했지만 말이다.
이 통로가 다시 흔들린지 3분이 지나자 드로메드는 지팡이를 들고 또다시 주문을 외웠다. "타스탄더스톤." 아까 전과는 달리 주문의 효과는 바로 나타났다. 아주 놀랍게도 말이다. 천장에서 떨어진 돌덩이들은 곧장 바닥으로 내려가 깨지는 것이 아니라 완벽하게 땅의 틈을 메꿔주었다. 드로메드가 평소 쓰는 정돈 마법에 난이도를 더하고 그 대상을 돌로 바꾼 것뿐이었다. 이렇게 기본 마법을 바꿔 심화된 마법을 만드는 경우는 이뿐만이 아니라 여러 개의 방법이 있다.
하지만 마법의 대상의 규모가 어마무시하고 무게도 측정 불가할 정도로 무거운 만큼 드로메드는 바로 비틀거렸다. 추락할 정도는 아니었지만 다이노원정대의 눈에는 매우 위태해 보였다.
여기서 의문이 생길 수 있다. 천장이 무너지면 위에는 대체 무엇이 있을까? 조금만 생각해보면 답을 금세 알 수 있었다. 바로 몇 시간 전 헤매던 세번째 함정이다. 이 함정은 다이노원정대가 아무리 걸어도 빠져나갈 수 없게 만들었던 함정이다. 알렉스와 카르노가 등을 맞대지 않았다면 영원히 탈출할 수 없었던 함정. 다행히도 알렉스와 카르노의 반대되는 힘이 동시에 섞이며 생긴 에너지로 다이노원정대는 위의 통로에서 아래로 넘어올 수 있었다. 즉, 밑으로 떨어졌기 때문에 다이노원정대의 위에는 1, 2, 3 함정들이 존재하던 처음 통로의 바닥 부분이 있는 것이다. 드로메드는 어둠의 마법에 휩싸인 상태에서도 이 사실을 기억해 내어 알맞은 주문을 건 것이었다.
서서히 모든 상황이 정리되자 경계는 자연스럽게 풀렸다. 지금은 드로메드의 이성이 완전히 어둠의 마법에 파묻혀 있었기 때문에 친구들을 알아보지 못하고 공격할 수도 있었다. 그에 옐로이즈는 경계가 풀리자마자 빠른 속도로 드로메드의 마법을 흡수할 준비를 했다.
그때였다. 옐로이즈가 마법을 써 공중에 떠 있는 드로메드에게 다가가기도 전, 드로메드는 갑자기 눈이 파란색의 원래 눈동자로 돌아왔다. 정신이… 정신이 저절로 돌아온 것이다. 드로메드의 칠흑 같은 눈동자가 잠시 미약하게 흔들리더니 깊고 푸르게 변해버렸다. 이 현상은 드로메드의 정신이 원래대로 돌아왔다는 것을 의미했다.
드로메드의 정신은 원래대로 돌아온 듯 했으나, 아직 몸은 아니었다. 드로메드는 어둠의 마법이 지배하고 있는 몸이 말을 듣지 않자 고통스러워 했고, 외마디 비명을 지르면서 땅으로 떨어졌다. 비틀거리며 균형을 잃은 듯 했다. 드로메드는 상당히 높은 곳에서 떠 있었기 때문에 드로메드가 땅에 추락할 때의 충격은 엄청났다. 쾅! 하는 굉음과 함께 드로메드의 주변으로 얕은 구덩이가 생겼다. 하지만 그 충격 덕분인지 떨어진 드로메드는 완벽하게 원래대로 돌아왔다. 어둠의 마법이 떨어지는 동시에 사라지면서 방어막 역할을 해 충격에 비해 크게 다치지는 않았다. "으… 아아… 다행이다. 나 때문에 다치지는 않은거지? 성공했네." "오… 빠… 지금… 지금 대체…!" "왜 그래? 그나저나 아이고, 삭신이야… 아프다!" 드로메드는 의아한 표정을 지었다. "오빠가 혼자… 혼자서 마법을 이겨냈어!!" "어? 무슨 뚱딴지 같은 소리야…?" "혼자 돌아왔다고! 아무것도 하지 않았는데 혼자서!" 엘로이즈는 기쁨의 눈물을 흘리며 드로메드를 꽉 끌어안았다. "어? 그게 무슨… 네가… 안 했어? 아니, 잠깐. 그러면 내가 혼자서 돌아왔단 말이야? 나 혼자서? 내가? 혼자서?" "그래! 너 혼자 했어. 갑자기 기운이 바뀌더니 너 스스로 모습이 바뀌었다고!" 아! 그 기쁨은 말로 다할 수 없었다.
다친 데이비드도 벌떡 일어났으며 조금 전 친구들의 노력으로 정신을 차린 알렉스가 소리 내어 환하게 웃었다. 타우가 울었으며 드로메드 본인이 주저앉았다. "나… 할 수 있는 걸까…? 이제… 할 수 있어? 그럼 어둠의 저주도 다 끊을 수 있어… 이제 그분께 당당히 얼굴을 보일 수 있어…"
드로메드가 속삭였다. 이제는 이 저주를 깰 수 있는 걸까? 몸은 어둠의 마법을 써 아프고 힘들었지만 마음만은 너무 행복했다. 이 기분만을 느끼며 영원히 살고 싶었다. 영원히. 아픔을 느끼지 않으며. 친구들과 함께. 가족과 함께. 그리고, 나의 가장 큰 별이자 언제까지나 존경하고 사랑해 마지 않는 그분과 함께.

17. 명의 에이파타

다이노원정대는 후들거리는 팔다리로 아까 에이파타가 빠져나갔던 곳을 향해 걸어갔다. 피도 흐를 정도로 많이 다쳤고 지쳐 있었다. 그래도 서로를 북돋아주며 천천히 앞을 향해 나아갔다. “조금만 더 가자. 조금만 더 갔다가 잠시만 쉬자.” “그래요 오빠. 좀 쉬는 게 좋을 것 같아요.” 평소라면 펄펄 뛰어다녔을 다이아가 고개를 주억거리며 말했다. 다이아가 저렇게 말할 정도라면 지금 상황은 마냥 기뻐할 수만은 없는, 안 좋은 상황이었다.

“오! 용케 빠져나왔네? 그래, 내가 미래에 합류하게 될 팀인데 이 정도는 되야지. 근데… 아주들… 그냥… 다 죽어서 왔네?” 불행인지 다행인지 다이노원정대는 유능한 명의인 에이파타와 금세 맞닥뜨렸다. “아악…!” “드로메드 괜찮아?” 아니나 다를까, 드로메드는 에이파타와 만나자 마자 바로 고통을 호소했다. “이 상태로 5번째 함정을 통과할 수 있겠어? 내 도움이 필요하지 않겠나?” 에이파타의 말은 다이노원정대의 마음을 울리기에는 충분했다. “그렇다면… 해봐. 우리 모두를 어떻게 치료할 것인지.” 힘겨운 침묵 끝에 다이노원정대는 결정을 내렸다. “간단해. 일단, 너.” 에이파타가 가리킨 곳은 모타카와 카르노의 부축을 받고 서 있는 데이비드였다. 아까 틈 사이로 넘어지면서 발이 심하게 골절되어 제대로 걷지 못하고 이곳저곳에서 피가 흐르고 있었다. “네가 뭘 어떻게 할 건데. 이상한 술수 따윈 부릴 생각 하지

마. 나한텐 안 통해." 데이비드는 에이파타를 적대적으로 쳐다보았다. "나도 네가 3단계 이상의 고수 벤트 아이인 거 너무나 잘 알아. 내 뼈부터 짜릿하게 아리니까. 그래서 너무 재밌어. 난 3단계 벤트 아이나 마법사를 소피아를 제외하곤 만나본 적이 없거든." 데이비드가 물었다. "잠깐, 내가 알기로 각 나라의 왕이나 여왕은 모두 3단계 이상의 마법사야. 그런데 왜 만나본 적이 없다는 거야? 네 부모님 중 한 분은 분명 3단계 이상 마법사일 텐데."

다이노원정대 모두도 그런 류의 궁금증을 가지고 있었다. 각 나라의 왕과 여왕은 3단계 이상의 벤트 아이의 과정을 걸치고 3단계 이상의 마법사가 되어야지만 한 나라의 군주가 될 수 있었다. 선대 왕과 여왕의 자식들이라 해도 모두가 그 자격을 갖춘 것은 아니었다. 벤트 아이이지만 3단계가 안 될 수도 있고 아예 마법을 갖지 않거나, 성인이 되어 마법을 잃는 경우도 200만 중의 1의 확률로 간혹 생겨났기 때문이다. 선대 군주의 자녀가 자격을 갖추지 않을 경우, 가까운 친척이 대신 왕위를 이어받기도 한다. 다만 하늘의 왕국인 트라이나 왕국의 경우, 선대 군주의 첫째 자녀가 아닌 다른 형제들은 마법을 가지지 못한다. 몇 백년 전 트라이나의 왕위계승문제로 첫째와 셋째가 피 터지게 싸워 많은 사람이 죽었기 때문에 그 뒤에 왕위를 이은 왕위 서열 2위 둘째가 강력한 마법을 써 다음 세대에는 이런 일이 일어나지 않게 마법을 아예 갖지 못하게 해버린 탓이다.

그 마법에 따라 트라이나 왕국의 둘째 왕자인 아틀라스는 왕자지만 일반인이다. 아틀라스의 누나가 왕위를 이어받을 것이고 만약 그럴 수 없다면 일반인임에도 불구, 아틀라스가 왕을 하게 된다. 일반인이지만 왕의 교육을 몇 년간 받았고 마법을 써야 한다면 신하들이 도와주면 되기 때문에 딱히 힘들지는 않겠지만 왕권이 약화될 수 있기 때문에 전혀 좋은 선택이 아니다. 아주 다행스럽게도, 트라이나 왕국은 그때 그 왕위계승 전쟁 이후로 한 번도 대가 끊긴 적이 없다. 하지만 이 모든 걸 다 뚫고 왕, 혹은 여왕이 되었다면 분명 3단계 이상의 마법사일 터였다. 그런데 왜일까? "마법 잃으셨어. 우리 어머니. 우리 어머니가 아레폴리스의 여왕이시거든. 그런데 몇백 년 전 우리 아레폴리스 왕국을 세상과 단절시킨 그 사건 이후로 모든 왕과 여왕은 30세를 기준으로 마법이 약해지거나 사라졌어. 아직 아무에게도 말하지 않았지만 내가 조사한 바로는 그때 엄청난 마법이 분출되며 그 여파가 아직도 남아있게 되었고, 그 여파로 인해 왕과 여왕의 마법은 없어지는 거지. 오랜 세월에 거쳐 천천히. 그렇게 천천히 빼앗아 가다가 30세가 되면 아예 사라지는 거야. 마법이. 그래도 왕위는 박탈 안 돼. 초대 왕과 여왕께서 하도 선물을 많이 주시고 떠나셔서 아직까지 쓸만한 게 좀 많아. 그 덕분에 마법으로 무언가를 해야 될 일이 별로 없고. 뭐, 있을 땐 내가 해."

아레폴리스 왕국의 기묘한 사연을 알게 된 데이비드는 기분이 싸해졌다. '페디그라드도 아레폴리스처럼 될 수 있어. 조심해야 돼. 시기가 점점 다가오고 있어. 미래의 페디그라드 사람들을 고통속에 살게 할 수는 없어. 이렇게 가다간 노르아덴이 다시 태초처럼 변해버릴 거야!' 그 생각은 데이비드만 한 건 아닌 듯 했다. 다이노원정대의 생각을 아는 건지 모르는 건지 에이파타는 태평하게 손에 힘을 모았다. 드로메드는 그 힘이 모이는 것을 온 몸의 감각으로 느꼈다. 모든 털이 곤두서는 느낌이었다. 소름 돋을 정도로 서늘하고 기분 나쁜 감각이었다. 에이파타는 그 힘을 다 모은 뒤 데이비드에게 다가가 주문을 외웠다. "음… 뭐가 좋을까? 타박상에 골절. 그러면… 하이드리안 에스필리아! 하이드리안 스타렉프리탄!"

에이파타가 잠시 고민을 하는가 싶더니 자기 이름만큼이나 괴상한 주문을 외우고 손을 모으자 빛이 사방으로 퍼지며 강력한 시너지를 내었다. 일반인인 아틀라스도 그 기운에 절로 몸이 움츠러졌으니 말이다. 빛이 사그라지기까지는 많은 시간이 소요되지 않았다. 바로 사라진 밝은 기운 뒤에는 깨끗이 나은 데이비드가 있었다. 데이비드는 믿을 수 없다는 듯 자기 몸을 살폈다. 그 어떤 생채기 하나도 남아있지 않았다. "우… 우와…! 다 사라졌어! 다 사라졌다고!" "뭐야? 이런 게… 이런 게 가능한 거였어?" "아니야, 아니야. 이럴 수는 없어. 아니야. 이건 가능하지 않아. 불가능해. 생물학적으로도, 과학적으로도 이건… 본 적이 없는데."

드로메드는 놀랐다. 놀람과 동시에 얼굴에 공포심과 희망이 스쳐 지나갔다. 공포와 희망. 이 전혀 상반되는 감정들이 왜 한 곳을 지나갔을까. "드로메드 괜찮아? 왜 그래?" 옆에 서 있던 테라가 걱정스레 물었다. 드로메드는 재빨리 표정 관리를 했다. "아니야. 걱정하지 않아도 돼." 에이파타는 어느새 쓰러지기 일보 직전인 알렉스까지 말짱하게 해 놓고는 왁왁거리는 옐로이즈를 상대하고 있었다. 옐로이즈는 워낙 인상을 쓰고 거부하는 탓에 뒤에 치료받게 되었다. "윽. 살살 좀 해. 지금 상황에서 난 너힐 도우면 도왔지 해칠 생각은 안 하거든." "내가 그걸 어떻게 믿지? 난 네가 싫어! 이 잘난척 대마왕 왕자 자식!" 옐로이즈는 눈에서 불을 뿜어내며 에이파타를 쏘아보았다.

옐로이즈는 이래 봬도 명실상부한 3단계 벤트 아이들의 위험천만한 부대장을 맡고 있었기에 강력한 마법을 사용해 별로 다치지 않았다. 옐로이즈는 다른 친구들에 비해 체력이 바닥을 치지 않았고 그 덕에 에이파타에게 지지 않으려 소리를 높이고 있었다. "어험. 누가 감히 왕자에게 까부느냐. 네 놈은 정녕 벌을 받고 싶은 것이냐." 에이파타는 바로 킬킬거리며 어울리지도 않는 대사를 흉내 내었다. 그에 동조한 모타카도 옆에서 고정하시옵소서 라며 쿡쿡 거렸다. 이런 상황에서도 한없이 해맑고 씩씩한 친구들에 드로메드는 조금, 아주 조금 에이파타가 마음에 든다는 생각을 하였다. '저게 진짜든, 가짜든 우린 당장의 도움이 필요하니까. 잰 다 알고 있어. 에이파타로 인해 결과가 아예 뒤바뀔 수도 있어.' "어이 대장, 너는 괜찮은 건가? 넌 뭐 다친 것 같지는 않다만 내 마법에 내성이 생기게 해야겠다." "그럼. 아무렇지도 않지. 그렇게 해주면 나야 고맙고." 에이파타는 낄낄거리며 가벼운 진통 마법을 걸었다. 가벼운 마법이었지만 드로메드는 몸이 한결 나아지는 효과를 누릴 수 있었다. "고맙다." "별말씀을. 대장." 에이파타가 씩 웃으며 고개를 까딱였다. '아직 네가 누군지도 모르고 만난지 몇 시간 밖에 되지 않았거늘 너는 벌써 날 대장이란 칭호로 부르는구나… 다이노원정대 정식 대원으로 허락해주지도 않았는데 말이야.'

이 순간 드로메드의 생각은 이랬다. 드로메드는 에이파타에게 자신을 이름으로 불러달라고 정중히 (하지만 예민해져 있었으므로 생각만큼 그러지 못한) 부탁했다. 하지만 에이파타는 코웃음을 치더니 거절했다. "그럼 너랑 나랑 똑같은 일원이 되는 거잖아. 난 싫어. 아까부로 난 너에게 충성을 맹세했거든. 그러니까 반말은 되지만 칭호는 어떻게 못하겠다 이거야." 어떤 원리로 반말은 되고 칭호는 안 되는지, 대체 언제 충성을 맹세했는지는 도저히 모르겠지만 에이파타가 까다롭고 위험한 왕국의 왕자이고, 엄한 교육을 받았을 것을 생각하니 예의를 차려 말하는 것이 그리 어색해 보이지 않았다. 더군다나 아무리 몸이 호전된 상태라 해도 정신이 지쳐 있었기에 빨리 소피아를 구조하여 본부로 돌아가야 했다. 시간이 없었다.

18. 다섯번째 함정

드로메드는 비장한 목소리로 결의를 다진 뒤 근엄하게 말했다. “그래. 좋아. 날 드로메드라 부르던지 대장이라 부르던지 총사령관이라 부르던지 상관없어. 우리는 당장 마지막 관문을 통과해야 만해.” “아? 그게 뭔 소리야.” 에이파타는 고개를 갸우뚱했다. 동그런 두 눈이 크게 떠지며 의아함을 담아냈다. “마지막 함정 말이야.” 다이노원정대는 에이파타의 반응에 궁금증을 품었다. 에이파타가 전혀 모른다는 기색을 보이고 있었기 때문이다. “그딴 거 없는데?” 에이파타가 어이없다는 듯 드로메드를 쳐다보았다. “없다고? 그럴 리가…” “…뭐래. 진짜 없어. 이대로 쭉 가면 아레폴리스의 도시 중 하나인 페트로포눔이 나와. 누가 그러냐?” 타우의 눈이 동그래졌다. “분명히 내 조사에 따르면 처음 함정을 통과했을 땐 이 앞에 4개의 함정이 더 있다고 했는 걸?” 타우의 말에 에이파타는 빙그레 미소를 지었다. “큭큭, 너 진짜 웃겨. 그걸 착각한 거야? 제 2의 지성이라매. 다 뻥이네. 너 그때 애들이 화살 피하고 있을 때 조사했지? 그 말인 즉슨, 함정을 완벽히 없앤 것이 아니잖아. 쉽게 말하면, 아직 스테이지를 다 깨지 못했으니 그 스테이지 포함 4개이 함정이라는 말이 되지. 그리고 또 하나, 넌 아레폴리스 언어를 모르잖아. 저 위에선 4라고 쓰지만 이 아래에선 4랑 비슷한 모양의 숫자 3이 있어. 뭐 쓰는 문자가 다르긴 한데, 그래도 말을 저 위랑 꽤 비슷하게 해. 의

사소통 걱정은 하지 마. 그리고, 이 둘의 이유에 따라 너흰 완벽하게 착각한 거지. 하여튼 나 없었으면 이대로 겁도 없이 쭉 가다 우리 경비병들한테 걸렸을 거 아니야. 큰일날 뻔했네."

다이노원정대는 깊은 깨달음과 함께 절로 고개를 끄덕였다. 에이파타의 말대로 정말 큰일날 상황이 만들어질 뻔했다. 아레폴리스 왕국의 경비병이라니. 상상만 해도 끔찍했다. 파르낭 할아버지께서는 아레폴리스의 사람들은 아름답지만 거칠고 폭력적이라고 했었다. 그런 경비병들과 눈을 마주치기만 해도 다이노원정대는 맥을 추지 못했을 것이다. "고마워. 너 아니었으면 큰일 날 뻔했다. 부탁이니, 소피아가 있는 곳을 알려줄 수 있을까?" 드로메드는 두통이 사라지자 한결 편한 목소리로 물었다. 본디 드로메드의 말투처럼 상냥함도 깃들어 있었다. "그럼. 당연한 말씀… 이지만, 조건이 있지." 에이파타의 의미심장한 말에 다이노원정대는 일동 굳었다. "무슨 조건?" "내가 이걸 옮기느라 정말 고생했잖아. 그렇지?" "그…렇지." "그럼 너희도 나한테 해주는 게 있어야 되잖아 그렇지?" "그… 렇지." 다이노원정대는 고개를 살짝 끄덕였다. "좋아, 그러면 나 다이노원정대 정식 요원 하게 해줘. 지금. 너희 시험 제도 있다매. 아까 부대장한테 들었어."

다이노원정대가 옐로이즈를 쳐다보았다. 옐로이즈는 손사래를 쳤다. "아니야! 재가 하도 끈질겨서 한 마디 밖에 안 했어!" "옐로이즈…" "입이 방정이다 재는." "아이고, 동생아 구지 여기서?" 친구들의 원망 어린 얼굴을 쳐다보며 옐로이즈는 고개를 들지 못했다. 에이파타는 분명히 이 통로에서 정식 대원이 되고 싶어 할 것이다. 이 음산하고 축축하며 덥고 위험한 통로에서 말이다. “나 당장 시험 볼래. 나 진짜 집 싫어! 니들이나 따라다니고 놀 거야!”

에이파타가 징징대며 조르자 다이노원정대는 허락을 할 수밖에 없었다. 에이파타 덕분에 통로가 옮겨져서 소피아를 구조할 수 있는 것도 사실이고, 그가 세계 최고의 명의라는 것도 모두 사실이었기 때문이다. 에이파타는 솔직히 놓치면 매우 아까운 ‘인재’였다. “좋아. 우리는 모두에게 공평하니 너에게도 권리를 줄게. 유니아와 카일도 이 시험을 보고 합격해 지금 이 자리에 있어. 네가 이 시험을 합격한다면, 너도 우리와 대등한 위치에 서서 함께 떠날 수 있는 거야. 지금 당장 시작하자. 규칙은, 내가 직접 설명하겠다.” 드로메드가 짤막히 말을 끝냈다. 다이노원정대가 되기 위한 시험이 고대 아레폴리스로 가는 통로에서 펼쳐졌다.

19. 에이파타, 다이노원정대 5관문을 뛰어넘어라!

드로메드는 곧바로 설명에 들어갔다. 룰은 유니아, 카일 때와 동일했다. 규칙을 대강 설명들은 에이파타는 천천히 고개를 끄덕였고 제일 먼저 테라가 나오게 되었다.

테라는 첫번째 관문의 주관자로서, 손에 꼽힐 정도로 강한 실력을 가지고 있었다. 드로메드는 당연히 테라를 굳게 신뢰했기에 그에게 힘내라는 말을 전하며 싱긋 웃어 보였다. 결국은 무기를 쓰지 않는 테라가 지겠지만 에이파타도 만만치 않게 체력이 빠져 있을 것이라고 생각했다. 드로메드 뿐만이 아니라 모두가 이와 동일한 생각을 갖고 있었다. "규칙은 간단해. 넌 이곳에 있는 무기를 쓰던지, 너의 마법을 사용해 테라를 이기면 돼. 시간 제한은 딱히 없어. 테라는 널 막고 역공격을 할테지만 무기를 사용할 수 없지. 시험이 끝나면 테라가 너에게 점수를 매길 거야. 98점 이상을 받으면 합격이야." 드로메드가 에이파타에게 첫번째 관문의 규칙을 간략히 설명해 주었다. "간단하네? 그냥 재 쓰러트리면 되지? 이야, 너무 쉬운 거 아닌가? 가뿐히 이겨 줄게~" 테라가 언짢은 듯 혀를 찼다. 에이파타의 건방진 말투가 마치 자신을 무시하는 것처럼 들렸기 때문이다.

다이노원정대는 시험 준비가 모두 끝나자 한 쪽으로 비켜섰고 드로메드만 에이파타와 테라의 중간에 서서 심판을 보았다. "그럼 지금부터 준비… 시작!" 드로메드가 시작을 알리는 불꽃을 쏘아 올렸다. 마침내 에이파타의 첫 번째 관문이 막을 열었다. 테라는 에이파타가 육지 공룡이라는 것을 파악해 단숨에 위로 날아올랐다. 날개가 없는 에이파타는 테라를 쫓아갈 수 없었다. 위의 통로와 아래 통로의 바닥 사이의 거리가 충분히 많이 벌어져 있어서 테라는 높은 곳까지 올라갈 수 있었다. "음…? 뭐 하는 거지? 그렇게 하면 내가 쫓아올 수 없다고 생각하는 건가 혹시?" 에이파타의 눈이 반짝 빛났다. 번들번들한 눈동자가 위험해 보였다. 에이파타의 표정이 180도 달라지자 테라는 이유 모를 오싹함을 느꼈다. 질척한 덩굴이 다리를 타고 올라와 온 몸을 휘감는 듯한 착각도 들었다. "그건 오산이야… 난, 의술만 할 수 있는 게 아니거든. 아레폴리스의 왕자는…"

에이파타의 손에서 파지직, 하고 마찰음이 일었다. 에이파타는 잠시 말을 멈추더니 오른손을 테라를 향해 겨누고 조용히 속삭였다. "아레폴리스 왕자의 마법은 그란디스의 후손이라 그런지 상당한 파급력이 있네…? 이거 안타까워 어쩌나." 섬뜩한 섬광이 스쳐 지나갔다. 테라는 빠른 속도에 속절없이 무너지고 말았다.

에이파타는 어떠한 주문도, 지팡이 같은 매개체도 이용하지 않고 단숨에 강력한 3단계 마법을 발사해 내었다. 지금까지 다이노원정대가 엄두도 내지 못했던 방식이었다. 주문을 외우지 않고 마법을 쓸 수 있는지도 몰랐던 다이노원정대에게 각성도 하지 않은 채 마법을 쓰는 에이파타는 외계 생명체와 다름없이 보였다. 테라는 에이파타의 이름모를 마법을 맞고 날개가 붙잡혀 땅으로 추락하고 말았다. 유니아와 카일이 고전했던 첫번째 관문의 무시무시한 고수. 다른 나라에서도 실력자라 불리며 카드 마법을 똑같이 시전할 만큼 유명한 테라가 고대 왕국의 왕자에게 한 방에 무너진 것이다. 시간은 5분도 채 되지 않았다.

다이노원정대는 모두 말을 잃었다. 에이파타는 무서운 존재였다. 인간 무기 같았다. 마법 하나로 다이노원정대는 에이파타가 무서워지기 시작했다. 에이파타가 첫번째 시험에서 보여준 마법을 실로 대단하고 놀라웠다.

"으… 뭐야…? 지금 주문도 외우지 않고 바로…" 이 상황에서 무엇보다 당황한 것은 바로 테라였다. 처음 만난 낯선 이인 에이파타에게 제대로 당하자 테라는 수치스럽고 분해 참을 수가 없었다. "뭐긴 뭐야. 아레폴리스 왕자라면 이 정도는 가볍게 할 수 있는 거 아닌가? 대장! 나 무지 잘하지 않았어? 이제는 그 다음 관문을 통과하면 되나?"

어느새 쾌활한 모습으로 돌아온 에이파타가 드로메드에게 천진하게 물었다. 이번 관문은 테라가 점수를 매길 것도 없이 완패했기 때문에 에이파타는 바로 다음 시험을 볼 수 있었다. 에이파타는 다음 관문을 또 부술 거라며 기대했지만 테라의 기분은 썩 좋지 않았다. 강력한 마법을 지니고 자존심이 무척 센 테라에게는 이 일이 두고두고 기억될 흑역사가 될 터였다. 테라가 분을 못 이겨 부르르 떠는 동안 다음 주관자인 알렉스는 모든 준비를 끝마쳤다. 에이파타의 도움을 받아 몸이 많이 호전된 상태여서 알렉스의 컨디션은 나쁘지 않았다.

"괜찮겠어? 에이파타, 세 보이는데." 드로메드와 옐로이즈가 알렉스에게 물었다. 다른 친구들도 얼굴에 근심이 가득해 보였다. "난 저딴 왕자 녀석에게 쉽게 굴복하지 않는다. 넌 쓸데없는 걱정 말고 심판이나 잘 보고, 넌 가서 애들이랑 구경이나 해." 무뚝뚝한 알렉스 답게 말은 길지 않았다. 얼굴도 전과 변함이 없어 보였다. 하지만 이것은 착각이었다. 솔직히 말하자면, 알렉스는 방금 전 일어난 일에 매우 놀라 있었다. 어떨 때는 알렉스조차 막아내기 힘들 정도로 강한 테라가 에이파타에게 당했기 때문이다. 심지어 에이파타는 아무런 예고도 없고 주문도 없이 공격해 버렸다.
알렉스는 그런 에이파타가 놀라우면서도 한편으로는 고깝게 보였다. "다음은 나다." 알렉스는 에이파타를 쏘아보며 말했다. "오~ 너구나! 너는 속성 얼음이지? 기대되네… 이것도 규칙이 있나? 쟤랑 1대1로 싸워서 이겨야 되나?" 에이파타가 드로메드에게 규칙을 설명해달라는 눈짓을 보내자 드로메드는 웃으며 천천히 짚어주었다. "간단해. 알렉스가 널 시험에 들게 할 거야. 인내심을 보는 시험이지. 아까와 동일하게 일정 점수를 넘어서야만 다음 시험을 볼 수 있어. 규칙은 알렉스가 그만둘 때가지 참는 것뿐. 중간에 포기 선언을 한다면, 시험은 바로 끝이 나! 그럼, 준비… 시작!"
드로메드가 시작을 알리는 불꽃을 쏘아 올리자 다시 시험이 시작되었다. 알렉스는 곧바로 눈빛을 싹 바꾸었다. 차가운 눈보라가 알렉스 주변으로 휘몰아쳤다. 그러자 알렉스의 눈빛이 서늘해 졌다. 얼음이 손에서 뿜어져 나왔다. 바닥이 순식간에 얼어붙었다. 에이파타는 그런 알렉스를 흥미진진하게 쳐다보았다. "오… 실력이 꽤 괜찮은데? 날 어떻게 시험에 들게 하려나… 기대되는 걸?" 주변의 온도는 급격히 떨어지고 있었다. 다이노원정대가 있는 곳은 다행히 따듯한 온도를 유지했지만 알렉스와 에이파타가 있는 곳은 매우 추웠다. -15도, 체감온도 -18도의 혹독한 추위에도 불구하고 에이파타는 한 번을 떨지 않았다. 오히려 계속 입고 있던 흰 가운을 벗으며 도발했다. “영하 18도라… 생각보다 실력이 더 뛰어나네? 더 해봐. 더.” 알렉스는 에이파타의 도발에 서서히 화가 나기 시작했다. “…그 말 후회하게 해주지.” 드로메드와 옐로이즈, 데이비드의 눈에는 지금 알렉스가 화가 나있다는 것이 너무나 잘 보였다. “오빠, 쟤 어떡해? 저러다 큰 일 나는 거 아니야?” 옐로이즈가 걱정스레 묻자 드로메드가 확신에 찬 목소리로 말했다. “알렉스는 분명히 잘 해낼 거야. 에이파타도 잘 이겨낼 거고. 믿어보자.” 알렉스는 드로메드의 기대에 부응이라도 하듯 순식간에 마법을 써 배경을 바꾸었다. 알렉스가 주문을 외우자마자 에이파타를 둘러싸고 있던 환경이 바뀌었다. 거친 모래바람이 부는 사막이었다. 아틴사막의 고됨을 완벽히 재연한 알렉스는 하나씩 장애물을 설치했다. 모래 바람이 일고 모래 알갱이들이 눈으로 들어올 것만 같은 착각이 일었다. 모두 가상이지만 너무 리얼해 진짜인 것만 같았다.

에이파타는 처음 보는 환각 마법에 당황했다. “엉? 이게 뭐지? 나 통로 안에 있었는데… 갑자기 아웃 된 건가…” 에이파타는 모래 바람을 가만히 맞으며 버텼다. “아! 따가워! 야, 은색 머리! 너 어딨냐?” 알렉스는 여러 모래알갱이로 흩어져서 모래 폭풍 속에 숨어 있었다. 알렉스의 몸이 모래 알갱이가 되어 변해버리자 에이파타는 그런 알렉스를 찾을 수가 없었다. “야, 어딨냐니까?” 반면, 당연히 얼굴을 맞대고 보는 시험인 줄만 알았던 에이파타는 알렉스가 코빼기조차 보이지 않자 슬슬 겁이 나기 시작했다.

"아오, 이건 뭐야… 타스탄!" 에이파타의 눈이 반짝이더니 마법이 손에서 뿜어져 나와 주변을 정돈하기 시작했다. 모래 바람은 조금 그쳤지만 아직까지도 거세게 휘몰아쳤다. '견뎌라. 네가 아무리 사막에서 산다 한들, 이런 모래 폭풍은 겪어보지 못했을 것이다!'
에이파타는 이 마법이 차마 환각 마법이라는 것을 알지 못하고 계속 정돈 마법만 썼다. 정돈 마법은 조금 효과를 보이는 듯 싶었으나 금세 모래가 또 휘몰아쳐 소용이 없었다. 에이파타가 예상치 못한 방법에 쩔쩔매자 알렉스는 배경을 바꾸었다. 이번에는 에이파타가 평생 많이 경험해보지 못했을 바다를 배경으로 택했다. 알렉스는 바다의 물이 되어 에이파타를 둘러쌌다. '…?' 에이파타는 갑자기 사막에서 바다로 이동하자 놀라 물을 삼켰다. '물! 물이다. 갑자기 이렇게 바꾼다고? 얼음으로 하는 게 아니었어?'
에이파타는 계속 고전했다. 숨을 막히는데 위로 아무리 올라가도 빛이 보이지 않았다. '으읍… 숨이…' 에이파타가 마법에 물들어 그 마법을 깨고 나오지 못하자 알렉스는 고민에 빠졌다. '어떤 시험을 들게 해야 되지? 대체 어떤 마법을 써야 너의 실력을 볼 수 있는 거냐?'
그때였다. 에이파타가 다급히 손을 움직여 마법을 부렸다. '언더위아…!' 에이파타가 속으로 주문을 외우자 강력한 마법이 에이파타를 휘감았다. '언더위아' 초강력 파괴 마법으로 고대 아레폴리스의 마법사들이 써왔다고 전해지는 마법이었다. 무엇이든 1초만에 파괴할 수 있는 그 무엇보다도 강력한 마법. 전설로만 전해지던 이야기를 실제 눈 앞에서 보자 알렉스는 적잖이 당황했다. '언더위아! 강력하다!' 알렉스의 환각 마법은 천천히 부서졌다.
바다에 서서히 금이 가자 에이파타는 곧 이것이 환각 마법이라는 것을 깨닫고는 언더위아의 강도를 높이기 시작했다. 하지만, 다이노원정대의 고수인 알렉스 답게 바로 나가떨어지지 않았다. 알렉스의 특기인 얼음을 이용해 바다 배경이 완전히 깨지자마자 에이파타를 얼음에 가두었다. 마법을 깨고 빠져나오려던 에이파타는 꼼짝없이 갇혀버리고 말았다. 얼음은 상상할 수도 없을 만큼 차가웠고 혀를 날름 거리며 달라붙었다. 에이파타는 처음 느껴보는 살이 에일 것만 같은 얼음에 깜짝 놀랐다. '보기 보다 세네…' 에이파타가 아무리 애를 쓰며 얼음을 부숴보려 애써도 알렉스가 앞에서 버티고 있는 한 쉽지 않았다.
물론, 에이파타도 아레폴리스의 왕자 답게 엄청난 실력을 가져서 얼음에 서서히 실금이 갔다. 뚫으려는 창과 막으려는 방패의 치열한 싸움이었다. 에이파타는 온 몸을 비틀며 옥죄는 고통에서 빠져나가려 애썼고, 알렉스는 어떻게든 막으며 버티려 애썼다. 둘 다 엄청난 체력 소모에도 불구하고 눈은 반짝이고 있었다. 강한 상대를 만나 상대하는 것이 너무 재미있고 흥미로웠다. 서로가 서로를 재미있어 하고 있었다. 그래서인지 승부는 더욱 끝나지 않았다. 에이파타가 부술라 치면, 알렉스가 막았고 알렉스가 공격할라 치면, 에이파타가 버텼다. 그런 아슬한 릴레이가 계속 오가자 보다 못한 드로메드가 정지를 알리는 불꽃을 쏘아 올렸다.
"정지! 이번 시험은 끝이다!" 원래 다이노원정대의 시험에는 시간 제한이 없지만 너무 시간에 지체되어 체력이 고갈된다면 뒤의 시험을 볼 수 없기 때문에 임의로 중단한 것이었다.

에이파타는 스르륵 얼음에서 풀려났다. 얼굴이 하얗게 질려 있었다. 얼음이 너무 차가운 탓이었다. 알렉스 또한 상황이 좋지만은 않았다. 머리색이 검은색으로 바뀌었다. 힘들었던 시험이었지만 주관자와 참가자 모두 즐거웠던 경기였다. 알렉스는 쓰러져 있는 에이파타에게 점수를 말해주었다. "100. 재미있었다. 허튼 자신감은 아니었나 보지?" 에이파타는 바로 일어나서 알렉스에게 고개를 까딱였다. "당연히 100점이 나와야지! 너도 꽤 하긴 하더라? 나 참, 2번째부터 이러면 다음은 얼마나 힘든 거야…" 에이파타의 궁시렁 거리는 소리를 애써 무시하고 다음 시험이 시작되었다. 에이파타가 알렉스에게서 100점을 받았기 때문에 무리 없이 다음 시험을 볼 수 있었다. 다음 시험은 장소상의 관계로 세번째 시험(2)로 보게 되었다. 세번째 시험(2)는 데이비드가 주관한다. 자세한 내용은 *(다이노원정대의 시험)* 부분에 나와있다. 데이비드는 앞서 에이파타의 실력을 이미 파악했기 때문에 어렵지 않게 시험 내용을 생각해 볼 수 있었다. "이번 시험 주관자는 나다. 설명은 드로메드에게 들어 알 거고… 바로 시작할까?" 데이비드는 별 말없이 에이파타가 준비할 시간을 주었다.

장난꾸러기에 천진한 데이비드가 이렇게 조용히 말할 때는 진지하게 임할 것은 약속하는 엄연한 약속과도 같았다. 에이파타는 그런 데이비드의 심정을 아는지 모르는지 계속 까불며 킬킬댔다. "이번 시험은 경험상 솔지이이익히 너어어무 쉽더라. 어떻게 이런 생각을 했냐? 와아안전 식은 죽 먹기야." 에이파타가 말꼬리를 늘이며 장난을 치자 데이비드는 화가 났다. 시험을 보는 참가자 입장에서 이런 도발을 하니 화가 나는 것은 당연했다. 최소한의 예의라는 것도 없었다.

아레폴리스는 엄격하고 폭력적인 문화가 남아 있다더니 지금 에이파타의 행동만 봐서는 도저히 그런 모습이 상상되지가 않았다. “지금부터 시험을 시작한다! 준비, 시작!” 드로메드가 시험의 시작을 알렸다. 데이비드가 활시위를 쭉 당기더니 휙 하고 쏘았다. 불이 화르륵 붙은 화살이 맹렬한 기세로 에이파타에게 달려 들었다. 에이파타는 언제 장난을 쳤냐는 듯 웃음기를 거두고 피하기 시작했다. 마법이 걸린 무시무시한 화살을 휙휙 느린 돌 날아오듯 피하는데, 그렇게 빠를 수가 없었다. 데이비드의 불화살은 에이파타의 손에 의해 처참히 망가졌다. 하지만 손으로 불을 끄다 보니 자연스레 상처도 입게 되었다. “피하지만 말고 막아 보시지? 두려운 건가 내 마법이?” 데이비드는 불 말고도 전기, 독 등 여러 마법을 써가며 에이파타에게 공격을 했다.

3단계 벤트아이이자 유능하고 강인한 데이비드의 마법은 스치기만 해도 앓아 누울 정도로 강력했다. 에이파타는 처음에는 피하기만 하다가 슬슬 마법을 사용하게 시작했다. “세라오세디마크!” 에이파타가 괴상망측한 주문을 외우며 화살을 정면 돌파하자 화살에 걸려 있던 마법이 전부 풀려 버렸다. ‘세라오세디마크’ 이 주문은 다이노원정대 그 누구도 한 번도 들어보지 못했던 주문이었다. 이 주문이 어떤 능력을 갖고 있는 지 모르는 데이비드는 당황한 나머지 더 센 마법들을 걸기 시작했다. 원래도 강한 마법을 심화시키다 보니 제 아무리 아레폴리스의 왕자 에이파타라 해도 당해내지 못했다. 그러자 에이파타는 있는 힘껏 방해 마법을 써서 화살을 없애고, 없애고 또 없앴다.
에이파타가 쓰는 마법은 다 처음 들어보는 마법이었고 매우 강했다. 주문을 입에서 발음하는 것도 어려울 만큼 길고 독특했다. 서로가 서로의 마법을 겪어 보지 못한 채로 시험을 치르다 보니 많은 부분에서 마찰이 생겼다. '세라오세디마크'는 단순 방해 마법일 뿐, 아무리 세게 써봤자 큰 효력이 없다. 별 영향이 없음에도 불구하고 데이비드는 낯선 주문에 당황을 해 센 마법을 건 것이었다.
에이파타는 자신이 약한 마법을 썼는데 데이비드 쪽에서 강하게 나오자 더 강경히 대응한 것이다. 데이비드는 끊임없이 공격했다. 에이파타는 강한 마법을 쓰며 앞으로 전진했다. 물이 화살의 주위를 감싼 채 빠른 속력으로 날아올 때는 화염을 발사해 물을 증발시켰고 반대로 불화살이 날아올 땐 차가운 냉기로 얼려 열기를 가라 앉혔다. "어이, 꽤 하네?" 에이파타는 머리를 쓱 쓸어 넘긴 뒤 데이비드에게 넌지시 한 마디 했다. 데이비드는 묵묵부답이었다. 아무 대답도 하지 않았다. 더 많은 화살을 쏘며 에이파타를 상대하고 있었을 뿐이다. 슬슬 팔이 아플 때도 되었을 텐데 데이비드는 눈 하나 깜짝 하지 않고 화살을 쏘았다. 강도가 거세졌다. 데이비드가 쏘는 여러 대의 화살은 갈수록 양이 많아졌고 한 번에 날아오는 개수가 늘어갔다. 여러 대의 화살이 모여 일고 오는 바람 탓에 에이파타는 피하기 급급했다. 에이파타의 실력이라면 데이비드의 이런 마법쯤 이야 가볍게 누르고 더 센 마법으로 대결을 펼쳤을 테지만 한 번도 보지 못한 방법에 당황한 나머지 앞을 내다보지 못했다. "화살이 왜 이렇게 많아! 끝이 안 나!" 에이파타의 머리가 빠르게 돌아갔다. 계속 피하고만 있을 수는 없다는 판단이었다. 에이파타가 생각을 마친 뒤 몸을 움직였다. 'Go!!' 에이파타의 전략이었다. 달리기, 그냥 달리기. 무작정 앞만 보고 달리기. 앞에 날아오는 화살은 언더위아로 없애기. "…!" 데이비드는 놀라 두어 걸음 뒤로 물러났다. '빠르다!' 에이파타는 빠른 속도로 움직였다. 오른쪽으로 오는 것 같아 오른쪽으로 화살을 쏘면 왼쪽으로 나타나 빈 공간을 가로 질렀다. 데이비드는 화살을 흩뿌리며 곳곳에 불을 질렀다. 높은 열과 함께 주변이 온통 불 바다가 되었다. "에헤이, 이것 참… 너무 한 거 아니야? 불에 약한 건 또 어떻게 알았대…" 에이파타가 한숨을 쉬었다. 혀를 끌끌 차면서도 번뜩이는 광선이 쉴 새 없이 불바다를 관통하고 있었다. 하지만 데이비드는 멈추지 않았다. 붉은 불기둥 사이에서 보이는 에이파타의 무방비한 몸. 데이비드는 마지막 한 발을 준비했다. 에이파타의 시야가 차단된 틈을 타 데이비드가 활에서 손을 놓았다. 손을 떠난 그 화살은 정확히 에이파타를 노렸다. 화살촉에 약초로 만든 독이 발라져 있었다. 에이파타는 멀리서 날아노는 그 화살을 보지 못했다. 애당초 데이비드가 이런 불기둥을 뚫고 화살을 쏠 지 예상조차 하지 않았다. 10m라는 꽤 먼 거리. 그만큼 화살을 멀리 보내기 위해 팔이 부들부들 떨렸다. 데이비드의 화살은 10m를 힘차게 날아갔다. 그리고, 화살이… 화살이 에이파타의 상체가 그대로 노출 되어 있는 복부를 뚫고야 말았다. 에이파타는 날카로운 통증을 느끼며 바닥에 주저 앉았다. 비명도 내지를 수 없을 정도로 갑작스레 찾아온 고통에 상황이 이해되기까지 오랜 시간이 소요됐다. 데이비드는 에이파타가 화염 속에서 더 이상 움직이지 않자 불을 모두 제압했다. 불이 모두 꺼지자 배를 붙잡고 바닥에 무릎을 꿇고 있는 에이파타가 고개를 들었다. "윽… 너무 하네. 넌 너무 참을성이 부족해. 불 끄고 있는데 이렇게 갑자기 공격하면… 내가 어떻게 피하냐고." 에이파타는 마법을 써 몸을 치료했다. 화살이 배를 관통했기 때문에 출혈은 상당했지만 금세 마법으로 메꿀 수 있었다. 멀리서 이 장면을 지켜보던 다이노원정대가 놀라 뛰어왔다. "괜찮아?" "왜 그래? 끝난 거야? 다쳤어?" 데이비드는 에이파타의 팔을 스쳐 지나가게만 화살을 조절했지만 중간에 화살이 불을 뚫으며 방향이 바뀌었다. 조금만 오차가 생겨도 바로 간격이 벌어지는 바람에 화살이 에이파타의 복부를 뚫어버린 것이다. 다행스럽게도 에이파타는 치유력을 타고난 명의였고 큰 어려움 없이 원래대로 상처가 회복 되었다. "별로 안 다쳤어. 내가 누군데~ 근데 좀 놀라긴 했어." "미안. 거기로 화살이 갈 줄은 예상 못했어." 데이비드는 에이파타에게 진심 어린 사과를 전했다. 꼴 보기 싫은 건 꼴 보기 싫은 거고 미안한 건 미안한 거였다. 자신의 실수 탓에 에이파타가 부상을 입게 되었으므로 데이비드는 굉장히 미안했다. "그건 됐고, 나 합격? 아님 불합격?" 에이파타의 천진한 목소리에 데이비드는 밝게 웃으며 대답했다. 많이는 아니었지만 조금, 아주 조금 에이파타가 마음에 들기 시작했다. "응, 당연히 합격이지. 옐로이즈, 준비해!" 데이비드가 에이파타가 악수를 나눈 뒤 4번째 시험이 시작 되었다. 이번 시험 주관자는 옐로이즈. (1)을 선택할지, (2)를 선택할지 옐로이즈는 답지 않게 고민을 했다. 고민 끝에 옐로이즈는 자신이 한 번도 시도해 본 적 없던 방법 (2)를 선택하기로 했다. 옐로이즈도 이런 마법은 처음 써 봐서 조금 걱정이 되기는 했지만 정말 어려운 난이도는 아니었다. 옐로이즈의 주특기 중 하나인 마법인 만큼 모두가 기대하며 지켜보았다. “뭔 시험이 이렇게 잔혹해? 쉬는 시간 안 줘?” 에이파타는 옐로이즈가 다가오자 눈을 동그랗게 뜨며 눈꼬리를 내렸다. “응. 안 줘. 바로 시작이야.” 옐로이즈가 단호하게 말했다. 에이파타가 짜증을 냈지만 결과는 달라지지 않았다. 옐로이즈는 바로 시험을 시작했다. 옐로이즈는 눈을 느릿하게 감았다. 에이파타는 눈을 감고 아무것도 하지 않는 옐로이즈를 이상하게 쳐다보았다. “야, 왜 그래. 방심한 틈을 타서 공격하는 거야? 나도 눈 감아야 되는 건가?” 옐로이즈는 2분 있다가 눈을 다시 떴다. 옐로이즈의 눈동자 색이 변해 있었다. 원래 파란색이었던 옐로이즈의 눈이 빨간색으로 180도 변해 있었다. 그 눈을 똑바로 마주 본 에이파타는 서서히 옐로이즈의 환각 마법 속으로 접어 들었다. 에이파타는 어린 시절 기억이 흐릿하게 떠올랐다. 옐로이즈의 마법이 얼마나 강력한지 한 번 슥 보기만 했는데도 바로 머릿속에 잊히지 않는 그날의 기억이 떠올랐다. “끄아아… 뭐야 이건? 성으로 텔레포트한 거야? 엄마? 왜 거기…” 에이파타는 갑자기 떠오른 어린 시절 끔찍했던 기억에 몸부림쳤다. 에이파타의 기억 속에 한 여자가 나왔다. 흐릿해서 마치 꿈을 꾸는 것 같았다. 여자가 소리를 지르고 있었다. 머리를 쥐어뜯으며 괴로워한다. 어린 에이파타는 그 모습을 보며 덜덜 떨고 있다. 영상을 틀어놓은 것처럼 무한하게 떠오르는 에이파타의 어린 시절. 옐로이즈는 그 과거를 살짝 엿보고는 충격에 빠졌다. 그렇지만 시험은 계속 되어야 했다. 옐로이즈는 마음을 가다듬고 서서히 육체적 고통을 주기 시작하였다. 멈추지 않고 떠오르는 기억과 살을 파고들듯이 옥죄는 고통에 에이파타는 서있지 못하고 털썩 주저앉았다. "끄아아아… 그만 해. 그만!" 에이파타는 그 뒤로 한참을 고통스러워 했다. 옐로이즈는 가망이 없다는 판단 아래 시험을 중단시키려고 했다. 그런데 그때였다. "으으, 그만 하라니까." 에이파타가 서서히 일어나며 중얼거렸다. 에이파타의 몸에서 빛이 뿜어져 나오며 고통을 최소화 해줬다. 드디어, 마법을 쓰기 시작한 것이다. 에이파타는 계속 떠오르는 기억들은 가짜일 뿐 지금 일어나는 일이 아니라고 판단했다. "이딴 얕은 술수 따위 안 통해. 이런 거에 겁먹지 않아." 에이파타의 낮은 목소리에는 깊은 슬픔과 울림이 있었다. 에이파타가 서서히 옐로이즈가 쓰는 마법을 깨부셨다. 속으로 수도 없이 되뇌었던 주문을 다시 읊조렸다. 여자의 목소리가 아득해 졌다. 화면이 뿌옇게 흐려지며 현실로 돌아왔다. 그와 동시에 쓰고 있던 마법이 깨진 옐로이즈는 충격에 뒤로 날아가 나동그라졌다. 에이파타는 순식간에 전세를 역전해 버렸다. 옐로이즈가 힘들게 쓴 초고난도 마법을 한 번에 깨부수다니… 에이파타는 정말 강했다. 옐로이즈는 아까 친구들이 해주었던 이야기가 뭔지 이제야 실감하게 되었다. 에이파타는 강했다. 옐로이즈가 나가 떨어짐에 따라 시험은 종료되었다. 에이파타가 오랜 시간 마법에서 벗어나지 못한 것은 사실이었기에 옐로이즈는 신중을 가했다. "네가 초반에 내 마법에 고통을 받았던 것은 사실이야. 하지만 뒤에 날 이긴 것도 사실이지. 음… 좋아. 넌 합격이야." 옐로이즈가 결정을 내렸다. 에이파타는 킬킬거리며 고개를 주억 거렸다. "당연한 말씀! 내가 불

합격이라는 게 말이나 돼? 마지막 시험은 뭐야?" 옐로이즈는 짜증난 다는 듯 에이파타를 흘겨보았다. "마지막 시험 주관자는 나야. 나는 두 가지 시험을 볼 거야. 따로따로 보는 건 아니고, 둘이 연결되어 있어. 넌 그냥 날 막기만 하면 돼. 역공격을 해도 상관없어. 난 널 공격할 것이고, 네가 기권하거나 기절한다면 시험은 끝나. 이번 시험은 노르아덴 전체에서 봐도 할 수 있는 사람이 몇 없어. 네가 성공한다면 매우 기쁠 거야. 그럼, 시작한다." 드로메드는 폭주할 준비를 끝마쳤다. 아까 전 네번째 함정을 지나칠 때 드로메드는 이미 한 번 어둠의 마법을 쓴 적이 있어 두번이나 폭주 하는 것은 매우 위험하고 고통스러운 일이었다. 하지만 시험의 공정성을 위해 아픔을 꾹 참았다. 옐로이즈가 드로메드를 걱정스럽게 쳐다보았다. "오빠! 너무 무리하진 마." "응. 그러도록 할게. 어차피 나도 힘들어서 마법이 최대로 나오지 못할 거야." 드로메드가 짧은 대화를 끝마친 뒤 돌아왔다. 에이파타가 시험 시작이냐고 묻기도 전에 공중으로 붕 떠오른다. 드로메드가 가벼운 마법을 쓰기 시작했다. 큰 해를 끼치지 않는 마법이었다. 다만, 높은 곳에서 아래로 마법을 쏘아 보이는 모습이 좀 섬뜩하기는 했다. "고네타이아 에리세." 센 물줄기가 위에서부터 엄청난 속도로 내려왔다. 드로메드가 혼잣말처럼 쓸쓸히 뱉어 낸 한 마디, 한 마디가 어딘가 서글퍼 보였다. 주문을 하나, 하나 내뱉을수록 드로메드의 눈이 서서히 탁해져 갔다. "갑작스런 이 전개는 뭐야? 대장, 왜 그래?" 에이파타는 가볍게 몸을 놀려 콸콸 내려치는 주문을 피하면서도 의아한 표정을 지었다. 앞서 본 대원들은 전부 맨정신으로 시험을 보았는데 드로메드는 아니다. 이상하다. 부자연스럽다. 저건 마치… '저건 사람이 아니야. 저건 괴물이야. 증오로 이루어진 어둠일 뿐이야. 드로메드가… 드로메드가 아니야.' 에이파타의 눈에 두려움이 스며 들었다. 침이 꿀꺽 넘어갔다. 이 일에 얽혀 있는 다섯 사람. 그리고, 그 외에 사건의 내막을 아는 사람. 바로 에이파타였다. 그래서 더 무서웠다. 이렇게 강한지 몰랐다. 에이파타가 드로메드의 시험을 통과할 가능성 0%. 그런데 왜? '대체 뭐야. 뭔데 네 몸을 혹사 시키면서 폭주했냐고. 난 가능성이 없는 걸 너도 잘 알잖아. 나 같은 초보가 성공했으면 이게 이렇게 전해 내려오지도 않았어! 너도 알잖아…' 에이파타는 아무도 모르게 조용히 마법을 썼다. 드로메드가 조금이라도 통증을 덜 느끼면 좋겠다는 생각에 본능적으로 강한 마법을 썼다. 드로메드는 잠시 멈칫하더니 또 공격해오기 시작했다. 에이파타는 알았다. 자기가 이 잔인한 역사 속에서 이길 방법은 없다는 걸. "그만해. 이젠, 그만해도 돼." 에이파타는 옐로이즈에게 눈짓을 보냈다. 안 하겠다는 뜻이었다. 옐로이즈는 드로메드가 멈출 기미가 없자 재빨리 마법을 흡수했다. 아무도 알아채지 못할 만큼 빠른 행동. 역시나 다른 아이들은 눈치채지 못했다. 지금은 에이파타에게 모두 정신이 팔려 있기도 했다. 다이노원정대는 이 모습을 보며 궁금증을 품었다. 에이파타가 아무런 반격도 하지 않은 채 이렇게 허무하게 끝내다니? 모든 걸 알고 있는 알렉스와 데이비드, 타우조차 에이파타를 이해할 수 없었다. "왜 그런 것 같애?" "나야 모르지. 쟤는 우리 비밀 모르지 않냐?" "그러게 말이다. 모를 텐데? 그런데 저 표정은… 마치 다 아는 것 같잖아. 자기가 안 될 걸 알고 상대하지 않는 것 같았어. 나만 그렇게 느낀 거 아니지?" 세 아이가 차례대로 속삭였다. 대놓고 이유를 물어볼 수도 없는 노릇이었다. 드로메드는 조금 있다가 정신을 차리고는 씁쓸한 미소를 지었다. “미안하네. 하필 시험을 보는 게 나라. 마지막 시험이 기권이면…” “회의 해야지! 헤쳐 모엿!” 옐로이즈가 유쾌하게 말했다. 미소를 띄고 있는 얼굴이 드로메드에게 안정을 주었다. “응… 그래. 잠깐 기다려.” 다이노원정대는 전과 마찬가지로 회의에 들어갔다. “근데 솔직히 이건 회의할 게 없지 않아? 인정하긴 싫지만 나도 한 방에 당했고, 마지막 시험 말고는 다 완벽 했잖아.” 테라가 조용히 말했다. ”동의해. 실력만 보면 우리 중 몇몇이랑은 비슷하던데… 걔는 치유력도 있으니까 어쩌면 더 셀 수도.” 데이비드도 동의했다. “나도 동감이다. 나쁘지 않아.” 알렉스도 조금 전 멋진 대결을 생각하며 동의했다. “나도! 아니, 아까 내 마법이 깨지는데 진짜 놀랐다니까? 뭐 이런 애가 다 있지? 내 마법을 깨부술 수 있는 사람이 있었나? 이런 생각이었어. 난 한 번도 이렇게 처참히 져 본 적은 없는데. 뭐, 걔가 이 부분에선 더 센 거고, 나머지는 내가 다~ 세니까 기분 나쁘지는 않아.” 옐로이즈도 빠르게 말을 보탰다. “마지막엔 어쩔 수 없었어. 지금까지 성공한 사람도 극히 드물고. 유니아와 카일도 마지막 시험은 통과 못했잖아. 괜찮지 않을까?” 드로메드가 고개를 주억이며 사실상 에이파타의 합격 여부는 확실해 졌다. “확실히 강해 보여! 솔직히 걔는 놓치면 아깝지. 그냥 받아들이자!” 모타카가 쾌활하게 말했다. “응. 그러는 게 좋을 것 같아. 에이파타는 정말 강해. 그건 확실해. 우리에게 많은 도움이 될 거야.” 아르마의 화룡점정으로 회의는 끝났다. 사실 회의라고 할 것도 없었다. 에이파타가 누구보다 뛰어난 실력을 가지고 있는 건 사실이었다.

"에이파타, 넌 우리의 시험을 완벽하게 통과 했어. 마지막 시험은 솔직히 난이도가 최상에 달했잖아. 네가 그걸 통과하지 못한 것은 당연했어. 다이노원정대가 된 것을 축하해. 정식 대원으로써, 앞으로 우리를 많이 도와주길 바라." 드로메드가 인사를 건넸다. 에이파타는 세상에서 가장 행복해 보이는 미소를 지으며 방방 뛰어다녔다. "앗싸!! 나도 드디어 소속이 생겼다! 이제 왕국을 벗어날 수 있다고! 하하하!" 다이노원정대에 에이파타가 드디어 합류했다. 무려 아레폴리스의 왕자이자 존재할 거라 생각치도 못한 두 가지 치유력의 소유자. 강하기로는 둘째 가라면 서러울 정도로 강한 에이파타가 정식 대원이 되었다. 다이노원정대는 텍텍거리면서도 내심 에이파타가 어떤 활약을 하지 기대하는 눈치였다. 누구보다 유쾌하고 어떻게 보면 툴툴한 인사를 건넨 다이노원정대는 새 친구의 합류를 환영하며 구조의 길을 걸어갔다.

"고맙지? 고맙지? 무지 고맙지?" 에이파타가 칭찬 좀 해달라는 표정으로 다이노원정대에게 묻자 그들은 할 말이 없어졌다. "그래… 고맙다. 고마워. 너무 고맙다." 드로메드의 내려앉은 목소리에도 기분이 매우 좋아진 에이파타는 폴짝폴짝 뛰며 입이 찢어지게 웃었다. "진짜? 나 고맙다는 말 처음 들어본다!" "애도 아니고 뛰지 마! 안내나 잘 하라고!" 테라가 버럭 소리쳤다. "괜찮아! 난 아레폴리스 왕자라 이 얼굴 만으로도 무조건 프리 패스라고!" 에이파타는 잘생긴 얼굴을 한껏 뽐내며 씩 웃었다. 얼굴만으로도 프리패스라. 멋진 특혜였다.

"부럽네. 나도 그랬었지. 그게 언제 더라… 한 7년쯤 전인가? 6년?" 데이비드가 옆에서 중얼거리는 말에 웃음이 터진 드로메드는 그의 옆구리를 쿡 찔렀다. "크크 그게 부럽냐? 난 줘도 싫다. 피곤하기만 해. 너도 지금이 좋은 거야. 신경 쓸 일도 없고." 드로메드의 말에 데이비드는 입을 쭉 내밀었다. "어련하시겠습니까. 힘들다고 울었다가 좋은 거라고 웃다가. 도대체 종잡을 수가 없어 사람이. 그나저나 괜찮지?" "하하, 살아났네 이렇게 장난도 치고. 난 온몸의 뼈가 놀러 나가 들어오지 않은 것처럼 아프지만 참을 만해. 아레폴리스에 몇 년이나 갇혀 있던 소피아가 더 힘들겠지. 소피아가 그렇게 몰래 구하러 와달라고 아스를 보낸 것 보면 아레폴리스의 사람들은 좀 흉악한 것 같아. 파르낭 할아버지도 그러셨고, 몇 백년 동안 저 위의 문물이 하나도 들어오지 않았으니까. 하지만 에이파타가 나쁜 애 같지는 않아. 우리 시험도 통과했잖아. 걔네 같이 나빠 보이지는 않는다는 말이야. 플루와 새리였던가? 그 아이들과 달리 에이파타는 실력적으로는 이미 다 증명되었어. 유니아와 카일보다도 더 강해." "끙… 보기에도 힘들어 보여. 애들 다 눈치 보더라. 아주 친구 사랑이 너무 지극해. 이 정도로 힘든 데도 구하러 가고 말이야. 그리고 걔네들은 플루랑 새리가 아니라 플로와 새미. 난 플로와는 꽤 친했었는데. 게임을 정말 잘했어. 플로랑 게임하면 백전백승으로 이겼었지. 좋은 놈이었는데 배신을 하다니… 그러고보니 그때 이후로 못 본 것 같지 아마? 아틀라스 폐하께서도 알려줄 수 있는 게 없다 하셨어. 전학을 갔다고 했던가." "엉. 쌤이 잘 모른 댔어. 궁금하면 물어볼까? 좋은 전략망이 생겼잖아." 데이비드가 바로 목소리를 낮추었다. "그 RKM 뭐시기? 스케네 폐하가 남아 계시다고 한 그 악의 조직?" 드로메드도 마찬가지로 목소리를 낮추었다. "응. 웬만한 건 다 얻을 수 있대. 우리 사례만 봐도 벌써 까발려졌잖아." "아직 다는 안 퍼진 거지?" "당연하지. 스케네 폐하의 부하들도 다 우리 쪽으로 넘어왔어." 드로메드가 뿌듯한 표정으로 말했다. 아주 일부분이지만, 다이노원정대에게도 좋은 뒷배가 생긴 것이다. "그건 다행이고, 나 아까부터 궁금했던 게 있었거든?" 데이비드가 사뭇 진지하게 말했다. 데이비드의 표정이 너무나 비장해 분위기가 점점 고조되었다. "뭔데?" 드로메드가 고개를 갸우뚱했다. 드로메드는 긴장했다. 데이비드가 드로메드를 뚫어져라 쳐다보며 말을 꺼냈다. "아니, 너 진짜 전에 에이파타 만난 적 없어?" "…에이, 그게 뭐야. 난 또 엄청난 건 줄." 드로메드는 김이 팍 식었다. 저렇게 무의미한 질문을 하다니! 드로메드의 입장에서는 그리 흥미로운 질문은 아니었다. "엄청난 거 맞거든. 오늘 처음 만난 거 맞지? 너희 둘, 기운이 너무 비슷해서. 오래 알고 지낸 것 같이 말이야. 그리고, 지금 우리가 구조하러 가는 걔처럼 숨겨둔 애가 더 있는 건 아니겠지?" 데이비드가 의심스러운 눈초리로 드로메드를 쳐다보았다.

"하하, 더 있긴 하지. 내가 꽤 인맥이 넓어. 너희 말고도 친한 애들은 많다 이 말씀. 하지만 에이파타는 진짜 아니야. 아레폴리스가 있었는지도 몰랐는 걸." 드로메드가 낄낄댔다. "끙… 밖에 도통 나가지도 않았으면서 언제 그런 친구들이 생긴 거야? 나 참." 데이비드가 섭섭한 티를 내었다. "대부분 어릴 때 사귄 친구들이야. 유니아와 카일, 소피아처럼 말이야. 위스터네이드랑 벨제리엘에도 1명씩 더 있어. 나중에 소개 시켜줄까?" "하… 짜증 나. 노르아덴에는 왜 이렇게 벤트 아이가 많아… 3단계지?" 드로메드의 말에 데이비드는 충격을 받았다.

드로메드는 몇 년 동안 바깥 세상에 발을 들이지 않았음에도 불구하고 아는 친구들이 많았다. "당연히 3단계 벤트 아이지. 실력이 정말 출중해. 진짜 강하다니까. 테라와 견줄만해. 카드 마법을 쓰지는 않지만. 정말 좋은 친구들이야! 유쾌하고 씩씩해. 앨빈은 뛰어난 음악적 재능과 함께 물건을 위치를 마음대로 바꿀 수 있어. 세상에 있는 악기란 악기는 다 연주할 수 있다지? 그 연주는 정말 황홀해. 그리고 손을 한번 튕기면 물건 위치가 바뀌더라고. 아틴은 독심술을 하더라. 늘 마음이 읽히는 것은 아니고 자신이 원할 때만 읽을 수 있다던데. 나도 가끔은 깜짝 놀란다니까. 갑자기 슥 다가와서 네가 무슨 생각을 하는지 난 다 안다! 이러거든." "앨빈? 아틴? 이름이 독특하군." 어느새 다가온 알렉스가 중간에 끼어들었다. 앨빈과 아틴은 옐로이즈도 알았다. 한달에 5번은 만나는 친한 친구들이었다. 앨빈이 위스터네이드, 아틴이 벨제리엘의 아이였다. 사는 곳이 가까웠기 때문에 자주 만날 수 있었다. "앨비니어 라이즈, 아스티넌 하에로의 애칭이야. 내가 줄였어. 너무 길어서. 앨빈이 위스터네이드, 아틴이 벨제리엘. 앨빈은 위스터네이드의 아이답게 연주 실력이 뛰어나. 아틴은 벨제리엘에서 100명도 채 안 된다는 독심술의 소유자이고. 내 친구들이니까 너희는 신경 쓰지 마. 때가 되면 만나겠지." "얼씨구, 걔네도 나중에 이렇게 뼈빠지게 고생하면서 구하러 가는 거 아니야? 그렇게 만나긴 싫은데." "동감이다. 걔네는 좀 안전히 있으라 해. 너무 힘들다." 알렉스도 고개를 가로저었다. 드로메드는 웃으며 고개를 끄덕였다. '앨빈과 아틴에게 조심하라고 전해야겠네. 두 번 구조 하다간 나부터 죽겠어.'

20. 가자! 페트로포눔

에이파타의 시험까지 끝났겠다, 이제는 아레폴리스에 갈 일만 남았다. “대장님! 전용 호위무사가 필요하지는 않아? 부대장! 너는? 난 아주 유능한 명의가 될 거야! 으하하하!” 에이파타가 크게 웃음을 터트렸다. “고맙지만 전혀 필요 없어. 내 몸 하나 정도는 건사할 수 있다고.” 드로메드는 고개를 저었다. “전혀! 난 다이노원정대에서 두번째로 강하거든!” “윱쓰. 이럴 수가.” 에이파타는 아쉽다는 듯 입꼬리를 내렸다.
같은 또래인데도 에이파타는 키만 큰 어리광 많은 막내 남동생으로 보였다. “그만. 쓸데없는 소리 그만.” 드로메드가 부들부들 떨었다. 데이비드의 눈에는 그의 분노 게이지가 이미 머리 끝까지 상승했다는 것이 너무 잘 보였다. 오늘만해도 벌써 어둠의 마법을 두 번이나 터트리고 크게 폭발했으니 몸에 엄청난 무리가 올 터였다. 이런 상황에서 드로메드의 기분이 좋을 리가 없었다. 우울한 얼굴이 모든 걸 말해주고 있었다. “으하하하! 괜찮아, 괜찮아! 그 여자애가 지금까지 살아 있으니까 내가 여기 있는 거잖아~ 그러니까 속 편히 생각하라고! 걔 진짜 살아 있어.” “누가 살아 있는 거 모르니? 저기요 왕자님. 우리도 살아 있는 애 연락 받아서 온 거거든요?” “응응 알았어. 그니까 얼굴 피라고. 표정이 다 죽어가. 이제 좀만 있음 도착인데!” “얼마나? 너에게 조금이 우리에게 많이 아니야?” 에이파타가 조금 시간 계산을 해보더니 금세 답했다. "아니야, 진짜 안 남았어. 8분만 더 걸어가면 돼." 에이파타의 말대로 정말 몇 백년 전 고대 아레폴리스에 도착하기까지 얼마 남지 않았다. 정말 멸망한 줄만 알았던 아레폴리스에 간다고 생각하자 이제야 실감이 났다. "그럼… 진짜 우리가 최초로 아레폴리스에 발을 들이는 거네? 몇백 년 동안 아무도 이곳이 존재하는 지조차 몰랐는데… 이제 체감이 든다." "그니까! 완전 기대돼. 너무 떨리면서도 설레! 아레폴리스는 어떨까? 으아아, 진짜 영화에서만 보던 일을 우리가 할 줄이야!"

다이노원정대는 기대감과 떨림을 주체하지 못하며 발걸음을 재촉했다. 그 전까지만 해도 솔직히 실감이 나지 않았는데 이제는 달랐다. 멸망한 줄만 알았던 아레폴리스에 방문을 한다니! 그대로 남아 있는 옛날의 문화와 유적을 볼 수 있다니! 너무 설레었다. "야 기대하지 마. 볼 거 없어. 그냥 옛날 건축물 좀 남아 있는 거 말고는 뭐 없어." 에이파타는 인상을 확 찌푸리며 말했다.

다이노원정대는 도대체 왜 에이파타가 이리 자신의 왕국을 싫어하는지 이해할 수 없었다. 에이파타는 싱글벙글 웃다가도 갑자기 아레폴리스 얘기만 나오면 표정이 굳었다. 다이노원정대에게 잠시 침묵이 찾아왔다. 에이파타가 장난이 아닌 진짜 왕국을 싫어하는 것이 느껴져 아무 말도 할 수 없었다. "야, 분위기 왜 이래. 다 왔어. 앞 좀 봐봐." 에이파타는 분위기를 깨고자 주제를 바꾸었다. 마침, 드디어 다이노원정대가 고대 아레폴리스에 도착한 시점이기도 했다.

저 땅 위에서부터 있는 줄도 몰랐던 아레폴리스까지 몇 시간 만에 도착한 것이다. 당장 오늘 아침까지만 해도 이런 일은 생각도 못했는데 정말 대단했다. "이거 꿈 아니지? 진짜 도착한 거야?" 아이들은 한껏 긴장했다. 지레 겁을 먹은 채 에이파타의 뒤에 숨었다.

에이파타의 말대로 통로의 끝에는 거대한 문이 있었다. 처음 아레폴리스의 통로로 들어왔을 때와 유사한 모습이었다. 이 문 역시 가운데에 큰 파르타곤이 있었다. 양쪽 옆에는 아까 본 것과 같이 세칸과 비슷해 보이는 조각상도 버티고 서 있었다. "아까 처음에 본 문에도 있던데 이건 대체 뭐야?" 테라가 묻자 에이파타가 설명을 해주었다. "이건 세칸이 맞아. 아레폴리스에서는 사이칸이라고 불러. 우리의 수호신 같은 거지. 이 기둥에 있는 건 드래곤이야. 빨간 비늘은 하우쥔, 초록색은 그렌하우델, 하늘색은 드라칸이야. 나머지 노란색은… 너희 놀라지 마라! 진짜로! 바로… 에이언 종이야! 전설의 블랙 드래곤이자 대마법사 베르테님의 전달자라고 불려 지는 에이언 종의 성체의 모습이지. 더욱 놀라운 점은, 저 위에선 멸종한 에이언 종이 이 지하에서는 멀쩡히 살아 있고 개체 수도 많다는 점!" 에이파타가 들떠서 말했다.

정말 놀라운 소식은 맞았다! 멸종된 줄 알았던 희귀 생물 에이언이 아레폴리스에서는 살아 있다니! 다이노원정대는 너무 놀라 눈이 휘둥그레졌다. "이게 말로만 듣던 에이언? 아직까지도 남아 있다니!" "우와… 대박이다! 나도 만나보고 싶어." 다이노원정대는 매우 흥분했다. 아무도 지난 시간 동안 밝혀내지 못했던 것을 밝혀 내다니 꿈만 같았다.

"자, 가자!" 에이파타는 순식간에 손도 대지 않고 문을 열어 제꼈다. 에이파타가 팔을 휘두르자 문이 열리며 지하세계의 후끈한 열기가 쏟아져 들어왔다.
문을 열자마자 보이는 것은, 거대한 성의 모습이었다. 몇 백년 전에 멈춰 있는 사람들의 기술이라고는 믿기지 않을 정도로 크고 웅장한 건물이었다. 드디어, 아레폴리스의 제 2의 수도이자 강력한 병사들이 모여 있는 군사적 중심지, 페트로포늄에 도착했다.

21. 도착! 페트로포눔

“여기가, 여기가 바로 400년 전 아레폴리스의 모습이다.” 에이파타가 자랑스레 말했다. 전설로만 남아 있던 나라, 실존했는지도 몰랐던 나라, 몇 백년 전 멸망했다 알려진 나라에 다이노원정대가 실제로 발을 들였다.

아무도 상상하지 못했던 전개였다. 이제 다이노원정대가 지상으로 올라간다면, 노르아덴 전체가 들썩일 것이다. “…우와아!!” 카르노와 모타카가 에이파타에게 눈을 빛내며 재촉했다. “이게 대체 무슨 일이야! 진짜 아레폴리스라니… 진짜 아레폴리스가 존재했다니!!” “그래. 아레폴리스는 실존 했어. 지금부터 아무 말 하지 말고 날 따라와. 아레포타는 외부인에 적대적이야.” 에이파타가 제일 먼저 앞장서며 주위를 주었다.

성 외각에는 인기척이 없었다. “에이파타. 왜 외각에 아무도 없지? 아레포타는 무슨 뜻이고?” 드로메드가 묻자 에이파타가 빙그레 미소를 지었다. “이런, 나의 실수. 아레포타는 아레폴리스어로 ‘아레폴리스의 사람’이라는 뜻이야. 지상에서는 메디니아인, 벨제리엘인이라고 부르지만 여기선 사람이 ‘포타’라는 말로 쓰여. 우리 백성들도 아레폴리스가 외부와의 단절이 되어 있다는 사실은 알아서 병사가 지키지는 않아. 다 안에 있어. 그래도 내가 말하지 않아서 아직 저 밖에 무엇이 있는지는 모르지. 어마마마부터 일반 백성까지 다른 나라들은 다 멸망하고 아레폴리스만 남아 있다고 생각해.”

에이파타가 간단한 용어들과 함께 아레폴리스 사람들의 현재 생각을 말하자 다이노원정대는 깜짝 놀랐다. 노르아덴에서 아레폴리스만 지하로 더 깊숙이 들어가 고립된 것인데 다른 나라가 멸망하여 자신들만 남아 있다고 생각하는 것이 신기했다. "아… 그래서 밖으로 나와볼 생각을 안 했구나. 아레폴리스는 강력한 마법 사막인 아틴사막과 다양한 마법이 강력히 잡아끄는 탓에 3단계 마법사와 벤트 아이가 많을 거야. 그런 인재가 있는데도 왜 너처럼 안 나오나 했더니 그런 생각 때문에 그런 거구나." 아르마가 찬찬히 이야기를 정리해 보았다. 조용한 탓에 말을 꺼내지 않았을 뿐이지 아르마는 아까부터 아레폴리스의 사람들이 왜 통로를 이용해 보지 않았을까에 대한 의문이 계속 들었었다. 예상과는 조금 달랐지만 이런 이유라면 납득이 갔다.

"이젠 목소리 낮춰. 너희 목소리 들리자마자 화살 날아올 수도 있거든." 에이파타가 목소리를 낮춘 채 성의 두꺼운 문을 두들겼다. 예상과는 다르게 쾅쾅쾅! 하는 큰 소리가 조용한 공간에 울러 퍼졌다.

에이파타가 문을 두들겨도 안에서 아무런 소리가 들리지 않자 이번에 에이파타는 더 세게 문을 두들겼다. 증폭 마법을 썼는지 소리가 더 멀리 울렸다. "아레폴리스의 왕자여, 소리가 너무 크지 않나? 이러다가는 애꿎은 서민들만 놀라겠네." 아틀라스가 예의를 갖춰 말했지만 에이파타는 들은 척도 하지 않았다. "어쩌라고. 내가 내 왕국 들어가겠다는데 넌 뭐야." 에이파타는 바쁘게 오는 탓에 아직 대원들의 이름을 알지 못했다. 당연히 아틀라스와 유니아, 카일이 왕족이라는 것도 몰랐다. "나는 트라이나 왕국의 왕자요, 자비로운 본국의 왕이신 아틀라스 폐하의 아들이다." 아틀라스가 소개를 하든 말든 에이파타는 문을 부술세라 흔들어 댔다. "뭐래… 타트넘 왕국 말하는 건가? 거기 하늘 말하는 거 아니야? 아오, 이거 왜 안 열려. 난 왕자든 뭐든 관심 없으니까 뒤에 있어." 아직도 안에서는 응답이 없었다. 성을 지키는 병사들이 다 놀러 나간 것인지 어째 분위기가 쌔했다. "이러다 우리 못 들어가는 거 아니야?" 벤이 걱정스레 말했다. 한쪽 눈썹이 잔뜩 위로 올라갔다. "그러게. 이게 무슨 일일까. 나는 오히려 적대적으로 나와서 우리랑 또 결투할 줄 알았지." 티라의 말에 모두들 고개를 끄덕였다.

다이노원정대는 이렇게 애타는 상황이 아닌, 피 터지는 난투극을 예상했었다. 아레폴리스의 사람들은 포악하고 폭력적이라 길래 당연히 가자마자 화살이 날아올 줄 알았는데 의외였다.

"…네 이놈들! 당장 문을 열지 못하겠는가! 피오렌스 장군, 아레폴리스의 왕자이자 아레포타의 지배자인 내가 왔는데 어딜 건방지게 문을 걸어 잠그고 있는가! 국빈들이 오셨는데 모시진 못할 망정 냉대 하는 것이냐? 목이 날아가고 싶은 것이냐!" 그때, 에이파타가 무섭게 호통을 쳤다. 다이노원정대는 큰 목소리에 놀라 일제히 에이파타를 쳐다보았다. 에이파타의 눈의 희번득 거리며 정말 건방지고 거만한 사람이 아닌 강국의 왕자로 보였다.

에이파타의 호통이 쩌렁쩌렁 울리자 그제야 타닥타닥 발소리가 들렸다.

"에이파타 프리체호보! 죽을 죄를 지었습니다." 곧이어 문이 활짝 열렸다.

드디어 다이노원정대는 사라진 아레폴리스의 사람을, 아레포타도 마찬가지로 사라진 줄 알았던 위의 세계 사람을 보게 되었다.

뛰쳐나온 사람은 두꺼운 갑옷을 입고 있었다. 아직 앳되어 보이는 얼굴이었다. 기껏해야 다이노원정대보다 4살 더 많을 것 같았다. 이렇게 어린 사람이 장군이라니 놀라웠다. "피오렌스. 내 부름을 듣지 못한 것인가? 이곳의 문을 두들길 사람이 나 말고 또 있던가?" 에이파타는 무서운 기세로 젊어 보이는 남자를 가리켰다. "에이파타 프리체호보! 정말 죄송합니다. 최근, 모래 바람이 자주 이는 바람에 단순 바람의 소리일 것이라 생각했습니다. 죽여주십시오." 에이파타는 아무런 대답을 하지 않았다. 힘 깨나 쓸 것 같은 사람이 에이파타에게 엎드려 굽실거리는 모습을 보자 다이노원정대는 겁이 났다. 에이파타가 이렇게까지 무서운 사람인지는 몰랐다.

피오렌스가 들고 온 무기도 아주 무시무시했다. "피오렌스 장군. 다음에 또 이런 일이 생기면 그때는 정말 목을 베겠다. 지금은 용서하도록 하지. 최근 모래 바람이 인 것은 사실이니까. 우선은 국빈들을 대접하거라." 그제야 피오렌스 장군은 고개를 들어 다이노원정대를 쳐다보았다. 강력한 벤트 아이들의 마법이 섞이고 아레포타와는 다소 다른 생김새의 다이노원정대를 보자 피오렌스의 얼굴이 새파랗게 질렸다. "으아악! 저 자들은 누구입니까? 아이스타인 것입니까? 세렌 프리호보님께 알려야…" "시끄럽다! 이들은 국빈이라고 내 방금 말하지 않았던가? 발이 가장 빠른 정령을 보내 여왕님께 전해라. 당장 아레폴라이눔에 온 백성을 모이게 하라고! 그리고 이들을 최상의 예우로 대접하도록 하여라. 이유는 3일 뒤 알려주도록 하지." "예? 그래도…" 피오렌스의 눈이 두려움으로 물들었다. 하지만 에이파타의 표정을 보자 더 이상 말할 수 없었다. "…예. 알겠습니다. 그… 들어오시지요." 피오렌스의 얼굴은 강한 적대심과 함께 의아함이 담겨 있었다.

하지만 아레폴리스가 워낙 강하고 예의 범절이 잘 지켜져 있으며 윗사람에게 무조건 복종하다는 이야기를 미리 들은 다이노원정대는 피오렌스를 이해할 수 있었다. 다이노원정대에게 말을 걸자 드로메드 역시 존칭을 쓰며 답했다. "장군님의 호의에 감사드립니다. 우선, 이야기가 매우 길어요. 천천히 이야기 해봅시다. 세렌 프리호보님의 은혜와 아레폴리스의 건사에 예의를 표합니다. 잘 부탁드려요. 아! 그리고 피오렌스 장군님. 저희가 아이스타는 아니랍니다." 드로메드의 말에 에이파타의 눈이 살짝 커졌다.

얼굴 만으로 프리 패스라는 에이파타의 말처럼 다이노원정대는 별 탈 없이 방으로 들어왔다. 역시 문명이 발전하지 않아 옛날 식에 재질도 좋지 않았지만 그럭저럭 지낼 만 했다. 오히려 다이노원정대 대원들은 박물관에서만 보던 것들을 실제로 보고 느끼고 만지니 너무 신기하고 재미있다고 즐거워했다. "아까는 어떻게 알아듣고? 설명 안 했을 텐데…" 방에 들어오자 마자 에이파타가 물었다. 에이파타가 용어를 설명한 적도 없는데 드로메드가 알맞게 대꾸를 했기 때문이다. "그냥 찍었어. 흐름 상 세렌 프리호보님은 여왕님… 이실 거고. 에이파타 프리체호보는 에이파타 왕자님? 아이스타는 외계인 정도겠지 뭐." 드로메드의 예상은 정확히 맞았다.

아레폴리스는 어느 정도는 지상의 말을 했지만 특정 단어나 호칭은 아레폴리스 말을 썼다. 단어 자체는 어려웠지만 앞뒤 문장이나 말의 흐름을 집중해서 듣다 보면 어느 정도 이해는 되었다. "아~ 그렇구나! 역시 우리 오빠는 천재야…" 옐로이즈가 까르르 웃으며 긴장을 풀었다.

다들 아까의 험악한 분위기와 처음 보는 아레폴리스 사람에 적잖이 놀랐었다. 생김새도 다르고 억양도 달랐다. 같은 사람은 맞았지만 어쩐지 거리가 느껴졌다. 모두가 에이파타 같을 거라고 생각했는데 아니었다. 파르낭 장군은 410여 년 만에 다시 오는 아레폴리스에 집중하여 곳곳을 샅샅이 살폈다. 그때와 마찬가지로 바뀐 것은 하나도 없었다. 그 모습을 본 에이파타가 황급히 고개를 숙였다. "파르낭 장군님. 이런 대접 밖에 못 해드려 죄송합니다. 454년 전에도 아레폴리스에 오셨다고 들었습니다. 그 후로 바로 전쟁이 터져 올라 가려 하셨지만… 죄송스럽게도 선조 알카이께서 순간적으로 그릇된 판단을 하셔 많은 사상자가 나왔지만 이미 끝난 일이니 너그러이 용서해 주시길 바랍니다." 에이파타가 죄송하다는 듯 사과하자 파르낭 할아버지는 오히려 당황스러워했다. "나? 아니야, 아니야. 나 신경 쓰지 마. 옛날 일이고 지금 트라이나 왕국 왕자랑 리스트너 왕국 공주랑 왕자가 같이 있는 거 안 보이나? 너도 같이 있고. 이제 잘하면 되지 무슨. 얼른 새 친구나 데리러 가자꾸나." 할아버지의 말에 드로메드가 고개를 끄덕였다.
소피아가 살아 있다고는 하나 에이파타가 자세한 정보를 말해주지 않았기 때문에 정확한 상태를 알 수 없었다. 에이파타 또한 자기가 소피아를 아레포타의 눈에 안 띄는 곳에 데려다 주었다며, 혼자서 나올 수 없는 상황이라고 말해 주었다. 소피아가 혼자 나와 페트로포늄까지 올 수 있으면 좋겠지만, 아까 피오렌스처럼 아레폴리스의 병사들과 백성들이 소피아를 보면 바로 사살할 것이기에 나올 수가 없었다. 그렇다고 에이파타 없이 다이노원정대 혼자 다니는 것도 위험했다. 아무리 강하다 한들, 수는 아레포타가 훨씬 많았다. 그 많은 인원을 이길 수는 없었다. "지금은 안돼. 너희는 모르겠지만 여기도 낮과 밤이라는 것이 있어. 진짜 지하라 빛이 별로 안 들어오기는 해도 조금은 온다고. 지금 페트로포늄은 밤이야. 아레폴라이늄은 낮이고. 낮이면 사람들이 거리에 있을 때라 제 아무리 나라 해도 단순 권위로 군중들을 잠재우기는 힘들어. 아레폴라이늄에 사람들이 진짜 많기도 하고. 일반 백성은 내가 하도 왕국에 있지를 않아서 그런지 몰라도 내 얼굴도 몰라. 그림이 죄다 이상하더라고." 에이파타가 우선은 기다리라고 말했다. 너무 성급하다며, 아직은 때가 아니라고 했다.

에이파타의 말에 드로메드는 매우 속상해 했지만 달리 할 수 있는 말이 없었다. "내가 언제 출발할지 말해줄 테니까 우선은 여기 있어. 전령 시키는 것 보다는 내가 직접 가는 게 더 빨라. 아스하로네? 아스? 움직이는 편지 있잖아. 그거 보낼 테니까 잠자코 있어. 니들 나 없이 나왔다가는 죽어. 진짜 죽는다고." 에이파타는 다이노원정대를 데려다 주고 바로 떠날 생각이었다. 아레폴라이늄은 페트로포늄에서 그렇게 멀지 않아 금방 갈 수 있다고 했다. 원래는 훨씬 멀었지만 사고가 난 다음부터 여러 도시가 사라지며 가까워 졌다고 했다. "알았어. 아스를 보내. 여기서 기다렸다가 바로 출발할게." 유니아가 말했다. 그러자 에이파타가 고개를 저었다. "아니, 안 된다니까. 니들 상상 이상으로 여기는 더 위험해. 아스를 보내고 언제 출발해 다시 여기에 도착할지 말할 테니까 그때까지 준비하라는 말이잖아. 페트로포늄은 피오렌스가 있어서 위험할 일은 없을 거야. 아스를 보내기 전까지 쉬고 아스 받으면 준비해. 움직이지 말고." 에이파타의 말에 드로메드가 자리를 박차고 일어섰다. "같이 가. 그냥 한 번에 데려오자. 네가 가서 아레폴라이눔의 사람들에게 가만히 있으라고 하는 것보다는 같이 가서 소피아를 한 번에 데려온 다음에 지상으로 올라가자. 다이노원정대 대원들은 다 여기서 대기하고. 우리가 위험에 빠질 때 와서 도와주면 되잖아." 드로메드의 말에도 일리는 있었다. 에이파타가 아레폴라이눔에 가서 백성들에게 말을 전하고, 다시 페트로포눔에 와서 다이노원정대와 함께 소피아를 구하러 간 다음, 소피아를 구하고 다시 지상으로 올라온다면 시간도 오래 걸리고 체력적으로도 힘들었다. "안돼. 위험해. 나랑 계속 붙어 다닐 수 있는 게 아니잖아. 너는 아레포타와 생김새가 정말 달라. 이 파란 눈만 봐도 일반 서민들은 너에게 돌을 던질 것이고, 군사들은 창을 들고 덤벼들 거야. 당장 페트로포눔의 마을과 거리에만 나가도 사람들이 아주 많아. 지상보다 작다고는 하나 아레폴리스 전체 인구는 1억 6000만명이야. 페트로포눔만 해도 1250만명이 살아. 대장, 이것만큼은 네 명에 복종할 수 없어. 목숨이 달렸으니까. 왕자의 명이다." 드로메드에게 고개를 까딱한 에이파타가 곧바로 떠날 준비를 했다.

"그래도… 같이 가자. 정 불안하다면 은신 마법을 쓸게. 소피아가 무사한지 확인 해야 돼. 여기는 달리 할 일이 없으니 옐로이즈와 테라로도 충분해. 그러니까 같이 가자." 드로메드는 완곡히 부탁했다. 4년을 만나지 못한 친구가 살아 있다고 하는 데 안 갈 아이는 없었다.

옐로이즈와 알렉스 또한 가고 싶은 마음이 굴뚝 같았지만 자리를 지켜야 했다. 대장이 가겠다고 하는데 부대장과 그 다음으로 강한 대원도 자리를 비운다면 나머지 친구들이 불안할 것이다. "어휴… 좋아, 따라와. 대신 대장만. 너희는 여기 있어. 장군님도요. 이건 대장이 선택한 거다. 은신 마법 쓰고 단단히 조심하는 게 좋을 거야. 다쳐도 난 몰라…" 에이파타는 두손 두발을 든 뒤 피오렌스 장군을 불러 자신이 떠날 것이라고 전달했다. 드로메드는 평소 쓰지 않았던 은신 마법을 강하게 쥐어짜며 감쪽같이 몸을 감췄다. "오빠, 소피아가 무사한지 꼭 확인하고 데려와야 해. 여기는 내가 맡고 있을게. 별 일 없을 거야." "당연하지. 에이파타가 혼자 갔다 오는 것보다는 같이 가서 한 번에 구조하는 게 여러 모로 나으니까." 드로메드는 일부러 손을 저어 만지지 않는다면 정말 모를 정도로 투명했다. 그렇게 에이파타와 드로메드는 아레폴리스의 도시 페트로포눔에 도착한지 한 시간도 채 되지 않아 다시 길을 떠나게 되었다.

22. 아레폴리스의 아레폴라이눔

드로메드와 에이파타는 아레폴라이눔으로 걸어 갔다. 드로메드는 소피아가 걱정되어 에이파타를 따라 나서기는 했지만 두려운 것은 어쩔 수 없었다. 아레폴리스의 사람들이 얼마나 무서운지는 익히 들어 알고 있었다. 제 아무리 아레폴리스의 왕자와 함께라 해도 위험한 건 마찬가지였다.

“대장, 잘 오고 있는 거 맞지?” 에이파타가 주변을 더듬거리며 말했다. “아! 잘 오고 있어.” 마침 에이파타의 손이 드로메드의 얼굴에 맞자 드로메드는 인상을 찌푸렸다. “조금만 더 가면 사람들이 밀집되어 있는 진짜 도시가 나올 거야. 그때는 사람들에게 만져질 수도 있으니까 안 부딪치게 조심해야 돼. 길을 터줄 테니까 그냥 따라와. 페트로포눔 사람들은 그나마도 날 알아보는 사람이 있으니까 명을 곧잘 듣긴 할 거야.” “알았어. 조심할게.” 에이파타의 말대로 조금 더 걷자 금방 페트로포눔의 거리가 나왔다.

지금 에이파타와 드로메드가 있는 곳은 페트로포눔에서 아레폴라이눔에 맞닿아 있는 한 지역이었다.

페트로포눔을 보자 드로메드의 눈이 동그래졌다. “우와아…” 드로메드의 키와 비슷한 다소 왜소한 체격의 사람들이 물건을 팔며 장사를 하고 있었다. 독특한 여러 단어들이 오가며 사람들의 손에서 물건이 왔다 갔다 했다. 사람들은 전부 옛날 사람들이 입었었던, 박물관에서만 볼 수 있는 전통 옷들을 입고 있었다. 드로메드는 박물관에서 보던 옷을 실제로 더 좋은 품질로 보게 되자 신이 나 환성을 질렀다. 정말 영화나 드라마에서만 보던 옛날식 집과 옷, 건물이 그대로 남아 있고 아름다운 그들의 외모를 보게 되자 자연스레 환호성이 터진 것이다. 생각보다 드로메드의 소리가 컸는지 몇몇 사람들은 드로메드를 쳐다보았다. 허공에서 소리가 울려 퍼지니 놀란 모양이었지만 센스 있는 에이파타가 자신이 한 것처럼 입을 벙긋거렸다. “야, 조용히 해.” 에이파타가 눈치를 줬다. “엇, 미안.” 드로메드가 조용히 속삭였다. 지금 드로메드는 최대한 사람들과 닿지 않으려고 몸을 구부리고 있었다. “숨 죽이고 있어. 소리 지를 건데 놀란 답시고 넘어지면 큰 일 난다.” 에이파타가 드로메드에게 조용히 전달한 다음 다리를 살짝 벌리고 뒷짐을 지며 섰다. 숨을 크게 들이 마신 뒤 내뱉으며 강한 울림을 내었다. “어허, 나라가 어떻게 돌아가길래 미천한 백성이 이 나라의 왕자를 보고도 고개를 빳빳이 들고 있는 것이냐?” 에이파타가 목소리의 소리를 키우고 불호령을 내리자 백성들은 혼비백산하여 양쪽으로 흩어졌다. “에이파타 프리체호보! 죄송합니다!” “에이파타 프리체호보! 미천한 것들이 무례함을 범했습니다!” “죄송합니다!” 곳곳에 있던 병사들도 깜짝 놀라 허리를 굽혔다. 모두 에이파타 보다 나이가 많아 겉으로는 굽실거려도 무시할 법도 한데 전혀 그런 모습이 나오지 않았다. 아레폴리스의 사람들과 병사들은 정말로 에이파타를 무서워 하면서 존경하는 것 같았다. 드로메드는 뒤에서 이 모습을 모두 지켜보며 깜짝 놀랐다. 지상에서 이런 모습은 절대 나타나지 않았다. 왕이나 여왕, 공주와 왕자가 나타나면 모두 고개를 숙여 인사 했지만 이렇게 강압적이게 나온 적은 한 번도 없었다. '대박이다… 영화, 드라마에서 보던 것보다 더 하잖아…' 에이파타는 양쪽으로 완벽히 갈라져 조용한 길을 저벅저벅 걸어갔다. 드로메드는 덕분에 편하게 지나갈 수 있었다. 아레폴리스의 바닥은 아주 딱딱하고 무르지 않았기에 드로메드는 살금살금 지나가며 발자국을 남기지 않을 수 있었다. 에이파타가 지나가자 저 멀리까지 길이 모두 트였다. 에이파타는 빨리 따라오라는 손짓과 함께 먼저 앞서갔다. 그 많은 사람들이 순식간에 아무 소리도 하지 않고 조용해 지는 것이 너무나 놀라웠다. 드로메드는 에이파타가 정말 왕자라는 것이 실감났다. 장난끼 많은 모습에 귀찮았고 미미하게 느껴지는 마법에 힘들어 에이파타가 진짜 왕자라는 것을, 그것도 무섭고 폭력적인 왕자라는 것을 까먹고 있었다. 그를 만난 5~7시간 만에 처음으로 무서웠던 순간이었다. 드로메드가 오만 가지 생각을 하며 그 길고 긴 길을 모두 지나가자 한적하고 사람이 없는 곳이 나왔다. 그제야 드로메드는 참았던 숨을 내뱉고 말을 편하게 할 수 있었다. "하… 진짜 긴장했네. 너 이 정도였어?" "응. 너 잘 있는 거지?" 에이파타가 눈에 전혀 보이지 않는 드로메드를 더듬거리며 찾자 드로메드는 잘 있다고 짧은 대꾸를 해주었다. "어? 저기 사람! 안 부딪치게 조심해." 에이파타가 먼 곳에서 다가오는 사람에 피하라며 경고를 주었다. 하지만 드로메드는 가만히 멈춰 서 있었다. 다이노원정대 최장신 아틀라스 보다 훨씬 더 커 보이는 거구의 남성이 오고 있었기 때문이다. 우람한 덩치와 손에 든 피 묻은 거대한 칼에 드로메드는 겁먹은 나머지 굳어 버렸다. 드로메드의 예상과는 다르게 그 사람은 아레폴라이눔의 장군으로 선한 사람이었다. 백성들이 동물을 죽이는 것을 겁내 하자 직접 가서 해결해 주거나 해로운 짐승을 잡아 주었고 간간히 일어나는 반란에 직접 나서 지휘하는 훌륭한 장군이었다. 그러나, 동물을 죽여 나온 피 묻은 칼을 들고 다니며 어마어마하고 거대한 덩치를 가진 겉모습 탓에 그를 잘 모르는 소수의 백성들은 겁을 먹고는 했다. 알고 보면 착한 사람이었지만 드로메드가 그 사실을 알 리 없었다. 에이파타도 드로메드가 움직일 때 나오던 바람이 사라지자 당황해 뒤를 돌아보았다. "설마… 일레이? 멈춰!" 일레이 장군은 익숙한 목소리에 발을 땅에 딱 붙였다. "에이파타 프리체호보?" 일레이 장군은 소리의 근원지로 몸을 돌리려 발을 옮겼다. 그때, 바로 앞에 멈추어 서있던 드로메드가 차마 피하지 못하고 일레이의 다리에 제대로 걸어 차이고 말았다. "음?" 일레이 장군은 다리에 느껴진 부드러운 살결에 놀라 밑을 쳐다보았다. 하지만 보여지는 것은 아무것도 없었다. 숨을 참는 듯 낑낑거리는 작은 소리만 들려왔다. 일레이 장군은 어디선가 들려오는 소리의 행방을 찾으려 주변을 두리번 거렸다. "일레이 장군! 멈추시게나!" 에이파타가 급히 달려왔다. "에이파타 프리체호보께 일레이 인사 드립니다." 에이파타는 일레이의 인사를 가볍게 무시한 뒤 에라, 모르겠다 하는 마음으로 드로메드를 불렀다. "대장! 괜찮아?" 드로메드는 복부에 가해진 엄청난 고통에 데굴데굴 구르다가 에이파타의 목소리에 안심한 나머지 잠깐 마법을 놓았다. 그 탓에 드로메드의 은신 마법이 순식간에 풀려 버렸다. 일레이 장군은 갑자기 나타나 자신의 발 끄트머리에서 고통을 호소하는 푸른 눈의 아이스타를 보자 너무 놀라 눈만 꿈벅였다. 일레이 장군은 평소 그리 빠르지 않은 사람이었기에 이런 면에서는 둔했다. "대장, 움직일 수 있겠어? 어디야? 어디 많이 아파? 안 죽는 거지? 살아 있어?" 에이파타는 드로메드를 일으키며 몸을 살폈다. 드로메드는 신음을 내기는 했지만 나약한 모습을 보이기 싫어 하나도 아프지 않은 척 했다. "하나도 안 아프…거든." 에이파타는 드로메드를 등진 채 일레이 장군에게 명을 내렸다. "어… 일레이 장군. 나는 이 왕국의 왕자 에이파타다. 오랜만이라고 얼굴을 잊은 것은 아니겠지? 다행스럽게도 아주 잘 왔어. 마침 얼굴이 보고 싶던 참이었거든. 일레이, 여기는 나의 하야나인(친구) 드로메드. 얘는 유전자 변형으로 인한 돌연변이로 아프기 때문에 내가 데리고 있는 거야. 나랑 떨어져 있으면 내 마법이 얘를 잡아두지 못해서 아플 수 있거든. 근데 사람들이 이 눈을 보면 달려들 거 아니야. 그러니까 몸을 숨기고 있던 거지. 어쨌든, 내가 하려던 말은 아레폴라이눔의 백성들에게 당장 지금부터 일주일 간 밖으로 나가지 말라고 해. 나도 아레폴라이눔에 가고 있는 중이니 시끄럽게 굴게 하지 말고. 당장 사키리온(시장) 털어서 일주일치 물자 보급해. 어마마마께는 그냥 우리 둘이 놀러 오는 걸로만 말 맞추고. 얘는 여행하면서 만난 애로 소개하고. 아! 어마마마가 말 꺼내시기 전까지 내 하야나 얘기는 하지 말고." 에이파타는 피오렌스와는 다르게 일레이 장군한테는 매우 편하게 말을 걸었다. 일레이 장군은 에이파타의 말을 홀린 듯 듣더니 알겠다고 고개를 끄덕였다. 드로메드는 한순간에 아프고 위험한 아이가 되어 버렸지만 어쩔 수 없었다. 일레이는 에이파타의 재촉에 쿵쾅거리며 다시 아레폴라이눔으로 돌아갔다. "대장, 은신 마법 쓸 수 있겠어?" 에이파타가 안절부절 하며 물었다. 일레이 장군은 보통 힘이 센 것이 아니었기 때문에 굉장히 아팠을 것이다. 드로메드는 다른 대원에게는 깐깐한 에이파타가 자신에게만 대장이라는 칭호와 함께 온갖 걱정을 하는 것이 마음에 들지 않았다. “내가 애야? 날 왜 갑자기 아픈 애로 만들어… 은신 마법은 더 못 써. 오늘 처음 써봤는데 너무 힘들어. 그냥 잘난 왕자인 네가 날 네 하야나? 뭐 그런 걸로 소개하면서 가면 안 돼?” “일레이 장군은 착해. 그래서 잘 속아. 근데 다른 사람들은 아니야. 내 얘기를 듣기도 전에 네 목이 날라갈 수도 있어.” 에이파타가 그 사람을 생각하며 얼굴을 찌푸렸다. “그럼 어떻게 가냐?” 드로메드도 고민에 빠졌다. 의술 전문 에이파타는 은신 마법이 뭔지도 몰랐고 은신 마법이 특기가 아닌 드로메드는 마법을 계속 유지하기가 힘들었다. “아! 너 눈동자 색 바꿀 수 있어? 알렉스는 하던데!” 에이파타가 드로메드에게 눈을 바꿔보라고 이야기했다. 드로메드도 좋은 생각이라며 눈을 에이파타와 비슷한 색으로 바꾸었다. 어설프기는 했지만 자세히 들여다보지 않으면 특이점을 찾기는 힘들었다. “이건 돼. 근데 옷은? 난 말이나 억양도 다르잖아. 머리색은 또 어떻고.” “옷은… 음… 그러게. 그건 보류! 말은 못 한다고 하고 하지 말고. 머리색은 염색했다고 해.” 에이파타가 골똘히 머리를 굴리며 방법들을 생각해냈다. “아레폴리스도 염색 문화가 있어?” 드로메드는 아레폴리스에도 염색이라는 것이 존재하자 깜짝 놀랐다. “응. 나도 염색 했어. 원래는 밝은 갈색이었는데 꼴 보기 싫어서 했지. 너도 그냥 그렇다고 해.” “나 말 못한다며.” 드로메드가 이마를 찌푸렸다. 이제부터 말을 안 하겠다는 뜻이었다. “그렇네. 내가 설명 할게. 너 염색했다고. 근데 대부분은 그렇게 처음부터 자세히 안 물어볼 거야." 에이파타는 얼굴을 구기며 말했다. 뒷일이 걱정되는 모양이었다. 드로메드는 전혀 신경 쓰지 않았지만 불행히도 에이파타의 예상은 정확히 적중했다. 그 후로 만난 사람들이 전부 하나같이 드로메드의 생김새를 보고 달려 들어 죽이려고 했기 때문이다. 몇 백년 동안 자기들 말고는 외부인이 없는 채로 살아왔는데 갑자기 생김새가 다른 인간이 나타나자 놀란 모양이었다. 그때마다 제때 드로메드가 빠르게 도망을 가거나 에이파타가 막기는 했지만 사람들은 너무 많았다. 한적한 길도 금세 끝나 다시 아레폴라이눔의 중심지로 들어가야 했다. 에이파타와 드로메드는 최대한 눈에 안 띄게 조심하며 천천히 걸어갔다. "여기 사람들은 나 잘 모른다는 거 알지? 이름은 알아도 얼굴은 몰라서 내가 왕자라 해도 안 믿을 게 뻔해." "그 얘기만 몇 번째야. 알았다고. 지금까지 너무 조심해서 더 조심할 기운도 없어." 드로메드의 말이 뾰족해 졌다. 조심하라는 말만 10번은 더 들은 것 같았다. 하늘에서 돌아온 지도 얼마 되지 않았는데 또 아레폴리스로 가며 온몸이 긴장을 너무 해 굉장히 피곤했다. "끙… 미안. 내가 밖에 나간 적은 많아도 여기에 누가 들어오는 건 3년 전 이후로는 처음이라." 드로메드는 에이파타의 말을 잘 듣지 못했다. 왁자지껄한 목소리가 들려오고 있었기 때문이다. 사람들이 대체 얼마나 많은 건지 목소리가 하늘을 뚫을 듯 했다. "아레폴라이눔 사람들 말은 진짜 못 알아들을 수도 있어. 페트로포눔은 내가 하도 왔다 갔다 하고 전파를 해서 저 위에 말과 조금 비슷하지? 근데 여기는 중심지라 안쪽에 있어서 진짜 모르더라고. 입 꾹 다물어. 괜히 말했다가는 진짜 이상한 애라고 취급 받을 수 있어." 에이파타의 말대로 아레폴라이눔의 사람들은 정말이지 하나도 못 알아듣겠는 말을 사용했다. 아레폴라이눔에는 큰 건물이 조금 더 많아진 것 빼고는 페트로포눔과 딱히 다른 점이 없었다. 에이파타는 눈에 띄지 않으려 자연스럽게 스며들어 그들과 이야기를 나누었다. "에토 플로니네 카르?(물건 좀 사시겠어요?)" 주변의 상인이 말을 걸어왔다. "이그이신(괜찮아요.)" 영 알아들을 수 없는 말로 에이파타가 웃으며 거절하자 상인은 아쉽다는 듯 물러갔다. 에이파타의 옷차림을 보고 그가 부잣집 자녀인 줄 안 것 같았다. 에이파타 뿐만이 아니라 드로메드에게도 상인이 말을 걸어왔다. 아까부터 계속 둘을 주시하고 있던 상인이었다. 모자 같이 보이는 물건을 들고 온 상인은 드로메드에게 열성적으로 설명을 했다. 드로메드는 에이파타의 충고대로 입을 꾹 닫고 상인을 빤히 주시하기만 했다. 드로메드는 태연한 척, 정말 말을 못하는 척 능청스럽게 연기를 잘했지만 지금 속으로는 굉장히 떨고 있었다. 에이파타도 다른 상인에게 잡혀 있어 드로메드를 도와주지 못했다. 상인은 모자를 들며 드로메드에게 말해보라고 재촉했다. "이그조 레 티이어? 바우링!(왜 말을 안 해? 어서 결정해!)" 상인은 드로메드가 고개를 젓는 모습을 보고 물건을 사겠다는 긍정의 대답인 줄 알고 재촉한 것이었다. 하지만 드로메드가 속사정을 알 리 없었다. '얘는 왜 이렇게 안 와… 네가 잘 빠져나오게 해주겠다며!' 드로메드가 속으로 에이파타를 원망하며 겨우 한 마디 쥐어짜냈다. "이… 이그이신!" 드로메드가 최대한 아까 에이파타의 말투와 상인들의 말투를 흉내 내며 외치자 상인은 안타깝다는 표정을 지은 채 뒤로 물러났다. 드로메드는 꾸벅 인사를 전한 뒤 에이파타 생각일랑 뒤로 던져 버린 채 앞만 보고 뛰어갔다. 에이파타가 뒤를 돌아보았을 때 보이는 건 드로메드의 전력 질주… 라기에는 너무 느린 경보였다. 에이파타는 황급히 드로메드를 쫓아 갔다. 사람들이 너무 많아 가기에는 힘들었지만 우뚝 선 큰 키 덕에 시야는 훤했다. 환한 시야 덕에 움직이기는 수월했지만 사람들 때문에 부르지도 못하고 계속 물 밀 듯 몰려오는 상인들 때문에 속도는 늦어지니 악재도 이런 악재가 없었다. 한 가지 다행스러운 점은, 드로메드가 0에 달하는 저질 체력 탓에 금방 멈춰 섰다는 것. 에이파타는 낑낑거리며 빠져나온 뒤에야 겨우 드로메드를 따라잡을 수 있었다. 마침 다행스럽게도 병사들이 순찰 돌 시간이라 백성들도 전부 흩어졌다. 빛처럼 빠른 일레이의 전달을 받은 병사들은 에이파타가 보이자 예의를 차려 인사만 하고는 지나쳤다. 일레이가 에이파타를 만나면 인사만 하고 빨리 지나가라고 전한 모양이었다. "대장! 뭐하는데? 거길 뛰어가면 어떡해? 말은 또 왜 해? 나 손으로 쳐서 부르면 되잖아. 아까 그 상인 눈빛 못 봤어? 좀만 더 지체하면 넌 죽었어…" 에이파타는 드로메드에게 인상을 찌푸리며 옷가지를 건네었다. "헉, 헉… 순간 생각 나는 게 없었어. 여기 진짜 무서워. 모든 게 다 너무 어색하고 낯설어. 어? 이건 또 뭐야?" 드로메드는 옷처럼 보이는 옷 같지 않는 천 조각을 요리조리 돌려 보았다. 옷이라기에는 너무 엉성했다. 단순히 천 몇 개를 이어 붙인 것 같았다. "누가 봐도 옷이잖아. 아레폴리스의 전통 옷은 아니고, 그냥 일반 백성들 많이 입는 옷. 생김새가 조금 이상하지? 그래도 입으면 편해." 이 옷은 대체 어디가 머리로 들어갈 구멍이고 어디가 팔이 나와야 할 구멍인지 전혀 분간이 되지 않았다. 에이파타의 도움 덕에 옷을 입어 보기는 했지만 영 드로메드의 얼굴과 어울리지를 않았다. "이게 맞는 거야? 으, 진짜 안 어울려!" 드로메드가 까칠한 재질과 흐릿한 색에 진저리를 치자 에이파타는 어깨를 으쓱하고는 말았다. '걔도 처음엔 이랬었지 아마?' 에이파타는 소피아를 떠올리며 킥킥 웃음을 터트렸다. 친구는 닮는다더니 몇 년 동안 못봤음에도 불구하고 둘의 성향은 아직도 비슷했다. 드로메드는 이 옷을 입자 완전히 아레폴리스의 사람 같았다. 어울리지는 않았지만 비슷했기 때문에 말만 안 한다면 무사히 아레폴라이눔으로 갈 수 있을 것 같았다. "대장, 400년 전에 멈춰 있는 이곳에서 뭘 바라는 거야. 그것도 꽤 고급이라고. 그냥 입어. 조금만 버티면 돼. 부지런히 가면 밤 되기 전까지는 도착할 거야." 에이파타의 말대로 드로메드는 아레폴리스가 400년 전 시간에 멈추어 있다는 것을 잠시 잊었다. 아레폴리스의 시계는 모두 멈추어 있었다.

23. 에이파타의 어머니

드로메드와 에이파타는 2시간을 꼬박 걸은 끝에 아레폴라이눔에 완전히 도착했다. 그리 멀지 않은 곳에서 우뚝 선 커다란 성곽이 보였다. 정말 아레폴리스스러운 느낌이 확 드는, 고전적인 디자인이었다. "이야아…! 완전 멋있어!! 저거 설마…" "응. 맞아. 아레폴리스의 세렌 프리호보가 사는 곳, 나의 어머니와 아버지의 공간. 아레폴리스의 성이야." 웅장하고도 멋있었다. 오래 전 건축물임에도 불구하고 지상의 성 보다 훨씬 크고 장엄했다. 말로는 다 설명하지 못할 만큼 경이로웠다. 아레폴리스 왕국의 긴 역사와 강함을 보여주는 듯 정교하고도 웅장한 건물이 아레폴리스를 지켜 주고 있었다. "저 정도면 위에 있는 나라들 보다도 훨씬 클 거야." 드로메드가 크기를 어림하며 지상의 성을 떠올렸다. 윗세상과 또 다른 맛이 있어 더욱 신기했다. "암, 그렇고 말고. 훨씬 크지. 멋있지? 너무 가까이는 못 가니까 여기서라도 구경 실컷 하도록. 걔는 성 근처에 있어. 오히려 그런데가 더 위험할 것 같지? 전혀 아니야. 사람들이 잘 안 오니까 훨씬 안전해." "좋았어. 사람들 눈만 살살 피해서 데리고 나오면 되겠지. 야, 근데 소피아는 나처럼 옷이 여기 사람들 것처럼 새로 사지도 않았을 거 아니야. 그럼 어떻게 나와?" "걔는 여기서 3년 있으면서 그냥 아레폴리스 사람처럼 변했어. 옷이 달라도 의심 안 하더라. 소피아가 나오지 못한 이유는 말 때문이야. 억양이 너무 세서." 드로메드는 이해가 되었다는 듯 작은 탄성을 내었다. 소피아는 사이리덜의 소녀였다. 사이리덜 왕국의 사람들은 방언이 심했다. 말의 높낮이가 심하고 말투 자체가 세서 잘 듣지 않는다면 알아듣기 어려울 정도였다. 그런 소피아가 아레폴리스 사람들 특유의 조곤조곤한 말투와 어려운 단어를 발음하기 힘들었을 것이다. "이해 됐어. 이제 성으로 가는 거지? 여왕 폐하도 만날 거야?" "글쎄. 알다시피 난 여기에 큰 정은 없어서. 네가 만나고 싶으면 만나도 좋아. 그냥 가고 싶으면 가도 좋고." 드로메드는 에이파타의 친절은 고마웠지만 왜 이리 왕국에 적대적인지는 아직까지도 알 수 없었다. "너희 어머니이자 이 왕국의 주인. 가장 강한 왕국이라 불리는 아레폴리스의 지배자. 누구보다도 난폭한 마법의 정착지… 난 그런 가족과 부유한 왕국이라면 쌍수 들고 환영할 거야. 진심으로 물을게. 너 왜 왕국을 싫어해?" 드로메드의 궁금증으로 가득 찬 순수한 눈을 보자 에이파타는 실토할 수밖에 없었다. "우리 엄마… 안 본지 반년이 다 되가네. 이곳 아레폴리스의 백성들은 우리 엄마를 정말 좋아해. 위대한 여왕이라고. 우리 엄마는 백성들 사이에서 '영원한 풍요의 제왕' 이라 불려. 엄마가 경제를 잘 굴러가게 하는 건 인정해. 엄마가 정치를 맡은 다음부터 백성들의 삶이 경제적으로 더 풍요로워 지고 행복해 진 것은 사실이야. 하지만, 왕국의 사람들. 즉, 일반 병사라던지, 기마병, 장군, 왕족 등 왕실에 관련된 사람들과 군대에서 엄마의 별명의 뭔지 알아?" 에이파타가 씁쓸하게 말했다. 눈에 전에 보지 못한 서글픔이 겉돌고 있었다. "…뭔데?" 드로메드가 덩달아 긴장하며 침을 꿀꺽 삼켰다. "하하, 겁 내라고 하는 이야기는 아니야. 겁먹지 마. 아무리

이 나라가 강하고 엄마가 세도 절대 너한테 해를 끼치지는 못할 거야." 에이파타가 드로메드의 겁먹은 눈을 바라보며 한 템포 쉬더니 다시 느릿하게 말을 꺼냈다. "다른 애들한테는 말하지 마. 너한테만 얘기해 줄게. 음… 우리 엄마의 원래 별명은 '어둠의 군주' 였어. 엄마는 즉위식을 하기 전부터 어둠과 관련된 이야기가 꼬리표처럼 따라다녔어. 그만큼 잔인했거든. 어제까지 웃으며 대화 했던 사람도 오늘 마음에 들지 않는 말을 한다면 가차 없이 죽여 버리는, 그야말로 폭군이야. 나도 어릴 땐 안 믿었어. 그런 이야기는 다 헛소문이라고, 위대하신 여왕님을 모함하려 지어낸 이야기일 뿐이라고 생각했지. 하… 근데 어쩌나? 나는 그 실체를 보고야 말았어. 내가 책 좀 보려고 왕실 서재에 가는데, 어디서 뭔 괴상한 소리가 들리더라? 나도 그땐 10살이었어. 11살인가? 아무튼, 그 소리를 따라 가 보니까 비밀통로가 있는 거야. 어린 마음에 감탄 하며 들어가보니까 글쎄, 엄마가 소리를 지르면서 막 뭘 쓰더라고. 그땐 처음 보는 엄마의 모습에 놀라고 무서워서 뛰쳐나왔지. 그런데 있잖아. 하하… 알고 보니까 그게 죽일 사람들 명부더라. 그거 쓰면서 발작을 한 거야. 울다가 웃다가… 너무 무서웠어. 진짜… 무서웠어. 누구한테 말할 수가 없잖아. 존경해 마지 않는 만백성의 어머니가 살생부를 쓰면서 그런 기괴한 웃음을 터트렸다고 하면 누가 믿어? 아빠는 다른 지역으로 가서 없고 신하들은 하나같이 나 싫어하는데? 내가 아까 장난식으로 어쩌고 저쩌고 한 거 다 가짜야. 너희들 말대로 만난 지 얼마 안 됐는데 이런 이야기 선불리 할 수 없었어…" 에이파타가 한숨을 내쉬었다. 드로메드는 에이파타의 어머니가 그리 잔혹한 사람인지 몰랐기 때문에 정말 놀랐다. 말이 나오지가 않았다. 슬퍼 보이는 에이파타를 위로해 주고 싶었는데, 말이 나오지 않았다. 꿀 먹은 벙어리가 된 것만 같았다. 드로메드는 아레폴리스 군주의 무서움에 덜덜 떨었다. '살생부' 라니… 너무 끔찍한 이야기였다. 말로만 듣던 이야기를 실제 행동으로 옮긴 사람이 있다니… 그게 바로 아레폴리스의 군주라니! 드로메드는 침을 꿀꺽 삼켰다. 아레폴리스에 발을 들인 이후로 처음으로 이곳이 무서워 보였다. 페트로포눔에 도착했을 때도, 피오렌스 장군과 일레이 장군을 만났을 때도, 많은 상인들 곁을 지나 쳤을 때도 이 정도로 무서웠던 적은 없었다. 단순 이야기일 뿐이었는데도 무서워 몸이 사시나무 떨리듯 떨렸다. "왜 떨어. 네가 그렇게 무서워 하면 어떡해? 직접 본 나도 있는데~ 긴장 푸셔. 안 만나게 해줄게. 엄마도 내 말에는 꼼짝을 못해. 아레폴리스에서 마법이 가장 강한 사람이 나거든. 마법이 필요할 때 엄마가 나에게 요청을 하는데 내가 싫다고 하면 그만이잖아? 나라를 흔들리게 해서 지금 정권을 무너뜨릴 수도 있는 키가 내 손 안에 있는 거야. 이 나라에서 부와 권력의 끝판왕은 나라고. 신하들은 엄마의 본 모습을 몰라. 그래서 대부분은 내가 더 엄하고 무섭다고 생각해. 나한테 잘못 걸리면 일반 백성이 되는 수가 있거든. 실제로, 내가 높은 양반들 다 강제 강등 시켜서 왕족들 시종 만든 적도 많아. 우리 엄마는 경제 쪽에 특화되어 있지만 군대를 이끌거나, 백성들 생활에 도움이 되는 법안들을 만들거나, 신하들의 눈치를 어느 정도 살피면서 나에게 유리한 쪽으로 설득 시키는 능력이 너~무 부족해. 이게 목소리만 높인다고 되는 일이 아니예요~ 머리만 좋다고 되는 일이 아니라니까. 나랑 반대쪽에 있는 신하들도 구슬리면서 내 쪽으로 끌어오고, 정 안 되겠다 싶으면 어떻게든 죽여서 미리 싹을 죽여야 되는 거야. 잔인하지만 안 그러면 다음에 어떤 일이 일어날지 몰라. 돈을 굴리는 것은 엄마지만 그 밖의 모든 것을 굴러가게 하는 사람은 나라고나 할까? 아, 내 정치적 힘도 되게 세. 신하들이 말로는 날 절대 못 이겨. 이 나라 법 중에 내 입 안 거쳐간 게 없어요~ 가끔은 엄마도 내 의견에 반박을 못해." 에이파타가 다시 활달하게 말했다. 왕족이 아닌 드로메드는 솔직히 말해 에이파타가 방금 전까지 무슨 말을 했는지 이해하기 힘들었다. 신나 보이는 에이파타를 말리고 싶지 않아 잠자코 들었을 뿐. 겨우 12살, 드로메드와 동갑이자 지상에서는 그냥 5학년 학생일 뿐인 에이파타가 아레폴리스의 왕자로 살며 사람을 죽이고 여왕을 도와 나라를 다스리는 것이 얼마나 힘든 일인지 짐작이 가지 않았다. "…힘들었겠네." 드로메드가 겨우 한 마디를 꺼냈다. 그것 말고는 달리 할 말이 없었다. 아레폴리스의 여왕이 이렇게나 잔인한 줄은 몰랐다. 에이파타가 이렇게 많은 것들을 짊어지고 있는지는 몰랐다. 드로메드는 조금 전까지 갖고 있던 상상이 와장창 깨지며 에이파타가 측은하게 보였다. 어린 나이에 어머니의 충격적인 모습을 봤으니 당연히 아레폴리스 왕국이 전처럼 좋게 보일 리 없었다. "힘들 게 뭐 있어. 괜찮아. 엄마는 안 만나고 지나가는 게 더 좋겠지?" "응. 최대한 피해 가고 싶어." 드로메드가 바로 고개를 끄덕였다. 사람의 목숨을 가지고 노는 여왕을 만나고 싶지는 않았다. "좋은 생각이야. 대장 친구는 저기에 있어." 에이파타는 성의 중심부를 가리켰다. 저 안에 드로메드의 친구가, 실종된 줄만 알았던 소피아가 숨어 있었다.

24. 성 안으로!

에이파타가 가리킨 곳을 본 드로메드가 고개를 갸우뚱 거렸다. "성이랑 되게 가깝네? 아예 안에 있는 건가? 여왕 폐하가 날 보면 어떡해? 소피아는 안에 있지만 난 밖에서 돌아 다니잖아." 드로메드의 질문 폭격이 시작되었다. 질문에 일일이 대답해주는 것은 피곤한 일이었지만 에이파타는 성심성의껏 대답해 주었다. "엄마가 일부러 밖에 나와서 돌아다니면서 감시하지 않는 한, 대장은 작아서 눈에 안 띌 거고, 눈에 띄더라도 내가 옆에 있으니까 엄마가 함부로 못해. 아까 말했잖아. 지위는 엄마가 더 높을 지 몰라도 정치적인 힘과 신하들의 신뢰도는 내가 더 세고 내가 더 높아. 걱정일랑 던져 버리셔~" 에이파타의 별거 아니라는 말에 드로메드는 안심 했다. 그의 말이 맞았다. 여왕이 일부러 나오지 않는 한 그리 눈에 띄지 않을 것이다. 일레이 장군이 아레폴라이눔 사람들을 진정시켜 집 안에 들어가게 했으니 주변도 조용해 살금살금 움직이기만 한다면 들킬 우려가 없었다. "오오… 일리 있는 말이야. 주변도 조금씩 조용해 지고 있어. 네 부하들이 나서고 있나 봐." 드로메드의 말처럼 주변의 왁자지껄한 소리가 잦아 들고 있었다. 에이파타는 속으로 일레이 장군의 노고에 박수를 보내며 그에게 수고비를 줘야겠다며 킬킬 웃었다. 일레이 장군은 겉으로만 봐서는 굼떠 보이지만 에이파타의 명령만 받으면 사람이 변했다. 역시나 이번에도 일처리를 아주 잘했다. “대장, 백성들이 완전히 집에 들어갈 때까지 조금만 기다렸다가 가자. 괜히 눈에 띄지 말자고.” 에이파타는 드로메드에게 소피아의 위치와 가까운 주막으로 들어가자고 제안했다. “소피아는 정확하게 어디에 있는 거야? 성 안에 있는 거라면, 대체 어떻게 눈에 띄지 않은 거지? 그럴 만한 공간이 있어?” “응. 있어. 저기 보이는 저 성의 밑, 그러니까 지하에는 아무도 모르는 큰 비밀 공간이 있거든. 일부러 만든 건 아니고, 400년 전에 여기로 내려오게 되면서 생긴 모양이야. 그 공간으로 통하는 틈이 내 침소랑 연결되어 있어서 거기에 대공녀를 두고 잠가 버렸어. 나 말고는 걔가 거기 있다는 정보를 아무도 습득하지 못하게.” 소피아는 성 ‘안에’ 있었다. 에이파타의 말에 따르면 굳이 성 안으로 들어가지 않아도 외부에서 접근할 수 있는 방법이 있다고 했다. “음… 그러면 밖에서 구출할 수 있는 방법이 있긴 하구나. 에이파타, 쉴 시간이 없어. 나 좀 그곳으로 안내해 줄래? 직접 구멍의 크기와 위치를 봐야지 어떻게 소피아를 빼낼지 생각해 볼 수 있을 것 같아.” 에이파타는 잠시 고민하는 듯 했다. 아레폴리스에도 낮과 밤이 있었다. 뚜렷이 구별될 정도로 선명하지는 않았지만 분명 햇빛이 조금이라도 더 들어오는 시간이 있었다. 지금은 낮이었다. 여왕이 산책이라도 나왔다가 드로메드를 보기라도 한다면 큰일이었다. 눈썰미가 좋은 여왕은 드로메드의 특이점을 놓치지 않을 터였다. 하지만 에이파타는 자신이 반대해도 드로메드가 갈 것이라는 것을 알았다. 짧은 시간 안에 많은 내용을 생각해 본 에이파타는 결국 알았다며 고개를 끄덕였다. “좋아. 그럼 가보자. 절대 성 안에 들어가지 않겠다고 결심했지만… 어쩔 수 없지.” 에이파타는 나쁜 생각을 애써 떨치고 성을 향해 방향을 돌렸다. 신이 나 걸음이 가벼워 보이는 드로메드와 달리 아레폴리스 왕국의 무서움을 뼈저리게 느껴 잘 아는 에이파타의 걸음은 무겁기만 했다. “대장, 너 담 넘어본 적 있어?” 묵묵히 침묵을 지키며 걸어가던 에이파타가 갑자기 드로메드에게 물었다. 드로메드는 담을 넘어본 적이 있냐는 에이파타의 말에 당황해 입을 벌리고 서있었다. “담을… 넘어본 적은 있지. 설마, 너 저기 넘어서 가려는 건 아니지?” 드로메드는 불안한 듯 다리를 떨며 성벽을 가리켰다. “…응? 그러면 어떻게 지나가려고 했던 거야? 저 앞에서 경비병들하고 아이고, 안녕하세요 하면서 인사라도 해? 몰래 가야지. 나 혼자만 있었으면 그냥 가는데 너랑 같이 있으니까 당당하게 갈 수가 없잖아. 눈썰미 좋은 우리 병사들이 널 보면 가만 두겠냐고.” 에이파타가 어이없다는 듯 한쪽 눈썹을 올렸다. 드로메드는 예상치 못한 난관에 봉착하자 금세 머리가 새하얘졌다. 몇 미터는 족히 되어 보이는 거대한 성벽을 뛰어 넘어서 성 안으로 침투한다는 방법은 생각치도 못했다. 에이파타는 얼빠져 있는 드로메드를 끌고 성문 앞에 도착했다. 가까이에서 본 성은 더욱 거대했다. 아레폴리스의 위엄이 돋보였다. “대장, 나도 이 벽 한 두 번 넘어본 게 아니라 잘 알거든. 도구가 있어. 맨 몸으로 가는 게 아니란 말씀.” 에이파타는 긴 줄에 갈고리가 달려 있는 도구를 꺼내더니 휙휙 돌리며 던졌다. 한 두 번 해본 솜씨가 아닌 듯 갈고리가 기가 막히게 성벽의 반대쪽에 걸쳐 졌다. 에이파타는 갈고리를 두어 번 잡아당겨 잘 걸쳐졌는지 확인하더니 씩 웃었다. “잘 된 것 같은데? 이제 이 버튼만 누르면 반대쪽으로 휙 넘어갈 거야. 꽉 잡아. 떨어지면 책임 못 진다.”

드로메드는 에이파타를 붙잡고 비장한 표정을 지었다. 몰래 벽을 넘는다고 생각하니 나쁜 일이라도 저지르는 것 같아 마음이 좋지 않았지만 소피아를 위해서 꾹 참았다. "자, 누른다. 하나, 둘, 셋!" 에이파타가 버튼을 눌렀다. 갈고리가 팽팽히 걸리고 줄이 빠르게 빨려 들어가며 에이파타와 드로메드가 공중으로 들려졌다. "으아악!" "소리 지르지 마!" 드로메드는 몸이 들렸다 내려오는 아찔한 감각에 인정 사정없이 소리를 질렀다. 하늘이 떠나갈 정도로 큰 소리였다. 에이파타는 한숨을 쉬며 드로메드의 입을 막은 뒤 안전히 착지했다. 에이파타의 염려대로 큰 소리가 나지 않아 다행이었다. "으이그, 그렇게 소리를 지르면 어떡해?" 에이파타가 드로메드에게 핀잔을 주었다. 드로메드는 쓰러지듯 주저 앉으며 숨을 골랐다. "네가 숫자 세는 게 안 들렸단 말이야. 진짜 놀랐다고. 하… 식겁 했네…" 많은 우여곡절 끝에 드디어 에이파타와 드로메드는 아레폴리스의 성 안으로 들어오게 되었다. 소피아가 멀지 않은 곳에서 기다리고 있었다…

25. 세렌 여왕

에이파타와 드로메드는 천천히 조심스레 움직였다. 에이파타는 병사들이 없는 길만 골라 피해 다녔고 드로메드도 그런 에이파타를 따라 들키지 않게 몸을 숙였다. 당장 들키지 않는 것에만 급급한 드로메드는 뛰느냐 바빴지만, 에이파타는 점점 초조 해졌다. 드로메드의 몸이 예상보다 훨씬 느려 시간이 지체되고 있었다. 원래 계획대로 라면, 이미 에이파타의 방까지 들어와 있아야 했다. "대장, 제발 빨리 좀 와. 왜 이리 느려?" "나도 이게 최선이야. 미안…" 드로메드는 미안하다는 듯 눈꼬리를 내렸다. 에이파타는 한숨을 쉬며 길을 보려 고개를 돌렸다. 에이파타는 먼저 움직여 삐죽 튀어나와 있는 벽에 몸을 숨긴 뒤 드로메드에게 신호를 보냈다. 그런데 그때였다. "아들~? 오랜만이구나." 낯설고 아주 높은 여자의 목소리가 위에서 울러퍼졌다. 에이파타는 소스라 치게 놀라 고개를 홱 뒤로 제꼈다. 백성들에 비하면 화려하지만 전체적으로 단아한 느낌의 옷을 입고 있는 키 큰 여자가 에이파타를 못마땅하게 내려다보고 있었다. 드로메드는 갑자기 나타난 여자에 너무 놀라 에이파타와 마찬가지로 멈춰서 있었다. "아들아. 굉장히 오랜만에 보는구나. 이번에는 하야나도 데려왔네? 그런데 내가 알기로는 이 성에 왕족이 아닌 백성이 와도 된다는 법은 없었던 것 같은데." 아레폴리스의 여왕이 나타났다. 아레폴리스의 여왕, 어둠의 군주 세렌이 등장한 것이다. 그렇게 피하고 싶었던 기피 대상 1호를 마주쳐 버리고 말았다. 에이파타의 말처럼 잔인해 보이는 얼굴은 아니었고 오히려 젊고 아름다운 편에 속했지만 언뜻 보이는 냉기가 보는 사람의 오금을 저리게 만들었다. 드로메드는 그 짧은 순간 안에 그녀의 첫인상이 알렉스랑 비슷한 것 같다며 친구를 떠올렸다. “하… 하하… 문안 인사를 이렇게 올리고 싶지는 않았는데. 이것 참 유감스러운 일이네요.” 에이파타는 표정을 한껏 피고는 억지 웃음을 지었다. 얼굴에 ‘난 이제 망했다.’ 라고 써져 있었다. “그러게. 거참 유감스러운 일이구나. 내가 내 아들을 6개월 씩이나 찾았는데 바로 내 성 안에 있었다니.” “정확히 말하면 있었던 건 아니고… 놀러간 김에 잠시 들린…” 에이파타의 말이 채 끝나기도 전에 강한 주먹이 날아 들어왔다. 에이파타는 머리를 붙잡고 주저 앉아 끙끙거렸다. “너! 누구인데 프리호보를 보고도 인사하지 않는 것이냐.” 세렌 여왕이 이번에는 드로메드에게 성큼 다가와 물었다. “어…” 드로메드는 아무런 대답을 하지 않은 채 말을 못하는 척 연기했다. 연기 실력이 꽝인 드로메드였지만 지금 이 순간만큼은 누구보다도 뛰어난 배우가 되어 있었다. “진정하세요. 제 하야나인 드로메드라고 합니다. 언어 장애가 있어 치료하는 중이예요.” 에이파타가 급하게 드로메드의 앞을 막아섰다. 여왕은 잠시 의아한 표정을 지었지만 드로메드의 메소드 연기에 깜빡 속아 별다른 의심을 하지 않았다. “아들. 너 이렇게 한 번씩 사라질 때마다 병사들 동원해야 되는 거, 너무 낭비야. 이제 도망 그만 다녀라. 다음에 또 걸리면 한 달 외출 금지야. 그리고 내일 회의 있어. 참석해. 네 하야나는 올려 보내라.” 여왕은 에이파타를 타이른 뒤 어딘가로 사라져 버렸다. 여왕이 가자마자 에이파타와 드로메드는 참았던 숨을 내쉬었다. “하아… 대장 연기 쩔었어.” “넌 엄마한테 그 정도로 꼼짝 못 하냐?” 드로메드는 약간의 배신감을 느끼며 에이파타를 쳐다보았다. 유한 느낌의 눈매가 긴장으로 바짝 올라가 있었다. “엄마이기 전에 여왕이야.” 에이파타는 무심하게 한 마디 하고는 옷매무새를 가다듬었다. 정말 놀라기는 했지만 이 만남으로써 큰 산을 하나 넘은 것 같아 후련하기도 했다. 더 이상 눈치 보며 첩보원처럼 피해 다닐 필요가 없었다. 드로메드는 보는 사람마다 힐끔거리며 쳐다보기는 했어도 나가라며 난리를 피운 사람은 한 명도 없었다. 덕분에 둘은 수월하게 들어갈 수 있었다. “그냥 엄마를 빨리 만날 걸 그랬네. 그 전에 체력을 너무 뺀 것 같아. 난 또 엄마가 너 옥에 가두고 난 방에 가둘까 그랬지.” 에이파타가 오기도 전에 체력 낭비를 너무 많이 했다며 궁시렁 거렸다. “그러게. 나 지금 힘들어.” 드로메드가 헥헥거리며 뒤쫓아왔다. “양심적으로, 대장은 힘들어 하지 말자. 어차피 다 왔어. 좀만 더 힘내. 친구 만나야지.” 친구, 즉 소피아라는 말에 드로메드의 몸에 불이 붙은 듯 갑자기 활발해졌다. 그렇게 애타게 찾고 찾던 소피아랑 1km도 채 떨어지지 않았다니! “말을 괜히 했네. 대장, 흥분하지 마.” 에이파타는 흥분한 드로메드를 보고 눈살을 찌푸렸다. 아무리 에이파타가 왕자여도 신하들 눈치는 봐야 했다. 외부인이 이런 모습으로 돌아다니는 모습이 고전적인 사람들에게 특히나 더 좋게 보이지 않을 것이다. 말은 이렇게 해도 에이파타도 내심 들뜨고 있었다. 왕자라 해봤자 고작 12살. 흥미로운 모험과 짜릿한 구조 앞에서 들뜨는 건 당연했다. 드로메드와 에이파타는 그제서야 깨달았다. 자기들이 이제야 큰 산을 하나 넘은 것이라는 걸. 결코 그 뒤의 일이 순탄치 않을 것이라는 걸 말이다. 둘은 아무 말도 하지 않았지만 서로 생각하는 바가 같았다. 끓어오르는 의지와 열정이 둘을 감싸고 있었다. 소피아와 만나기까지 얼마 남지 않았다. 드로메드와 에이파타. 과연 이 둘은 소피아와 함께 돌아갈 수 있을까?

에필로그

우리의 위대한 어린 전사들의 이야기는 여기까지이다. 환상적인 마법과 함께한 다이노원정대의 첫번째 이야기가 막을 내렸다. 드로메드 쌍둥이와 카르노, 테라의 첫만남 이후로 다이노원정대는 점점 커지고 강해졌다. 드로메드와 카르노의 첫만남은 딱히 유쾌하지는 않았지만 지금은 둘도 없는 친구 사이가 되어 있었다. 그리고 알렉스, 데이비드 등 다양하면서도 강한 마법을 가진 고수들이 들어와 다이노원정대는 서로 경쟁하며 4명이 있을 때보다 더 강한 시너지를 낼 수 있었다. 왕국의 일에 개입해 국왕들을 만나며 많은 사람을 살리기도 했고, 지금은 사라진 줄만 알았던 고대 아레폴리스의 성에 들어가 있다. 고대 아레폴리스의 왕자 에이파타 또한 다이노원정대의 시험을 당당히 통과한 채 드로메드를 도와주고 있다. 에이파타까지 합류한 지금, 앞으로 이들은 또 어떤 모험을 펼칠까? 더욱 다양한 나라, 강해진 마법, 그 속에서 펼쳐지는 환상적인 이야기. 아름답고도 위험한 노르아덴에서 펼쳐질 이야기는 아직 끝나지 않았다. 오히려 다이노원정대가 앞으로 펼쳐 나갈 이야기들과 파헤칠 어둠의 비밀은 아직 많았다. 더욱 짙고 강력하며 소름 끼치는 어둠의 안개가 앞을 가리며 아이들의 생명을 위협하고 있었다. 언제까지 누군가의 도움을 받을 수 만은 없는 노릇! 다이노원정대는 이제 스스로 손을 저어 안개를 헤쳐 나가야 한다. 그들을 돕는 조력자들은 그들이 안개를 헤쳐 나갈 때 필요한 빛이 되어 줄 수 있지만 직접 손과 발이 되어 움직일 수는 없다. 움직이고 앞을 보는 것은, 전부 우리 대원들이 해야 할 일이다. 다이노원정대는 미숙한 부분이 많지만 바위에 부딪치고 부딪치면서 완벽한 존재가 되어갈 것이다. 그들의 역사는, 아직 시작조차 하지 않았다.

부록

다이노원정대의 탄생

1. 남자아이

이른 토요일 아침이었다.

평소 잠이 많은 테라였지만 주말에는 일찍 일어나서 늘 산책을 나왔다. 밤 산책과 아침 산책은 분위기도 다르고 공기의 느낌도 다르다. 아침은 화사하고 시원한 기분이 드는 반면 밤은 살짝 춥지만 한적한 곳에서 천천히 걷는 느낌이 좋았다. 그중 테라는 아침을 더 좋아하는 편이었다. 밤은 너무 늦어서 위험하기도 했고 오래 여유를 즐길 시간이 부족하기도 했다.

오늘은 다른 날에 비해 날씨가 선선해서 테라는 산책 겸 바람을 쐬러 집을 나왔다. 집에서 나와 조금 걷자 이번에 새로 생긴 공원과 강이 나왔다. 넓직넓직하게 짓고 나무도 많이 심어 놓아 상쾌했다. 이른 아침이라 사람이 별로 없어서 테라는 편안하게 걸을 수 있었다.

테라는 아침 산책을 할 때는 늘 자신의 문제점이나 고칠 점 등에 대해 생각하고는 했다. '요즘 따라 팔이 많이 아프던데… 왜 그러지?' 테라는 요즘 계속 저리고 아픈 팔의 원인을 찾아보려 애쓰며 길을 걸었다. 한적하고 아름다운 자연에 테라의 고민은 눈 녹듯 사라졌다. 덕분에 테라는 항상 그랬던 것처럼 더욱 편안히 생각할 수 있었다.

테라가 긴 산책로를 따라 한참을 걸으며 아마도 팔을 많이 안 써서 그런가 보다 라고 생각을 하고 있을 때였다. 테라는 갑자기 건너편에서 전속력으로 뛰어오던 웬 남자아이랑 부딪쳐 넘어졌다. 덕분에 아까까지 했던 생각은 깡그리 사라지고 말았다. "으악!" 테라는 뒤로 발라당 넘어졌다.

"악! 괜찮아? 미안..." 남자아이도 휘청거리며 사과했다. "괜찮습니다. 근데 누구세요? 우리 동네에서는 못 보던 얼굴인데…"

테라는 남자아이를 쳐다보며 말했다.

남자아이는 어쩔 줄 몰라 하며 말했다. "드로메드. 며칠 전... 이사 왔어."

"예? 전 테라예요."

테라는 이 세상에는 초면에 말을 놓는 별 이상한 사람도 다 있구나라고 생각하며 드로메드를 쳐다보았다. 이름을 물어본 것이 아니라 예의 상 누구시냐고 물어본 건데 정말 묻는 말에만 대답하는 사람은 처음 봤다.

불안한 목소리와 다르게 드로메드의 겉모습은 멀쩡해 보였다. 하지만 그 모습 뒤에는 겁에 질린 모습이 있었다. 물론 냉철한 테라에게는 드로메드의 외면은 하나도 눈에 들어오지 않았고 내면을 알아보고 싶은 마음이 더 들었다.

테라는 보통 아이들과는 조금은 다르니까. 테라가 잠깐의 시간 동안 꼼꼼히 드로메드를 스캔해본 결과 드로메드는 화려한 외모와 함께 마음의 상처가 있는 듯했다. 또한 처음 본 사람에게 말을 놓는 걸 보니 사회성이 좀 떨어지는 것 같다는 생각도 들었다. 그 결정적 이유는 주머니에 푹 찔러 넣음에도 불구하고 덜덜 떨리는 것이 보이는 손, 순해 보이지만 상대방을 죽일 듯한 매서움과 같이 느껴지는 엄청난 두려움이 느껴지는 눈빛, 계속 띄엄띄엄 더듬는 말, 양쪽이 완벽한 대칭을 이루고 있는 얼굴이 있었기 때문이었다.
테라가 눈으로 드로메드를 강력하게 쏘아보자 드로메드는 당황하며 말했다. (테라는 드로메드가 궁금해서 그런 거지만 드로메드는 완전히 그 반대 방향으로 테라의 눈빛을 인식해 버렸다.)
"그래. 잘 가... 그리고... 음… 우리 얼마 안 가 또… 만나게 될 것 같다…"
드로메드는 울상이 된 표정으로 알쏭달쏭한 말을 툭 던지고 빛의 속도로 뛰어갔다. 급한 일이 있는 모양이었다. 아니면 자신을 째려보는 무서운 낯선 이에게서 벗어나고 싶었거나.
"아니 쟨 대체 뭐야? 초면에 말을 놓네? 아까 울상으로 또 만날 것 같다고 얘기한 건 나랑 또 만나기 싫다는 거야 뭐야! 쟤 때문에 생각했던게 다 사라졌어!"
드로메드의 뒷모습을 보며 테라는 불평 불만을 늘어놓았다. 그리고 드로메드 말대로 웬지 이 아이를 다시 볼 것 같다는 생각도 머리 속에서 떠나질 않았다. 느낌적인 느낌이랄까. 테라의 예상은 어느 정도 적중했다. 물론 그때는 앞으로의 일을 하나도 알 수 없었지만.

2. 전학생들

아침 햇살 덕에 힘이 마구마구 솟는, 에너지가 넘쳐서 무엇이든 다 할 것만 같은 월요일이었다. 공포의 월요일이라고들 하지만 어떤 일이 일어날지 모르는, 한 주의 첫 문장을 쓰는 날이 월요일이기에 딱히 기분이 나쁠 것도 없었다.

어른들은 회사로, 학생들은 학교로 걸음을 옮겨 각자 다른 곳에서 한 주를 맞이했다. 테라도 마찬가지였다. 꽤 거리가 먼 학교로 걸어가는 발걸음이 가볍고 경쾌했다.

첫 인상이 무섭고 무표정을 하면 화가 난 것처럼 보이는 테라도 알고 보면 자연과 학교를 사랑하는 평범한 10대 소녀였다.

테라는 어렸을 때부터 숲에 집처럼 들락날락하며 동물과 나무와 노는 것을 좋아했다. 숲의 나무에 올라타 햇빛을 쬐는 것만큼 기분 좋은 일은 없었다. 오늘의 날씨처럼 정말 운도 좋고 좋은 일만 생길 것 같았다.

“안녕하세요 선생님. 저보다 빨리 오셨네요.” 노래를 흥얼거리며 테라는 교실로 들어갔다.

“에휴~ 테라야. 선생님은 늘 네가 오기 1시간 전에 오고 있단다. 어쨌든 이제 테라까지 왔으니까 모두 온거지? 자 그럼 오늘 급식 꼴찌는 테라 당첨!”

은하 초등학교 4학년 11반의 담임 선생님이신 다니엘 선생님은 참 밝으시고 열정적인 남자 선생님이시다. 다니엘 선생님, 다니엘 선생님 부르기 불편해서 그냥 댄 쌤, 대니 쌤이라고 부른다. 학생들의 이야기에 잘 공감해 주고 말도 재치 있게, 재미 있게 하셔서 학생들에게 인기가 좋다. 스승의 날이 되면 5학년, 6학년, 심지어 중학교 선배들에게서까지 편지가 날아올 정도로 인기도 좋다.

댄 쌤의 교실 규칙 중 하나가 지각하는 학생에게는 급식 꼴찌의 벌칙을 준다는 것이다. 테라는 난 오늘도 꼴찌구나 생각하면서 큭큭 웃으며 자리에 앉았다.

"좀만 더 일찍 올 걸!"

"그러게 말이다. 전 학년 꼴찌가 말이 되냐. 1학년도 안 그러는데."

아르마는 테라를 놀렸다.

테라는 지각을 자주 한다. 집이 학교와 멀다는 이유도 있지만 테라는 잠자는 걸 너무 좋아한다. 주말에는 산책을 하려 일찍 일어나지만 평일에는 알람을 맞춰놔도 늘 늦잠을 자고 후다닥 뛰어나오곤 한다. 부모님의 직업 특정 상 테라를 일찍 깨워줄 수도 없었다. 테라의 부모님은 모두 응급실의 의사셔서 아침 일찍 출근하고 밤에 자다가도 불려가고는 하신다. 때문에 아르마는 테라가 지각할 때마다 늘 짓궂게 놀린다. 테라에게 꼬투리 잡을 건 이것밖에 없는데 아르마는 테라 놀리는 걸 아주 좋아하기 때문이다. 테라의 반응이 재미 있기도 하고 친한 사이기에 가능한 일이었다. 은하 초등학교에서 테라에게 말을 편하게 붙일 수 있는 사람은 같은 반인 아르마, 티라, 타우, 데이비드, 알렉스, 모타카, 카르노 밖에 없었다. 한 반의 학생이 평균

30명이고 11반까지 있는 큰 학교니 테라가 정말 소수의 친구와만 이야기를 한다는 걸 알 수 있었다. 마법 학교 치고는 작지만 그래도 큰 편에 속했다.

테라가 반박하려는 찰나 선생님께서 말씀하셨다. 아주 들뜬 목소리로. "얘들아, 다들 조용! 오늘은 우리 4학년 11반과 함께할 새로운 친구들이 왔어! 플로야 못 믿겠다는 표정 넣어둬~ 그래 네 생각이 맞아, 전학생. 소리 질러!"

아이들은 선생님 말대로 정말 소리를 질렀다. 온 학교가 4학년 11반의 목소리로 울렸다. 테라와 옆자리에 앉은 아르마도 크게 소리를 질렀다. 그리고... 조금 있다가 선생님을 포함해 단체로 교장 선생님에게 혼나는 영광을 누릴 수가 있었다.

"아니 오늘 전학생도 오는데 선생님이란 사람이 애들 하고 지금 뭐하는 겁니까! 너희들도 선생님을 말릴 생각을 했어야지."

"그게... 너무 들떠서요. 교장 선생님 죄송합니다."

선생님께서 연신 쩔쩔 매신건 당연한 일이었다. 은하 초등학교 교장 선생님은 무섭기로 유명했으니까. 가라앉은 분위기를 틈타 전교에서 제일 장꾸인 모타카가 교장 선생님께 한 마디 툭 던졌다.

"에이~ 너무 혼내지 마세요. 우리 쌤이 불쌍한 것도 있지만 전학생이 온다는 소식을 듣고 어제 교장 선생님 춤추셨던 건 기억 안 나세요~? 저 데이비드한테 한 소리 듣고 숙제 제출하러 교장실 갔다가 다 들었…"

교장 선생님은 그 말을 듣고 아무 대답도 못하고 헛기침을 하시며 교실을 나가셨다. 교실의 문이 닫히자 마자 아이들은 배가 아플 때까지 웃었다. 교장 선생님이 왜 아무 말도 하지 못했냐 하면 교장 선생님도 들뜨긴 마찬가지였기 때문일 것이다. 모타카가 정곡을 찌른 것이다. 다들 이리 좋아하는 이유는 별것 없다. 테라네 학교는 학생 수가 너무 많다. 교실 수, 크기, 예산 등은 한정되어 있는데 반을 계속 늘릴 수도 없는 일이었다. 그래서 전학생이 오는 건 원래는 흔한 일이지만 테라의 학교에서는 보기 드문 일이 되었다. 은하 초등학교는 좀 외진 곳에 있어서 오기도 힘들었다. 벤트 아이들만 올 수 있는 곳이기도 해 경쟁률도 엄청난 것도 한 몫 했다. 그래서 은하 초등학교엔 메디니아 아이들 만이 아닌 다른 왕국 아이들도 많다. 하지만 놀랍게도 이번 전학생의 경우는 학교에서 자진해서 어서 오세요 라고 채왔다고 했다. 은하 초등학교의 선생님이 빠듯한 예산에도 불구하고 전학생을 데려온 것이다. 정말 놀라운 일이었다.
은하 초등학교에는 메디니아 아이들 만이 아닌 다른 왕국 아이들도 많다. 은하 초등학교는 마법 학교이기 때문에 쉬는 시간, 점심시간마다 마법으로 인한 사건사고들도 많이 일어나 각별히 주의해야 한다. 은하 초등학교가 마법 학교이니 아이들을 가르치는 선생님들 또한 마법을 쓰는 마법사이다. 댄 쌤도 마찬가지인 마법사로 물을 조종해서 똑같이 물을 다루는 모타카와 꿍짝이 잘 맞는다. 아니, 어쩌면 그냥 성격 자체가 잘 맞는 것 같다. 전에 일반인 선생님이 오신 적이 있었는데 맡은 반이 학교 최고 학년인 8학년 반이었음에도 불구하고 2주만에 그만두셨다. 그런 사건 때문에 마법 학교 선생님들은 모두 3단계 이상의 마법사들로만 이루어져 있다.

전학생들이 들어오자 반 친구들은 환호성을 질렀고 테라는 깜짝 놀랐다.
'잠깐. 쟤 어디서 봤는데? 어... 그래! 맞아. 쟤 어제 본 걔 아니야? 잠깐 그리고 저 여자아이는 누구지? 같이 전학 온 걸 보면 쌍둥이들인가?' 여자아이는 활짝 웃으며 손을 마구 흔들었고 드로메드는 어정쩡하게 서서 손을 꼼지락 거리고 있었다.
여자아이는 드로메드와 유사한 외모를 갖고 있었다. 정말 쌍둥이인 것 같았다.
테라가 이런저런 생각을 하고 있을 때였다. 옆에서 아르마가 기겁을 하며 테라를 툭툭 쳤다.
"야, 왜 그래?" "저기… 쟤네 좀 봐! 아니, 데이비드 말고. 알렉스랑 타우 말이야!" 테라는 아르마의 손을 따라 시선을 옮겼다. 그러고는 바로 눈을 동그랗게 떴다. 그도 그럴 것이, 전교에서 가장 무섭고 차갑다고 소문난 알렉스와 전교에서 외부인이라면 기를 쓰고 만나기 싫어하는 타우가 함박웃음을 지으며 손을 흔들고 있었기 때문이다. 테라가 알렉스, 타우와 1학년 때부터 지금까지 4년째 연속으로 같은 반이었지만 알렉스는 항상 말을 별로 하지 않았고 타우는 외부에서 온 선생님이나 몇 없는 전학생들을 보면 악을 쓰며 피하는 모습만 봤다. 그러니 당연히 신기할 수 밖에. 데이비드는 2학년 때와 지금 같은 반이고 항상 활기찬 모습을 보아 별로 놀랍지는 않았다. 테라와 아르마도 눈이 커졌지만 알렉스와 타우의 모습을 본 다른 아이들도 정말 깜짝 놀라셨다. 활발한 데이비드나 장꾸인 모타카도 아니고 저 둘이? 저렇게 웃는다고? 아니, 애초에 저렇게 웃을 수 있던 사람들이었나?

모두가 어리벙벙해 있을 때 선생님께서 전학생 소개를 하셨다.

"흠흠… 이 아이들은 드로메드와 옐로이즈라고해. 두 친구들은 페디그라드에서 전학 온 5분 차 쌍둥이 오빠, 동생이야. 앞으로 어려운 점이 있으면 도와주며 지내도록 해라. 아 그리고 알렉스, 타우, 데이비드는 드로메드, 옐로이즈랑 잘 안다고 했지? 많이 챙겨줘라. 그리고 난 다니엘이라고 한다. 그냥 편하게 댄 쌤이라 불러도 돼~"

"네~!" "알겠습니다…"

댄 쌤께서 알렉스, 타우, 데이비드에게 고개를 까딱하셨고 세 아이들은 고개를 끄덕였다.

환하게 웃는 옐로이즈 옆에서 드로메드는 새 친구들과 선생님을 빤히 바라보았다. 마음과는 다르게 몸이 덜덜 떨려 굉장히 겁에 질린 것처럼 보였지만 생각은 차분하고 오히려 냉철했다. '다니엘… 신을 대신하는 재판관이라… 만약 내 예상이 맞다면 선생님은 그걸 모르시나 보네요. 자기가 엄청난 사람이란 걸.'

드로메드는 무슨 뜻인지 모르겠다는 말을 계속 생각했다. 불량하다고 보일 수도 있을 만큼 다정해 보이는 눈에서 냉기가 뿜어져 나왔다.

드로메드는 너무 어색하고 불편해 보였다.

"드로메드는 데이비드 옆자리에, 옐로이즈는 티라 옆자리에 앉아. 그리고 모두 수학책 32쪽을 펴도록."

드로메드와 옐로이즈가 자리에 앉고 수업이 시작되었다. 수학은 정말 재미없는 과목이었지만 다니엘 선생님은 즐겁게 수업을 했다. 그러자 아이들의 기분도 덩달아 좋아졌다. 딱 한 명을 빼고 열심히 대답했고 활동에 참여했다.

옐로이즈는 학교가 처음이라 어색한 부분도 있었지만 누구보다도 열정적으로 행동했다. 열심히 대답했고 친구들에게도 스스럼없이 인사했다. 하지만 드로메드는 그렇지 않았다. 알렉스와 데이비드, 타우의 손에 억지로 이끌려 모든 것을 했고 계속 동생을 졸졸 따라다녔다. 그들이 옆에 있지 않으면 불안한 듯 얼굴이 하얗게 질렸다. 드로메드의 친구들은 드로메드를 계속 쳐다보고 세심하게 살펴주었다.

다니엘 선생님은 드로메드라는 아이가 궁금해졌다. '아무리 학교가 처음이라 해도… 많이 불안해 보이는데 어떡하면 좋을까? 학교 끝나고 알렉스와 데이비드에게 물어봐야겠어.' 수업시간이 끝나고 티라는 쉬는 시간에 옐로이즈에게 학교에 대해 신나게 가르쳐 주었다. 티라도 밝은 성격과 넘치는 친화력의 소유자이고 옐로이즈도 활달한 편이었기 때문에 쿵짝이 잘 맞았다.

"우리 학교 전교생은 2640명이야. 다른 곳에 비해 적긴 한데 일반 학교에 비하면 월등히 많은 숫자지! 보통은 전학생이 안 와. 너랑 드로메드는 정말 특별한 경우야."

"그렇구나! 11반 애들은 정말 많구나… 우리까지 하면 32명에 2642명이 되겠네?" 옐로이즈가 고개를 끄덕였다. 30명이라는 숫자가 대인원이라고 신기해 하는 모습에 티라도 신나서 아주 세세한 모습까지 설명을 했다. 데이비드와 알렉스, 타우는 드로메드에게 다가와 말을 걸어주고 등을 토닥여

주었다.

"너라면 잘 이겨낼 수 있을 거야. 우린 더한 것도 해봤으니까." "힘든 일 같은 건 적어도 여기서는 없을 거야. 학교가 꽤 다닐 만해." "여기선 아무도 너 못 건드려. 걱정 접어둬."

드로메드는 옅은 미소를 지으며 고개를 살짝 끄덕였다.

이때까지만해도 11반 아이들은 드로메드랑 옐로이즈가 얼마나 신비롭고 위험한 아이들인지 몰랐다. 하지만 카르노는 수업이 끝나고 집으로 오던 길에 드로메드가 얼마나 위험한지 몸으로 느끼게 되었다.

3. 아픈 비밀

“자, 그럼 이제 수업은 다 끝났고… 차 조심하고 내일 건강하게 다시 만나자~ 모두 해산하거라~”

다니엘 선생님은 짧은 인사와 함께 수업을 끝내셨다. 와아아! 하는 큰 소리와 함께 물 밀리듯 아이들이 교실에서 빠져나갔다.

“어어, 아서라… 데이비드, 알렉스. 시간 있으면 잠깐 얘기 좀 하자.”

선생님께서는 신나서 나가는 데이비드와 알렉스를 급히 멈춰 세웠다.

“네? 저희요? 어… 알겠습니다! 너희 먼저 가. 길 익힐 겸 넌 혼자 가봐. 넌 길 잃어버리니까 테라랑 가고.”

데이비드와 알렉스는 친구들에게 인사를 한 뒤 교실에 남았다. “어… 저희 오늘 뭐 잘못한 거 있어요?” 조용한 교실 안에서 데이비드가 먼저 말을 꺼냈다.

“긴장 푸셔~ 잘못한 게 아니라, 궁금한 게 있어서 말이야.” “저희에게 궁금한 게 뭔데요?” 알렉스의 차가운 말에 선생님은 움찔했다. 다니엘선생님은 알렉스를 몇 달 동안 보았지만 아직도 이 차가운 말투는 적응이 안 되었다.

“전학생 말이야. 교사 경력 7년인데 이런 경우는 처음이라. 엘로이즈는 너무 뛰어다녀서 걱정인데 앤 너무 말이 없고 불안해 보여서 말이야. 부모님께서는 너희들이 잘 알 거라고, 그러니 말할 수 없다고 하셨는데 선생으로

써 학생에게 무슨 일이 있는지는 알아야 도와줄 수 있을 것 같아서."

데이비드와 알렉스는 놀라지 않았다. 올 것이 왔구나 하는 표정이었다. '역시 눈치 백단이시다…' '올 것이 왔구나.' 서로 이런 생각들을 하며 눈알만 도르륵 굴릴 뿐이었다.

"음… 드로메드랑 엘로이즈는 저희랑 몇 년 전부터 친구였어요. 서로에게 의지도 많이 하고 챙겨주면서 지내고 있죠. 그런데 사실…" 데이비드는 무겁게 말문을 열더니 말 끝을 흐렸다. 알렉스와 데이비드는 빠르게 눈빛을 주고 받았다.

'말해?' '재판관이니까… 우리랑 관련 있잖아. 본인은 모르지만. 그럼 해도 되지. 어차피 알게 될 텐데.' '그럼 네가 말해.' 데이비드가 눈짓하자 알렉스가 고개를 푹 숙이며 말했다. "…폭주의 아이." 고개를 푹 숙이자 키와 덩치가 모두 큰 알렉스가 처음으로 작아 보였다. 하아, 하는 깊은 한숨도 들려왔다. "뭐?" 다니엘 선생님은 작은 소리에 다시 물어보았다. 알렉스의 대답은 똑같았다.

"너희 선생님한테 장난치니? 폭주의 아이? 그건 전설이잖니. 진짜 장난치는 거야?"

다니엘 선생님은 타박하는 듯한 얼굴로 둘을 쳐다봤다. 믿을 리가 없었다.

"장난 아니예요. 진짜라고요. 드로메드는 폭주의 아이예요. 그건 전설이 아니예요. 왜 지하의 아레폴리스가 갑자기 사라졌겠어요. 폭주는 남아 있어요." 데이비드가 소리쳤다.

"역시… 선생님도 그러실 줄 알았어요. 타우와 엘로이즈까지 포함한 저희

5명 빼고는 아무도 모르거든요. 옐로이즈도 자세히 알지는 못해요." 알렉스가 낮은 목소리로 말했다. 짧은 문장에는 분노와 서러움, 아픔이 모두 담겨 있었다.

"에? 뭐, 난 믿지는 않지만 정말 드로메드가 폭주의 아이면… 학교에서든 집에서든 그 어떤 곳이라도 폭주 위험성이 있겠구나? 근데 이걸 이렇게 나에게 말해도 되는 거니?" 다니엘 선생님은 믿지 않는 눈치였지만 어느 정도 맞장구를 쳐주었다.

"맞아요. 하지만 옐로이즈가 드로메드의 폭주를 막을 수 있어요. 저희도 마찬가지고요. 그리고 선생님은 특별하니까. 우릴 도와줄 수 있으니까요. 아직 아무도 몰라요. 옐로이즈도 잘 모르고요."

선생님께서 잠시 곰곰이 생각하시더니 더 질문하셨다. "드로메드가 폭주하는 이유가 뭐야? 그리고 이 아이들이 너희와 관련이 있니? 그래서 막을 수 있는 거야? 그리고 내가 특별하다니?"

데이비드와 알렉스는 눈이 살짝 커졌다. 당황하는 눈치였다. 그 모습에 선생님의 수상쩍은 눈빛을 받게 되자 알렉스가 재빨리 임기응변을 했다.

"드로메드는 자신의 감정이 극으로 달하거나 극으로 떨어질 때랑 상대적으로 힘이 부족해지는 시기인 10월부터 3월까지 폭주 위험성이 높아져요. 자기가 원할 때도 폭주를 할 수 있고요. 음… 그런데 잘 하진 못해요. 드로메드는 사람들에게 이 마법 때문에 상처도 많이 받고 몇 년 동안 밖에 나오지 못했어요. 오늘 드로메드는 8년 동안 처음으로 밖에서 이렇게 길게 있었던 거예요. 저희랑 연관이 복잡하게 되어 있기도 해서 다 설명해드리진 못

해요. 그리고 선생님이 특별하다는 건 나중에… 나중에 알게 되실 거예요.”
데이비드도 옆에서 세차게 고개를 끄덕였다. 맞다는 의미였다.
“…비밀 꼭 지켜주세요. 드로메드에게 말하지 말아 주세요. 옐로이즈와 타우에게도요. 알면 상처 받을 거예요.”
선생님은 바로 수긍하셨다. “당연하지. 휴… 진짜라면 내가 어떻게 도와줘야 할까?”
“드로메드에게 상처를 주지 마세요. 더 이상 상처 받으면 안 돼요. 세상에 착한 사람도 많다는 걸 알아야 학교 생활이고 뭐고 잘할 수 있을 거예요. 아이 진짜. 그러게 갑자기 왜 학교를 다닌대서.”
데이비드의 어딘지 서글픈 말에 선생님은 바로 대답을 할 수가 없었다. ‘어떤 일이 있었길래.
어떤 일이 일어나길래…’ “어… 어…? 큰일 났다.” 선생님이 드로메드에 대한 생각을 하고 있을 때 갑자기 알렉스가 외쳤다. “이거 설마? 아… 이런 망할. 불타는 하우쥔 같으니라고. 얘 또…” 데이비드는 잠시 의아해 했지만 금세 알렉스 말뜻을 알아차렸다.
“왜 그러니?” 데이비드의 욕을 처음 들어본 선생님은 적잖이 놀라셨다.
“드로메드가 폭주했나 봐요. 기운을 보니 금방 넘어가지는 않을 것 같은데…” 그 말을 끝으로 알렉스의 은색 눈동자가 푸르게 변했다. 주위에는 얼음 결정이 흩날렸다. 그 두가지 말고는 딱히 변한 것은 없었다. 데이비드도 눈은 붉은색으로 변함과 동시에 뜨거운 기운이 온 몸을 감쌌다.
“너희 지금 뭐하는…?”

"선생님 안녕히 계세요. 지금 저희가 좀 가야 할 것 같아요. 드로메드가 폭주해 어둠의 마법에 지배당하면 상대가 그 누구든 다 적으로 생각해 죽이거든요."

알렉스와 데이비드는 교실 밖으로 뛰쳐나갔다. 완전한 각성이 아닌 반각성을 한 것 같았다. 은하 초등학교에서 반각성이든, 각성이든 각성은 금지되어 있었지만 둘은 개의치 않아 했다.

"아이고, 두야… 드로메드라는 아이를 어떻게 해야 학교에 적응시킬 수 있으려나…?" 다니엘 선생님은 교직 생활 7년 만에 처음으로 난처해 졌다.

4. 전학생의 실체

카르노는 드로메드를 처음 본 순간부터 그 아이가 마음에 들지 않았다. 왜냐하면 '치... 드로메드 녀석… 나보다 잘 생기고 전학온지 하루만에 옐로이즈라는 녀석과 공동 1등을 하고…! 하필 왜 오늘 시험을 봐서 진짜! 엄마 아빠한테 잔소리 폭탄 맞게 생겼네! 이러다 학원 더 다니는거 아니야? 이미 천문학, 역사, 수학, 과학까지 하는 것도 많은데! 많고 많은 반 중에 왜 하필 우리반이야? 우리 학교는 11반까지 있는데! 하… 안 그래도 다른 애들이랑 경쟁해서 이기는 것도 힘들어 죽겠는데 공부 잘하는 경쟁자가 또 생기다니… 1등만 따놓고 하겠네. 그리고 실력 자랑할 거면 남은 기간 동안 천천히 하던가 왜 오늘...! 진짜 꼴 보기 싫어! 애들이 다 몰려드니까 같이 놀지도 못하잖아! 하여튼 이 전학생들은 도움이 안 돼. 도움이!' 라고 생각했기 때문이다. 좋은 점을 생각하지 않고 전학생들의 나쁜 점만 눈에 불을 키고 찾아내니 그런 생각이 들 수 밖에.

그리고 또 하나, 단순한 질투의 마음도 있었지만 이 애는 다른 아이들과 다른 분위기를 풍겼다. 11살 답지 않은 느낌이랄까? 인생을 힘들고 피곤하게 몇 십년 동안 산 어른이 뿜어내는 어둡고 칙칙한 기운처럼 전학생에게선 밝은 기운이 별로 보이지 않았다. 그렇지만 여자아이는 달랐다. 어두운 기운과 동시에 타고난 성격이 너무 밝아 지칠 정도였으니. 하지만 처음부터 카르노가 이 기운을 눈치챈 건 아니었다. 카르노가 이걸 인식하지 못했던 이유는 그 기운이 데이비드, 알렉스, 타우의 기운과 너무 비슷했기 때문이다.
선생님께서 5명이 친구라 그랬는데 그래서 그런 걸까? 드로메드라는 남자 아이는 특히 더 어두웠다. 신경을 곤두세우고 여기저기 불안한 듯 둘러보았다. 학교에 익숙하지 않은가? 집에서 완전 왕자처럼 키웠나 보군. 카르노는 이걸 별로 대수롭게 생각하지 않았다.
그렇게 구시렁거리면서 길을 가는데 신의 장난인지 우연히 좁은 골목에서 드로메드를 만나고 말았다. 카르노와 드로메드는 서로를 지나치려고 했다. 하지만 워낙 좁은 골목이라서 서로 부딪치고 말았다. 그렇지만 둘 다 약속이 있었기에 비킬 생각이 없었다. 카르노는 충분히 늦었고 드로메드는 시간 계산이 철저한 편이라서 양보할 생각이 없었다. 그래서 둘다 내가 먼저, 내가 먼저하며 싸우기 시작했다. 그것은 정말 바보 같은 짓이었다. 왜냐하면 싸워봤자 속절없이 시간만 가서 약속에 더 늦기 때문이다. 한참 실랑이를 벌이는데 카르노는 이상한 점을 발견했다. 바로 드로메드의 눈동자색이 바뀐 것이다. 원래 드로메드의 눈동자색은 파란색이었다. 처음엔 별 문제 없었으나 짜증을 내고 목소리가 올라가자 점점 눈동자색이 강렬한 빨간색으로 변했다. 드로메드를 처음 본 카르노는 드로메드의 눈동자색이 빨간색으로 변한게 얼마나 위험한지 그때는 몰랐다. 그래서 신경 쓰지 않았다. 그냥 그런가 보다 하고 지나갈 뿐이었다. 그리고 카르노는 원래 드로메드가 짜증났었기 때문에 이때다 하고 드로메드를 놀렸다.

"야 넌 그렇게 비실비실해서 뭐 하나라도 할 수 있겠냐? 넌 앉아서 책 읽고 공부하는 거 빼고 운동 같은 건 죽어도 못할 걸?"

"야! 너 말 다했어? 네가 나 운동하는 거 봤어? 넌 상대도 못할 정도로 나 힘 세거든!" 드로메드가 소리쳤다.

드로메드는 어릴 때부터 카르노가 한 말 같은 얘기를 진저리가 날 정도로 들어서 그런 류의 얘기는 딱 질색이었다. 이 말은 드로메드가 제일 싫어하는 말인데 그걸 건드리다니… 그러나 카르노는 이 사실을 몰랐을 거다. 이 비밀을 아는 사람은 몇 없으니까. 그리고 드로메드는 상당한 마법의 소유자였다. 기본적인 힘이 약해 티가 잘 안 나서 그렇지. 드로메드의 말에는 천하의 카르노도 조금 당황했다. "그… 그래 말 다했다. 뭐 어쩔래."

그리고 드로메드는 화가 나서 (사소한 것에 진심을 다하는 편. 이때는 밖에 나왔다는 사실 자체에 너무 예민하고 어린 때라 감정과 힘 조절이 익숙하지 않았다.) 너무나 위험해 숨겨만 왔던 힘을 폭발시켰다. 드로메드 주위에는 신비한 기운이 가득하고 정신을 홀리는 몽환적인 안개가 자욱했다. 드로메드는 사나운 늑대가 달려들 것 같은 매서움을 품고 있었다. 또 눈은 여전히 태양이 이글거리는 듯한 빨간색이었다. 눈동자와 피부를 제외한 다른 것들은 온통 까맸다. 위 아래가 나뉘어진 단정한 옷차림은 여기저기 찢어지고 위 아래가 붙어 있는 검은 옷으로 변했다. 그리고 카르노는 드로메드의 보이지 않는 결계에 빠졌다. 저 멀리서 달려오던 데이비드와 알렉스는 때를 놓쳐 발을 동동 굴렀다. 결계를 열고 들어갈 수 있는 건 오직 옐로이즈밖에 없었기 때문이다. 둘은 급하게 메모지를 남겨 놓고 옐로이즈를 찾으러 뛰쳐나갔다.

한편, 카르노는 너무 당황해 이 결계에 빠지면 절대로 빠져나갈 수 없었다는 사실을 인지할 수가 없었다. 나갈 수 있는 유일한 방법은 드로메드의 정신을 혼미하게 하고 기억을 잃게 하는 어둠의 마법을 없애는 방법밖에 없었다. 드로메드가 어둠의 마법에서 깨어나면 조용해지기 때문이다. 하지만 그게 쉽지 않았다. 왜냐하면 카르노는 그 방법을 몰랐을뿐더러 드로메드가 쓰는 마법이 너무 강력했기 때문이었다. 마법은 마법 지팡이도, 마법 빗자루도 아닌 드로메드의 손가락에서 나왔다. "아르겐타우르! (화살 마법)" 드로메드가 주문을 외우고 드로메드의 손가락에서 섬뜩한 초록색 광선과 함께 화살이 나왔다. 카르노는 몸을 굴려 마법을 피했다. '잰 지금 제정신이 아니야! 이놈의 입! 방법을, 어떻게 해야 잴 막고 여기서 빠져나가지? 이곳에서 빠져나갈 수 있는 방법을 찾아야만 해...! 하지만 어떻게...?' 그리고 곧 엄청 좋은 생각이 떠올랐다. 역시 (자칭) 전략가인 카르노 다웠다. '그래 드로메드의 마법을 복사하고 거기에 불을 추가하는 거야!'

그리고 드로메드의 마법을 복사하기 시작했다. 카르노는 불을 다루었지만 그 강도는 아직 약했기 때문이다. 대신 카피하는 능력 하나는 아주 뛰어났다. "좋았어!" 그 다음에 곧바로 마법을 썼다. "우스타오쓰시오! (방패 마법)" 드로메드는 바로 반격했다. "레느오다우라!" 하지만 카르노도 지지 않았다. "타멘투그라!" "고르하운타 쓰시마!" 드로메드는 마법을 쓰면 쓸수록 어둠의 기운에 사로잡혔고 카르노는 복사의 능력이 점점 떨어져가고 있었다. 또한 드로메드는 카르노에게 틈을 주지 않고 쉬지 않고 공격을 했다. 카

르노는 드로메드를 막기에는 너무 늦었다는 것을 알았다. '이제... 끝난 건가...?'

5. 드로메드 쓰러지다

테라는 엘로이즈와 수다를 떨며 집에 가고 있었다. 테라와 옐로이즈는 집은 멀긴 했지만 다른 친구들에 비해 비교적 가까웠고 성격도 비슷했다. 둘은 마치 전생에 부부였다는 듯 죽이 척척 맞았다.
테라와 티라 덕분에 옐로이즈는 학교에 금방 적응할 수 있었다. 물론 거기에 옐로이즈의 성격도 한 몫 했지만. 테라는 예쁘고 밝은 옐로이즈가 마음에 들었고 옐로이즈 역시 당당하고 멋있는 테라가 마음에 들었다. 무엇보다 추리 소설이나 영화, 마법을 좋아한다는 것이 둘의 공통된 취미였다.
테라와 옐로이즈가 웃으며 한참 길을 걸어가는데 어느 골목에서 사람들이 싸우는 소리가 들려왔다. 테라와 옐로이즈가 어디서 많이 들어본 목소리였다. 둘은 발걸음을 멈추고 잠시 귀를 기울였다. 그때 옐로이즈가 설마 아니겠지... 하는 표정을 짓더니 10초 정도 더 소리를 듣고 얼굴을 일그러트리며 소리가 나는 쪽으로 뛰어갔다. 갑작스럽게 옐로이즈가 뛰자 테라도 열심히 따라갔다. 옐로이즈는 골목 중앙을 향해 무시무시하게 뛰어가더니 갑자기 멈춰섰다. 밑에는 노란 메모지에 급하게 휘갈겨 쓴 메시지가 있었다. '드로메드가 폭주했으니 얼른 막아.' 라는 내용이었다. 그 메시지를 본 옐로이즈는 허공에 손을 대고 중얼거리기 시작했다. "다르게우라하무라 우르사고유마..." 테라 역시 벤트 아이였기에 마법 주문을 많이 알았고 고수였기에 강한 마법을 쓸 수 있었다. 그렇지만 이 주문은 여태까지 테라가 들어본 주문 중에 가장 괴상했다. 하지만 이 괴상한 주문은 강력했다. 순식간에 다른 차원으로 이동할 수 있었고 아무도 모르게 결계를 칠 수 있었다.

옐로이즈가 주문을 외우자 순간 번쩍하는 빛이 일더니 테라와 옐로이즈는 드로메드의 보이지 않는 결계에 떨어졌다. 카르노가 이제 끝났다고 생각한 바로 그 순간에 말이다. 그리고 드로메드가 카르노에게 마지막 살인 저주를 날리려는 순간 옐로이즈가 드로메드의 손을 뒤로 젖히며 쩌렁쩌렁한 목소리로 "이제 쇼는 그만!" 하고 외쳤다. 그리고 빨간 광선은 결계에 쏘아져서 와장창 마법의 결계를 깨트렸다.

카르노는 자신이 결계처럼 산산조각날 뻔했다는 사실에 몸서리를치며 원래 꼴 보기 싫었던 옐로이즈가 세상에서 제일 고맙다고 생각했다. 그리고 드로메드는 안 그래도 몸이 마법을 감당하는 게 힘들었는데 힘을 너무 많이 쓰는 바람에 바닥에 쓰러져 있었다. 옐로이즈는 한숨을 쉬며 드로메드를 끌고 집으로 가기 시작했고 테라와 카르노도 얼떨결에 옐로이즈와 드로메드의 집으로 가게 되었다. 그리고 정확히 2시간뒤에 드로메드에게서 엄청난 프로젝트를 제의 받았다.

6. 다이노원정대, 결성!

드로메드는 계속 쓰러져 있었다. 드로메드가 쓰러져 있었기 때문에 옐로이즈는 오빠 대신 사과했다.

“정말 미안해. 오빠가 화가 나면 그렇게 폭발을 한단 말이지… 근데 좀 수상하네. 오빠가 아무리 사소한 것에 화를 내고 감정 기복이 심한 편이라 해도 그런 것에 이 정도 힘을 폭발 시키진 않는데. 오빠 내면의 더 큰 마법이 무언가에 반응하는 걸까? 어쨌든… 오늘 폭발은 정말 강했어. 제때 안 막았으면 큰일 날 뻔했다고. 대체 무슨 일이 일어 날려고 하길래…”

“뭐 괜찮아~ 아까 죽을 뻔 한것만 빼면 나도 꽤 재미있었으니까~ 근데 말이야. 얘 되게 조용하던데. 내가 보기에 얜 절대로 아까 같은 파워가 나오게 생기지 않았단 말이야.” 그러더니 잠시 말을 멈추고 고개를 갸우뚱거리며 말했다. “얘 대체 어디서 그런 힘이 나오는 거야?”

옐로이즈가 살짝 인상을 쓰며 말했다. “윽, 이 얘기는 잘 안 하는데… 설명하려면 이 방법 밖에 없긴 하겠다. 어… 맨 처음으로 가서 시작해 보면, 오빠는 태어날 때부터 저주를 갖고 태어났어. 이런 위험한 마법을 말이야. 엄마가 우릴 임신했을 때 나 태워 죽일 뻔 했대. 근데 나도 벤트 아이였던 지라 어찌저찌 막았고 덕분에 나도 오빠처럼 강한 마법 능력을 가진 거래나 뭐래나. 엄마는 매일 전쟁 난 기분이라 그랬고. 오빠는 화가 나거나 감정이

격해지면 눈이 빨간색으로 변하며 무시무시한 힘이 폭발해. 기분이 좋을 때도 마찬가지고. 그래서 항상 조심해야 되지."
그 말을 듣자 테라가 물었다. "왜 그렇게 생각해? 감정의 변화가 이유가 아닐 수도 있잖아. 진짜 얌전하던데.." 엘로이즈가 드로메드 이마에 물 수건을 올려주며 대답했다. "에휴~ 아니. 이것 말고는 다른 걸로 설명할 수가 없을뿐더러 오빠 말로 감정의 변화 같다고 그랬어. 옛날에 우리 부모님 친구들이 오빠가 너무 예민하고 위험해서 꼭 사나운 짐승 같다고 너무 위험하니 집에서 절대 못 나오게 해야 된다고 말한적이 있어. 당연히 우리 부모님은 아직 아이인데 어떻게 그러냐고 완강하게 반대를 하셨지. 어른들은 우리가 그 말을 못 들었다고 생각했겠지만 우린 그 말을 듣고 말았어. 우리도 충분히 힘들어하고 있었는데 말이야. 그래서 오빠가 폭발했어. 정말 위험했었지. 그때야 말로 진짜 제때에 막았으니 망정이지 안 그랬다면 정말 큰일날뻔했어. 거기 있던 사람들 다 죽을 뻔했거든. 오빠는 그 일을 기억 못 하지만. 그때 이후로 오빠는 눈에 띄게 감정을 감추었고 나와 부모님 빼고는 말을 안했어. 밖에도 안 나갔고. 물론 말도 좀 더듬고, 집에만 있다 보니 사회성도 떨어지고. 그런 행동을 감추려고 아무것도 안 하니까 사람들이 보기엔 오빠가 얌전해 보이는 거겠지. 우린 집에만 있었어. 오빠가 머리 하나는 좋아서 집에 있는 동안 공부를 많이 했지."
"그렇구나... 너무 안됐다. 너도 안 됐고 어린 나이에 큰 상처가 생긴 드로메드도 안 됐어. 그래서 저번에 만났을 때 그렇게 우울해 보였던 거구나."
그러자 가만히 듣고만 있던 카르노가 말했다.

"이의제기 합니다! 제가 생각하기엔 그런 마법을 잘 활용하면 아주 좋을 것입니다. 드로메드에게도, 남에게도. 전 오히려 강한 마법을 쓰는 드로메드가 부럽네요!"

카르노가 이렇게 말해주자 옐로이즈가 활짝 웃었다.

"오빠가 그 말을 들으면 정말 좋아할 거야! 그런 말은 처음 들어보네! 정말 기쁘다!"

얼마 시간이 지나자 드로메드가 일어났다. 하지만 처음 잠깐 동안은 자기가 누군지 기억도 못했다. 조금 있다가 정신이 돌아온 드로메드는 카르노가 해 준 말을 듣자 너무나 기뻐했다.

드로메드가 한참을 웃더니 갑자기 진지한 얼굴로 말했다. "얘들아, 우리... 각자의 특기를 살려서 모험을 같이하는 모임 같은 걸 만들어보는 것 어때? 카르노 말 들으니까 갑자기 생각났어."

아이들은 처음에는 당황했지만 말을 곱씹어 보더니 만장일치로 찬성했다.

"하지만 어떻게? 무슨 방법으로? 이름은?"

"이름은 다이노원정대. 이 세상 곳곳에서 일어나는 흥미진진한 모험을 하는거지. 내 버킷 리스트였어! 아직까지 상상만 할 뿐 실전으로 옮기진 못했지만." 드로메드가 조심스레 말했다.

친구가 별로 없다고 해도 저 멀리 다른 왕국에 있는 드로메드는 강하고 멋있는 테라와 카르노와 함께 모험을 떠나보고 싶었다. 모든 것이 전부 마법으로 이루어져 있는 노르아덴의 사건 사고를 해결하고 싶었다. 충분히 그럴 자격과 실력이 있는 아이들이었다.

"난 너무 좋아! 나도 평생 한 번은 그렇게 해보는 게 꿈이었어! 무조건 찬성이야!"

제일 먼저 테라가 외쳤다. 드로메드의 걱정과는 다르게 테라는 정말 좋아하며 눈을 빛냈다.

"우와아! 정말 멋지다. 나도 좋아! 나도 같이 할래!" 이어서 카르노도 동의했다. 장난스런 눈이 호기심으로 불타고 있었다.

"그럼 나도 당연히 같이 해야 되는 거 맞지? 열심히 해보자!"

노르아덴의 찬란한 여름, 세상의 흐름을 바꿀 위대한 어린 전사들이 탄생했다. 앞으로 많은 고난과 어려움을 겪겠지만 그만큼 성장하고 강해지며 결국 웃게 될 것이다!

부록

알렉스, 드로메드와 만나다

1. 회상

오후 1시였다. 오후 1시는 점심시간이라 다이노원정대의 하루 중 제일 한가한 시간이다. 그래서 이때는 잠시 쉬거나 놀 수 있었다.
재빠르게 점심을 다 먹은 드로메드가 본부 근처 벤치에 앉아 있는 알렉스의 곁에 앉았다. "뭐냐? 안 바쁘냐?" 알렉스가 눈을 감고 퉁명스럽게 물었다. "그냥. 지금은 시간이 많으니까." 드로메드는 알렉스의 어깨에 살짝 기대었다. "…뭐하냐." "에이~ 우리가 알고 지낸 시간이 얼만데 새삼스럽게." 드로메드는 푸하하 하고 웃음을 터트렸다. "내가 봐주지. 그나저나 어제 스케네 제왕하고는 무슨 얘기 했냐? 간략히 듣기는 했다만, 더 자세한 내용 좀 말해 봐." 알렉스는 겉으로는 내색하지 않았지만 분명히 그 만남을 궁금해하고 있었다. "아… 맞다. 스케네 폐하가 몸 담그고 계셨던 그 조직. 그 조직이 우리에 관한 비밀, 3분의1? 이랄까. 그 정도는 알게 되었어. 데이비드… 타우와 나의 관계… 아직 다행히도 밝혀지지 않은 부분도 있어. 큰 부분 말야. 스케네 폐하와 그 조직이 가장 믿는 부하라고 한 칼린이란 부하가 그걸 조사 했다던데 우리가 수 천 년간 숨겨온 비밀을 이렇게 빨리 안 걸 보면 그 사람들, 보통이 아니야. 스케네 폐하께서 급히 명을 거두긴 하셨지만…" 드로메드는 순식간에 얼어붙어 한숨을 땅이 꺼지도록 내쉬었다. 그리고 드로메드의 말을 들은 알렉스도 얼굴이 굳어졌다. "뭐… 뭐라고? 그게 어떻게…? 그리고, 칼린. 칼린이라 그랬지. 그 사람 이름이 진짜 칼린인가? 나이는?" 알렉스는 칼린에 관해 질문을 2 가지나 던졌다. 평소의 알렉스라면 절대 불가능한 일이다. 알렉스는 아무리 궁금해도 그걸 자연스럽게 알게 되기 전까지는 말하지 않는다. 그렇게 질문할 정도로 궁금한 것도 없었기 때문이다. "응? 난 모르지. 스케네 폐하께 물어봐야 하나? 근데 그게 왜 궁금해? 한낱 부하일 뿐이잖아. 뭐, 고수로 유명하긴 하지만. 난 칼린이 그 조직의 부한지 진짜 상상도 못했어."

드로메드는 알렉스가 왜 이러는지 몰라 어리둥절했지만 알렉스가 대답을 하지 않고 머리가 노란색으로 변하자 이내 고개를 가로지었다. "아 그리고, 이건 어제 말 못했는데… 고마웠어. 옐로이즈한테 그렇게 말해줘서." 어제 시험을 치를 때 알렉스가 옐로이즈에게 적절한 말을 해주어 드로메드는 웃으며 인사를 했다. 임기응변에 약하고 거짓말을 못하는 드로메드가 표적이 되었다면, 아주 곤란한 상황이 연출되었을 것이다. "뭘. 착각하지 마라. 걜 위해 그렇게 한 거다. 너야 익숙하지만 걘 알면 놀랄 거 아니야." 알렉스도 드로메드의 뜻을 알고 대답을 해주었다. 드로메드는 후후 웃었다. "그때나 지금이나. 말투 쌀쌀 맞은 건 여전하셔. 근데 타우 앞에선 이러면 안 돼. 걔 상처 받는다?" "뭐래. 너 만나고 많이 좋아진 거다. 이 말투는… 나도 고치고 싶은데 어떻게 좀 안 되나. 아, 너 몸은 괜찮은 거지?" 알렉스도 미소를 지었다. "나야 괜찮지. 고생한 건 옐로이즈지." 그러자 드로메드의 안색이 다시 안 좋아졌다. "아직도 잘 안 되냐? 걔도 한계가 있어. 이제 더는 못 버틴다고. 넌 모르겠지만, 어제도 그랬다." 알렉스는 혀를 끌끌 찼다. "응… 나도 잘 알아. 그때 그건 그냥 우연이었던 것 같아. 힘이 왜 작았는지 이제 알게 되었어. 정말 완벽히 됐는지 알았는데 다시 해보니까 안 되더라. 시간은 별로 없는데…" 드로메드는 또 한 번 한숨을 쉬었다. "희망을 가져. 그때 그게 우연이었다고 해도 네 노력과 의지에 그런 기적이 나온 거다. 드로메드, 시간은 아직 남았고 우리도 최선을 다하고 있어. 그러니 포기하지 마라. 언젠가 꼭 네 노력에 응답해주는 날이 올 거다. 그게 몇 년 뒤 일수도 있고, 내일 일수도 있고…" 드로메드와 알렉스는 피식 웃으며 그때를 생각했다. 드로메드와 알렉스가 처음 만났을 때를…

2. 알렉스의 이야기

난 미친 듯이 뛰고 있었다. 짙고 뜨거운 화염 속에서 이리저리 헤매며 몇 분을 뛴 끝에 간신히 도망쳐 나왔다.

별장에서 멀찍이 떨어진 난 숨을 고르며 주변을 살펴보았다. 그러나… 부모님도, 형들도, 친구들도 보이지 않았다.

설마… 나 혼자만 도망친 건가? 뒤에 있는 별장은 불타오르고 있었고 사람들은 보이지 않았다. 그리고 쾅 하는 소리와 함께 별장이 무너져 내렸다. 아직 사람이 있을 수도 있는데… 불타오르는 별장 주변에 있으면 불이 붙어 죽을 것 같아서 언덕 아래로 내려왔다.

언덕 아래에서 난 붉은색에 휩싸인 별장을 바라보았다. 태양 빛이 내리쬐어 눈이 부셨다. 가장 아름다웠던 우리의 유일했던 안식처는 그 뜨거운 태양 빛 아래, 불에 덮여 사라지고 있었다.

신이 나를, 우리를 놀리고 시험하는 것만 같았다. 분명히 R의 짓이다. 너무 화가 났다. 내 속안에서 별장에 난 불보다 더 큰 불꽃이 활활 타올랐다. 내가 4살 때, 정말 어렸을 때 들은 말이다. 부모님께서는 마음속에서 활활 타오르는 불꽃은 잘 쓰면 좋은 거라고 하셨다. 강한 열정과 끈기는 그 무엇도 이길 수 없다고 말이다. 하지만 이 불꽃은 싫었다. 누군가 날 말리지 않으면 큰 일이 일어날 것만 같았다. 눈에 보이는 걸 다 없애 버리고 싶었다.

하지만 이곳에 더 있으면 위험할 것 같아서 눈물을 머금고 한참을 걷고 또 걸었다. 어디로 가는지조차 몰랐다. 그렇게 터덜터덜 걸었다. 지나가던 개도, 하늘을 나는 새도 날 쳐다보며 겁쟁이라고 조롱하는 것 같았다.

그러다가 가족들과 친구들을 찾아보자는 생각이 들었다. 나처럼 화염 속에서 도망쳐 나온 사람이 있을 수도 있었으니까. 그때 내 마음을 알기라도 한 듯 저 너머에서 밝은 빛이 보였다. 그리고 찌릿하며 온몸에 전율이 느껴지고 소리도 들려왔다. '그곳으로 가거라. 빛이 있는 쪽으로… 널 구해줄 수도, 더 큰 절망에 빠지게 할 수도 있는 사람에게로…' 환청이라기에는 너무 또렷했다.

난 자연스럽게 그곳으로 발걸음을 옮겼다. 왜 그런 선택을 했는지 모른다. 본능적으로 소리와 빛이 보이니 발걸음을 옮긴 걸 수도 있었다. 30분 정도 걸었을까. 걸어가다 보니 저 멀리 평지가 보였다. 주택들과 건물들이 있는 평범한 마을이었다. 내 마음과는 달리 너무나 평온했다.

나는 마을을 둘러보기로 했다. 이 마을에 가족들과 친구들이 있을 수도 있으니까. 마을에는 벽돌로 이루어진 집들이 많았다. 그 집들은 아이보리 색에 가까운 하얀 벽돌로 이루어졌고 지붕에는 빨간색 벽돌이 차곡차곡 쌓여 있었다. 거의 다 이층 집으로 보였고 지금은 보기 힘든 굴뚝도 달려 있었다. 만화에서만 보던 예쁜 집들이었다. 또한 마을 정중앙에는 작은 학교가 있었고 그 옆에 신당도 보였다. 나무가 많이 심어져 있었고 산으로 둘러싸인 것으로 보아 도시보다는 자연에 더 가까운 곳이었다. 그래서 그런지 차 보다는 자전거가 더 많았다. 내가 마을을 둘러보며 본 자전거도 몇 십대가 넘었다. 차는 몇 대 없었는데 말이다.
난 마을 구석구석을 살폈다. 그러다가 사람을 만나면 재빨리 숨었다. 남들의 동정심 어린 눈빛과 표정이 싫었기 때문이다. 그런 표정을 질리도록 많이 봐서 이제는 진저리가 난다. 난 사람들을 피해 한참을 돌아다녔다. 내가 아는 사람들은 한 명도 보이지 않았다.
날씨도 너무 덥고 배도 고팠다. 근처에 쉴 곳이 있나 둘러보던 때였다. 저 멀리에 큰 성이 있는 게 보였다. 그곳까지만 살펴보고 가기로 했다. 마을과 조금 떨어져 있는 곳에 있어서 난 또 걸어야 했다.
가까이서 보니 성은 멀리서 본 것처럼 크지 않았다. 난 그 성 가까이 갔다. 성은 날 완전히 압도했다. 그 누구도 피해 나갈 수 없을 것만 같은 뾰족하고 큰 울타리가 감싸고 있었기 때문이다. 그 울타리가 성의 반을 차지하고 있었다고 해도 과언이 아닐 정도였다. 담쟁이덩굴도 성 전체를 둘러 사방으로 뻗쳐 있었다. 한눈에 봐도 정말 으스스했다. 날씨는 맑았지만 이곳은 거대한 산과 나무에 가려져 어두웠다. 여기는 내가 생각하는 성이 맞나? 사람이 살기는 하는 걸까?
난 금세 답을 찾았다. 사람이 살지 않는다면 이런 걸 짓지도 않았겠지. 그렇다면 사람이 살다가 버려진 건가?
그 모습을 보자 문득 아까 들었던 이야기가 생각났다. 어떤 아이에게 들은 얘기였다. 난 아까도 피하려 했지만… 그 아이에게 들키고 말았다. 굉장히 장난스러운 아이였다. 그 아이는 내 외모는 신경 쓰지 않고 바로 저 성에는 무시무시한 전설이 전해져 내려온다는 이야기를 했다. 그 아이는 엄청 길게 이야기 했는데 그 중 기억나는 건 몇 가지 밖에 없다.

이 성은 아주 오래 전 공동묘지에 지어졌다. 그 공동묘지에는 흉측하고 잔인한 괴물이 잠자고 있다. 그 괴물은 성이 지어지기 아주 오래 전, 세상이 등을 돌린 미친 과학자가 세상을 지배하려 만든 괴물인데, 이 세상 모든 마법을 쓸 수 있고 그 누구보다도 강력하며 한번 폭발하면 빛의 수호신인 엘… 뭐였더라. 하여튼 그 사람만이 막을 수 있다더라. 또, 그 괴물은 3년마다 사람들 10명을 잡아가 먹는다는 이야기였다. 터무니없다며 믿지 않았지만 이 성의 모습을 보니 왜 그런 이야기가 있는지 알 것 같았다.

그곳은 너무 으스스했고 아무 인기척도 없었기에 난 그 성을 빨리 지나가려했다. 오래 있어봤자 힘들기만 하고 좋을 게 없었다.

그때였다. "야! 당장 가... 가라고…!" 누군가의 소리가 들렸다. 가냘픈 소리였다. 타우의 목소리와 비슷했다.

난 소리가 나는 쪽으로 미친 듯 뛰어 갔다. "너 타우냐? 어딨어?" 하지만 어디에도 타우의 모습은 보이지 않았다. "이 바보야! 가…!" "아 대체 어디라는 거냐?" 내가 화를 내려는 찰나 울타리의 뾰족한 틈새에서 남자아이 하나가 얼굴을 내밀었다. "어어…?" 난 당황했다. 남자아이는 날 보더니 정말 깜짝 놀랐고 나보다 더 하얗게 질린 얼굴로 사라져 버렸다. 뭔가 수상해서 따라가 보기로 했다.

"윽... 너무 작다..." 난 그 작은 구멍으로 간신히 몸을 비집고 들어갔다. 옷에 묻은 흙을 털고 일어났을 때 아까 날 쳐다보았던 남자아이가 나를 빤히 쳐다봤다.

남자아이는 나보다 키가 10cm 정도 작았고 굉장히 잘생긴 얼굴을 하고 있었다. 하지만 빼짝 마르고 덜덜 떨고 있어서 툭 치면 픽 쓰러질 것만 같았다.

"넌 누구냐? 여기 사냐? 네가 그 괴물이냐? 내 가족들과 친구들을 납치해 간 건가? 당장 사실대로 말하도록!" 난 다짜고짜 소리부터 질렀다. 일종의 방어적 행동이었다.

"가까이 오지 마!" 남자아이는 내가 한 걸음 움직이자 경악을 하며 소리쳤다.

"저기... 너도 그 소문을 들은 거니?" 난 움찔했고 남자아이는 힘겹게 말을 뗐다.

"그래! 넌 그 소문 속의 괴물이냐? 내 가족들과 친구들을 풀어줘라!" 난 이 아이가 괴물이라고 생각했다. 그 상황에서는 누구나 그렇게 생각했을 터였다. 아까 그 아이가 말한 끔찍한 괴물처럼 생기지는 않았지만 강력한 마법이 어렴풋이 느껴졌기 때문이다. 타우의 목소리 비슷한 것을 들은 것 같기도 했다. 그리고 그때 난 너무 어렸고 판단력이 흐려졌기에 정상적인 사고가 힘들었다. 내 친구들이나 가족들이 아까 나처럼 빛과 소리를 보거나 듣고 이곳을 찾았다가 성을 발견해 이 남자아이에게 납치된 거라면?

"난 괴물이 아니야. 네 가족과 친구들도 잡아가지 않았어. 난 괴물이 아니라고." 남자아이는 자기가 괴물이 아니라 말하며 눈물을 흘렸다. "나 괴물 아니야... 아니라고. 흐흑…" 난 갑작스런 남자아이의 눈물에 당황했다.

"정말… 괴물이 아니냐?" 겨우 꺼낸 말은 고작 그거였다. 난 사람의 눈물에

면역이 없었다.

"난 괴물이 아니야. 그나저나 넌 남의 집에서 왜 서성거려? 가라고 할 때 좀 가지 왜 우리 집까지 들어온 건데? 너 때문에 내가 얼마나 불안했는지 알아? 이거 무단 침입이야." 남자아이는 그때다 싶었는지 눈물을 그치고 나에게 소리쳤다.

"난 빛이 보여서 따라왔을 뿐이다! 그리고 어디서 소리를 지르냐? 내가 누군지… 당연히 모르는구나." "빛?" "그래 빛! 난 그냥 막 걷다가 이곳에 도착했다. 여기가 어딘지도 모른단 말이다."

남자아이는 어느새 날 수상하다는 눈빛으로 쳐다봤다. 그리고는 한숨을 푹 쉬었다. "진짜… 나 괴물 아니라고… 왜 그런 소문을… 하, 넌… 알렉스?" 난 정말 놀랐다. 그렇게 숨기고 살았는데! 바로 안다고? 뭐야, 얘 진짜 괴물인가?

"어떻게… 내 이름을 아냐?" "나에겐 그런 능력이 있으니까. 내 이름은 드로메드야." "아까부터 왜 자꾸 알 수 없는 소리만 하는 거냐?" "여기서는 불편할 것 같으니… 따라와. 설명해줄게." 드로메드는 안으로 들어갔고 나도 영문을 모른 채 따라갔다.

성 밖에서 보기와는 다르게 안은 굉장히 평온하고 밝았다. 단, '마당' 만 그랬다. 성 내부는 밖과 같이 너무 으스스했다. 현관문을 열자마자 날 반긴 건 박쥐였고 잔뜩 몸을 숙인 채 현관을 지나자 거미가 천장에서 떨어졌다. 그래서 내가 얼마나 소리를 질렀는지 모른다. 난 세상에서 거미를 제일 싫어한다고! 그 외에도 집사 같아 보이는 사람이 드로메드라는 남자아이에게

'도련님' 하고 부르면서 날 보더니 달려들지 않나, 돌로 만든 용 조각상이 날아 다니질 않나, 식칼과 재료들이 저절로 움직이며 요리를 하질 않나. 별 기상천외한 일들이 이 성 안에서 계속해서 일어났다. 나중에는 놀랍지도 않을 정도였다. 하지만 성에는 여러가지 아름다운 석상들과 미술품도 많아 놀라다가도 감탄하기 일쑤였다.

아, 이쯤에서 말을 정정해야겠다. 외관이 성처럼 보일 뿐, 큰 가정집이었다. 우리가 올라갔던 계단에는 곳곳에 오래된 책들이 한 무더기 쌓여 있었다. 먼지가 너무 많아 나는 계속 기침을 하며 집에 들어갔다. 계단을 올라가고, 방향을 바꾸고, 또 올라가고, 기침하고…

그렇게 우리는 드로메드의 집의 맨 꼭대기에 도착했다. 그곳에는 나무로 되었고 테두리에는 금으로 장식되어 있는 크고 두꺼운 문이 있었다. 드로메드는 그 문을 열고 들어갔다. '끼익' 하고 문 열리는 소리가 났고 드로메드는 그 안으로 들어갔다. 나도 드로메드를 따라 들어 갔다. 그곳은 정말 깜깜했다.

드로메드는 매서운 눈빛으로 나를 쏘아보았다. 어두웠지만 그 강한 눈빛을 본능적으로 알 수 있었다.

"너. 죽을 때까지 지금 본 걸 누설해서는 안 돼." 나는 그 눈빛과 매서운 말에 난생 처음으로 기가 눌렸다. "아 진짜… 나 지금 기분 최악으로 더럽단 말이다… 왜 갑자기 너까지 나타나서 이러는 거냐는 말이다…!" "말하지 말라면 말하지 마! 네가 나로 살아봤어? 그 경멸이 얼마나 괴로운 줄 알아? 넌 내가 4살 때부터 지금까지 날 목격한 유일한 바깥 사람이야. 그러니 절대 사람들에게 내 존재를 알려선 안 돼. 알았어?" 드로메드는 소리치며 내게 눈을 부릅떴다. 마당에서 본 겁먹은 모습과는 딴판이었다. 제 집 안이라고 안심이 된 모양이었다.
"이봐. 난 네가 초면이고 너도 내가 초면일 텐데 말이다. 서로가 지금 무슨 상황인지도 모르면서 그렇게 소리지르는 건 실례 아닌가? 진정하고 차근차근 설명하도록. 왜 날 불러 세웠는지, 왜 이런 말들을 하는 건지 말이다." 아주 다행스럽게도 난 평정심을 되찾았고 드로메드를 자리에 앉혔다.
"나부터 시작할까?" 내가 물었고 드로메드가 소심하게 고개를 끄덕였다.
"난 몇시간 전 별장에서 내 친구들과 있었다. 그런데 그때 불이야! 라는 소리가 들렸지. 밖에 나가 보았는데 소파가 불타고 있었다. 그리고 그 불은 순식간에 벽으로 번지고, 옷장에 번졌다. 그렇게 커지는 불을 피해 난 정신없이 도망쳤단 말이다. 그런데 빠져나와 보니 내 옆에 아무도 없더라. 그렇게 걷다 보니 이곳으로 오게 됐고 널 보게 된 거다." 난 그동안의 일을 대충 설명했고 드로메드도 여전히 화가 잔뜩 나 있는 채로 입을 내밀고 말을 시작했다. "난 말이야…"

3. 드로메드의 이야기

모두가 그랬다. 모두가 '드로메드' 하면 내 모습, 성격 대신 끔찍한 저주를 떠올렸다. 그래, 난 저주를 받았다. 아직 태어나기도 전, 누군가 나에게 끔찍하고도 잔인한 어둠의 저주를 주었다. 그리고 나와 같이 태어난 쌍둥이 동생 옐로이즈는 우리가 태어난지 몇 년이 지난 후에 날 막을 수 있는 힘이 생겼다.

옐로이즈는 원래 혼합 마법을 쓰기는 했었지만 강하지는 않았는데 어느 날 불현듯 강한 힘이 생기며 날 막을 수 있는 힘도 생겨났다. 옐로이즈가 아무리 내 저주를 막을 수 있다고 해도… 그건 잠깐이었다.

옐로이즈는 내가 폭주할 때의 에너지를 자신이 순간적으로 빨아들여 정화시키는 것이지, 날 완전히 막을 수는 없었다. 난 괴물이었다. 나의 변화를 본 사람들 모두가 그렇게 말했다. 아아… 저주는 너무 끔찍했다.

난 흥분하면 어둠의 마법이 나도 모르게 나왔다. 내가 원할 때도 마찬가지였다. 어둠이 내 몸과 마음을 집어삼켜 가족들도, 친구들도 인식하지 못했다. 어둠의 마법에게 지배당한 나는 모두를 적으로 생각하고 공격했다. 날 공격하는 줄 알고… 내 몸을 지키려고…

하지만 내가 공격한 건 무고한 사람들이었고 그 때문에 4살 이후 난 집에서 나가지 않았다. 그러나 내가 어디에 사는지 아는 사람들은 우리 집에 찾아와서 날 내쫓으라며 시위를 벌였고 결국 우리 가족은 이사 할 수밖에 없었다.

이사한 집은 거대하고 뾰족한 울타리로 감쌌고 성 모양으로 지었다. 아무도 날 볼 수 없게… 아무도 이곳에 내가 산다고 생각하지 않게… 제발 이제는 아무 일도 일어나지 말기를 바라며. 그렇게 한동안은 평화로웠다.

하지만 그것도 잠깐이었다. 신은 나에게 평화와 행복을 주고 싶지 않아 했다. 잠깐이라도 이제는 행복할 것이라며 기대한 내가 정말 바보같았다. 그래 맞다.

이상한 소문이 생겼다. 저 성에는 괴물이 살고 그 괴물은 무척 강하며 한 번 폭주하면 빛의 천사인 엘로엔 만이 막을 수 있다고...

엘로엔은 내 동생 엘로이즈를 말하는 것이었다. 그건 내가 엘로이즈를 부르는 애칭인데 어떤 이유에선지 그게 유출되어 사람들이 알게 된 것이다. 집은 사람들이 가정집이라고 생각하지 않게 일부러 그렇게 지었다. 이런 방법이 효과가 있었다고 들었기 때문이다. 사람들이 공포심에 만들어낸 헛소문이었지만 그 소문은 어렸던 내 마음에 깊은 상처를 주었다. 차라리 그냥 평범하게 집을 지을 걸…

하지만 내 경험상 그게 더 안 좋았다. 사람들이 수시로 찾아오니까. 난 왜 이렇게 태어난 거지? 별별 생각과 함께 난 다시 패닉상태가 되었다. 그리고 어리석게도 멀쩡하게 태어난 내 동생이 너무 부러웠고 질투가 났다. 난 나를 막아주는 그 애에게 고마워해야 하는데... 전처럼 직접적으로 당하는 것은 어느 정도 참을 수 있었지만 이 소문은 그렇지 않았다. 너무 속상했고 슬꿨다. 그래서 이번 집에서도 밖에 나오지 않았다. 가끔, 정말 가끔 집에서 나올 때면 가족 뒤에 숨어서 갔다.

그렇게 몇 년을 살아왔다. 그렇지만 날 위로해주고 응원해주는 가족들 덕분인지 이런 나에게도 변화가 생기게 되었다. 1년이 지났을 때는 아무것도 잘 하지 못했다. 매사가 다 두려웠다. 2년이 지났을 때는 새로운 것들에 조금씩 익숙해져 갔다. 그리고 3년이 지나자 마당에서 놀 수 있게 되었고 4년이 지난 올해에는 감정을 조절하는 법을 조금 알게 되었다. 가족들과 있을 때는 잘 웃기도 하였다.

그래서 오늘도 마당에서 놀았다. 난 개미들이 자기보다 큰 먹이를 옮기는 걸 관찰하고 있었다. 그때였다. 어디서 부스럭, 부스럭 하는 소리와 함께 숨을 헐떡이는 소리가 들려왔다. 난 인상을 팍 썼다. 이 마을 사람이면 우리 집 주변에는 얼씬도 안 할 텐데… 그럼 외부인인가? 하지만 우리 동네는 관광할 게 없던 것 같은데. 있었던가? 나는 천천히 일어섰다. 여러가지 생각이 들었다. 그리고 한발자국을 내딛는 순간 난 갑작스런 두통으로 쓰러지고 말았다. 숨도 쉬지 못할 만큼 강한 고통이었다. 나에게 고통을 준 사람은 그 밖의 사람이었다.

나에게 이 정도의 고통을 줄 사람이면 저 사람은 강력한 마법을 쓰는 사람이다.

나는 4살 때 크게 폭발 했었다. 왜 그랬는지 기억은 안 나지만… 큰 폭주 뒤로 후유증이 몇 개 생겼는데 그 중에 하나가 다른 사람의 마법을 느낄 수 있다는 것이었다. 마법을 쓰는 사람이 내 주위에 있으면 그 기운을 느낄 수 있는데 그 마법이 얼마나 강하느냐에 따라 고통을 받는다. 고통이 약하게 느껴진다는 건 초보. 1단계의 초보들에게는 그다지 큰 고통이 느껴지지 않는다. 조금 따끔한 정도. 어느 정도 마법을 쓰고 숙지한 2단계 사람들은 팔이나 다리 등이 저리고 마비되거나 온 몸이 욱신거린다. 3단계의 마법사들은 강력한 마법을 쓰기 때문에 강한 고통이 느껴지고는 한다. 그러나 그 고통이 계속 지속되지는 않고 5분 정도 시간이 지나면 괜찮아진다. 내가 그 마법을 흡수하기 때문이다. 흡수가 다 된 다음에는 내가 그 사람이 쓰는 마법을 쓸 수 있게 되어서 난 이 세상의 거의 모든 마법을 다 쓸 수 있었다.

하지만 지금 우리 집 가까이에 있는 저 외부인에게서는 지금까지 내가 한 번도 느껴보지 못했던 기운이 느껴졌다. 머리를 얼음으로 된 칼로 계속 찌르는 듯이 아파 난 발작을 일으켰고 온 몸을 움직이지 못했으며 신음 소리조차 낼 수 없을 정도로 기운이 빠져 꼼짝을 하지 못했다. 몸이 강력하게 이 마법을 거부하는 것이다. 못해도 3단계 이상의 마법을 쓰는 강한 실력자였다. 그렇게 몇 분을 있었다.

그 외부인의 마법에 조금 익숙해진 나는 떨리는 목소리로 외부인에게 경고를 줬다. 당장 가라고. 그런데 오히려 역효과가 났다. 외부인이 더 가까이 다가오기 시작한 것이다. 내가 잘못 말한 건가? 외부인은 괴상한 이름을 부르며 계속 다가왔고 보다 못한 난 빽빽한 울타리의 작은 틈으로 얼굴을 내밀었다. 겁을 좀 줄 생각이었다. 등 뒤에서 소리를 내서 쫓아내려고 했는데 갑자기 외부인이 등을 돌려 날 쳐다봤다. 난 순식간에 얼굴이 하얗게 질리고 당황해서 다시 고개를 집어넣었다. 순식간에 일어난 일이라 머리가 끼어 빼는데 시간이 좀 걸렸다. 난 너무 무서웠고 겁에 질려 있었다. 그렇게 뒤로 물러나고 있었는데 외부인도 우리 집으로 들어오고 말았다. 왜 들어온 거지? 하는 생각과 함께 난 외부인을 쳐다보았다.

그렇게 외부인과 난 잠깐 서로를 쳐다보았다. 훌쩍 큰 키에 다부져 보이는 체격, 매서운 눈빛과 그 옆을 감도는 차가운 기운. 내가 느꼈던 마법은 바로 차가운 이 기운이었다.

외부인은 느껴지는 기운만큼 얼굴도 차가웠다. 흰 피부에 잘 생긴 얼굴이었지만 눈을 보고 있으니 프로아나의 설산에 온 것만 같았고 인상을 팍 써서 내가 뭘 잘못했나 하는 기분도 들었다. 몸 주변 곳곳에는 얼음 결정이 흩어져 있었다. 그리고 특이하게도 머리카락 색이 처음에 은색이었는데 점점 빨간색으로 변하고 있었다. 그 기운과 얼굴을 보니 성격은 더 차가울 것 같았다. 얘는 무조건 얼음장이다. 그리고 여기저기 찢어진 옷, 검게 그을린 자국을 보아 화재현장에서 도망쳐 나온 것 같았다.

난 그 아이를 빤히 쳐다봤다. 얼굴이 앳된 것을 보니 나와 동갑일 것 같은데… 엄청난 마법을 지니고 있다는 게 안 믿길 정도였다.

외부인은 차갑고 인상을 팍 쓴 무서운 외모를 지녔다. 하지만, 나에게는 그렇게 보이지 않았다. 난 보였다. 지금까지 얘가 어떻게 살아왔는지, 어떤 아픔을 가졌는지. 이 아이, 그러니까 알렉스는 꽤 많은 아픔을 가지고 있었다.

내가 외부인 알렉스의 과거를 꿰뚫어 보고 있을 때 알렉스가 소리쳤다. “넌 누구냐? 여기 사냐? 네가 그 괴물이냐? 내 가족들과 친구들을 납치해 간 건가? 사실대로 말하도록!” 알렉스가 처음 말을 꺼냈다.

알렉스의 말투는 정말 신기했다. 딱딱하고 부자연스러웠는데 그게 묘하게 생김새와 잘 어울렸다.
어쨌든 알렉스가 가까이 오며 소리치자 난 깜짝 놀라 뒤로 물러났다. 그리고 곧 울음을 터트리고 말았다. 외부인까지 그 소문을 안다는 게 슬프기도 했지만, 내 경험상 울면 보통 사람들은 다 동정 어린 눈빛으로 날 쳐다봤다. 뭐, 썩 기분이 좋지는 않지만 그러면 일단 급한 불은 끌 수 있으니까. 나만 그럴지는 몰라도 내게 우는 건 아주 좋은 방법이었다. 물론, 가족 앞에서는 자존심 때문에도 안 운다. 절대로.
그 방법은 효과가 있는 것처럼 보였다. 그때다 싶어 난 불만을 토해냈다. 그러자 당황했던 알렉스의 기운이 서서히 회복되는 게 눈에 보였다. 그리고 내가 흘린 눈물이 무색하게도 바로 화를 냈다. 그래서 난 알렉스를 집 안으로 데려가기로 했다. 우리 가족이 이 집에 산지 거의 5년째지만 가족 외에 다른 사람이 들어오는 건 처음이었다. 그렇지만 알렉스는 나빠 보이지 않았고 어차피 날 본 이상 그냥 내보낼 수도 없었다. 당황하는 알렉스를 끌고 우리는 맨 꼭대기에 있는 내 방에 도착했다. 음… 내 방을 공개하고 싶지는 않아서 불은 꺼두었다. 난 엘로이즈도 내 방에는 못 들어오게 한다. 난 방에 들어오자마자 정색을 하고 알렉스를 쳐다봤다. 그리고 말했다. 절대 지금 본 걸 말하지 말라고. 그러자 걔도 화를 냈다. 그 말을 듣다보니 나도 모르게 화를 내고 말았다. 알렉스도 많은 아픔을 가지고 있지만 나에 비하면 그건 아무것도 아니다. 내가 어떻게 살아왔는데… 내가 얼마나 아프고 힘든데… 이런 내 아픔을 아는 사람은 이 세상에 아무도 없다. 엄청난 비밀도,

끔찍한 또 한가지의 저주도… 우리 가족도 이건 모른다. 절대, 아무에게도 알려주지 않을 것이다. 정말… 정말 괴롭다…

4. 친구

드로메드의 이야기를 들은 알렉스는 정말 깜짝 놀랐다. 드로메드도 알렉스에게 추가적으로 자세한 이야기를 듣자 놀란 건 마찬가지였다. 둘다 서로에게 그런 아픔이 있는지 몰랐다.

"어… 굉… 굉장히 의외… 어… 어…" 알렉스는 말을 더듬었고 드로메드는 충격을 받아 아무것도 하지 못했다.

드로메드가 자신의 마법으로 알렉스의 과거를 조금 보기는 했으나 아직 드로메드의 마법은 불안정했고 깊이가 있지 못했기에 더 자세한 내용은 알지 못했다.

"그… 그러니까 유… 유…" 알렉스는 인상을 잔뜩 꾸겼다. "유감스럽다고? 나도 그래." 알렉스가 한 말을 드로메드가 이어주었다. "그러면 넌 그…" 드로메드는 씁쓸한 미소를 지어 보였다. "안타깝게도. 우리가 너무 늦게 만났네. 나 말고도 둘이 더 있어. 내 친구들이다. 우린 태어났을 때부터 만나 널 찾고 있었다. 하지만… 타우라는 애는 자기 일을 못하지. 어쩔 수 없는 사연이 있다. 그건 나중에 본인 입으로 듣도록 하고. 지금 우리가 하던 일은 대체 누가?" 알렉스가 고개를 끄덕이며 물었다. "아니길 바랬는데. 어쩐지 너무 큰 기운이 느껴지더라. 지금은 내 동생이 그 일을 하고 있어. 나도 조심하고 있고. 감정을 조절하니까 그게 눈에 띄게 줄어들었어." 알렉스는 드로메드의 말에 놀라 눈을 끔벅였다. “음… 어… 그게 가능한 거였냐? 하긴, 몇 백년 전에도 그런 적이 있긴 했지. 폭주의 아이의 가족이 폭주를 막았던 일이. 하지만 폭주를 스스로 막았다는 얘기는 어디에도 없었다.” “난 수 천 년 간의 비밀과 그 최후는 알아. 내 동생은 그 최후의 내용까지는 모르고. 너희의 존재도 몰라. 그러니 내 동생과 더 추억이 쌓이기 전에 끝낼래. 네 친구들을 찾은 다음 끝내자. 내 동생의 기억은… 없앨게. 부모님에게는 남겨두는 게 좋을 것 같아. 적어도 나의 존재를 아는 사람이 한 명쯤은 있어야 하지 않겠어?” 순식간에 드로메드의 눈에 눈물이 고였다.

드로메드의 주특기 중 하나가 다른 이의 기억을 모조리 없앨 수 있다는 것이었다. 자신이 없었을 때처럼 만들어 버릴 수 있었다.

드로메드는 그 능력을 이용해 동생의 기억을 없애려 했다. “아니! 이렇게 끝내면 넌 편할 지 몰라도 남은 이는 얼마나 죄책감에 시달리는 지 아냐? 네 동생을 만나야겠어. 진실을 말해주고 방법을 찾아야 한다. 네가 여기서 사라지면 10년 뒤 똑같은 아이가 또 태어날 거다. 몇 백년 뒤엔 너 같은 아이가 또 태어날 수도 있다고!” 알렉스는 드로메드를 마구 흔들며 외쳤고 드로메드는 그 말에 멍을 때렸다. “주기적으로… 이루어 졌던 거네? 그럼 전에도 이 일이 일어 났겠네?” “그렇지. 너, 일단 밖으로 나간다. 실시.” 알렉스는 인상을 팍 쓸고 드로메드를 끌어 냈다. “잠시만! 난 바깥 사람을 만난 게 처음이야. 여기 이사오기 전에도 그랬고. 지금도 그렇고. 난 우리 집을 벗어난 적이 없어.” 드로메드는 거친 알렉스의 팔을 조심스럽게 붙잡더니 수줍게 말했고 그 말에 알렉스는 벌컥 화를 냈다. “뭐? 밖에 나간 적이 없다고? 그걸 지금 말이라고 하냐? 바깥 활동이 얼마나 중요한데! 그렇게 놀지 못하는 건 지옥이나 다름없다!"

드로메드는 또 한 번 놀랐다. 몇 년 만에 만난 바깥 사람이 이렇게 과격한 사람이라니. "어… 너에게는 그게 낙일지 몰라도 난 아니야. 난 체력과 몸이 약해. 그렇게 노는 건 꿈도 못 꾼다고. 그나저나 가족이랑 친구들 찾는다고 그랬지. 내가 도와주마. 방법이 어찌 됐든, 네 친구들을 찾아야 뭘 하던가 하지." 드로메드는 이제야 웃으며 알렉스를 툭 쳤다.

알렉스는 의아해했다. "왜 밖에서 못 논다는 거냐? 어떻게 우리 가족과 친구들을 찾을 수 있다는 거냐?" "어휴… 방금 말했잖아. 몸이 약하다고. 그리고 난 그런 것 쯤은 쉽게 할 수 있어." "어떻게 말이냐?" "으… 말투가 너무 어색하네. 그리고 그건 내 마법을 써도 되긴 한데… 그건 확실치 않으니 부모님께 부탁하면 돼." 알렉스는 잔뜩 기대하다가 한숨을 내쉬었다. "야, 네 부모님이 아무리 능력이 좋아도 이 넓은 땅에서 그게 가능하냐?" "뭐래. 부모님께 허락 맡으려는 거야. 동생 찬스 좀 쓰게. 내 동생을 만날 거면 지금 만나자."

알렉스는 지금 만나자는 말에 눈이 휘둥그레졌다. "네 동생? 지금?" "응. 내 쌍둥이 동생 옐로이즈. 걔가 물건이나 사람 찾는 거 되게 잘해. 왜인지는 모르겠지만… 물건을 하도 많이 잃어버려서 그런가? 마법을 써서 주변에 사람의 인기척이 있는 지 찾는 거야. 그 마법은 범위가 넓어 사람 찾기 진짜 좋아. 근데 부모님께서 엄격하셔서 허락을 꼭 맡아야 되기는 한데. 걱정 말아라. 무조건 찾을 테니. 네가 내 친구라고 하잖아? 부모님 반응이 엄청 좋을 걸.” “어… 근데 우린 오늘 처음 만나지 않았냐?” “그렇다고 친구가 아니란 법은 없지. 어때? 내 첫번째 친구가 되어주겠니? 너라면 의지하고 좋아할 수 있을 것 같아.” 드로메드가 알렉스에게 손을 내밀었다.

그러면서 드로메드는 생각했다. ‘신이시여. 그래요, 이 저주를, 이 잔혹한 끈을 끊어줄 칼이 제 앞에 나타났습니다. 이제 더는, 더는 괴롭지 않겠죠. 이 아이와, 새로운 아이들과 함께하면!’ 하고 말이다.

평소의 알렉스 같으면 단칼에 거절했을 것이다. 자신의 친구는 데이비드와 타우밖에 없다고 생각하고 있었으니까. 그렇지만 이때만큼은 이 손을 거절할 수 없었다. 드로메드는 자신과 똑같이 아픈 과거를 가진 사람이고, 무엇보다도 처음 드로메드를 만났을 때 드로메드의 눈을 보고 알렉스도 드로메드처럼 느꼈었다. ‘신이시여. 당신은 오늘 날 두 번 놀라게 하시는군요. 처음엔 나에게 지옥을 겪게 하더니 이번엔 나에게 천사를 내려 주셨습니다. 당신의 뜻, 잘 알겠습니다.’ 라고… 진짜 신이 이렇게 말 한지는 알 수 없으나 드로메드와 알렉스 모두 신을 믿는다는 건 확실하다. 아마 그 신은 대마법사 베르테일 것이다.

알렉스는 확신에 찬 얼굴로 드로메드의 손을 잡았다. “나도 마찬가지다. 앞으로 너와 함께할 모든 일들, 정말 기대되는군.” 드로메드는 얼굴에 기쁨이 흘러 넘치더니 감격해서 순식간에 밖으로 나갔다. 부모님께 이 기쁜 소식을 알리려고 가는 거였다.

드로메드의 부모님은 자기 아들이 이렇게 먼저 나서는 게 처음이었고 드로메드가 알렉스를 나쁜 사람이 아닌 좋은 친구로 받아들였다는 사실에 너무

기쁜 나머지 적극적으로 찬성하셨다. "그럼 당연하지! 안 다치게만 조심하면 얼마든지~" 드로메드의 부모님은 환하게 웃으셨다.

"엄마! 아빠! 내 의견은 생각 안 해요? 난 싫다고요! 내 친구도 아니고 오늘 처음 만났는데 내가 굳이 도와줘야 해요? 나 걔 이름도 몰라요!" 그러나… 감동도 잠시, 환하게 웃는 드로메드와 부모님의 옆에는 귀엽고 파란 눈을 가진 여자아이가 있었다. 잔뜩 화가 난 채로.

5. 옐로이즈

"난 싫어요! 분명히 말하는데 난 하고 싶지 않아요." 알렉스는 당황했다. 드로메드의 손에 이끌려 밖으로 나왔더니 자신의 앞에 여러 사람들이 있다. 둘은 웃고 있고 하나는… 무서운 눈으로 알렉스를 노려보고 있다.
"오빠! 머리가 어떻게 된 거야? 평소에 그렇게도 낯선 사람을 싫어하더니 집에 데려와서는 저 사람을 위해 내 능력을 사용하겠다고? 그건 말도 안 돼! 그리고 쟤가 오빠 친구라면 나한테 말은 해줬어야지!" 여자아이가 소리치고 드로메드는 알렉스에게 상황을 차근차근 설명해 주었다. "에휴… 너무 놀라진 마. 아까 말했던 내 동생이야. 이름은 옐로이즈. 평소에는 착한데 낯선 사람만 만나면 조금 사나워져. 그래도 내 부탁이면 들어줄 거야."
"어… 저기 드로메드. 조금 사나운 게 아닌 것 같다. 많이 무서운데?" 알렉스는 당황했다. 물론 갑작스레 옐로이즈를 만나 당황한 것도 있지만… "내가 아까 올라오면서 유심히 봤는데 사람의 흔적은 하나도 없었다. 그리고 여자애의 흔적은 더더욱 없었단 말이다…" 이런 이유도 있다.
"음… 옐로엔이 성격이 좀 활달하고 괄괄하고 뛰어노는 거 좋아하고… 나랑은 반대야." 드로메드가 어렵사리 설명을 했다.
그러자 알렉스의 눈빛이 바뀌었다. '오? 뛰어노는 걸 좋아한다니.' 하지만 들뜬 마음도 잠시, 알렉스는 평소로 돌아와서 옐로이즈의 모습을 찬찬히 뜯어보았다. 잔뜩 화난 여자아이는 긴 머리칼에 가벼운 흰색 티셔츠와 청바지를 입고 있었다. 눈색깔은 신기하게도 파란색이었다.

아, 드로메드가 알렉스의 생각을 읽을 수 있다면 알렉스의 머리칼과 눈 색이 더 신기하다고 말했을 것이다. 알렉스는 자신이 원하거나 기분에 따라 머리색을 바꿀 수 있을 뿐만 더러 눈 색은 얼음처럼 반짝이는 은색이었기 때문이다. 그렇지만 무엇보다도 모두의 이목은 지금 여자아이, 엘로이즈에게 집중되고 있었다.

엘로이즈는 지금은 화가 나 있는 상태였는데도 불구하고 그 눈빛은 선하고 뚜렷했으며 엄청난 호기심이 느껴졌다. 나빠 보이지 않는 눈빛과 얼굴이었지만 친해지면 피곤할 정도로 끌려 다닐 것만 같은 이미지였다. 하지만 지금 당장 알렉스는 엘로이즈가 정말 무서웠다. 엘로이즈는 이 중요한 사실을 늦게 알려준 드로메드와 난생 처음으로 자신을 제외한 다른 사람이 드로메드의 관심을 받게 되어 너무 화가 나서 당장이라도 달려들 것만 같았고 이런 상황에서 엘로이즈의 동의를 얻어낸다는 것은 쉬운 일이 아니었다. (드로메드와 알렉스는 막 만났으므로 말할 시간이 없었다. 드로메드는 일을 빨리 진행시키는 것을 좋아했다.)

드로메드의 부모님이 설득해 보았지만 그것도 소용이 없었다. 이미 엘로이즈는 화가 머리 끝까지 난 상황이었다. 그렇게까지 화낼 일은 아니지만 이 당시 드로메드, 알렉스, 엘로이즈는 매우 어렸다. 아무것도 아닌 일에도 화르륵 화를 냈다. "다시 말하는데, 내가 이번에 당신을 도와주는 일은 없을 거야! 당신은 나에게 배신감과, 모욕감과 수치심을 줬어! 그것도 엄청 많이!

괜한 소리 말고 빨리 돌아가! 여기 계속 있다간 나도 내 행동에 책임을 못 질 수 있어!" 엘로이즈는 버럭 소리를 질렀고 알렉스는 해명을 했다. "난… 돌아가고 싶어도 돌아갈 곳이 없는데?" 그리고 드로메드에게 물었다. "쟤, 저거 드라마 대사 말한 거 아니냐? 어디서 많이 들어봤는데…" "맞아. 요즘 부모님 보시는 드라마에 빠져서 짜증날 때마다 저러더라고. 그리고 내게 생각이 있어." "뭔 생각?" "이건 진짜 성공률 100%야. 내 방 불 켜줄 테니까 거기서 좀만 기다려. 너무 놀라진 말고. 지금 너 넣어 놓을 만한 데가 여기 밖에 없어서 그래." 이 말을 끝으로 알렉스는 드로메드의 방으로 들어가고 엘로이즈와 드로메드는 말을 나누기 시작했다.

6. 친구 찾기 대작전!

알렉스는 드로메드의 작전에 방해가 된다며 등을 떠밀려 드로메드의 방에 들어왔다. 알렉스는 드로메드의 방문을 열었고 한 발을 내딛는 순간 탄식과 탄성을 내뱉었다.
그도 그럴 것이, 방엔 먼지 한 톨 없었고 어디로 고개를 돌리나 칼각, 칼각, 칼각 뿐이었다. 어디하나 흐트러진 곳이 없었고 지나칠 만큼 깨끗했다.
어느 방에나 있듯이 침대가 있었고, 책장이 6개나 됐다. 그 안의 책들은 모두 깨끗하게 정리되어 있었다. 고풍스러운 어느 왕족의 방 같았다.
여기까지만 보면 드로메드의 방은 참 완벽하다고 볼 수 있다. 그래, 이 방에는 문제가 있었다. 무엇보다 드로메드의 방에는 줄이 마구 헝클어져 내팽개쳐 있었다. 드로메드의 머리카락과 옷자락으로 보이는 정체불명의 물체도 떨어져 있었다. 큰 책장은 왜인지 삐뚤어진 채로 앞으로 나와 있었다.
이상 방을 살펴보지 않아도 알렉스는 알 수 있었다. 방금 만난 친구가 줄에 묶여 있었고 나오기 위해 몸부림쳤다는 걸. 그리고 그건 아까 드로메드가 말한 그 저주라는 걸. 나를 포함한 우리 모두와 연관이 되어있다는 것. 이 슬픈 사실이 바로 천하의 알렉스가 울컥하고 탄식을 내뱉은 이유일 것이다.
그렇게 알렉스는 잠시 가만히 서있었다. 자신들의 신세와 정해진 운명을 원망하고 한탄하며 절대 그렇게는 안 될 거라고, 운명은 바꾸라고 있는 거라고 다짐했다. "은색 머리? 이제 나와도 돼. 친구 찾으러 출발!"
알렉스의 이런 마음을 아는 건지, 모르는 건지 갑작스레 옐로이즈가 들어왔다. 좀 전과는 다른, 밝고 씩씩한 모습이었다. 하지만 그 모습은 오래가지 못했다.
옐로이즈 역시 이 방에 들어온 건 처음이었고 충격적인 장면에 놀라 입을 다물지 못했다.
"거기 들어가면 안 돼!" 때마침 드로메드가 도착했고 옐로이즈와 알렉스를 끌어냈다.
"아니 넌 거기 왜 들어가… 오빠가 들어가지 말랬잖아. 넌 이해 못하는 그런 게 있어. 나중엔 크면 알려줄 테니까 제발 오빠 방 좀 들어가지 마. 궁금한 건 알겠는데… 자꾸 이러면 오빠도 곤란해." 드로메드는 옐로이즈에게 따끔한 경고를 주었다.
하지만 이미 충격을 받을 대로 받은 두 사람은 멘탈이 어느 정도 나가 있었고 드로메드는 해명을 시작했다. "저건 내가 날 묶은 거야. 강제로 묶여 있던 거 아니니까 괜한 오해 좀 하지 말고 사람들이나 찾으러 가자. 지금도 늦었는데 더 늦으면 해 져서 우리 밖에 나가지도 못해." 어느 경우에도 평정심을 잃지 않고 늘 똑같은 상태인 알렉스는 가족 이야기에 고개를 끄덕였고 옐로이즈 또한 무슨 일이든 가볍게 넘어가는 편이라 금세 원래대로 돌아오게 되었다.
때가 되면 알려주겠거니 하고. 드로메드가 이렇게 완강하게 나오면 천하의 옐로이즈라도 어쩔 수가 없었다. 그렇게 진을 뺄 바에는 차라리 나중에 자연스레 아는 게 나았다.

드로메드가 해명하자 옐로이즈가 말을 꺼냈다. "아이고, 오라버니. 제가 이런 일로 충격 받을 사람입니까? 오라버니 말씀대로 충분히 늦었으니 빨리 빨리 갑시다! 그나저나 은색머리? 우린 불 났던 너희 집이 어딘지 모르니까 네가 앞장서." 옐로이즈는 알렉스에게 앞장서라고 말했고 알렉스는 머리를 긁적였다. "그게… 그냥 막 걸어와서… 우리 집으로 가는 방향이 어디었는지 기억이 안 난다. 프로아나였다는 것 밖엔… 미안." "뭐? 야 은색머리! 그렇게 중요한 걸 까먹으면 어떡해!" 옐로이즈는 소리를 빽 질렀고 드로메드는 후후 웃었다. "옐로엔, 진정하고. 그건 내가 알려 줄게. 얘는 은색 머리가 아닌 알렉스야. 알렉스는 프로아나 맨차이어의 라히츤 산맥 정중앙에 집을 짓고 살았어. 정중앙이라고는 하나 비교적 낮은 곳이라 가파르진 않으니까 빨리 갈 수 있을 거야." 드로메드는 알렉스가 살던 곳을 정확하게 맞추었다. 이렇게 자세한 건 알렉스도 몰랐던 사실이다. 급하게 이사오는 바람에 본인이 프로아나의 산에 산다는 것만 알았지 맨차이어주의 라히츤 산맥이라는 것까지는 알 수 없었다. 그 산에 별장을 지었을 때 우리 가족은 모두 힘들었었으니까.

"프… 뭐?" 옐로이즈는 어리둥절한 표정을 지었고 알렉스도 고개를 갸우뚱했다. "자자, 자세한 건 가면서 설명 할 테니까 가자." 드로메드의 말에 두 사람은 움직였고 드로메드는 차근차근 설명을 해주었다. "프로아나는 땅 위에 있는 왕국 중 하나야. 험한 산, 낮은 산 등 산들이 많기로 유명하고 다른 나라에 비해 매우 추워. 그래서 겨울 관광사업이 많이 발달한 나라지. 지금 우리가 사는 페디그라드랑 국경을 마주하고 있기도 하고. 프로아나의 정식 명칭은 프로아나 왕국이야. 이건 나랑 네가 일주일 전쯤 배웠던 내용이지. 그런데도 기억을 못하니 다시 공부하도록. 오늘의 숙제야." 옐로이즈는 열심히 경청하다가 마지막 말에 인상을 썼고 알렉스는 감탄했다. "정말 똑똑하군. 타우랑 오늘 둘이 만나면 대단하겠다. 근데 어떻게 알았냐?" 그러자 드로메드의 얼굴이 조금 구겨졌다. "미안하지만… 난 새로운 사람 만나는 게 두려워. 오늘 너랑 만나 친구가 되긴 했지만 하루에 여러 명은 힘들 것 같아. 만나긴 해야 돼서 보긴 할 거지만… 시간을 두고 천천히 하자. 어차피 만난다고 해서 바로 할 것도 아니잖아. 그리고 그건 네 옷에 그을린 흔적을 보면 알 수 있어. 라히츤 산맥에서만 자라는 하야 나무 알지? 그 나무가 타면 폭삭 타버린 케이크 냄새랄까? 그런 냄새가 나거든. 그 냄새를 맡으면 알 수 있어."

옐로이즈는 드로메드가 하야 나무에 대해 설명한 건 하나도 듣지 않고 친구에 관련한 내용만 들었다. 그 반응은 드로메드의 반대였다. "친구? 새로운 애들? 야호! 완전 좋아! 집에만 있다가 오늘 드디어 새로운 애들을 만나는구나! 완전 좋아 빨리 가자! Let's go~" 옐로이즈는 새로운 애들이란 말에 방방 뛰며 좋아했고 동생의 처음 보는 모습에 드로메드는 크게 동요했다. '옐로이즈가… 저렇게 좋아하다니… 하긴, 나 때문에 외출을 못 하긴 했지. 내가 여기서 새로운 친구들을 만나는 걸 꺼리면서 옐로이즈는 좋은 기회를 잃는 거야. 나 때문에 그럴 수는 없지. 암 그렇고 말고. 음… 그럼 좀 다음에… 끝내자. 얼마 남지 않은 시간 동안이라도 네가 행복했으면 좋겠어.' 드로메드는 크게 마음먹었고 고개를 끄덕였다. "그… 그래. 당연히 가야지. 거기까지 가는 지름길을 내가 알아. 날 따라와." 드로메드가 앞장섰고 알렉스와 옐로이즈는 종종걸음으로 드로메드를 따라갔다.

"음… 책에서 지도를 봤는데 그곳엔 우리 집과 맨차이어주의 라히츤 산맥은 30분 정도가 걸려. 빠른 걸음으로 가거나 순간이동 마법을 쓰면 금방 갈 수 있어." "뭐? 순간이동을 할 수 있단 말이냐? 어디 그 실력 좀 보자!" 알렉스는 순간이동이라는 말에 눈을 반짝였고 드로메드는 살짝 걱정했지만 별일 없을 거라며 마법을 걸 준비를 했다. "음… 근데 살짝, 아주 살짝 어지럽거나 울렁거릴 수는 있어. 그럼 시작한다. 순간이동의 마법 레아나 단타!" 드로메드가 마법의 주문을 외우자 드로메드, 옐로이즈, 알렉스는 분홍색, 노란색, 파란색이 골고루 예쁘게 섞인 통로를 빠르게 지나 순식간에 어떤 울창한 숲 속으로 이동하게 되었다. 2초도 되지 않을 정도로 빨랐다. "으아아악! 살려줘! 내가 원한 건 이런 게 아니다아아아!" 하늘에 구멍이 열렸다. 그 구멍 사이로 세 아이가 떨어지고 있었다.

알렉스와 옐로이즈는 소리를 지르며 바닥에 떨어졌다. 드로메드는 익숙한 듯 안전하게 착륙했지만 옐로이즈와 알렉스는 그대로 곤두박질쳐서 엉덩방아를 찧었다. "씁, 아아아!" 알렉스는 갑작스레 느껴지는 고통에 비명을 질렀고 옐로이즈는 훌훌 털고 일어났다. "어휴, 왜 이리 엄살을 떨어? 빨리 가자. 이제부턴 너도 길을 알 거 아니야." 옐로이즈가 핀잔을 주자 알렉스가 자존심이 상해 자리에서 일어난 뒤 앞장섰다. "내 기억이 맞다면 조금만 올라가면 우리 집이다. 여긴 추우니 불은 꺼졌을 거다."

알렉스 일행은 성큼성큼 산을 올라갔다. 지금 세 아이는 너무 바빴지만 주변의 관경은 그걸 모두 잊게 할 만큼 아름답고 신비로웠다. 사방에 얼음 결정과 눈, 하야 나무들이 있었으며 눈 결정들이 빛을 받아 반짝이며 보석 같이 빛나고 있었다. "와! 너무 예쁘다~ 나 이런 데서 살고 싶어! 어? 근데… 사람 소리다. 사람 소리가…" 옐로이즈가 폴짝폴짝 뛰어다니며 나무를 헤집고 다니다가 우뚝 멈춰섰다.

"왜 그래 엘로엔?" 드로메드가 물었다. "오빠는 안 들려? 사람 소리잖아. 남자애야. 음… 주변에 하나 더 있는 것 같아. 둘 다 우리 주변에 있어!" 옐로이즈가 말하자 알렉스가 소리쳤다. "내가 말한 내 친구들이다! 데이비드와 타우. 걔들이… 살아 있어. 신이시여 감사합니다. 가족들도 살아있을 거다." 알렉스는 기쁨에 겨웠고 곧 안도했다. "이렇게 일이 쉽게 풀릴 줄이야… 엘로엔 이쯤에서 네가…" 드로메드는 이 일에 도움을 준 옐로이즈에게 고마워 하며 신호를 줬다. "응! 응! 이젠 나한테 맡겨 둬~"

드로메드가 알렉스와 뒤로 빠지자 옐로이즈가 주문을 외우기 시작했다. "우주가 내리신 축복 대마법사 베르테. 당신의 제자가 선한 일을 하려 하느니 행운과 도움의 손길을 내밀어 주시옵소서… 에스프레시 디에제 에리세!" 에스프레시 디에제 에리세는 옐로이즈가 만들어 낸 주문이다. 물건을 찾을 수 있는 주문 에스프레시와 사람의 숨소리, 말을 들을 수 있는 디에제를 합치고 뒤에 모든 마법을 더 정교하고 강하게 만들어주는 주문인 에리세를 합친 주문이다. 에리세를 뒤에 붙이면 마법 효과는 더 강해지나 힘이 더 빨리 닳기 때문에 위급 상황에만 쓰곤 했다. 옐로이즈가 몇 년 전 만든 주문인데 사람 찾는 데 아주 유용했다. 이 주문으로 범죄자 100여명과 실종자 500여명을 찾았기 때문이다.

옐로이즈가 주문을 외우자 따뜻한 색의 금빛이 산 곳곳에 스며들었다. 그와 동시에 옐로이즈는 각성했다. 머리는 금발로 변했고 푸른 두 눈은 더 짙어졌으며, 옷은 발목까지 오는 긴 하얀 드레스로 바뀌었다. 하얀 드레스를 입고 공중에 떠 있으니 밑에서 올려다보는 사람 입장에서는 마치 하늘에서 내려온 천사를 보는 것만 같았다.

옐로이즈의 손에는 파란 수정 구슬이 달린 지팡이가 들려 있었다. 옐로이즈는 천천히 앞으로 지팡이를 겨누었다. 그러자 놀라운 일이 벌어졌다. 남자아이 둘이 저 멀리서 지팡이에 자석같이 이끌려 눈에 자국을 남기며 옐로이즈 앞에 멈춰 선 것이다.

옐로이즈는 곧바로 각성을 풀고 내려왔다. 두 명의 아이 중 하나는 미친 듯 소리를 지르고 있었다. "우하하하! 야 니들 웃긴다. 넌 소리 좀 그만 질러. 안 해칠게. 약속해." 옐로이즈는 깔깔대며 웃었고 남자아이 둘은 이제야 정신이 드는지 소리를 멈추고 앞을 보았다. "누… 누구세요? 살려주세요…" 두 아이 중 좀 더 작고 아까 소리를 지르던 아이가 물었고 다른 아이는 날카롭게 드로메드와 옐로이즈를 쳐다보았다.

그러다가 알렉스를 보고는 약속이라도 한 듯 뛰쳐나갔다. "알렉스!" "살려줘!" 알렉스는 두 아이를 똑바로 세워 몸을 돌렸다. "끙… 야, 은인한테 인사는 해야지." "은인?" 둘이 동시에 물었다. "그래 은인. 얘는 타우, 얘는 데이비드. 타우는 머리 천재. 데이비드는 양궁 천재." 알렉스가 짤막하게 이름 소개를 했고 드로메드는 어색하게 손을 흔들었다. "어… 안녕? 난 드로메드야. 만나서… 반가워." "와! 신기하다! 눈이 초록색이네? 너 활 잘 쏴? 나도인데!" 반면에 엘로이즈는 눈을 빛내며 반갑게 인사를 했다. "합리적으로 생각하고 신중히 조사한 바에 의하면, 상황 설명이 좀 필요… 하겠다 그치?" 데이비드가 말했고 타우도 두 아이가 나쁜 사람이 아니라는 걸 인지했는지 고개를 끄덕였다. "말하자면 길지만, 대충 요약을 해보자면…" 드로메드는 산에서 내려오며 지금까지 일어났던 일을 요약해서 설명해주었다. "아, 그러니까 알렉스랑 너랑 만났고 친해진 뒤에 엘로이즈까지 합세해 우릴 찾았다, 그건가?" 타우가 긴 이야기를 한 문장으로 정리했고 드로메드는 세차게 고개를 끄덕였다. "드로메드, 엘로이즈! 고맙다." 데이비드가 웃으며 악수를 청했고 드로메드는 손을 잡으며 묘한 느낌을 받았다. 기쁨인지, 슬픔인지 알 수 없었다. 엘로이즈도 마찬가지였고. 알렉스를 제외한 모두가 추워했기에 일행은 프로아나를 벗어 났고 집이 가까워 계속 만나며 둘도 없는 친구들이 되었다.

7. 진정한 친구

"그때 나 진짜 당황 했었는데. 네가 더 놀라긴 했었겠다만." 알렉스가 피식 웃으며 드로메드를 쳐다보았다. 고개를 돌려 드로메드를 보는 순간 알렉스의 눈동자는 매우 커졌다.

"너 울어?" 드로메드는 고개를 숙인 채 조용히 울고 있었다. "어… 왜 울어?" 알렉스는 낯선 드로메드의 모습에 당황했고 어쩔 줄을 몰라 했다. 가까운 사람이 우는 걸 너무 오랜만에 봤기 때문이다. 자기 자신도 안 울뿐만 더러 주변 사람들도 알렉스처럼 잘 버티고 참는 성격의 사람들이 많았기에 알렉스는 드로메드와 처음 만났을 때 이후로 몇 년 동안 사람 눈물을 본 적이 없다.

또한 알렉스도 울어본 적이 정말 오래전이었다. 그래서 더 당황했고. "…때가 다가오고 있는데 해결 방법은 없어 그것 밖엔… 그때 그냥 끝낼 걸… 이젠 진짜 포기해야 되나…" 드로메드가 울먹이며 말했고 알렉스는 그 말을 듣자마자 입을 꾹 다문 채 드로메드를 뚫어져라 보았다.

"하… 짜증나." 알렉스가 차갑게 말했고 드로메드는 살짝 놀랐지만 저도 모르게 다시 되물었다. "짜증난다고. 포기하려는 네 마음이." 드로메드는 고개를 푹 숙이더니 갑자기 확 눈을 치켜들었다. "그럼 어떻게 해야 되는데? 어떻게 해야 단 하나의 희생도 없이 해피엔딩으로 끝날 수 있냐고! 지금까지 가능성이 있었던 적이 한번이라도 있었어? 있었냐고. 나도 조절이 안 된단 말이야. 내 속 어둠을 잠재우고 싶은데 안 된다고. 폭주 징조가 나타날 즈음엔 내 몸이 내 맘대로 안 돼. 죽고 싶을 만큼 아프고 움직이지도 못하겠어. 넌 몰라 내 마음… 그리고, 너희도 만날 시도 했지만 할 때마다 다치기만 했잖아. 타우가 이겨내야 해. 그런다 해도 가능성이 100%가 되지는 않지만…" 드로메드가 처음에는 화를 내더니 힘 없이 웃으며 알렉스의 화난 얼굴을 정면에서 바라보았다.

화난 친구의 얼굴을 보는 건 힘든 일이었지만 드로메드는 꿋꿋이 알렉스와 눈을 맞추었다. "지금 여기서 포기하려는 건, 널 경멸하고 무시하던 사람들에게 당신들이 옳았다고 말해주는 것과 다를 바가 없다. 그런데도 포기할 거냐? 그리고, 그때 네가 포기했으면 지금의 내 모습과 다이노원정대도 없어." "방법이… 방법이 없어… 내 인생에서 행복이란 눈을 씻고도 찾아볼 수 없어. 조그마한 행복의 기분을 느낄 때마다 더 큰 불행이 날 집어 삼켰으니까!" 드로메드가 절망한 표정을 지으며 소리를 질렀다. 놀라 다가오는 알렉스의 손길도 뿌리쳤다. 주먹을 꽉 쥐고는 절대 풀지 않았다. 처음 친구들을 만났을 때를 생각하니 더 속상한 듯 했다. "제발! 야, 내가 항상 너 이럴 때마다 그랬지. 과거를 잊지 말되 과거에 잡혀 있지도 마 제발… 미래를 향해 나아가야지. 시간이 없다 해도, 방법이 보이지 않는다 해도 시도라도 해봐야지!"

알렉스는 머리색이 붉은색으로 변해져 있었다. 화가 났다는 뜻이었다.

하지만 분노에 못 이겨 부들부들 떨고 있는 친구를 보자 금방 화가 누그러졌다.

끔찍한 침묵이 몇 분 째 흘렀다. 둘 다 이렇게 언성을 높여본 건 처음이었다. 단순한 싸움도 아니고 누구의 잘못도 아니었다.

그렇게 몇 분의 침묵이 흘렀다. "이건 네 잘못이 아닌데 화내서 미안해. 그냥… 너무 속상해서 그랬어." 어색한 분위기를 먼저 깬 건 알렉스였다. 알렉스는 사과하면서 드로메드의 눈물을 닦아주었다.

드로메드도 우는 걸 멈췄다. "시도라… 몇 천년 동안 못 막았던 일을 흐윽… 우리가 해내야만 하는 거네. 그것도 꼭. 안 그러면… 흐윽, 큰일 나니까." 드로메드는 울먹이며 웅얼거렸다. "그걸 이제 알았어? 난 한참 전부터 알고 있었는데." 알렉스가 화를 내는 바람에 드로메드는 같이 화를 냈다.

드로메드는 오늘 난생 처음으로 다른 사람에게 화를 내었다. 그만큼 감정이 북받쳐 올랐기 때문이다. 알렉스는 친구 사이에 그런 분위기가 조성되는 걸 정말 싫어해서 심각했던 분위기를 풀려 했다. 하지만 딱히 할 말이 떠오르지 않아 가만히 있었다. 드로메드는 바람을 맞으며 눈을 감았다. 너무 복잡했다. '우린 못해. 아니, 난 못해. 절대 성공할 수 없을 거야. 절대 다가오는 것을 막을 수 없을 거야.' 라는 생각과 '아니, 친구들이 옆에서 든든히 있어준다면 그 어떤 일이라도 할 수 있어. 신뢰와 우정, 사랑의 힘은 강한 법이거든.' 이라는 생각이 계속 갈등을 일으키고 있었다.

도저히 한 가지로 좁혀지지 않는 생각들에 드로메드는 너무 힘들었다. 이 잔인한 세상에서 아무 걱정과 슬픔이 없는 곳으로 사라지고 싶었다. 왜 하필 많고 많은 사람들 중 나만 이럴까.

하지만 그런 생각이 들때마다 전에는 엘로이즈가 지켜주었고 지금은 가족 같은 친구들이 곁에서 그런 생각을 하지 않게 도와주었다. 이 세상의 사람들을 위해서라도, 친구들을 위해서라도, 동생을 생각해서라도 드로메드는 여기서 포기하면 안 되었다. 알렉스 말처럼 과거를 잊지 말되 과거에 잡혀 있어서도 안 됐다. 계속 넘어지더라도 다시 일어나 앞으로 나가보려는 시도라도 해야 했다. 계속 일어나 앞으로 가야지만 목적지에 도달할 수 있었다. 그렇게 드로메드와 알렉스는 아무 말도 하지 않은 채 여러 생각들을 했고 어떤 하루보다도 의미가 있는, 소중한 날을 무사히 보냈다.

부록

다이노원정대의 규칙

다이노원정대의 규칙

1. 민간인은 공격하지 않는다. (무기를 지니고 있으면 민간인이라 생각하지 않는다.)
2. 힘 없는 동물은 공격하지 않는다. (힘 없는 동물이다. 위험할 경우 길들인다.)
3. 항복하는 적은 용서와 자비를 베풀고, 항복하지 않는 자는 처리한다.
   (단, 명예롭고 정의로운 사람일 경우 즉시 풀어주고 그들의 영역을 다시 침범하지 않는다.)
4. 드로메드가 없을 땐 옐로이즈를, 옐로이즈도 없을 땐 테라의 말을 따른다.
5. 서로 싸우거나 욕을 쓰지 않는다.
6. 일을 하기 전엔 드로메드에게 허락을 받는다.
   (단, 위험하거나 위급한 상황은 제외한다.)
7. 생명을 살릴 수 있다면 목숨도 바칠 수 있다.
8. 일반회의는 3분 이내로, 긴급회의 때는 1분 이내로 모인다.
9. 다이노원정대에 새로운 대원을 들일 땐 5개의 시험을 봐야 한다.
   (*다이노원정대의 시험 부문 참고*)
10. 훈련시간은 1시간이며 일주일에 적어도 4번 이상 한다.
11. 적에게 절대 등을 보이지 않는다.
12. 대장, 부대장 말은 따르되 용건이나 의견이 있으면 언제든 자유로이 말한다.

부록

다이노원정대의 시험

다이노원정대의 시험

첫번째 시험

테라가 주관한다. 위급 상황에 얼마만큼의 의지로 버틸 수 있는지, 공격을 매끄럽게 잘 할 수 있는지, 빈틈을 정확하게 노릴 수 있는지, 상대방이 공격해올 때 피하고 역으로 공격할 수 있는지 등을 알아보는 시험이다. 다이노원정대의 실력자 테라가 주관하는 만큼 어렵다. 98점 이상을 받아야 다음 시험으로 넘어갈 수 있다.

두번째 시험

알렉스가 주관한다. 알렉스가 마법을 쓰며 배경을 바꾸고 도전자들의 공포를 읽어내 그 상황을 재연한다. 마지막으로 주변을 영하로 만든 뒤 추위와 얼음을 견뎌내는 시험을 보게 한다. 인내심 시험이기도 하다. 극한의 추위와 트라우마를 견뎌내야 하는 만큼 가장 악독하고 어렵다고들 한다. 두번째 시험에서 탈락하는 사람들도 많다. 98점 이상을 받아야지만 세번째 시험을 볼 수 있다.

세번째 시험(1)

티라가 시험을 본다. 세번째 시험의 규칙은 가장 간단하고 실제로 그렇게 보이지만 속은 그렇지 아니하다. 이 시험은 티라와 1000미터 달리기를 하되 절대 시간이 3초 이상 벌어지면 안 된다. 길을 따라 달리는 짧은 시간 동안 티라를 따라잡을 수 있는 방법을 생각해내야 하는, 두뇌력과 순간 대처를 잘할 수 있는지 본다. 티라는 무시무시하게 빠르기 때문에 아무리 머리를 잘 써도 세번째 시험을 통과하지 못하는 경우도 있다.

세번째 시험(2)

상황에 따라 시험 1과 2 둘 중 하나를 선택해 시험에 든다. 장소가 녹록치 않거나 티라의 몸 상태가 좋지 않을 경우 데이비드가 시험을 주관한다. 데이비드는 여러 불화살과 각종 마법 화살을 참가자에게 쏘며 그들이 얼마나 화살을 잘 피하면서 마법의 효력을 무마시키는지 자세히 관찰한다. 화살을 피해야 하니 민첩성과 마법의 효력을 무마시키는 상당한 실력, 어떤 마법을 써서 화살 마법의 효력을 없애야 가장 효율적인지를 짧은 시간 안에 생각하는 두뇌력을 테스트한다. (1)과 비슷한 부분을 보는 시험이다.

네번째 시험(1)

옐로이즈가 주관한다. 시험을 보는 방에 들어가면 옐로이즈가 마법을 건다. 그 마법은 알렉스의 시험과 유사한 마법으로 마법에 걸리면 자신의 안 좋은 경험이 끝도 없이 반복된다. 이것이 두번째 시험과 조금 다른 면이라 할 수 있겠다. 시험자가 자신의 트라우마를 얼마나 이겨내고 극복하느냐에 따라 점수가 주어진다. 98점 이상의 점수를 받아야 마지막 시험을 볼 수 있다.

네번째 시험(2)

마찬가지로 옐로이즈가 주관한다. 하지만 (1)과는 방법이 다르다. 세번째 시험과 마찬가지로 상황에 따라 (1)을 할지 (2)를 할지 달라진다. (2)는 옐로이즈가 트라우마를 떠올리게 하며 심리적인 공격을 한다. (1)에서는 방에 들어가 마법이 걸린 향을 맡아야만 하지만 (2)는 옐로이즈가 아무런 예고 없이 공격한다. 안 좋은 트라우마를 끄집어 고통스럽게 옥죄고 육신을 공격해 쓰러지게 만드는 시험이다. 트라우마에서 벗어나고 육신에 가해지는 공격도 막아야 통과다. (2)는 점수 제한은 없고, 엘로이즈의 주관에 따라 자격 여부가 주어진다.

마지막 시험

다이노원정대의 대장 드로메드가 주관한다. 이 시험은 두가지로 나뉘어져 있다. 첫번째로 드로메드가 위에서 마구잡이로 공격을 퍼붓는다. 처음에는 공격의 강도가 약했다가 시간이 갈수록 강해진다. 이 첫번째 시험과 두번째 시험은 연결되어 있고 두번째 시험은 드로메드의 시험을 막아야 통과이다. 물론, 아직까지 성공한 사람은 아무도 없다.

부록

노르아덴의 나라들

노르아덴의 나라들

지하

아레폴리스 : 지하의 유일한 왕국이다. 정식명칭은 아레폴리스 왕국이다. 아틴 사막에 존재했던 유일했던 지하의 왕국이었다. 400년전까지 존재 했었고, 다른 나라와 교류를 별로 하지 않고 지냈지만 어느 순간 갑자기 사라지며 그 흔적이 남지 않게 되었다.

하늘

트라이나 : 하늘의 왕국 중 하나다. 정식명칭은 트라이나 왕국이다. 영토가 넓고 하늘인만큼 교통수단인 번개를 타고 다닌다. 막강하고 부유하다. 트라이나를 다스리는 아틀라스 왕은 백성을 사랑하는 성군으로 유명하다.

리스트너: 하늘의 왕국 중 하나다. 정식명칭은 리스트너 왕국이다. 옆 나라인 트라이나 왕국에 의해 환경이 열악하다. 지진과 화산, 쓰나미가 자주 일어나고 전염병이 돌기 쉬운 곳이기도 하다. 하지만 그만큼 리스트너 사람들은 강하다.

바다

사이리덜 : 바다의 왕국 중 하나이다. 정식명칭은 사이리덜 왕국이다. 바다의 왕국 중 가장 역사가 오래되었다. 히슨 가문이 700년째 왕국을 다스리고 있으며 험난한 지형 덕에 단 한 번도 공격받지 않았다. 아름다운 궁전이 많아서 관광지로도 유명하다.

프리다알: 바다의 왕국 중 하나이다. 정식명칭은 프리다알 왕국이다. 바다의 왕국 중

가장 군사력이 막강하며 바다뿐만 아니라 다른 나라와 영토 전쟁도 많이 하고 문제도 많은 왕국이었다. 현재까지도 강한 군사력과 힘을 갖추고 있어 이웃 나라가 함부로 넘보지 못한다.

아리덴 : 바다의 왕국 중 하나이다. 정식명칭은 아리덴 왕국이다. 대를 이어서 왕국을 다스려야 하는 후계자가 실종되었고 그 탓에 멸망했다. 왕과 왕비는 왕국의 후계자를 아직도 애타게 찾고 있고 백성은 모두 떠나버렸다. 주인 없는 땅으로 남아있다.

스테쿠나 : 바다의 왕국 중 하나이다. 정식명칭은 스테쿠나 왕국이다. 인어, 세스 (*노르아덴의 생물 부문 참고*) 등 아름답고 위험한 바다 생물들의 서식지가 많이 분포되어 있는 곳이기도 하다. 그래서 밤 9시가 넘어가면 스테쿠나의 사람들은 외출하지 못한다.

프리타니아 : 바다의 왕국 중 하나이다. 정식명칭은 프리타니아 왕국이다. 바다의 왕국 중 가장 역사가 짧다. 안타센드 가문이 90년 동안 왕국을 다스리고 있다. 교육률이 높아 프리타니아의 학교에 다른 나라의 유학생들이 많이 온다. 학교가 가장 많이 있는 왕국이다. 노르아덴의 마법 학교인 유스테 초등학교도 프리타니아에 있다.

오레벨티오 : 바다의 왕국 중 하나이다. 정식명칭은 오레벨티오 왕국이다. 바다의 왕국들 중에 땅이 가장 넓고 짧은 시간안에 많은 발전을 이룬 왕국이다. 경제적으로도 부유한 왕국이다. 큰 도약을 이루기 전까지는 바다의 왕국에서 가장 못사는 왕국이었다.

루테나울 : 바다의 왕국 중 하나이다. 정식명칭은 루테나울 왕국이다. 바다에서만 나는 진주, 아쿠아 다이아몬드 등 진귀한 보석들이 많이 나고 광산이 많다. 보석의 나라라고도 불린다. 천연자원이 많이 묻혀져 있는 곳이기에 자주 침략을 당해 전쟁의 상

처가 남아있는 왕국이다.

알바다넬스 : 바다의 왕국 중 하나이다. 정식명칭은 알바다넬스 왕국이다. 바다의 왕국 중에서 마법을 쓰는 벤트 아이가 가장 많이 사는 왕국이기도 하다. 여왕과 여왕의 아들, 그 아들의 딸이 지금 알바다넬스를 다스리고 있는데 3세대에 걸쳐 모두 신비한 마법을 썼다.

땅

메디니아 : 땅 위의 왕국 중 하나이다. 정식명칭은 메디니아 왕국이다. 땅 위의 왕국 중에서 가장 영토가 넓다. 다이노원정대가 사는 왕국이기도 하다. 옛날의 문화재와 문화가 잘 보존되어 있고 박물관과 미술관이 굉장히 많아 관광객의 수가 꾸준히 늘어나고 있다.

페디그라드 : 땅 위의 왕국 중 하나이다. 정식명칭은 페디그라드 왕국이다. 드로메드와 옐로이즈의 고향이다. 다른 나라에 비해 영토가 작지만 비옥한 땅이 나라의 대부분을 차지해 옛날부터 농업이 많이 발달했다. 노르아덴의 중간에 위치해 있으며 대마법사 베르테가 정착한 곳이다. 가장 강력한 마법사인 대마법사 베르테의 힘이 남아 있어 그런지 벤트 아이와 마법사들의 마법의 강도가 가장 높은 나라이다.

프로아나 : 땅 위의 왕국 중 하나이다. 정식명칭은 프로아나 왕국이다. 노르아덴에서 가장 추운 나라이자 산이 많은 나라다. 겨울 관광사업으로 굉장히 부유했지만 몇 년 전 왕과 왕비가 망명하며 나라가 망했다. 누구보다도 큰 발전을 이루고 누구보다도 빠르게 사라진 나라이다. 영토만 주인 없는 땅으로 남아 있고 이에 의문을 제기하는 학자는 없다.

스카디나 : 땅 위의 왕국 중 하나이다. 정식명칭은 스카디나 왕국이다. 노르아덴의 나라 중에서 자연이 가장 잘 보존되어 있다. 아름다운 자연 속에서 여러 종류의 동물들이 어우러지며 살았지만 서서히 멸망해 가다가 지금은 자취를 감추었다. 역사학자들은 스카디나 왕국의 비극에 대해 여러 가설을 세우고 있지만 아직까지 확실한 가설은 없다. 주인 없는 땅으로 남아있다.

파타폴리스: 땅 위의 왕국 중 하나다. 정식명칭은 파타폴리스 왕국이다. 동화 속에나 나올 법한 이미지를 갖고 있다. 알록달록한 생물들이 여기에도, 저기에도 존재한다. 노르아덴의 나라에서 동물복지사업이 가장 잘 발달한 나라이다.

루테레이아 : 땅 위의 왕국 중 하나다. 정식명칭은 루테레이아 왕국이다. 덥고 습하며 비가 많이 온다. 한마디로 열대 기후라는 뜻이다. 강수량, 강우량 등이 다른 나라에 비해 월등하다. 열대 과일이 유일하게 생산되는 곳이다.

에스멜레 : 땅 위의 왕국 중 하나다. 정식명칭은 에스멜레 왕국이다. 그들만의 문화와 전통 의상 등이 아직까지 다른 왕국과 섞이지 않고 남아있다. 왕국의 과학과 의학을 책임지던 중요한 가문이 어느 날 사라지며 조금만 다쳐도 큰 위험이 따르는 약한 나라가 되었다.

벨제리엘 : 땅 위의 왕국 중 하나다. 정식명칭은 벨제리엘 왕국이다. 아직 밝혀지지 않은 미스터리가 많은 곳이다. 자연이라든지, 역사라든지. 미스터리들에 대해 아직까지도 활발한 연구가 진행 중이다.

위스터네이드 : 땅 위의 왕국 중 하나다. 정식명칭은 위스터네이드 왕국이다. 바람의 나라로 불린다. 1년 사시사철 바람이 불고 음악이 들리는 아름다운 나라이다. 위스터네이드의 사람들은 음악에 조예가 깊다. 5년에 한 번 보석이 나라를 다스릴 왕, 여왕

을 뽑는 특별한 전통이 있어 한 번도 내부 분열이나 외부 침입이 일어나지 않았다.

부록

노르아덴의 특별한 생물

노르아덴의 특별한 생물

세스

바닷속에 사는 아름다운 괴물이다. 자기가 원하는 대로 모습을 바꾸며 바다의 사람들을 꾀어낸다. 주로 해저 동굴에 살며 자기에게 홀린 사람들을 잡아먹는 무시무시한 괴물이다. 주로 스테쿠나에 서식한다.

신워즈

바다에서 사는 생물이다. 동물보다는 식물에 가깝다. 빨강, 주황, 노랑 등 여러가지 아름다운 색을 갖고 있다. 신워즈는 독을 가지고 있는데 이 색이 진할수록 독이 더 강하다. 어린 아이들이 무턱대고 만졌다가는 독에 중독되어 일주일간 고열에 시달리게 된다.

어리일 요정

땅과 하늘에서만 서식하는 요정이다. 15cm정도의 작은 요정이다. 온 몸이 파란색이며 얼굴과 다리, 팔에 반짝이는 점이 5개씩 나 있다. 아이들의 나쁜 마음을 끄집어내 나쁜 행동을 하게 만드므로 부모들은 어리일 요정을 정말 싫어한다.

세칸

지하와 땅, 하늘, 바다에 사는 생물이다. 우주의 수많은 은하 중 한 종류인 우리 은하에 있는 태양계에 속한 지구에 사는 해마에 다리가 4개 달린 듯한 모습이다. 대신 크기는 무척 크다. 달리기가 시속150km/h로 매우 빠르다. 파란색과 흰색 두 가지 색이 있다.

산루

노르아덴의 생물 중 하나이다. 사람에게 입양 되기도 하지만 길에 많이 떠돌아다니는 생활을 하기도 한다. 다 커도 50cm가량의 작은 체구에 귀여운 외모 덕분에 사람들의 반려 동물로 많이 사랑 받는 종이다. 머리는 딱히 좋지 않다.

하우쥔

용의 한 종류이다. 불 같이 타오르는 빨간색 비늘에 긴 목, 포악한 성격을 지니고 있다. 가슴에는 다이아몬드 모양의 무늬가 흰색으로 반짝이며 긴 발톱으로 먹이를 사냥한다. 한번 먹이를 물면 먹이가 죽을 때까지 놔주지 않으며 자극 받으면 극도로 흥분해 날뛴다. 온도가 2,000℃도인 아주 뜨거운 불을 품고 살아서 화가 날 때 불을 화르륵 뿜는다.

그렌하우델

용의 한 종류이다. 옅은 초록색 비늘을 바탕으로 파란 비늘이 목선과 척추를 따라 가시처럼 곤두서있다. 1000c에 달하는 불을 뿜는데 이 불은 이 세상에 있는 물건을 다 녹일 수 있다. 그게 뭐든지 간에. 하우쥔의 불보다는 약하지만 센 강도이다. 가끔 노란 비늘의 그렌하우델도 볼 수 있다. 온순하고 충성심이 높아 길들이면 좋은 친구가 될 수 있다. (드로메드가 키우는 새끼 드래곤이 그렌하우델 종이다.)

드라칸

드래곤의 한 종류이다. 노르아덴에 존재하는 모든 드래곤 중에서 힘이 가장 세다. 특히 날개와 앞다리가 무척이나 발달했다. 대부분의 드라칸은 옅은 하늘색이다. 주로 하늘에서 활동하기에 하늘의 색과 비슷한 색을 띈 것으로 추정된다. 이 힘센 드라칸도 억센 스타베이비즈의 늪에선 빠져나오지 못하고 죽는다.

에이언

드래곤의 한 종류이다. 전설로 불리던 블랙 드래곤 종이다. 지상에서는 이미 멸종되었다는 것이 학계의 정설이지만 놀랍게도 아레폴리스에는 남아 있었다. 비늘은 노란색으로 아레폴리스에 개체 수가 가장 많이 분포했다는 것을 생각해 보면, 아마도 아틴 사막의 모래와 비슷한 색을 띈 것으로 추정할 수 있을 것이다. 그럼에도 블랙 드래곤인 이유는, 에이언이 뿜는 불이 검은색이며 그 불은 뜨겁지 않지만 사람 심장을 서서히 악으로 물들이기 때문이다. 이 현상을 '블라인' 현상이라고 하는데 5년에 한 번 정도 보고될 정도로 극히 드물다. 블라인을 쓰면 에이언도 고통스럽게 때문이다. 연구할 가치가 높은 생물이다.

부록

노르아덴의 전통과 문화

노르아덴의 전통과 문화

버켓

노르아덴의 사람들 모두가 즐기는 가장 대표적인 노르아덴의 전통 스포츠이다. 버켓은 양동이라는 뜻으로 양동이가 골대가 되어 하는 골대형 운동이다. 큰 양동이를 여러 개 가로로 세워 두고 선수들이 경기를 진행 한다. 공을 손과 발을 써가며 우리 팀의 양동이에 넣어야 득점인, 룰은 간단한 운동이다. 이때, 가장 낮은, 땅에 붙어 있는 양동이에 손으로 던져서 공이 들어가면 1점, 발로 들어가면 0.5점이다. 두번째 양동이에서는 발로 들어가면 2점, 손으로 던져 들어가면 1.5점이다. 마지막으로 세번째 양동이에서는 발로 차 들어가면 5점, 손으로 던져 들어가도 5점이다. 마지막에 갑자기 점수가 올라간 이유는 세번째 양동이는 지상 6m에 위치해 있기 때문이다. 아마추어들의 경기에서는 5점 득점을 하는 것이 3년에 한 번 볼까 말까 한 정도이고 프로들이 경기를 진행해도 보기가 힘들다. 보통 한 시즌에 10번도 나오지 않는 경우가 과반수이다. 하지만 어려운 조건에서도 공이 들어가면 그 때의 희열감이 상상할 수도 없이 크기 때문에 사람들은 버켓을 좋아한다. 버켓을 하는 선수들은 한 팀에 10명, 총 20명이 경기를 펼친다. 버켓을 가장 좋아하는 나라는 메디니아와 스테쿠나로 두 나라는 희대의 적수이다. 1년에 한 번씩 각 나라에서는 버켓 리그가 열리고 3년에 한 번씩 B.N.L이 열린다. B.N.L은 Bucket. Noraden. League.의 약자로 해석하면 노르아덴의 버켓 경기 리그 라는 말이 된다.

숨바꼭질 축제

노르아덴의 유명한 축제 중 하나이다. 매년 9월, 각 나라의 수도에서 열리고는 한다. 날짜는 나라마다 다르지만 대부분 9월 12일에 축제가 열린다. 그때는 정말 도시가 아비규환이 되어 버리고는 한다. 정해진 술래는 없다. 사람들이 서로가 서로를 찾고 숨으며 즐기는 축제이다. 일반인들부터, 벤트 아이와 마법사, 왕족까지 다양한 부류가 즐기는 축제이다. 제일 먼저, 참가 신청을 해 술래로 뽑힌 3000명이 수도를 돌아다니며 노란색 해바라기 모양 티셔츠를 입고 있는 사람들을 찾는다. 적발된 사람들은 술래를 뜻하는 태양이 그려진 주황색 티셔츠를 입고 다른 사람들을 찾는다. 숨어 있는 사람들은 자기가 처음 숨은 곳에서 2km이상 멀어지면 안 된다. 대도시에서 펼쳐지는 아찔한 축제는 사람들에게 인기 만점으로, 그날만큼은 회사도, 학교도 문을 열지 않는다. 각 나라의 경찰들은 사람들이 어마어마하게 몰려드는 대도시에서 사람들이 다치지 않게 각별히 조심하며 통제해 한 번도 인명 피해가 발생한 적이 없다. 마지막까지 들키지 않고 살아남은 최후의 1인은 상금 3억에 달하는 돈을 받게 된다. 2등은 1억, 3등은 5000만 원으로 꽤 큰 돈이 상금으로 쓰이고 있다. 다이노원정대 벤은 이 축제에서 3년 연속 1등을 한 적이 있다. 왕실 호위무사의 아들 답게 뛰어난 실력으로 인정 받는 벤은 3년째 우승하던 날 TV 쇼에도 나왔다. 동생 다이아도 2등을 하며 상금 1억을 받았다.

부록

등장인물

등장인물

드로메드

공격력*** 방어력***** 체력* 지식*****

· **속성** : 혼합마법 · **종류**: 델타드로메우스

· **나이** : 12세 · **성별** : 남 · MBTI : INFJ

· **역할** : 대장, 총사령관 (모든 건 드로메드의 지시에 의해 이루어진다.)

· **특징**: 알렉스와 데이비드, 타우의 절친이자 다이노원정대의 강한 대장이다. 체력이 약하다는 단점이 있지만 그 단점을 보완하는 무시무시한 마법을 지녔으며 리더십이 뛰어나 다이노원정대를 잘 이끈다. 이 세상에 있는 마법이란 마법을 다 쓰는데 그 마법은 이 세상 그 무엇보다도 강력하다. 다이노원정대가 탄생되기 전에는 자신이 가진 마법 때문에 자신감이 없었지만 다이노원정대가 탄생한 후에는 그전과 완전히 달라진 새로운 모습으로 즐겁게 생활하게 되었다. 아직 사회에 대해 모르는 게 많지만 차근차근 배워가는 노력파다. 옐로이즈의 쌍둥이 오빠이고 늘 자신을 새롭게 바꿔준 테라와 카르노, 옐로이즈에게 많은 고마움을 가지고 있다. 다정하고 뭐든지 다 받아주는 성격 덕분인지 옐로이즈와 사이가 좋다. 가만히 앉아 차분하게 생각하는 것을 좋아한다. 계획적이고 타이틀하게 사는 걸 좋아해 규칙도 엄하게 지킨다. 다른 아이들이 규칙을 어기면 드로메드에게 호되게 야단 맞는다고 한다. 100% 믿지는 말 것.

옐로이즈

공격력**** 방어력***** 체력*** 지식****

· **속성** : 혼합마법 · **종류**: 델타드로메우스

· **나이** : 12세 · **성별**: 여 · MBTI: ENFP

· **역할** : 부대장

· **특징** : 드로메드의 쌍둥이 여동생이다. 운동 쪽에 특화되어 있고 오빠인 드로메드와 달리 늘 활기차게 뛰어다닌다. 그래서 다이노원정대가 현장에 직접 가야 할 일이 생기면 늘 옐로이즈를 찾는다. 겉모습은 싸움 하나 못하게 생겼지만 사실은 무지막지 강하다. 친화력이 좋으며 지루하고 따분한 것을 세상에서 제일 싫어한다. 가만히 있으면 없는 병도 생긴다나 뭐라나. 이렇게 지루한 걸 싫어하는데 어떻게 그 긴긴 시간 동안 집에만 있었는지 모르겠다. 머리부터 발끝까지 드로메드와는 너무 반대다. 다이노원정대는 옐로이즈를 많이 챙기는데 옐로이즈가 작은 사고들도 많이 치고 똑똑하지만 머리가 천천히 굴러가서 일에 제때 반응을 못하기 때문이다. 오빠인 드로메드랑 같이 태어나서 그런지 그 영향을 받아 여러가지 마법을 쓸 수 있게 되었다.

· **별명** : 레비 (요즘에는 옐로이즈라는 이름 대신 평상시에도 별명으로 부르기도 한다.)

카르노

공격력** 방어력* 체력***** 지식***

· 속성 : 불 · 종류: 카르노타우루스

· 나이 :12세 · 성별 : 남 · MBT I: ESTP

· 특징 : 항상 자신감이 넘쳐 시키지도 않는 일에 무모하게 뛰어드는 참견쟁이다. 모타카와 찰떡 콤비다. 둘 다 쾌활하며 사고뭉치들이다. 거의 모든 것이 똑같다고 할 수 있다. 그래도 이 둘의 다른 점이 딱 두 개 있는데 바로 위기 상황이 되면 처음부터 무서워 숨는 모타카와 달리 늘 365일 단 하루도 빠짐없이 허세를 부린다는 것이다. 하지만 마지막에는 꼭 기가 막히게 아무도 못 찾는 어딘가에 숨는다. 진짜 아주아주 특별한 경우를 빼면. 또 하나는 카르노는 활활 타오르는 불 속성이지만 모타카는 물 속성이라는 것이다. 신기하게도 머리부터 발끝까지 빨간색으로 뒤덮어져 있는데 머리 색깔과 눈동자 색 등은 유전이다. 빨간색을 유난히 좋아하는데 빨간색은 자기처럼 정열에 불타기 때문이란다. 오죽하면 가끔씩 깜짝 놀랄 때 나오는 뿔 역시 빨간색일 정도. 의외로 차 마시길 좋아하는데 가장 좋아하는 차는 홍차이다. 홍차 역시 빨갛기 때문이다. 태어날 때부터 불과는 뗄려야 뗄 수 없는 관계가 되었고 이 때문에 불을 다룰 수 있게 되었다. 하지만 아직 서툴다.

테라

공격력***** 방어력***** 체력****** 지식******

· **속성** : 어둠 (강한 어둠의 마법을 쓰는데 그 마법은 정말 강력하고도 변덕스럽다.)

· 종류 : 프테라노돈

· **나이** :12세 · **성별** : 여 · MBTI : INTP

· **역할** : 전략가

· **특징** : 모든 면에서 뛰어난 다이노원정대의 브레인이자 강력한 인간무기. 드로메드가 가장 믿고 맡긴다. 태블릿으로 온 세상에 일어나는 일을 다 알 수 있다. 위기 상황에서는 테라의 번뜩이는 아이디어로 상황을 모면 할 때가 많고 항상 최고의 해결책을 생각해낸다. 어둠과 빛의 마법 둘 다 사용하는데 평소에는 각자 따로 사용하지만 특별한 경우에는 봉인을 해제하고 각성해 두 힘을 만나게 한다. 그러면 큰 힘을 쓸 수 있게 되지만 고수가 아닌 이상 몸에 큰 무리가 간다고 한다. 그래서 테라는 매일 연습, 또 연습 중이다. 부대장 옐로이즈와는 쿵짝이 잘 맞아서 둘이 환장의 작전을 짜기도 한다. (환상 아니고 환장. 예를 들면 알렉스를 골탕 먹여서 불 같이 화를 내게 한다든지. 그러려면 정말 대환장 계획을 세워야 될 거다.)

· **별명** : 무(서운). 깡(패). (처음 본 인상이 너무 세서 이런 별명이 붙었다. 눈을 부릅뜬 얼굴로 정색을 하고 한번 화를 내면 정말 죽일 듯이 화를 내니 그럴 수 밖에... 물론 테라가 깡패는 아니다.)

타우

공격력*** 방어력***** 체력*** 지식*******

· **속성** : 칼, 혼합마법 · **종류** : 친타오사우루스

· **나이** :12세 · **성별** : 남 · MBTI : ISFP

· **역할** : 과학자, 수문학자, 전략가, 지리학자

· **특징** : 데이비드, 알렉스, 드로메드의 절친이다. 어렸을 때부터 책을 많이 읽어 아는 것이 많다. 다이노원정대에서 4가지 일을 담당하고 있다. 모두 머리를 쓰는 일인데 타우는 연구를 하거나 전략을 짜는 것을 굉장히 좋아하고 그 분야에 재능이 있어 맡은 역할을 아주 잘 해내고 있다. 다정다감한 성격을 지니고 있다. 어렸을 때 어떤 일을 겪었는지는 모르겠지만 그 기억이 꽤 안 좋은 것 같다. 자신이 생각하기에 조금이라도 무섭다고 생각이 되면 그 길로 지나친 두려움에 떤다. 평소에는 밝고 활발하다. 아무리 긴 문장도 간단명료하게 만드는 재주가 있고 카르노와 다르게 오히려 위기 상황에서 머리가 더 잘 돌아간다. 벤의 오랜 친구이다. 그런 만큼 타우에게 무슨 일이 있었는지 아는 사람이 별로 없는 편인데도 불구하고 그걸 알게 되었다. 타우가 책을 읽을 때 건들이면 머리에 축구공이 생긴다고 한다. 모타카가 그 말을 믿지 않으며 실험했다가 정말 머리에 축구공이… 쯧쯧...

알렉스

공격력**** 방어력**** 체력***** 지식****

· **속성** : 얼음 · **종류** : 크리올로포사우루스

· **나이** :12세 · **성별** : 남 · MBTI : INTJ

· **역할** : 훈련 담당, 돌격 대장, 극지 탐험가

· **특징** : 드로메드, 데이비드, 타우의 절친이다. 추위를 아예 못 느끼며 얼음을 자유자재로 다룬다. 머리색이 기분에 따라 바뀌지만 평소에는 은색이고 눈동자의 색 역시 은색이다. 항복하지 않는 적은 무자비하게 공격하며 냉철한 성격 때문에 잘 웃지도 않지만 화도 안 낸다. 그래서 옐로이즈와 테라는 알렉스를 골탕 먹이기 위해 늘 머리를 쥐어짜낸다. 평소 화를 잘 안내기는 하지만 한 번 화가 나면 무시무시하게 변해 보는 재미가 있기 때문. 말투가 딱딱하고 신기하며 늘 표정이 굳어 있지만 누군가를 만나면 완전히 바뀐다. 말이 별로 없고 혼자 있거나 친구들과 대화하는 시간을 가장 좋아한다. 보통 드로메드, 데이비드와는 일 관련 얘기를 자주 하고, 테라와는 어떻게 하면 적에게 더 강력한 공격을 퍼부을까 라는 얘기만 한다. 옐로이즈와는 온갖 얘기를 다한다. 말투가 거칠고 쌀쌀맞다. 그래서 갖은 오해를 사지만 실제 속마음은 다른 사람을 잘 위하고 따뜻하다. 그게 전혀 티가 안 나서 그렇지...

티라

공격력*** 방어력**** 체력****** 지식*****

· **속성** : 바람 · **종류** : 티라노사우루스

· **나이** : 12세 · **성별** : 여 · MBTI : ENTJ

· **특징**: 아르마의 절친이고 겉으로는 약해 보이나 실전 싸움 시간이나 훈련 시간이 되면 180도 돌변한다. 다이노원정대에서 제일 성격이 호전적이고 괄괄하다. 에너지가 끊임없이 솟아나 지치질 않는다. 다들 끊임없는 일 때문에 지쳐 쓰러질 때도 티라는 혼자서만 너무 태평하다. 그만큼 일이 끝도 없이 생기는, 진짜 눈 코 틀 새도 없는 다이노원정대 적응을 가장 빨리 한 것도 티라이다. 바람을 능수능란하게 움직일 수 있으며 활, 창, 칼 등 무기도 자유자재로 다룬다. 달리기가 정말 빠른데 그 실력은 9살에 세계 신기록을 갈아치운 걸로 증명 할 수 있다. 딱히 종목은 없고 뛰라면 다 잘 뛴다. 장거리든 단거리든 티라에게는 중요하지 않다. 그냥 뛸 수 있다는 것 자체가 티라에게 큰 의미가 있는 것 같다. (올라운더) 티라는 그 어떤 일이 닥쳐도 긍정적으로 생각한다. 그 어떤 일이라도 말이다. 자기 옆에서 화산이 폭발하거나 지진이 나고 쓰나미가 덮쳐도 영화 같다며 좋아할 사람이 티라이다.

· **별명** : 전광석화 (너무 빨라서 이 별명이 붙었다.)

아르마

공격력*** 방어력**** 체력**** 지식*****

· **속성** : 식물, 모래 (식물로 방어를 하거나 공격을 한다.)

(모래 바람이나 모래 언덕 등 모래에 관련된 건 무엇이든 할 수 있다.)

· **종류** : 아르마딜로수쿠스

· 나이 : 12세 · **성별** : 여 · MBTI : ISTJ

· **역할** : 지하 수색자

· **특징** : 티라의 절친이고 아는 것이 많지만 소심하고 무뚝뚝해서 자신이 아는 것을 잘 말하지 않는다. 문제는 아르마가 말하지 않았던 여러가지 정보는 항상 쓸모가 있다는 거다. 그때마다 아르마는 말한다. "다음엔 꼭 말할게!" 하지만 다음에도 말하지 않는 게 문제다. 평소에는 말이 별로 없지만 자신이 화나 짜증이 나면 말이 엄청나게 많아진다. 그렇게 말이 많아질 때는 소리도 왕창 커지고 말도 빨라지며 그 눈빛이 장난 아니다. 만에 하나 아르마가 그 눈빛을 쏜다면 절대 바라보지 말 것! 왜냐하면 돌이 되기 때문은 아니고, 그 눈빛을 당하면 몸속의 에너지가 절반 정도로 쪼그라 들기 때문이다. 그래서 다이노원정대는 항상 아르마를 조심, 또 조심한다. 그리고 하늘에 가는 것을 극도로 싫어한다. 왜냐? 아틀라스 왕이 싫어서! 는 아니고 육지에서 사니까 고소공포증이 있어서.

· **별명** : 땅파기 일인자 (지하 수색자이기에 땅을 잘 파고 잘 활용한다. 별명이라기 보다는 놀릴 때 쓰는 말이다.)

모타카

공격력** 방어력** 체력***** 지식***

· **속성** : 물

· **종류** : 옵탈모사우루스

· **나이** : 12세 · **성별** : 남 · MBTI : ESFJ

· **역할** : 수중 탐사자

· **특징** : 물에서 살다 보니 체력이 무시무시하다. 그래서 드로메드에게 힘을 통제하고 잘 다스릴 수 있는 특훈을 받고 있다. 카르노와 찰떡 콤비이며 체력과 힘은 좋지만 겁이 무지무지 많다. 그래서 카르노는 마지막에 숨지만 모타카는 처음부터 숨는다. 다이노원정대의 다른 대원들이 갈 수 없는 물 속 같은 곳을 갈 수 있다. 그래서 수중 탐사는 모타카의 몫이다. 아무리 깊거나 독이 있어도 모타카는 물에 들어갈 수 있으며 신기하게도 아가미가 없는데도 물 속에서 숨을 쉴 수 있는데, 돌연변이로 물고기의 힘(?)이 섞인 것으로 추측된다. 독이나 유해물질이 있어도 숨을 쉴 수 있다. 다이노원정대에서 제일 활달하며 눈물도 많고 감수성이 풍부해 다른 친구들이 속상해 할 때 위로도 굉장히 잘 하는 편이다. 5남매 중 막내여서 그런지 애교가 참 많다. 위급하거나 안 좋은 상황에서 어두운 분위기를 밝게 만드는 힘이 있다.

· **별명** : 모나카 (이름 모타카와 비슷하기 때문이다.)

데이비드

공격력**** 방어력**** 체력**** 지식****

· **속성** : 불, 폭발 (카르노와 다른 종류의 불이며 폭발이 더 맞다고 볼 수 있다.), 강한 혼합마법

· **종류** : 메갈로사우루스

· **나이** : 12세 · **성별** : 남 · MBTI : INFP

· **특징** : 드로메드, 알렉스, 타우의 절친이며 강한 체력을 지녔다. 잘 웃고 활발한 편이다. 하지만 냉철해야 할 때는 냉철함을 잃지 않고, 항상 자신감과 용기를 잃지 않는다. 티라, 벤과 함께 스파이라는 역할을 맡고 있지만 데이비드는 다르다. 벤과 티라가 정보를 캔다면 데이비드는 그 정보를 가지고 행동으로 옮기는 역할을 한다. 예를 들어 동굴에 위험한 물건이 있다 라는 정보를 벤과 티라가 캐내면 그 위험한 물건을 제거하는 건 데이비드라는 것이다. 그리고 정말 위급한 상황에는 데이비드를 보내 정보도 캐내고 일도 깔끔히 처리하게 한다. 주무기는 활이다. 데이비드의 시그니처인 파이어 화살은 위력이 대단하다. 말버릇은 '합리적으로 생각하고 신중히 조사한 바에 의하면' 이고 신조는 '어차피 닥칠 일은 그때 가서 생각하고 지금 걱정하지 말자' 이다. 그 신조 때문에 애를 먹은 적이 꽤 있지만 데이비드는 꿋꿋이 그걸 유지 중이다.

· **별명** : 스파이 (역할도 스파이, 별명도 스파이다. 모든 친구들이 데이비드는 스파이의 기질을 타고났다고 한다.)

아틀라스

공격력*** 방어력** 체력***** 지식*****

· **속성** : 힘 (정말 힘만 무지막지 세다.)

· **종류** : 케찰코아틀루스

· **나이** : 12세 · **성별** : 남 · MBTI : ESTJ

· **특징** : 하늘의 나라인 트라이나 왕국의 왕자다. 드5로메드가 아틀라스를 구해준 것이 인연이 되어 다이노원정대가 되었다. 아틀라스가 다이노원정대가 된 건 엄청나게 든든한 뒷배를 얻을 것이나 마찬가지다. 트라이나 왕국은 부유하고 막강하기 때문이다. 고향인 트라이나 왕국의 막강하니 당연히 그곳의 왕자인 아틀라스도 막강하게 컸다. 아틀라스의 힘은 그 누구도 이길 수 없고 그 누구도 넘볼 수 없다. 다이노원정대 내에서 유일하게 벤트 아이가 아니라 마법을 쓸 수 없지만 그 약점을 덮을 만한 괴력과 힘을 가지고 있다. 오히려 힘이 너무 철철 흘러서 이게 마법이 아닐까 하는 정도이다. 나무를 뿌리째 뽑아내거나 자기 몸무게와 비슷한 무게인 50kg 덤벨을 한 손으로 쉽게 들었다 놨다 할 수도 있다. 키가 183, 몸무게 70로 키와 몸무게 모두 다이노원정대 내에서 최고이다. 알렉스와 다이아, 파르낭 할아버지의 고강도 훈련을 거뜬히 이겨낼 수 있는 대원이기도 하다. 본인은 그렇지 않은 척 하지만 겁이 많다. 또한 다이노원정대의 생활을 아주 만족해 한다. 트라이나에서는 공부할 것과 배워야 할게 너무 많았기 때문이다.

유니아

공격력***** 방어력** 체력****** 지식***

· **속성** : 독, 약간의 혼합 마법

· **종류** : 람포린쿠스

· **나이** : 12세 · **성별** : 여 · MBTI : ESTP

· **특징** : 하늘의 나라인 리스트너 왕국의 공주이다. 어릴 적부터 드로메드의 친구였다. 이 사실 때문에 옐로이즈는 배신감을 느껴서 유니아와 말을 하지 않고 테라는 무슨 이유에선지 유니아를 별로 좋아하지 않는다. 거기엔 유니아의 다소 거친 행동과 지나친 호기심도 큰 몫을 했을 것이다. 다행인 것은 생각보다 옐로이즈와 잘 맞아 조금씩 가까워지고 있다는 것이다. 또한 유니아의 실력은 아무도 무시할 수 없다. 트라이나에 비해 열악한 환경인 리스트너 왕국에서 살아남았고 악독한 다이노원정대의 관문도 4개나 통과했다. 오직 실력으로 여기까지 왔다는 것이다. 그리고 드로메드의 걱정과는 달리 아틀라스와 사이가 나쁘지 않다. 거친 행동을 스스럼없이 하고 승부욕이 강해 의도치 않게 작은 다툼이 생길 때도 있지만 그때도 늘 씩씩하게 문제를 해결한다. 나쁜 행동을 하진 않지만 그런 행동이 불편할 때도 있는 걸 본인이 잘 알기에 고치려 노력하는 노력파다. 독을 이용해 공격을 하는데 유니아는 사람을 포함한 모든 걸 한순간에 사라지게 할 수 있는 독도 만들 수 있다. 독은 아무 소리 소문 없이 날아와 피해를 주기 때문에 범죄 수법으로도 악명이 높다. 소리가 없어 절대 피할 수 없기 때문이다. 독은 1단계부터 5단계까지 있고 5단계가 가장 강한 독이다. (*독의 단계 부문 참고*)

카일

공격력* 방어력*** 체력**** 지식****

· **속성** : 소리, 약간의 혼합 마법

· **종류** : 람포린쿠스

· **나이** : 11세 · **성별** : 남 · MBTI : ISFJ

· **특징** : 하늘의 나라인 리스트너 왕국의 왕자다. 1살 차이임에도 불구하고 어릴 적부터 드로메드를 잘 믿고 따랐다. 거친 누나인 유니아와는 다르게 세심하고 꼼꼼한 스타일이다. 조용하고 예민한 타우와도 잘 맞아서 같이 책을 읽고는 한다. 청결은 생명이라 생각해 늘 씻고 방을 깨끗이 치운다. 막내인 다이아를 유독 귀여워하고 예뻐해서 단숨에 다이아의 최애 오빠가 되었다. 소리, 즉 음파로 공격을 한다. 아주 낮은 목소리로 음을 내면 모든 생명체를 잠들게, 혹은 기절하게 할 수 있고 높은 음을 내면 물건이 깨지거나 가루로 변해 흔적도 없이 사라진다. 먼 거리에서 공격할 수 있기에 꽤나 유용한 기술이다 물론, 사람이나 아군도 마찬가지기에 타우는 얼마 전 카일의 음파에 영향을 받지 않는 새로운 물질을 개발해 냈다. 누나인 유니아는 테라, 옐로이즈와 사이가 좋지 않지만 카일은 모든 형, 누나들은 좋아하고 잘 따르기에 싸운 적도, 사이가 안 좋은 사람도 없다.

벤

공격력** 방어력*** 체력***** 지식*****

· **속성** : 위장술, 벌룬

· **종류** : 살트리오베나토르

· **나이** : 12세　　· **성별** : 남　　· MBTI : ENFJ

· **특징** : 태어날 때부터 스타베이비즈에서 살고 있는 대단한 아이이다. 스타베이비즈에서 나고 자랐는데 이는 동생인 다이아도 마찬가지이다. 적의 눈에 띄지 않게 변장 (위장술)을 잘 하며 몸놀림이 굉장히 빠르다. 이 능력으로 가끔 짓궂게 다른 친구를 놀래 키기도 한다. 하지만 심한 장난은 절대 금물! 다이노원정대에는 3명을 제외하고는 다혈질만 존재한다. 그 3명도 잘못 건드리면 큰일 나니까 조심하도록. 열대우림에 관해서는 모르는 것이 없으며 몸놀림만큼 눈치도 빠르다. 위험한 스타베이비즈에서 사려면 이 능력들은 꼭 필요하다. 만약 눈치도 없고 몸도 느리면 스타베이비즈에 간지 1일 만에 죽을 것이다. 하도 많이 뛰어다니며 스타베이비즈를 다니다 보니 스타베이비즈의 모든 곳을 눈 감고도 다닐 수 있다. 덕분에 장소를 외우는 능력도 다른 친구들에 비해 월등하다. 어디든 한번 가본 곳이라면 다음번엔 구지 찾아보지 않아도 길을 갈 수 있다. 타우의 절친이자 다이아의 친 오빠다. 타우의 오랜 친구이고 최근 다시 재회해 같이 신나게 놀고 있다. 둘 다 놀때만큼은 단순해서 죽이 척척 맞는다. 싸움을 할 때 그 지형을 잘 활용하고 쓴다. 어릴 때부터 습관이 되어 있기 때문이다.

다이아

공격력* 방어력**** 체력***** 지식*****

· **속성** : 전기

· **종류** : 살트리오베나토르

· **나이** : 8세 · **성별** : 여 · MBTI : ESFP

· **특징** : 벤의 친 동생이자 다이노원정대의 8살짜리 막내이다. 그래서 언니, 오빠들의 사랑과 관심을 한 몸에 받고 있다. 나이는 제일 어려도 체력은 최강이다! 절대 지치지 않는 다이아는 늘 다이노원정대에게 비타민 같은 존재가 되어준다. 다이노원정대가 되기 전엔 스타베이비즈의 난폭한 운전사였다. 그 일은 순전히 다이아의 괴력 때문에 한 것이지, 운전 실력이 좋아서 한 게 아니다. 스타베이비즈에서 자라서 그런지 스타베이비즈를 사랑하고 아끼며 소중하게 생각한다. 6살 때 계속 위험한 곳에 가고 높은 곳에 올라가서 외출 금지령을 받은 적도 있다고 한다. 그만큼 호기심이 많다. 언니, 오빠들 중에서는 친 오빠인 벤보다 아르마와 카일, 드로메드, 모타카를 좋아한다. 아르마는 자기와 취향이 잘 맞고, 드로메드와 카일은 자신을 귀여워 해주고 잘 챙겨주는 오빠이고, 모타카는 재미있기 때문이다. 처음엔 모타카를 살짝 무시(?)하는 듯한 말을 했고 지금도 가끔 모타카는 오빠라기 보단 친구로 생각하는 것 같다. 물론 모타카도 마찬가지다. 별명: 어르신 (다이노원정대가 훈련할 때 늘 "아이고, 어르신! 제발… 제발 그만...!" 이라 말한다. 훈련 시간이 지옥의 시간으로 변한 건 다이아 덕분이다.)

스케네 20세 : 리스트너 왕국의 왕이며 교활하고 변장술에 능하다.

아틀라스 20세, 왕비 : 트라이나 왕국의 왕과 왕비이다.

망토1 : 정체불명의 망토를 쓴 자.

망토2 : 정체불명의 망토를 쓴 자.

망토3 : 정체불명의 망토를 쓴 자.

파르낭 할아버지 : 다이노원정대가 처음으로 겪은 사건 (화산이 분화하기 전 미로에서 빠져나가려고 했던 사건)에 큰 도움을 주신, 백년전쟁을 승리를 이끄신 장군. 지금은 유쾌하고 재밌는 할아버지가 되었다.

다이노원정대 I

발행 | 2024년 01월 23일

저자 | 서이현

펴낸이 | 한건희

펴낸곳 | 주식회사 부크크

출판사등록 | 2014.07.15.(제2014-16호)

주소 | 서울특별시 금천구 가산디지털1로 119 SK트윈타워 A동 305호

전화 | 1670-8316

이메일 | info@bookk.co.kr

ISBN | 979-11-410-6847-9

저작권 등록번호 | 제 C2024-001102호

www.bookk.co.kr